INCA GARCILASO DE LA VEGA
COMENTARIOS REALES DE LOS INCAS

EDICIÓN AL CUIDADO DE ÁNGEL ROSENBLAT
DEL INSTITUTO DE FILOLOGÍA DE LA
UNIVERSIDAD DE BUENOS AIRES

PRÓLOGO
DE RICARDO ROJAS

Con un glosario de voces indígenas

TOMO II

EMECÉ EDITORES S.A. / BUENOS AIRES

HistoriaGeneral
DE LOS HECHOS
DELOSCASTELLANOS
ENLASISLASYTIERRAFIRME
DEL MAR OCEANO
Escrita por Antonio de Herrera
Coronista
Mayor de SU MAGESTAD
de las Yndias y Coronista de Castilla
y Leon
DECADA QUINTA
AL REY. Nuestro Señor
en MADRID. por Francisco
Martinez. ABAD.

Año. 1728.

Guascar Treceno Ynga.
Atarmango Capac I Rey Del Cuzco
Cinchiroca Segundo Ynga
Guaynacapac duodezimo ynga.
Lloqui yupangui Terzero ynga
Topayngayupangui Vndecimo ynga.
Maytacapac Quarto ynga
Pachacuti yupangui decimo ynga.
Capacyupangui quinto ynga
Vrco noveno ynga
Yngaroca Sesto ynga
Viracocha Octavo ynga
Yaguarguacac yupangui Setimo ynga.

PORTADA DE LA DÉCADA V DE HERRERA
(La primera edición es de 1615). Se ha supuesto que reproduce los retratos de los Incas que
le enviaron a Garcilaso sus parientes del Perú, en 1603 (véase libro IX, capítulo XL).

LIBRO SESTO
de los
COMENTARIOS REALES
DE LOS INCAS.

Contiene el ornamento y servicio de la casa real de los Incas, las obsequias reales, las cacerías de los Reyes, los correos y el contar por ñudos, las conquistas, leyes y govierno del Inca Pachacútec, noveno Rey, la fiesta principal que hazían, las conquistas de muchos valles de la costa, el aumento de las escuelas del Cozco y los dichos sentenciosos del Inca Pachacútec. Contiene treinta y seis capítulos.

CAPÍTULO I
La fábrica y ornamento de las casas reales.

L SERVICIO y ornamento de las casas reales de los Incas Reyes que fueron del Perú no era de menos grandeza, riqueza y majestad que todas las demás cosas magníficas que para su servicio tenían; antes paresce que en algunas dellas, como se podrán notar, excedieron a todas las casas de los Reyes y Emperadores que hasta hoy se sabe que hayan sido en el mundo. Cuanto a lo primero, los edificios de sus casas, templos, jardines y baños, fueron en estremo pulidos, de cantería maravillosamente labrada, tan ajustadas las piedras unas con otras que no admitían mezcla, y aunque es verdad que se la echavan, era de un barro colorado (que en su lengua le llaman *lláncac allpa,* que es barro pegajoso) hecho leche, del cual barro no quedava señal ninguna entre las piedras, por lo cual dizen los españoles

7

que labravan sin mezcla; otros dizen que echavan cal, y engáñanse, porque los indios del Perú no supieron hazer cal ni yeso, texa ni ladrillo.

En muchas casas reales y templos del Sol echaron plomo derretido y plata y oro por mezcla. Pedro de Cieça, capítulo noventa y cuatro, lo dize también, que huelgo alegar los historiadores españoles para mi abono. Echávanlo para mayor majestad, lo cual fué la principal causa de la total destruición de aquellos edificios, porque, por haver hallado estos metales en algunos dellos, los han derribado todos, buscando oro y plata, que los edificios eran de suyo tan bien labrados y de tan buena piedra que duraran muchos siglos si los dexaran vivir. Pedro de Cieça, capítulo cuarenta y dos, y sesenta, y noventa y cuatro, dize lo mismo de los edificios, que duraran mucho si no los derribaran. Con planchas de oro chaparon los templos del Sol y los aposentos reales, dondequiera que los havía; pusieron muchas figuras de hombres y mujeres, y de aves del aire y del agua, y de animales bravos, como tigres, ossos, leones, zorras, perros y gatos cervales, venados, huanacus y vicuñas, y de las ovejas domésticas, todo de oro y plata, vaziado al natural en su figura y tamaño, y los ponían por las paredes, en los vazíos y concavidades que, yendo labrando, les dexavan para aquel efecto. Pedro de Cieça, capítulo cuarenta y cuatro, lo dize largamente.

Contrahazían yervas y plantas, de las que nacen por los muros, y las ponían por las paredes, que parecía haverse nacido en ellas. Sembravan las paredes de lagartijas y mariposas, ratones y culebras grandes y chicas, que parecían andar subiendo y bajando por ellas. El Inca se sentava, de ordinario, en un asiento de oro maciço, que llaman *tiana*: era de una tercia en alto, sin braceras ni espaldar, con algún cóncavo para el asiento; poníanla sobre un gran tablón cuadrado, de oro. Las vasijas de todo el servicio de la casa, assí de la mesa como de la botillería y cozina, chicas y grandes, todas eran de oro y plata, y las havía en cada casa de depósito, para cuando el Rey caminasse, que no las llevavan de unas partes a otras, sino que cada casa de las del Inca, assí las que havía por los caminos reales como las que havía por las provincias, todas tenían lo necessario para cuando el Inca llegasse a ellas, caminando con su exército o visitando sus reinos. Havía también en estas casas reales muchos graneros y orones, que los indios llaman *pirua,* hechos de oro y plata, no para encerrar grano, sino para grandeza y majestad de la casa y del señor della.

Juntamente tenían mucha ropa de cama y de vestir, siempre nueva, porque el Inca no se ponía un vestido dos vezes, que luego los dava a sus parientes. La ropa de la cama toda era de mantas y freçadas de lana de vicuña, que es tan fina y tan regalada, que, entre otras cosas preciadas de aquellas tierras, se las han traído para la cama del Rey Don Felipe Segundo: echávanlas debaxo y encima. No supieron o no quisieron la

8

invención de los colchones, y puédese afirmar que no la quisieron, pues, con haverlos visto en las camas de los españoles, nunca los han querido admitir en las suyas, por parecerles demasiado regalo y curiosidad para la vida natural que ellos professavan.

Tapizes por las paredes, no las ussavan, porque, como se ha dicho, las entapiçavan con oro y plata. La comida era abundantíssima, porque se adereçava para todos los Incas parientes que quisiessen ir a comer con el Rey y para los criados de la casa real, que eran muchos. La hora de la comida principal de los Incas y de toda la gente común era por la mañana, de las ocho a las nueve; a la noche cenavan con luz del día, livianamente, y no hazían más comidas que estas dos. Fueron generalmente malos comedores, quiero dezir, de poco comer; en el bever fueron más viciosos; no bevían mientras comían, pero después de la comida se vengavan, porque durava el bever hasta la noche. Esto se usava entre los ricos, que los pobres, que era la gente común, en toda cosa tenían escaseza, pero no necesidad. Acostávanse temprano, y madrugavan mucho a hazer sus haziendas.

CAPÍTULO II
Contrahazían de oro y plata cuanto havía, para adornar las casas reales.

EN TODAS las casas reales tenían hechos jardines y huertos, donde el Inca se recreava. Plantavan en ellos todos los árboles hermosos y vistosos, posturas de flores y plantas olorosas y hermosas que en el reino havía, a cuya semejança contrahazían de oro y plata muchos árboles y otras matas menores, al natural, con sus hojas, flores y frutas: unas que empeçavan a brotar, otras a medio sazonar, otras del todo perficionadas en su tamaño. Entre estas y otras grandezas, hazían maizales, contrahechos al natural con sus hojas, maçorca y caña, con sus raízes y flor. Y los cabellos que echa la maçorca eran de oro, y todo lo demás de plata, soldado lo uno con lo otro. Y la misma diferencia hazían en las demás plantas, que la flor, o cualquiera otra cosa que amarilleava, la contrahazían de oro, y lo demás de plata.

También havía animales chicos y grandes, contrahechos y vaziados de oro y plata, como eran conejos, ratones, lagartijas, culebras, mariposas, zorras, gatos monteses, que domésticos no los tuvieron. Havía páxaros de todas suertes, unos puestos por los árboles, como que cantavan, otros como que estavan bolando y chupando la miel de las flores. Havía venados y gamos, leones y tigres y todos los demás animales y aves que en la tierra se criavan, cada cosa puesta en su lugar, como mejor contrahiziesse a lo natural.

En muchas casas, o en todas, tenían baños con grandes tinajones de oro y plata, en que se lavavan, y caños de plata y oro, por los cuales venía el agua a los tinajones. Y donde havía fuentes de agua caliente natural, también tenían baños, hechos de gran majestad y riqueza. Entre otras grandezas, tenían montones y rimeros de rajas de leña, contrahechos al natural, de oro y plata, como que estuviessen de depósito para gastar en el servicio de las casas.

La mayor parte destas riquezas hundieron los indios, luego que vieron los españoles deseosos de oro y plata, y de tal manera la escondieron, que nunca más ha parecido ni se espera que parezca, si no es que se hallen acaso, porque se entiende que los indios que hoy viven no saben los sitios do quedaron aquellos tesoros, y que sus padres y abuelos no quisieron dexarles noticia dellos, porque las cosas que havían sido dedicadas para el servicio de sus Reyes no querían que sirviessen a otros. Todo lo que hemos dicho del tesoro y riquezas de los Incas lo refieren generalmente todos los historiadores del Perú, encareciéndolas cada uno conforme a la relación que dellas tuvo. Y los que más a la larga lo escriven son Pedro de Cieça de León, capítulo veintiuno, treinta y siete, cuarenta y uno, cuarenta y cuatro y noventa y cuatro, sin otros muchos lugares de su historia, y el contador general Agustín de Çárate, libro primero, capítulo catorze, donde dize estas palabras: "Tenían en gran estima el oro, porque dello hazía el Rey y sus principales sus vasijas para su servicio, y dello hazían joyas para su atavío, y lo ofrecían en los templos, y traía el Rey un tablón en que se sentava, de oro de diez y seis quilates, que valió de buen oro más de veinte y cinco mil ducados, que es el que Don Francisco Piçarro escogió por su joya al tiempo de la conquista, porque, conforme a su capitulación, le havían de dar una joya que él escogiesse, fuera de la cuenta común.

"Al tiempo que le nasció un hijo, el primero, mandó hazer Guainacava una maroma de oro tan gruesa (según hay muchos indios vivos que lo dizen) que, asidos a ella más de dozientos indios orejones, no la levantavan muy fácilmente. Y en memoria desta tan señalada joya, llamaron al hijo Guasca, que en su lengua quiere dezir soga, con el sobrenombre de Inga, que era de todos los Reyes, como los emperadores romanos se llamavan Augustos. Esto he traído aquí por desarraigar una opinión que comúnmente se ha tenido en Castilla, entre la gente que no tiene plática en las cosas de las Indias, de que los indios no tenían en nada el oro ni conoscían su valor. También tenían muchos graneros y trojes, hechas de oro y plata, y grandes figuras de hombres y mujeres y de ovejas y de todos los otros animales y todos los géneros de yervas que nascían en aquella tierra, con sus espigas y bástigas y ñudos, hechos al natural, y gran suma de mantas y hondas, entretejidas con oro tirado, y aun cierto número de leños, como los que havía de quemar, hechos de oro y plata". Todas son palabras de aquel autor, con las cuales acaba el capítulo catorze de su *Historia del Perú*.

La joya que dize que don Francisco Piçarro escogió, fué de aquel gran rescate que Atahuallpa dió por sí, y Piçarro, como general, podía, según ley militar, tomar del montón la joya que quisiesse, y aunque havía otras de más precio, como tinajas y tinajones, tomó aquélla porque era singular y era asiento del Rey (que sobre aquel tablón le ponían la silla), como pronosticando que el Rey de España se havía de sentar en ella. De la maroma de oro diremos en la vida de Huaina Cápac, último de los Incas, que fué una cosa increíble.

Lo que Pedro de Cieça escrive de la gran riqueza del Perú, y que lo demás della escondieron los indios, es lo que se sigue, y es del capítulo veintiuno, sin lo que dize en los otros capítulos alegados: "Si lo que hay en el Perú y en estas tierras enterrado se sacasse, no se podría numerar el valor, según es grande; y en tanto lo pondero, que es poco lo que los españoles han havido para compararlo con ello. Estando yo allí, en el Cuzco, tomando de los principales de allí la relación de los Ingas, oí dezir que Paulo Inga y otros principales dezían que si todo el tesoro que havía en las provincias y guacas, que son sus templos, y en los enterramientos se juntasse, que haría tan poca mella lo que los españoles havían sacado, cuan poca se haría sacando, de una gran vasija de agua, una gota della. Y que haziendo más clara y patente la comparación, tomavan una medida de maíz, de la cual, sacando un puñado, dezían: "Los cristianos han havido esto, lo demás está en tales partes que nosotros mismos no sabemos dello". Assí que grandes son los tesoros que en estas partes están perdidos, y lo que se ha havido, si los españoles no lo huvieran havido, ciertamente todo ello o lo más estuviera oferecido al diablo y a sus templos y sepulturas, donde enterravan sus defunctos; porque estos indios no lo quieren ni lo buscan para otra cosa, pues no pagan sueldo con ello a la gente de guerra ni mercan ciudades ni reinos ni quieren más que enjaezarse con ello siendo vivos, y después que son muertos llevárselo consigo. Aunque me paresce a mí que todas estas cosas éramos obligados a los amonestar, que viniessen a conocimiento de nuestra Sancta Fe Católica, sin pretender solamente henchir las bolsas", etc. Todo esto es de Pedro de Cieça, del capítulo veintiuno, sacado a la letra sucesivamente. El Inca que llama Paulo se dezía Paullu, de quien hazen mención todos los historiadores españoles: fué uno de los muchos hijos de Huaina Cápac; salió valeroso, sirvió al Rey de España en las guerras de los españoles; llamóse en el bautismo Don Cristóval Paullu; fué su

11

padrino de pila Garcilasso de la Vega, mi señor, y de un hermano suyo, de los legítimos en sangre, llamado Titu Auqui, el cual tomó por nombre en el bautismo Don Felipe, a devoción de don Felipe Segundo, que era entonces Príncipe de España. Yo los conocí ambos; murieron poco después. También conocí a la madre de Paullu: llamávase Añas.

Lo que Francisco López de Gómara escrive en su *Historia* de la riqueza de aquellos Reyes es lo que se sigue, sacado a la letra del capítulo ciento y veintiuno: "Todo el servicio de su casa, mesa y cozina, era de oro y de plata, y cuando menos de plata y cobre, por más rezio. Tenía en su recámara estatuas huecas de oro, que parescían gigantes, y las figuras al proprio y tamaño de cuantos animales, aves y árboles y yervas produze la tierra, y de cuantos peces cría la mar y aguas de sus reinos. Tenía assimesmo sogas, costales, cestas y troxes de oro y plata, rimeros de palos de oro, que paresciesse leña raxada para quemar. En fin, no havía cosa en su tierra que no la tuviesse de oro contrahecha, y aun dizen que tenían los Ingas un vergel, en una isla cerca de Puna, donde se ivan a holgar cuando querían mar, que tenía la hortaliza, los árboles y flores de oro y plata, invención y grandeza hasta entonces nunca vista. Allende de todo esto tenía infinitíssima cantidad de oro y plata por labrar en el Cuzco, que se perdió por la muerte de Guáscar; que los indios lo escondieron, viendo que los españoles se lo tomavan y embiavan a España. Muchos lo han buscado, después acá, y no lo hallan", etc. Hasta aquí es de Francisco López de Gómara, y el vergel que dize que los Reyes Incas tenían cerca de Puna, lo tenían en cada casa de todas las reales que havía en el reino, con toda la demás riqueza que dellas escrive, sino que, como los españoles no vieron otro vergel en pie, sino aquél que estava por donde ellos entraron en aquel reino, no pudieron dar relación de otro. Porque luego que ellos entraron, los descompusieron los indios y escondieron la riqueza donde nunca más ha parescido, como lo dize el mismo autor y todos los otros historiadores. La infinita cantidad de plata y oro que dize que tenían por labrar en el Cozco, allende de aquella grandeza y majestad que ha dicho de las casas reales, era lo que sobrava del ornato dellas, que, no teniendo en qué lo ocupar, lo tenían amontonado. No se haze esto duro de creer a los que después acá han visto traer de mi tierra tanto oro y plata como se ha traído, pues sólo en el año de mil y quinientos y noventa y cinco, en espacio de ocho meses, en tres partidas entraron por la barra de San Lúcar treinta y cinco millones de plata y oro.

CAPÍTULO III

Los criados de la casa real y los que traían las andas del Rey.

OS criados para el servicio de la casa real, como barrenderos, aguadores, leñadores, cozineros para la mesa de estado (que para la del Inca guisavan sus mujeres concubinas), botilleres, porteros, guardarropa y guardajoya, jardineros, caseros y todos los demás oficios personales que hay en las casas de los Reyes y Emperadores, en la destos Incas no eran personas particulares los que servían en estos ministerios, sino que para cada oficio havía un pueblo o dos o tres, señalados conforme al oficio, los cuales tenían cuidado de dar hombres hábiles y fieles, que, en número bastante, sirviessen aquellos oficios, remudándose de tantos a tantos días, semanas o meses; y éste era el tributo de aquellos pueblos, y el descuido o negligencia de cualquiera destos sirvientes era delicto de todo su pueblo, y por el singular castigavan a todos sus moradores más o menos rigurosamente, según era el delicto; y si era contra la majestad real, asolavan el pueblo. Y porque dezimos de leñadores, no se entienda que éstos fuessen por leña al monte, sino que metían en la casa real la que todo el vassallaje traía para el gasto y servicio della; y assí se puede entender en los demás ministerios, los cuales oficios eran muy presciados entre los indios, porque servían la persona real de más cerca, y fiavan dellos, no solamente la casa del Inca, mas también su persona, que era lo que más estimavan.

Estos pueblos que assí servían de oficiales en la casa real eran los que más cerca estavan de la ciudad del Cozco, cinco o seis o siete leguas en contorno della, y eran los primeros que el primer Inca Manco Cápac mandó poblar de los salvajes que reduxo a su servicio. Y por particular previlegio y merced suya se llamaron Incas y recibieron las insignias y el traje de vestidos y tocado de la misma persona real, como se dixo al principio de esta historia.

Para traer en hombros la persona real, en las andas de oro en que andava continuamente, tenían escogidas dos provincias, ambas de un nombre, que confina la una con la otra, y por diferenciarlas las llamavan a la una Rucana y a la otra Hatun Rucana, que es Rucana la grande. Tenían más de quinze mil vezinos, gente granada, bien dispuesta y pareja. Los cuales, en llegando a edad de veinte años, se ensayavan a traer las andas sesgas, sin golpes ni vaivenes, sin caer ni dar trompeçones, que era grande afrenta para el desdichado que tal le acaecía, porque su capitán, que era el andero mayor, lo castigava con afrenta pública, como en España sacar a la vergüença. Un historiador dize que tenía pena de muerte el que caía. Los cuales vassallos servían al Inca, por su

13

rueda, en aquel ministerio, y era su principal tributo, por el cual eran reservados de otros y ellos en sí muy faborescidos, porque los hazían dignos de traer a su Rey en sus hombros; ivan siempre asidos a las andas veinte y cinco hombres y más, por que, si alguno tropeçasse o cayesse, no se echasse de ver.

El gasto de la comida de la casa real era muy grande, principalmente el gasto de la carne, porque de la casa del Inca la llevavan para todos los de la sangre real que residían en la corte, y lo mismo se hazía dondequiera que estava la persona del Rey. Del maíz, que era el pan que comían, no se gastava tanto, si no era con los criados de dentro en la casa real; porque los de fuera, todos cogían bastantemente para el sustento de sus casas. Caça de venados, gamos o corços, huanacu o vicuña, no matavan ninguna para el gasto de la casa real ni para la de otro ningún señor de vassallos, si no era de aves, porque la de los animales la reservavan para hazer la cacería, que hazían a sus tiempos, como diremos en el capítulo de la caça, que llamavan *chacu*; y entonces repartían la carne y la lana por todos los pobres y ricos. La bevida que se gastava en casa del Inca era tanta, que casi no havía cuenta ni medida, porque, como el principal favor que se hazía era dar de bever a todos los que venían a servir al Inca, curacas y no curacas, como venir a visitarle o a traer otros recaudos de paz o de guerra, era cosa increíble lo que se gastava.

CAPÍTULO IV

Salas que servían de plaça y otras cosas de las casas reales.

EN MUCHAS casas de las del Inca havía galpones muy grandes, de a dozientos passos de largo y de cincuenta y sesenta de ancho, todo de una pieça, que servían de plaça, en los cuales hazían sus fiestas y bailes cuando el tiempo con aguas no les permitía estar en la plaça al descubierto. En la ciudad del Cozco alcancé a ver cuatro galpones destos, que aún estavan en pie en mi niñez. El uno estava en Amarucancha, casas que fueron de Hernando Piçarro, donde hoy es el colegio de la Sancta Compañía de Jesús, y el otro estava en Cassana, donde ahora son las tiendas de mi condiscípulo Juan de Cillorico, y el otro estava en Collcampata, en las casas que fueron del Inca Paullu y de su hijo Don Carlos, que también fué mi condiscípulo. Este galpón era el menor de todos cuatro, y el mayor era el de Cassana, que era capaz de tres mil personas. Cosa increíble que huviesse madera que alcançasse a cubrir tan grandes pieças. El cuarto galpón es el que ahora sirve de iglesia catedral. Advertimos que nunca los indios del Perú labraron soberados en sus casas, sino que todas eran pieças baxas, y no travavan unas pieças con otras, sino que todas las hazían sueltas, cada una de por sí; cuando mucho, de una muy gran sala o cuadra sacavan a un lado y a otro sendos aposentos pequeños, que servían de recámaras. Dividían las oficinas con cercas largas o cortas, para que no se comunicassen unas con otras.

También se advierta que todas las cuatro paredes de cantería o de adobes, de cualquiera casa o aposento, grande o chico, las hazían aviadas adentro, porque no supieron travar una pieça con otra ni echar tirantes de una pared a otra, ni supieron usar de la clavazón. Echavan suelta sobre las paredes toda la madera que servía de tiseras; por lo alto della, en lugar de clavos, la atavan con fuertes sogas que hazen de una paja larga y suave, que asemexa al esparto. Sobre esta primera madera echavan la que servía de costaneras y cabios, atada assimesmo una a otra y otra a otra; sobre ella echavan la cobija de paja, en tanta cantidad, que los edificios reales de que vamos hablando tenían de gruesso casi una braça, si ya no tenían más. La misma cobija servía de cornija a la pared, para que no se mojasse. Salía más de una vara afuera de la pared, a verter las aguas; toda la paja que salía fuera de las paredes la cercenavan muy pareja. Una cuadra alcancé en el valle de Y'úcay, labrada de la manera que hemos dicho, de más de setenta pies en cuadro, cubierta en forma de pirámide; las paredes eran de tres estados en alto y el techo tenía más de doze estados; tenía dos aposentos pequeños a los lados. Esta pieça no quemaron los indios en el general levantamiento que hizieron contra los españoles, porque sus Reyes Incas se ponían en ella para ver las fiestas más principales que, en una grandíssima plaça cuadrada (mejor se dixera campo) que ante ella havía, se le hazían. Quemaron otros muchos edificios hermosíssimos que en aquel valle havía, cuyas paredes yo alcancé.

Sin la cantería de piedra, labravan paredes de adobes, los cuales hazían en sus moldes, como hazen acá los ladrillos: eran de barro pisado con paxa; hazían los adobes tan largos como querían que fuesse el gruesso de la pared, que los más cortos venían a ser de una vara de medir; tenían una sesma, poco más o menos, de ancho, y casi otro tanto de grueso; enjugávanlos al sol, y después los amontonavan por su orden y los dexavan al sol y al agua debajo de techado dos y tres años, por que se enjugassen del todo. Asentávanlos en el edificio como asientan los ladrillos: echávanles por mezcla el mismo barro de los adobes, pisado con paxa.

No supieron hazer tapias, ni los españoles usan dellas por el material de los adobes. Si a los indios se les quemava alguna casa, destas sobervias que hemos dicho, no bolvían a labrar sobre las paredes quemadas, porque dezían que, haviendo quemado el fuego la paja de los adobes, quedavan las paredes flacas, como de tierra suelta, y no podían sufrir el peso de la techumbre. Devíanlo de hazer por alguna otra abusión, porque yo alcancé de aquellos edificios muchas paredes que havían sido quemadas y estavan muy buenas. Luego que fallecía el Rey poseedor, cerravan el aposento donde solía dormir, con todo el ornato de oro y plata que tenía dentro, como lugar sagrado, para que nadie entrasse jamás en él, y esto se hazía en todas las casas reales del reino en las cuales huviesse el Inca hecho noche o noches, aunque no fuesse sino caminando. Y para el Inca sucessor labravan luego otro aposento en que durmiesse, y reparavan con gran cuidado por de fuera el aposento cerrado, por que no viniesse a menos. Todas las vasijas de oro y plata que manualmente havían servido al Rey, como jarros, cántaros, tinajas y todo el servicio de la cozina, con todo lo demás que suele servir en las casas reales y todas las joyas y ropas de su persona, lo enterravan con el Rey muerto cuyo havía sido, y en todas las casas del reino donde tenía semejante servicio también lo enterravan, como que se lo embiavan para que en la otra vida se sirviesse dello. Las demás riquezas, que era ornamento y majestad de las casas reales, como jardines, baños, la leña contrahecha y otras grandezas, se quedavan para los sucesores.

La leña y el agua y otras cosas que se gastavan en la casa real, cuando el Inca estava en la ciudad del Cozco, la traían por su vez y repartimiento los indios de los cuatro distritos que llamaron Tauantinsuyu, quiero dezir, los pueblos más cercanos a la ciudad de aquellas cuatro partes, en espacio de quinze o veinte leguas a la redonda. En ausencia del Inca también servían los mismos, mas no en tanta cantidad. El agua que gastavan en el brevaje que hazen para bever (que llaman *aca*, pronunciada la última sílaba en lo más interior de la garganta), la quieren gruessa y algo salobre, porque la dulce y delgada dizen que se les ahila y corrompe, sin dar sazón ni gusto al brevaje. Por esta causa no fueron curiosos los indios en tener fuentes de buenas aguas, que antes las querían gruessas que delgadas, ni el sitio de la ciudad del Cozco las tiene buenas. Siendo mi padre corregidor en aquella ciudad, después de la guerra de Francisco Hernández Girón, por los años de mil y quinientos y cincuenta y cinco y cincuenta y seis, llevaron el agua que llaman de Ticatica, que nasce un cuarto de legua fuera de la ciudad, que es muy buena, y la pusieron en la Plaça Mayor della; después acá la han passado (según me han dicho) a la Plaça de San Francisco, y para la Plaça Mayor han llevado otra fuente más caudalosa y de muy linda agua.

CAPÍTULO V

Cómo enterravan los Reyes. Duravan las obsequias un año.

AS obsequias que hazían a los Reyes Incas eran muy solenes, aunque prolixas. El cuerpo difunto embalsamavan, que no se sabe cómo; quedavan tan enteros que parescían estar vivos, como atrás diximos de cinco cuerpos de los Incas que se hallaron año de mil y quinientos y cincuenta y nueve. Todo lo interior dellos enterravan en el templo que tenían en el pueblo que llamaron Tampu, que está el río abaxo de Y'úcay, menos de cinco leguas de la ciudad del Cozco, donde huvo edificios muy grandes y sobervios de cantería, de los cuales Pedro de Cieça, capítulo noventa y cuatro, dize que le dixeron por muy cierto que se halló en cierta parte del palacio real o del templo del Sol oro derretido en lugar de mezcla, con que, juntamente con el betún que ellos ponen, quedavan las piedras asentadas unas con otras. Palabras son suyas, sacadas a la letra.

Cuando moría el Inca o algún curaca de los principales, se matavan y se dexavan enterrar vivos los criados más favorecidos y las mujeres más queridas, diziendo que querían ir a servir a sus Reyes y señores a la otra vida; porque, como ya lo hemos dicho, tuvieron en su gentilidad que después desta vida havía otra semejante a ella, corporal y no espiritual. Ofrecíanse ellos mismos a la muerte o se la tomavan con sus manos, por el amor que a sus señores tenían. Y lo que dizen algunos historiadores, que los matavan para enterrarlos con sus amos o maridos, es falso; porque fuera gran inhumanidad, tiranía y escándalo que dixeran que, en achaque de embiarlos con sus señores, matavan a los que tenían por odiosos. Lo cierto es que ellos mismos se ofrecían a la muerte, y muchas vezes eran tantos que los atajavan los superiores, diziéndoles que de presente bastavan los que ivan, que adelante, poco a poco, como fuessen muriendo, irían a servir a sus señores.

Los cuerpos de los Reyes, después de embalsamados, ponían delante de la figura del Sol en el templo del Cozco, donde les ofrecían muchos sacrificios, como a hombres divinos, que dezían ser hijos de esse Sol. El primer mes de la muerte del Rey le lloravan cada día, con gran sentimiento y muchos alaridos, todos los de la ciudad. Salía a los campos cada barrio de por sí; llevavan las insinias del Inca, sus vanderas, sus armas y ropa de su vestir, la que dexavan de enterrar para hazer las obsequias. En sus llantos, a grandes vozes, recitavan sus hazañas hechas en la guerra y las mercedes y beneficios que havía hecho a las provincias de donde eran naturales los que vivían en aquel tal barrio. Passado el primer mes, hazían lo mismo de quinze a quinze días, a cada llena y conjunción de la luna; y esto durava todo el año. Al fin dél hazían su cabo de año, con

17

toda la mayor solenidad que podían, y con los mismos llantos, para los cuales havía hombres y mujeres señaladas y aventajadas en habilidad, como endechaderas, que, cantando en tonos tristes y funerales, dezían las grandezas y virtudes del Rey muerto. Lo que hemos dicho hazía la gente común de aquella ciudad; lo mismo hazían los Incas de la parentela real, pero con mucha más solenidad y ventajas, como de príncipes a plebeyos.

Lo mismo se hazía en cada provincia de las del Imperio, procurando cada señor della que por la muerte de su Inca se hiziesse el mayor sentimiento que fuesse posible. Con estos llantos ivan a visitar los lugares donde aquel Rey havía parado, en aquella tal provincia, en el campo caminando, o en el pueblo, para hazerles alguna merced; los cuales puestos, como se ha dicho, tenían en gran veneración; allí eran mayores los llantos y alaridos, y en particular recitavan la gracia, merced o beneficio que en aquel tal lugar les havía hecho. Y esto baste de las obsequias reales, a cuya semejança hazían parte dellas en las provincias por sus caciques, que yo me acuerdo haver visto en mis niñezes algo dello. En una provincia de las que llaman Quechua, vi que salía una gran cuadrilla al campo a llorar su curaca; llevavan sus vestidos hechos pendones. Y los gritos que davan me despertaron a que preguntasse qué era aquello, y me dixeron que eran las obsequias del cacique Huamampallpa, que assí se llamava el difunto.

CAPÍTULO VI

Cacería solene que los Reyes hazían en todo el reino.

OS INCAS Reyes del Perú, entre otras muchas grandezas reales que tuvieron, fué una dellas hazer a sus tiempos una cacería solene, que en su lenguaje llaman *chacu*, que quiere dezir atajar, porque atajavan la caça. Para lo cual es de saber que en todos sus reinos era vedado el caçar ningún género de caça, si no eran perdizes, palomas, tórtolas y otras aves menores para la comida de los governadores Incas y para los curacas, y esto en poca cantidad, y no sin orden y mandado de la justicia. En todo lo demás era prohibido el caçar, por que los indios, con el deleite de la caça, no se hiziessen holgazanes y dexassen de acudir a lo necessario de sus casas y hazienda; y assí no osava nadie matar un páxaro, porque lo havían de matar a él, por quebrantador de la ley del Inca, que sus leyes no las hazían para que burlassen dellas.

Con esta observancia en toda cosa, y en particular en la caça, havía tanta, assí de animales como de aves, que se entravan por las casas. Empero, no les quitava la ley que no echassen de sus heredades y sementeras los venados, si en ellas los hallassen, porque dezían que el Inca quería el venado y toda la caça para el vassallo, y no el vassallo para la caça.

A cierto tiempo del año, passada la cría, salía el Inca a la provincia que le parescía conforme a su gusto y según que las cosas de la paz o de la guerra davan lugar. Mandava que saliessen veinte o treinta mil indios, o más o menos, los que eran menester para el espacio de tierra que havían de atajar. Los indios se dividían en dos partes: los unos ivan hazia la mano derecha y los otros a la izquierda, a la hila, haziendo un gran cerco de veinte o treinta leguas de tierra, más o menos, según el distrito que havían de cercar; tomavan los ríos, arroyos o quebradas que estavan señaladas por términos y padrones de la tierra que caçavan aquel año, y no entravan en el distrito que estava señalado para el año siguiente. Ivan dando bozes y ojeando cuantos animales topavan por delante, y ya sabían dónde havían de ir a parar y juntarse las dos mangas de gente para abraçar el cerco que llevavan hecho y acorralar el ganado que havían recogido; y sabían también dónde havían de ir a parar con el ojeo, que fuesse tierra limpia de montes, riscos y peñas, por que no estorvassen la cacería; llegados allí, apretavan la caça con tres y cuatro paredes de indios, hasta llegar a tomar el ganado a manos.

Con la caça traían antecogidos leones y osos y muchas zorras, gatos cervales que llaman *ozcollo*, que los hay de dos o tres especies, ginetas y otras savandijas semejantes, que hazen daño en la caça. Todas las matavan luego, por limpiar el campo de aquella mala canalla. De tigres no hazemos mención, porque no los hay sino en las bravas montañas de los Antis. El número de los venados, corços y gamos, y del ganado mayor, que llaman *huanacu*, que es de lana basta, y de otro que llaman *vicuña*, que es menor de cuerpo y de lana finíssima, era muy grande; que muchas vezes, y según que las tierras eran unas de más caça que otras, passavan de veinte, treinta y cuarenta mil cabeças, cosa hermosa de ver y de mucho regozijo. Esto havía entonces; ahora, digan los presentes el número de las que se han escapado del estrago y desperdicio de los arcabuzes, pues apenas se hallan ya huanacus y vicuñas, sino donde ellos no han podido llegar.

Todo este ganado tomavan a manos. Las hembras del ganado cervuno, como venados, gamos y corços, soltavan luego, porque no tenían lana que les quitar; las muy viejas, que ya no eran para criar, matavan. También soltavan los machos que les parecían necessarios para padres, y soltavan los mejores y más crecidos; todos los demás matavan, y repartían la carne a la gente común; también soltavan los huanacus y vicuñas, luego que las havían tresquilado. Tenían cuenta del número

19

de todo este ganado bravo, como si fuera manso, y en los *quipus,* que eran los libros anales, lo asentavan por sus especies, dividiendo los machos de las hembras. También assentavan el número de los animales que havían muerto, assí de las salvajinas dañosas como de las provéchosas, para saber las cabeças que havían muerto y las que quedavan vivas, para ver en la cacería venidera lo que se havía multiplicado.

La lana de los huanacus, porque es lana basta, se repartía a la gente común; y la de la vicuña, por ser tan estimada por su fineza, era toda para el Inca, de la cual mandava repartir con los de su sangre real, que otros no podían vestir de aquella lana, so pena de la vida. También davan della por privilegio y merced particular a los curacas, que de otra manera tampoco podían vestir della. La carne de los huanacus y vicuñas que matavan se repartía toda a la gente común, y a los curacas davan su parte, y también de la de los corços, conforme a sus familias, no por necessidad, sino por regozijo y fiesta de la cacería, por que todos alcançassen della.

Estas cacerías se hazían en cada distrito, de cuatro en cuatro años, dexando passar tres años de la una a la otra, porque dizen los indios que en este espacio de tiempo cría la lana de la vicuña todo lo que ha de criar, y no la querían tresquilar antes por que no perdiesse de su ser, y también lo hazían porque todo aquel ganado bravo tuviesse tiempo de multiplicar y no anduviesse tan asombrado como anduviera si cada año lo corrieran, con menos provecho de los indios y más daño del ganado. Y por que no se dexasse de hazer la cacería cada año (que parece que la havían hecho cosecha anal) tenían repartidas las provincias en tres o cuatro partes o hojas, como dizen los labradores, de manera que cada año caçavan la tierra que havía holgado tres años.

Con este concierto caçavan los Incas sus tierras, conservando la caça y mejorándola para adelante, y deleitándose él y su corte, y aprovechando sus vassallos con toda ella, y tenían dada la misma orden por todos sus reinos. Porque dezían que se havía de tratar el ganado bravo de manera que fuesse tan de provecho como el manso, que no lo havía criado el Pachacámac o el Sol para que fuesse inútil. Y que también se havían de caçar los animales dañosos y malos para matarlos y quitarlos de entre los buenos, como escardan la mala yerva de los panes. Estas razones y otras semejantes davan los Incas, desta su cacería real llamada *chacu,* por las cuales se podrá ver el orden y buen govierno que estos Reyes tenían en las cosas de más importancia, pues en la caça passava lo que hemos dicho. Deste ganado bravo se saca la piedra bezar que traen de aquella tierra, aunque dizen que hay diferencia en la bondad della, que la de tal especie es mejor que toda la otra.

Por la misma orden caçavan los visorreyes y governadores Incas, cada uno en su provincia, asistiendo ellos personalmente a la cacería, assí por recrearse como por que no huviesse agravio en el repartir la carne y lana a la gente común y pobres, que eran los impedidos por vejez o larga enfermedad.

La gente plebeya en general era pobre de ganado (si no eran los Collas, que tenían mucho), y por tanto padecía necessidad de carne, que no la comían sino de merced de los curacas o de algún conejo que por mucha fiesta matavan, de los caseros que en sus casas criavan, que llaman *coy*. Para socorrer esta general necessidad, mandava el Inca hazer aquellas cacerías y repartir la carne en toda la gente común, de la cual hazían tasajos, que llaman *charqui*, que les durava todo el año, hasta otra cacería, porque los indios fueron muy escasos en su comer y muy avaros en guardar los tasajos.

En sus guisados comen cuantas yervas nascen en el campo, dulces y amargas, como no sean ponçoñosas; las amargas cuezen en dos o tres aguas y las passan al sol y las guardan para cuando no las hay verdes. No perdonan las ovas que se crían en los arroyos, que también las guardan lavadas y preparadas para sus tiempos. También comían yervas verdes crudas, como se comen las lechugas y los rávanos, mas nunca hizieron ensalada dellas.

CAPÍTULO VII
Postas y correos, y los despachos que llevavan.

 HASQUI llamavan a los correos que havía puestos por los caminos, para llevar con brevedad los mandatos del Rey y traer las nuevas y avisos que por sus reinos y provincias, lexos o cerca, huviesse de importancia. Para lo cual tenían a cada cuarto de legua cuatro o seis indios moços y ligeros, los cuales estavan en dos choças para repararse de las inclemencias del cielo. Llevavan los recaudos por su vez, ya los de una choça, ya los de la otra; los unos miravan a la una parte del camino y los otros a la otra, para descubrir los mensajeros antes que llegassen a ellos y apercebirse para tomar el recaudo, por que no se perdiesse tiempo alguno. Y para esto ponían siempre las choças en alto, y también las ponían de manera que se viessen las unas a las otras. Estavan a cuarto de legua, porque dezían que aquello era lo que un indio podía correr con ligereza y aliento, sin cansarse.

Llamáronlos *chasqui*, que quiere dezir trocar, o dar y tomar, que es lo mismo, porque trocavan, davan y tomavan de uno en otro, y de otro

en otro, los recaudos que llevavan. No les llamaron *cacha,* que quiere
dezir mensajero, porque este nombre lo davan al embaxador o mensajero proprio que personalmente iva del un príncipe al otro o del señor
al súbdito. El recaudo o mensaje que los *chasquis* llevavan era de palabra,
porque los indios del Perú no supieron escrevir. Las palabras eran pocas
y muy concertadas y corrientes, por que no se trocassen y, por ser muchas, no se olvidassen. El que venía con el mensaje dava vozes, llegando
a vista de la choça, para que se apercibiesse el que havía de ir, como haze
el correo en tocar su bozina para que le tengan ensillada la posta, y, en
llegando donde le podían entender, dava su recaudo, repitiéndolo dos
y tres y cuatro vezes, hasta que lo entendía el que lo havía de llevar, y,
si no lo entendía, aguardava a que llegasse y diesse muy en forma su
recaudo, y desta manera passava de uno en otro hasta donde havía de
llegar.

Otros recaudos llevavan, no de palabra sino por escrito, digámoslo
assí, aunque hemos dicho que no tuvieron letras. Las cuales eran ñudos,
dados en diferentes hilos de diversos colores, que ivan puestos por su
orden, mas no siempre de una misma manera, sino unas vezes antepuesto
el un color al otro y otras vezes trocados al revés, y esta manera de recaudos eran cifras por las cuales se entendían el Inca y sus governadores
para lo que havía de hazer, y los ñudos y las colores de los hilos significavan el número de gente, armas o vestidos o bastimento o cualquiera
otra cosa que se huviesse de hazer, embiar o aprestar. A estos hilos añudados llamavan los indios *quipu* (que quiere dezir añudar y ñudo, que
sirve de nombre y verbo), por los cuales se entendían en sus cuentas.
En otra parte, capítulo de por sí, diremos largamente cómo eran y de
qué servían. Cuando havía priesa de mensajes añadían correos, y ponían
en cada posta ocho y diez y doze indios chasquis. Tenían otra manera
de dar aviso por estos correos, y era haziendo ahumadas de día, de uno
en otro, y llamaradas de noche. Para lo cual tenían siempre los chasquis
apercebido el fuego y los hachos, y velavan perpetuamente, de noche y
de día, por su rueda, para estar apercebidos para cualquiera suceso que
se ofreciesse. Esta manera de aviso por los fuegos era solamente cuando
havía algún levantamiento y rebelión de reino o provincia grande, y hazíase para que el Inca lo supiesse dentro de dos o tres horas, cuando
mucho (aunque fuesse de quinientas o seiscientas leguas de la corte),
y mandasse apercebir lo necessario para cuando llegasse la nueva cierta
de cuál provincia o reino era el levantamiento. Éste era el
oficio de los chasquis y los recaudos que llevavan.

CAPÍTULO VIII

Contavan por hilos y ñudos; havía gran fidelidad en los contadores.

QUIPU quiere dezir añudar y ñudo, y también se toma por la cuenta, porque los ñudos la davan de toda cosa. Hazían los indios hilos de diversos colores: unos eran de un color solo, otros de dos colores, otros de tres y otros de más, porque las colores simples, y las mezcladas, todas tenían su significación de por sí; los hilos eran muy torcidos, de tres o cuatro liñuelos y gruessos como un husso de hierro y largos de a tres cuartas de vara, los cuales ensartavan en otro hilo por su orden a la larga, a manera de rapazejos. Por las colores sacavan lo que se contenía en aquel tal hilo, como el oro por el amarillo y la plata por el blanco, y por el colorado la gente de guerra.

Las cosas que no tenían colores ivan puestas por su orden, empeçando de las de más calidad y procediendo hasta las de menos, cada cosa en su género, como en las miesses y legumbres. Pongamos por comparación las de España: primero el trigo, luego la cevada, luego el garvanço, hava, mijo, etc. Y assí también cuando davan cuenta de las armas, primero ponían las que tenían por más nobles, como lanças, y luego dardos, arcos y flechas, porras y hachas, hondas y las demás armas que tenían. Y hablando de los vassallos, davan cuenta de los vezinos de cada pueblo, y luego en junto los de cada provincia: en el primer hilo ponían los viejos de sesenta años arriba; en el segundo los hombres maduros de cincuenta arriba y el tercero contenía los de cuarenta, y assí de diez a diez años, hasta los niños de teta. Por la misma orden contavan las mujeres por las edades.

Algunos destos hilos tenían otros hilitos delgados del mismo color, como hijuelas o ecepciones de aquellas reglas generales, como digamos en el hilo de los hombres o mujeres de tal edad, que se entendían ser casados, los hilitos significavan el número de los biudos o biudas que de aquella edad havía aquel año, porque estas cuentas eran anales y no davan razón más que de un año solo.

Los ñudos se davan por su orden de unidad, dezena, centena, millar, dezena de millar, y pocas vezes o nunca passavan a la centena de millar; porque, como cada pueblo tenía su cuenta de por sí y cada metrópoli la de su distrito, nunca llegava el número déstos o de aquéllos a tanta cantidad que passasse al centena de millar, que en los números que hay de allí abaxo tenían harto. Mas si se ofreciera haver de contar por el número centena de millar, también lo contaran; porque en su lenguaje pueden dar todos los números del guarismo, como él los tiene, mas porque no havía para qué usar de los números mayores, no passavan del dezena de millar. Estos números contavan por ñudos dados en aquellos hilos, cada número dividido del otro; empero, los ñudos de cada número estavan dados todos juntos, debaxo de una buelta, a manera de los ñudos que se dan en el cordón del bienaventurado patriarca San Francisco, y podíasse hazer bien, porque nunca passavan de nueve, como no passan de nueve las unidades y dezenas, etc.

En lo más alto de los hilos ponían el número mayor, que era el dezena de millar, y más abaxo el millar, y assí hasta la unidad. Los ñudos de cada número y de cada hilo ivan parejos unos con otros, ni más ni menos que los pone un buen contador para hazer una suma grande. Estos ñudos o quipus los tenían indios de por sí a cargo, los cuales llamavan *quipucamayu*: quiere dezir el que tiene cargo de las cuentas, y aunque en aquel tiempo havía poca diferencia en los indios de buenos a malos, que, según su poca malicia y el buen govierno que tenían, todos se podían llamar buenos, con todo esso elegían para este oficio y para otro cualquiera los más aprovados y los que huviessen dado más larga experiencia de su bondad. No se los davan por favor, porque entre aquellos indios jamás se usó favor ajeno, sino el de su propria virtud. Tampoco se davan vendidos ni arrendados, porque ni supieron arrendar ni comprar ni vender, porque no tuvieron moneda. Trocavan unas cosas por otras, esto es, las cosas del comer, y no más, que no vendían los vestidos ni las casas ni heredades.

Con ser los quipucamayus tan fieles y legales como hemos dicho, havían de ser en cada pueblo conforme a los vezinos dél, que, por muy pequeño que fuesse el pueblo, havía de haver cuatro, y de allí arriba hasta veinte y treinta, y todos tenían unos mismos registros, y aunque, por ser los registros todos unos mismos, bastava que huviera un contador o escrivano, querían los Incas que huviesse muchos en cada pueblo y en cada facultad, por escusar la falsedad que podía haver entre los pocos, y dezían que haviendo muchos, havían de ser todos en la maldad o ninguno.

CAPÍTULO IX

Lo que assentavan en sus cuentas, y cómo se entendían.

STOS assentavan por sus ñudos todo el tributo que davan cada año al Inca, poniendo cada cosa por sus géneros, especies y calidades. Assentavan la gente que iva a la guerra, la que moría en ella, los que nascían y fallescían cada año, por sus meses. En suma, dezimos que escrivían en aquellos ñudos todas las cosas que consistían en cuenta de números, hasta poner las batallas y recuentros que se davan, hasta dezir cuántas embaxadas havían traído al Inca y cuántas pláticas y razonamientos havía hecho el Rey. Pero lo que contenía la embaxada, ni las palabras del razonamiento ni otro sucesso historial, no podían dezirlo por los ñudos, porque consiste en oración ordenada de viva voz o por escrito, la cual no se puede referir por ñudos, porque el ñudo dize el número, mas no la palabra. Para remedio desta falta, tenían señales que mostravan los hechos historiales hazañosos o haver havido embaxada, razonamiento o plática, hecha en paz o en guerra. Las cuales pláticas tomavan los indios quipucamayus de memoria, en suma, en breves palabras, y las encomendavan a la memoria, y por tradición las enseñavan a los sucessores, de padres a hijos y descendientes, principal y particularmente en los pueblos o provincias donde havían passado, y allí se conservavan más que en otra parte, porque los naturales se preciavan dellas. También usavan de otro remedio para que sus hazañas y las embaxadas que traían al Inca y las respuestas que el Inca dava se conservassen en la memoria de las gentes, y es que los amautas, que eran los filósofos y sabios, tenían cuidado de ponerlas en prosa, en cuentos historiales, breves como fábulas, para que por sus edades los contassen a los niños y a los moços y a la gente rústica del campo, para que, passando de mano en mano y de edad en edad, se conservassen en la memoria de todos. También ponían las historias en modo fabuloso, con su alegoría, como hemos dicho de algunas y adelante diremos de otras. Assimismo los *harauicus*, que eran los poetas, componían versos breves y compendiosos, en los cuales encerravan la historia o la embaxada o la respuesta del Rey; en suma, dezían en los versos todo lo que no podían poner en los ñudos; y aquellos versos cantavan en sus triunfos y en sus fiestas mayores, y los rescitavan a los Incas noveles cuando los armavan cavalleros, y desta manera guardavan la memoria de sus historias. Empero, como la esperiencia lo muestra, todos eran remedios perescederos, porque las letras son las que perpetúan los hechos; mas como aquellos Incas no las alcançaron, valiéronse de lo que pudieron inventar, y, como si los ñudos fueran letras, eligieron historiadores y contadores que llamaron *quipucamayu*, que es el que tiene cargo de los ñudos, para que por ellos y por los hilos y por los colores de los hilos, y con el favor de los cuentos y de la poesía, escriviessen y retuviessen la tradición de sus hechos: ésta fué la manera del escrivir que los Incas tuvieron en su república.

A estos quipucamayus acudían los curacas y los hombres nobles en sus provincias a saber las cosas historiales que de sus antepassados desseavan saber o cualquier otro acaecimiento notable que hubiesse passado en aquella tal provincia; porque éstos, como escrivanos y como historiadores, guardavan los registros, que eran los quipus anales que de los sucesos dignos de memoria se hazían, y, como obligados por el oficio, estudiavan perpetuamente en las señales y cifras que en los ñudos havía, para conservar en la memoria la tradición que de aquellos hechos famosos tenían, porque, como historiadores, havían de dar cuenta dellos cuando se la pidiessen, por el cual oficio eran reservados de tributo y de cualquiera otro servicio, y assí nunca jamás soltavan los ñudos de las manos.

Por la misma orden davan cuenta de sus leyes y ordenanças, ritos y cerimonias, que, por el color del hilo y por el número de los ñudos, sacavan la ley que prohibía tal o tal delicto y la pena que se dava al quebrantador della. Dezían el sacrificio y ceremonia que en tales y tales fiestas se hazían al Sol. Declarava la ordenança y fuero que hablava en favor de las biudas o de los pobres o pasajeros; y assí davan cuenta de todas las demás cosas, tomadas de memoria por tradición. De manera que cada hilo y ñudo les traía a la memoria lo que en sí contenía, a semejança de los mandamientos o artículos de nuestra Sancta Fe Católica y obras de misericordia, que por el número sacamos lo que debaxo dél se nos manda. Assí se acordavan los indios, por los ñudos, de las cosas que sus padres y abuelos les havían enseñado por tradición, la cual tomavan con grandíssima atención y veneración, como cosas sagradas de su idolatría y leyes de sus Incas; y procuravan conservarlas en la memoria por la falta que tenían de escritura; y el indio que no havía tomado de memoria por tradición las cuentas, o cualquiera otra historia que huviesse passado entre ellos, era tan iñorante en lo uno y en lo otro como el español o cualquiera otro estranjero. Yo traté los quipus y ñudos con los indios de mi padre, y con otros curacas, cuando por San Juan y Navidad venían a la ciudad a pagar sus tributos. Los curacas ajenos rogavan a mi madre que me mandasse les cotejasse sus cuentas, porque, como gente sospechosa, no se fiavan de los españoles que les tratassen verdad en aquel particular hasta que yo les certificava della, leyéndoles los traslados que de sus tributos me traían y cotejándolos con sus ñudos, y desta manera supe dellos tanto como los indios.

***　　***　　***

CAPÍTULO X

El Inca Pachacútec visita su Imperio; conquista la nasción Huanca.

MUERTO el Inca Viracocha, sucedió en su imperio Pachacútec Inca, su hijo legítimo. El cual, haviendo cumplido soleníssimamente con las obsequias del padre, se ocupó tres años en el govierno de sus reinos sin salir de su corte. Luego los visitó personalmente; anduvo todas las provincias una a una, y aunque no halló qué castigar, porque los governadores y los ministros regios procuravan vivir ajustados, so pena de la vida, holgavan aquellos Reyes hazer estas visitas generales a sus tiempos, por que los ministros no se descuidassen y tiranizassen, por la ausencia larga y mucha negligencia del Príncipe. Y también lo hazían por que los vassallos pudiessen dar las quexas de sus agravios al mismo Inca, vista a vista, porque no consentían que les hablassen por terceras personas, porque el tercero, por amistad o por cohechos del acusado, no disminuyesse su culpa ni el agravio del quexoso; que cierto, en esto de administrar justicia igualmente al chico y al grande, al pobre y al rico, conforme a la ley natural, tuvieron estos Reyes Incas muy grande cuidado, de manera que nadie recibiesse agravio. Y por esta rectitud que guardaron fueron tan amados como lo fueron, y lo serán en la memoria de sus indios muchos siglos. Gastó en la visita otros tres años; buelto a su corte, le pareció que era razón dar parte del tiempo al exercicio militar y no gastarlo todo en la ociosidad de la paz, con achaque de administrar justicia, que paresce covardía; mandó juntar treinta mil hombres de guerra, con los cuales fué por el districto de Chinchasuyu, acompañado de su hermano Cápac Yupanqui, que fué un valeroso príncipe, digno de tal nombre; fueron hasta llegar a Uillca, que era lo último que por aquella vanda tenían conquistado.

De allí embió al hermano a la conquista, bien proveído de todo lo necessario para la guerra. El cual entró por la provincia llamada Sausa, que los españoles, corrompiendo dos letras, llaman Xauxa, hermosíssima provincia que tenía más de treinta mil vezinos, todos debaxo de un nombre y de una misma generación y apellido que es Huanca. Précianse descender de un hombre y de una mujer que dizen que salieron de una fuente; fueron belicosos; a los que prendían en las guerras dessollavan; unos pellejos henchían de ceniza y los ponían en un templo, por trofeos de sus hazañas; y otros pellejos ponían en sus atambores diziendo que sus enemigos se acovardavan viendo que eran de los suyos y huían en oyéndolos. Tenían sus pueblos, aunque pequeños, muy fortalescidos, a manera de las fortalezas que entre ellos usavan; porque, con ser todos de una nasción, tenían vandos y pendencias sobre las tierras de labor y sobre los términos de cada pueblo.

En su antigua gentilidad, antes de ser conquistados por los Incas, adoravan por dios la figura de un perro, y assí lo tenían en sus templos por ídolo, y comían la carne de los perros sabrosíssimamente, que se perdían por ella. Sospéchase que adoravan al perro por lo mucho que les sabía la carne; en suma, era la mayor fiesta que celebravan el combite de un perro, y, para mayor ostentación de la devoción que tenían a los perros, hazían de sus cabeças una manera de bozinas que tocavan en sus fiestas y bailes por música muy suave a sus oídos; y en la guerra los tocavan para terror y asombro de sus enemigos, y dezían que la virtud de su dios causava aquellos dos efectos contrarios: que a ellos, porque lo honravan, les sonasse bien, y a sus enemigos los asombrasse y hiziesse huir. Todas estas abusiones y crueldades les quitaron los Incas, aunque para memoria de su antigüedad les permitieron que, como eran las bozinas de cabeças de perros, lo fuessen de allí adelante de cabeças de corços, gamos o venados, como ellos más quisiessen; y assí las tocan ahora en sus fiestas y bailes; y por la afición o passión con que esta nasción comía los perros, les dixeron un sobrenombre, que vive hasta hoy, que nombrando el nombre Huanca, añaden: "comeperros". También tuvieron un ídolo en figura de hombre; hablava el demonio en él, mandava lo que quería y respondía a lo que le preguntavan, con el cual se quedaron los Huancas, después de ser conquistados, porque era oráculo hablador y no contradezía la idolatría de los Incas, y desecharon el perro porque no consintieron adorar figuras de animales.

Esta nasción, tan poderosa y tan amiga de perros, conquistó el Inca Cápac Yupanqui, con regalos y halagos más que no con fuerça de arma porque pretendían ser señores de los ánimos antes que de los cuerpos. Después de sossegados los Huancas, mandó dividirlos en tres parcialidades, por quitarles de las pendencias que traían, y que les partiessen las tierras y señalassen los términos. La una parte llamaron Sausa y la otra Marcauillca y la tercera Llacsapallanca. Y el tocado que todos traían en la cabeça, que era de una misma manera, mandó que, sin mudar la forma, lo diferenciassen en las colores. Esta provincia se llama Huanca, como hemos dicho. Los españoles, en estos tiempos, no sé con qué razón, le llamaron Huancauillca, sin advertir que la provincia Huancauillca está cerca de Túmpiz, casi trezientas leguas de estotra, que está cerca de la ciudad de Huamanca, la una en la costa de la mar y la otra muy adentro en tierra. Dezimos esto para que no se confunda el que leyere esta historia, y adelante, en su lugar, diremos de Huancauillca, donde passaron cosas estrañas.

CAPÍTULO XI

De otras provincias que ganó el Inca, y de las costumbres dellas y castigo de la sodomía.

ON la misma buena orden y maña conquistó el Inca Cápac Yupanqui otras muchas provincias que hay en aquel distrito, a una mano y a otra del camino real. Entre las cuales se cuentan, por más principales, las provincias Tarma y Pumpu, que los españoles llaman Bombon, provincias fertilíssimas, y las sujetó el Inca Cápac Yupanqui con toda facilidad, mediante su buena industria y maña, con dádivas y promesas, aunque, por ser la gente valiente y guerrera, no faltaron algunas peleas en que huvo muertes, mas al fin se rindieron con poca defensa, según la que se temió que hizieran. Los naturales destas provincias Tarma y Pumpu, y de otras muchas circunvezinas, tuvieron por señal de matrimonio un beso que el novio dava a la novia en la frente o en el carrillo. Las biudas se tresquilavan por luto y no podían casar dentro del año. Los varones, en los ayunos, no comían carne ni sal ni pimiento, ni dormían con sus mujeres. Los que se davan más a la religión, que eran como sacerdotes, ayunavan todo el año por los suyos.

Haviendo ganado el Inca Cápac Yupanqui a Tarma y a Pumpu, passó adelante, reduziendo otras muchas provincias que hay al oriente, hazia los Antis, las cuales eran como behetrías, sin orden ni govierno: ni tenían pueblos ni adoravan dioses ni tenían cosas de hombres; vivían como bestias, derramados por los campos, sierras y valles, matándose unos a otros, sin saber por qué; no reconoscían señor, y assí no tuvieron nombre sus provincias, y esto fué por espacio de más de treinta leguas norte sur y otras tantas leste hueste. Los cuales se reduxeron y obedescieron al Inca Pachacútec, atraídos por bien, y, como gente simple, se ivan donde les mandavan; poblaron pueblos y aprendieron la doctrina de los Incas; y no se ofrece otra cosa que contar hasta la provincia llamada Chucurpu, la cual era poblada de gente belicosa, bárbara y áspera de condición y de malas costumbres, y conforme a ellas adoravan a un tigre por su ferocidad y braveza.

Con esta nasción, por ser tan feroz, y que, como bárbaros, se preciavan de no admitir razón alguna, tuvo el Inca Cápac Yupanqui algunos recuentros, en que murieron de ambas partes más de cuatro mil indios, mas al cabo se rindieron, haviendo experimentado la pujança del Inca y su mansedumbre y piedad; porque vieron que muchas vezes pudo destruirlos y no quiso, y que, cuanto más apretados y necessitados los tenía, entonces los combidava con la paz con mayor mansedumbre y clemencia. Por lo cual tuvieron por bien de rendirse y sujetarse al señorío del Inca Pachacútec y abraçar sus leyes y costumbres y adorar al Sol, *29* dexando al tigre que tenían por dios y la idolatría y manera de vivir de sus passados.

El Inca Cápac Yupanqui tuvo a buena dicha que aquella nasción se le sujetasse, porque, según se havían mostrado ásperos y indomables, temía destruirlos del todo haviéndolos de conquistar, o dexarlos libres como los había hallado, por no los matar, que lo uno o lo otro fuera pérdida de la reputación de los Incas, y assí, con buena maña y muchos halagos y regalos, assentó la paz con la provincia Chucurpu, donde dexó los governadores y ministros necessarios para la enseñança de los indios y para la administración de la hazienda del Sol y del Inca; dexó assimismo gente de guarnición para asegurar lo que había conquistado.

Luego passó a mano derecha del camino real, y con la misma industria y maña (que vamos abreviando, por no repetir los mesmos hechos), reduxo otras dos provincias muy grandes y de mucha gente, la una llamada Ancara y la otra Huaillas; dexó en ellas, como en las demás, los ministros del govierno y de la hazienda y la guarnición necessaria. Y en la provincia de Huaillas castigó severíssimamente algunos sométicos, que en mucho secreto usavan el abominable vicio de la sodomía. Y porque hasta entonces no se había hallado ni sentido tal pecado en los indios de la sierra, aunque en los llanos sí, como ya lo dexamos dicho, escandalizó mucho el haverlo entre los Huaillas, del cual escándalo nasció un refrán entre los indios de aquel tiempo, y vive hasta hoy en oprobrio de aquella nasción, que dize: *Astaya Huaillas,* que quiere dezir "Apártate allá, Huaillas", como que hiedan por su antiguo pecado, aunque usado entre pocos y en mucho secreto, y bien castigado por el Inca Cápac Yupanqui.

El cual, haviendo proveído lo que se ha dicho, pareciéndole que por entonces bastava lo que había ganado, que eran sesenta leguas de largo, norte sur, y de ancho lo que hay de los llanos a la gran cordillera de la Sierra Nevada, se bolvió al Cozco, al fin de tres años que había salido de aquella ciudad, donde halló al Inca Pachacútec, su hermano. El cual lo recibió con gran fiesta y triunfo de sus victorias, que duraron una lunación, que assí cuentan el tiempo los indios por lunas.

CAPÍTULO XII

Edificios y leyes y nuevas conquistas que el Inca Pachacútec hizo.

CABADAS las fiestas y hechas muchas mercedes a los maeses de campo y capitanes y curacas particulares que se hallaron en la conquista, y también a los soldados que se señalaron y aventajaron de los demás, que de todos havía singular cuidado y noticia, acordó el Inca, passados algunos meses, bolver a visitar sus reinos, porque era el mayor favor y beneficio que les podía hazer. En la visita mandó edificar, en las provincias más nobles y ricas, templos a honor y reverencia del Sol, donde los indios le adorassen; y también se fundaron casas de las vírgines escogidas, porque nunca fundaron la una sin la otra. Las cuales eran de mucho favor para los naturales de las provincias donde se edificavan, porque era hazerlos vezinos y naturales del Cozco. Sin los templos, mandó hazer muchas fortalezas en las fronteras de lo que estava por ganar, y casas reales en los valles y sitios más amenos y deleitosos, y también en los caminos, donde se alojassen los Incas cuando se ofreciesse caminar con sus exércitos. Mandó assimismo hazer muchos pósitos en los pueblos particulares, donde se guardassen los bastimentos para los años de necessidad, con que socorrer los naturales.

Ordenó muchas leyes y fueros particulares, arrimándose a las costumbres antiguas de aquellas provincias donde se havían de guardar, porque todo lo que no era contra su idolatría ni contra las leyes comunes tuvieron por bien aquellos Reyes Incas dexarlo usar a cada nasción como lo tenían en su antigüedad, por que no paresciesse que los tiranizavan, sino que los sacavan de la vida ferina y los passavan a la humana, dexándoles todo lo que no fuesse contra ley natural, que era la que estos Incas más dessearon guardar.

Hecha la visita, en la cual gastó tres años, se bolvió a su corte, donde gastó algunos meses en fiestas y regozijos, mas luego trató con el hermano, que era su segunda persona, y con los de su Consejo, de bolver a la conquista de las provincias de Chinchasuyu, que por aquella parte sola havía tierras de provecho que conquistar, que por las de Antisuyu, arrimadas a la cordillera nevada, eran montañas bravas las que se descubrían. Acordaron que el Inca Cápac Yupanqui bolviesse a la conquista, pues en la jornada passada havía dado tan buena muestra de su prudencia y valor y de las demás partes de gran capitán; mandaron que llevasse consigo al príncipe heredero, su sobrino, llamado Inca Yupanqui, muchacho de diez y seis años (que aquel mismo año le havían armado cavallero, conforme a la solemnidad del Huaracu, que largamente diremos adelante), para que se exercitasse en el arte militar, que tanto estimavan los Incas. Apercibieron cincuenta mil hombres de guerra. Los Incas, tío y sobrino, salieron con el primer tercio; caminaron hasta la gran provincia llamada Chucurpu, que era la última del Imperio por aquel paraje.

De allí embiaron los apercebimientos acostumbrados a los naturales de una provincia llamada Pincu, los cuales, viendo que no podían resistir al poder del Inca, y también porque havían sabido cuán bien les iva a todos sus vassallos con sus leyes y govierno, respondieron que holgavan mucho rescebir el imperio del Inca y sus leyes. Con esta respuesta entraron los Incas en la provincia, y de allí embiaron el mismo recaudo a las demás provincias cercanas a ella, que, entre otras que hay, las más principales son Huaras, Piscopampa, Cunchucu. Las cuales, haviendo de seguir el exemplo de Pincu, hizieron lo contrario, que se amotinaron y convocaron unas a otras, deponiendo sus passiones particulares para acudir a la común defensa; y assí se juntaron y respondieron diziendo que antes querían morir todos que rescebir nuevas leyes y costumbres y adorar nuevos dioses; que no los querían, que muy bien se hallavan con los suyos antiguos, que eran de sus antepassados, conoscidos de muchos siglos atrás; y que el Inca se contentasse con lo que havía tiranizado, pues con zelo de religión havía usurpado el señorío de tantos curacas como havía sujetado.

Dada esta respuesta, viendo que no podían resistir la pujança del Inca en campaña abierta, acordaron retirarse a sus fortalezas y alçar los bastimentos y quebrar los caminos y defender los malos passos que huviesse, lo cual todo apercibieron con gran diligencia y presteza.

CAPÍTULO XIII

Gana el Inca las provincias rebeldes, con hambre y astucia militar.

EL GENERAL Cápac Yupanqui no recibió alteración alguna con la sobervia y desvergonzada respuesta de los enemigos, porque, como magnánimo, iva apercebido para recebir con un mismo ánimo las buenas y malas palabras y también los sucessos; mas no por esso dexó de apercebir su gente, y, sabiendo que los contrarios se retiravan a sus plaças fuertes, dividió su exército en cuatro tercios de a diez mil hombres y a cada tercio encaminó a las fortalezas que más cerca les caían, con apercebimiento que no llegassen con los enemigos a rompimiento, sino que les apretassen con el cerco y con la hambre, hasta que se rindiessen. Y él se quedó a la mira, con el príncipe, su sobrino, para socorrer donde fuesse menester. Y por que no faltassen los bastimentos, por haverlos alçado los enemigos, para si durasse mucho la guerra embió a mandar a las provincias comarcanas del Inca, su hermano, le acudiessen con doblada provisión de la ordinaria.

Con estas prevenciones esperó el Inca Cápac Yupanqui la guerra. La cual se encendió cruelíssima, con mucha mortandad de ambas partes, porque los enemigos, con gran pertinacia, defendían los caminos y lugares fuertes, de donde, viendo que los Incas no los acometían, salían a ellos y peleavan con rabia de desesperados, metiéndose por las armas de sus contrarios; y cada provincia de las tres, en competencia de las otras, hazía cuanto podía por mostrar mayor ánimo y valor que las demás, por aventajarse dellas.

Los Incas no hazían más que resistirles y esperar a que la hambre y las demás incomodidades de la guerra los rindiessen; y cuando por los campos y por los pueblos desamparados hallavan las mujeres y hijos de los enemigos, que los havían dexado por no haver podido llevarlos todos consigo, los regalavan y acariciavan y les davan de comer; y recogiendo los más que podían, los encaminavan a que se fuessen con sus padres y con sus maridos, para que viessen que no ivan a cautivarlos, sino a mejorarlos de ley y costumbres. También lo hazían con astucia militar, por que tuviessen los enemigos más que mantener, más que guardar y cuidar, y que no estuviessen tan libres como lo estavan, sin mujeres y hijos, para hazer la guerra sin estorvos. Y también para que la hambre y la aflicción de los hijos los afligiesse más que la propria, y el llanto de las mujeres enterneciesse a los varones y les hiziesse perder el ánimo y la ferocidad, para que se rindiessen más aína.

Los contrarios no dexavan de reconoscer los beneficios que se hazían a sus mujeres y hijos, mas la obstinación y pertinacia que tenían era tanta, que no dava lugar al agradescimiento; antes parescía que los mismos beneficios los endurecían más.

Assí porfiaron en la guerra los unos y los otros cinco o seis meses, hasta que se empeçó a sentir la hambre y la mortandad de la gente más flaca, que eran los niños y las mujeres más delicadas, y, cresciendo más y más estos males, forçaron a los varones a lo que pensavan, que no los forçara la propria muerte; y assí, de común consentimiento de capitanes y soldados, cada cual en las fortalezas donde estavan, eligieron embaxadores que con toda humildad fuessen a los Incas y les pidiessen perdón de lo passado y ofreciessen la obediencia y vassallaje en lo porvenir.

Los Incas los recibieron con la clemencia acostumbrada, y con las más blandas palabras que supieron dezir les amonestaron que se bolviessen a sus pueblos y casas y procurassen ser buenos vassallos para merescer los beneficios del Inca y tenerle por señor, y que todo lo passado se les perdonava, sin acordarse más dello.

Los embaxadores bolvieron muy contentos a los suyos, de la buena negociación de su embaxada, y, sabida la respuesta de los Incas, huvieron mucho regozijo, y, conforme al mandato dellos, se bolvieron a sus pueblos, en los cuales los acariciaron y proveyeron de lo necessario; y fué bien menester el doblado bastimento que al principio desta guerra el Inca Cápac Yupanqui mandó pedir a los suyos, para con él proveer a los enemigos rendidos, que lo passaran mal aquel primer año, porque, por causa de la guerra, se havían perdido todos los sembrados; con la comida les proveyeron los ministros necessarios para el govierno de la justicia y de la hazienda y para la enseñança de su idolatría.

CAPÍTULO XIV

Del buen curaca Huamachucu y cómo se reduxo.

EL INCA passó adelante en su conquista; llegó a los confines de la gran provincia llamada Huamachucu, donde havía un gran señor del mismo nombre, tenido por hombre de mucho juizio y prudencia; al cual embió los requerimientos y protestaciones acostumbradas, ofreciéndole paz y amistad y mejoría de religión, leyes y costumbres; porque es verdad que aquella nasción las tenía bárbaras y crueles; y en su idolatría y sacrificios eran barbaríssimos, porque adoravan piedras, las que hallavan por los ríos o arroyos, de diversas colores, como el jaspe, que les parescía que no podían juntarse diferentes colores en una piedra sino por gran deidad que en ella huviesse, y, con esta bovería, las tenían en sus casas por ídolos, honrándolas como a dioses; sus sacrificios eran de carne y sangre humana. No tenían pueblos poblados; vivían por los campos, en choças derramadas, sin orden ni concierto; andavan como bestias. Todo lo cual desseava remediar el buen Huamachucu, mas no osava intentarlo, por que no le matassen los suyos, diziendo que, pues alterava su vida, menospreciava la religión y la manera de vivir de sus antepassados, y este miedo le tenía reprimido en sus buenos desseos y assí recibió mucho contento con el mensaje del Inca.

Y usando de su buen juizio, respondió que holgava mucho que el Imperio del Inca y sus vanderas huviessen llegado a los confines de su tierra, que, por las buenas nuevas que havía oído de su religión y buen govierno, havía años que lo desseava por su Rey y señor; que por las provincias de enemigos que havía en medio y por no desamparar sus tierras, no havía salido dellas a buscarle para darle la obediencia y adorarle por hijo del Sol, y que, ahora que sus desseos se havían cumplido, lo recebía con todo el buen ánimo y desseo que havía tenido de ser su vassallo; que le suplicava lo recibiesse con el mismo ánimo que él se ofrecía, y en él y en sus vassallos hiziesse los beneficios que en los demás indios havía hecho.

Con la buena respuesta del gran Huamachucu, entró el príncipe Inca Yupanqui, y el general, su tío, en sus tierras. El curaca salió a recebirlos con dádivas y presentes de todo lo que havía en su estado, y, puesto delante dellos, los adoró con toda reverencia. El general lo recibió con mucha afabilidad, y en nombre del Inca, su hermano, le rindió las gracias de su amor y buena voluntad, y el príncipe le mandó dar mucha ropa de vestir de la de su padre, assí para el curaca como para sus deudos y los principales y nobles de su tierra. Sin esta merced, que los indios estimaron en mucho, les dieron gracias y privilegios de mucho favor y honra, por el amor que mostraron al servicio del Inca. Y es assí que el Inca Pachacútec, y después los que le sucedieron, hizieron siempre mucho caudal y estima deste Huamachucu y de sus descendientes, y ennoblescieron grandemente su provincia, por haverse sujetado a su Imperio de la manera que se ha dicho.

Acabadas las fiestas que se hizieron por haver rescebido al Inca por señor, el gran curaca Huamachucu habló al capitán general diziendo que le suplicava mandasse reduzir con brevedad aquella manera de pueblos de su estado a otra mejor forma y mejorasse su idolatría, leyes y costumbres, que bien entendía que las que sus antepassados les havían dexado eran bestiales, dignas de risa, por lo cual él havía desseado mejorarlas, mas que no havía osado, por que los suyos no lo matassen por menospreciador de la ley de sus antecessores; que, como brutos, se contentavan con lo que sus mayores les dexaron. Empero que, ya que su buena dicha le havía llevado Incas, hijos del Sol, a su tierra, le suplicava se la mejorasse en todo, pues eran sus vassallos.

El Inca holgó de haverle oído y mandó que las caserías y choças derramadas por los campos se reduxessen a pueblos de calles y vezindad, en los mejores sitios que para ello se hallassen. Mandó apregonar que no tuviessen otro dios sino al Sol, y que echassen en la calle las piedras pintadas que en sus casas tenían por ídolos, que más eran para que los muchachos jugassen con ellas que no para que los hombres las adorassen; y que guardassen y cumpliessen las leyes y ordenanças de los Incas, para cuya enseñança mandó señalar hombres que asistiessen en cada pueblo como maestros en su ley.

CAPÍTULO XV

Resisten los de Cassamarca y al fin se rinden.

ODO lo cual, proveído con mucho contento del buen Huamachucu, passaron adelante los Incas, tío y sobrino, en su conquista, y en llegando a los términos de Cassamarca, famosa por la prisión de Atahuallpa en ella, la cual era una gran provincia, rica, fértil, poblada de mucha gente belicosa, embiaron un mensaje con los requirimientos y protestaciones acostumbradas de paz o de guerra, por que después no alegassen que los havían cogido descuidados.

Los de Cassamarca se alteraron grandemente, aunque de atrás, como gente valiente y belicosa, por haver visto la guerra cerca de sus tierras, tenían apercebidas las armas y los bastimentos y estavan fortalecidos en sus plaças fuertes y tenían tomados los malos passos de los caminos, y assí respondieron con mucha sobervia diziendo que ellos no tenían necessidad de nuevos dioses ni de señor estranjero que les diesse nuevas leyes y fueros estraños, que ellos tenían los que havían menester, ordenados y establescidos por sus antepassados, y no querían novedades; que los Incas se contentassen con los que quisiessen obedecerles, y buscassen otros, que ellos no querían su amistad y menos su señorío, y que protestavan de morir todos por defender su libertad.

Con esta respuesta, entró el Inca Cápac Yupanqui en los confines de Cassamarca, donde los naturales, como bravos y animosos, se le ponían delante en los passos dificultosos, ganosos de pelear por vencer o morir; y aunque el Inca desseava escusar la pelea, no le era possible, porque, para haver de passar adelante, le convenía ganar los passos fuertes a fuerça de armas; en los cuales, peleando obstinadamente los unos y los otros, murieron muchos; lo mismo passó en algunas batallas que se dieron en campo abierto; mas como la potencia de los Incas fuesse tanta, no pudiendo resistirla sus contrarios, se acogieron a las fortalezas y riscos y peñas fuertes, donde pensavan defenderse. De allí salían a hazer sus saltos; matavan mucha gente a los Incas, y también morían muchos dellos. Assí duró la guerra cuatro meses, por querer los Incas ir entreteniéndola, por no destruir los enemigos más que no por la pujança dellos, aunque no dexavan de resistir con todo ánimo y esfuerço; empero, ya diminuídos de su primera bizarría.

Durante la guerra, hazían los Incas todo el beneficio que podían a sus enemigos, por vencerlos por bien; los que prendían en las batallas soltavan libremente con muy buenas palabras que embiavan a dezir a su curaca, ofreciéndole paz y amistad; los heridos curavan, y después de sanos los embiavan con los mismos recaudos y les dezían que bolviessen a pelear contra ellos, que cuantas vezes los hiriessen y prendiessen, tantas los bolverían a curar y soltar, porque havían de vencer como Incas y no como tiranos, enemigos crueles; las mujeres y niños, que hallavan en los montes y cuevas, después de haverlos regalado, los embiavan a sus padres y maridos con persuasiones que no porfiassen en su obstinación, pues no podían vencer a los hijos del Sol.

Con estas y otras semejantes caricias, porfiadas en tan largo tiempo, empeçaron los de Cassamarca a ablandar y amansar la ferocidad y dureza de sus ánimos y bolver en sí poco a poco, para considerar que no les estava mal sujetarse a gente que, pudiéndolos matar, usava con ellos de aquellos beneficios. Sin lo cual, veían por experiencia que el poder del Inca crescía cada día y el suyo menguava de hora en hora, y que la hambre los apretava ya de manera que a poco más no podían dexar de perecer, cuanto más vencer o resistir a los Incas. Por estas dificultades, haviéndolas consultado el curaca con los más principales de su estado, les paresció acceptar los partidos que los Incas les ofrescían, antes que por su obstinación y ingratitud se los negassen, y assí embiaron luego sus embaxadores diziendo que, por haver esperimentado la piedad, clemencia y mansedumbre de los Incas y la potencia de sus armas, confessavan que merescían ser señores del mundo, y que con mucha razón publicavan ser hijos del Sol los que tales beneficios hazían a sus enemigos; en los cuales se certificava que serían mayores las mercedes cuando fuessen sus vassallos. Por lo cual, arrepentidos de su dureza y avergonçados de su ingratitud, de no haver correspondido antes a tantos beneficios rescebidos, suplicavan al príncipe, y a su tío el general, tuviessen por bien de perdonarles su rebeldía y ser sus padrinos y abogados, para que la majestad del Inca los recibiesse por sus vassallos.

Apenas pudieron haver llegado los embaxadores ante los Incas, cuando el curaca Cassamarca y sus nobles acordaron ir ellos mismos a pedir el perdón de sus delictos, por mover a mayor compassión a los Incas, y assí fueron con la mayor sumissión que pudieron, y, puestos ante el Príncipe y el Inca General, los adoraron a la usança dellos y repitieron las mismas palabras que sus embaxadores havían dicho. El Inca Cápac Yupanqui, en lugar del príncipe, su sobrino, los recibió con mucha afabilidad, y con muy dulces palabras les dixo que, en nombre del Inca, su hermano, y del príncipe, su sobrino, los perdonava y recibía en su servicio, como a cualquiera de sus vassallos, y que de lo passado no se acordarían jamás; que procurassen hazer lo que devían de su parte para merescer los beneficios del Inca, que Su Majestad no faltaría de les hazer las mercedes acostumbradas y los trataría como su padre el Sol se lo tenía mandado; que se fuessen en paz y se reduxessen a sus pueblos y casas y pidiessen cualquiera merced que bien les estuviesse.

El curaca, juntamente con los suyos, bolvió adorar a los Incas, y en

nombre de todos dixo que bien mostravan ser hijos del Sol, y que ellos
se tenían por dichosos de haver alcançado tales señores y que servirían
al Inca como buenos vassallos. Dicho esto, se despidieron
y bolvieron a sus casas.

CAPÍTULO XVI

La conquista de Yauyu y el triunfo de los Incas, tío y sobrino.

L INCA GENERAL tuvo en mucho haver ganado esta provincia, porque era una de las buenas que havía en todo el Imperio de su hermano. Procuró ilustrarla luego; mandó reduzir las caserías derramadas a pueblos recogidos; mandó traçar una casa o templo para el Sol y otra para las vírgines escogidas. Estas casas crescieron después en tanta grandeza de ornamento y servicio que fueron de las principales que huvo en todo el Perú. Dióles maestros para su idolatría y los ministros para el govierno común y para la hazienda del Sol y del Rey, y grandes ingenieros para sacar acequias de agua y aumentar las tierras de lavor. Dexó guarnición de gente, para asegurar lo ganado.

Lo cual proveído, acordó volverse al Cozco y de camino conquistar un rincón de tierra que havía dexado atrás, que, por estar lexos del camino que llevó a la ida, no la dexó ganada. Esta provincia, que llaman Yauyu, es áspera de sitio y de gente belicosa, mas con todo esso le paresció que bastarían doze mil soldados; mandó que se escogiessen y despidió los demás, por no fatigarlos donde no eran menester. Llegando a los términos de aquella provincia le embió los requirimientos acostumbrados de paz o de guerra.

Los Yauyus se juntaron y platicaron sobre el caso; tuvieron contrarios pareceres. Unos dezían que muriessen todos defendiendo la patria y la libertad y sus dioses antiguos. Otros, más cuerdos, dixeron que no havía para qué proponer temeridades y locuras manifiestas, que bien veían que no se podía defender la patria ni la libertad contra el poder del Inca, que los tenía rodeados por todas partes, y sabían que havía sujetado otras provincias mayores y que sus dioses no se ofenderían, pues los dexavan por fuerça, a más no poder, y que no hazían ellos mayor delicto que todas las demás nasciones, que havían hecho lo mismo; que mirassen que los Incas, según havían oído dezir, tratavan a sus vassallos de manera que antes se devía dessear y amar que aborrecer el imperio dellos. Por todo lo cual les parecía que llanamente le obedeciessen, porque lo contrario era manifiesto desatino y total destruición de lo que pretendían conservar, porque podían los Incas, si quisiessen, echarles encima las sierras que en derredor tenían.

Este consejo prevaleció, y assí, de común consentimiento, recibieron a los Incas con toda la fiesta y solenidad que pudieron hazer. El general hizo muchas mercedes al curaca, y a sus deudos, capitanes y gente noble mandó dar mucha ropa de la fina, que llaman *compi*; y a los plebeyos otra mucha, de la común, que llaman *auasca*; y todos quedaron muy contentos de haver cobrado tal Rey y señor.

Los Incas, tío y sobrino, se fueron al Cozco, dexando en Yauyu los ministros acostumbrados para el govierno de los vassallos y de la hazienda real. El Inca Pachacútec salió a recebir al hermano y al príncipe, su hijo, con solemne triunfo y mucha fiesta, que les tenía apercebida; mandó que entrassen en andas, que llevaron sobre sus hombros los indios naturales de las provincias que de aquella jornada conquistaron.

Todas las nasciones que vivían en la ciudad, y los curacas que vinieron a hallarse en la fiesta, entraron por sus cuadrillas, cada una de por sí, con diferentes instrumentos de atambores, trompetas, bozinas y caracoles, conforme a la usança de sus tierras, con nuevos y diversos cantares, compuestos en su propria lengua, en loor de las hazañas y excelencias del capitán general Cápac Yupanqui y del príncipe, su sobrino, Inca Yupanqui, de cuyos buenos principios rescibieron grandíssimo contento su padre, parientes y vassallos. En pos de los vezinos y cortesanos entraron los soldados de guerra, con sus armas en las manos, cada nasción de por sí, cantando también ellos las hazañas que sus Incas havían hecho en la guerra; hazían de ambos una persona. Dezían las grandezas y excelencias dellos; el esfuerço, ánimo y valentía en las batallas; la industria, diligencia y buena maña en los ardides de la guerra; la paciencia, cordura y mansedumbre para sufrir los iñorantes y atrevidos; la clemencia, piedad y caridad con los rendidos; la afabilidad, liberalidad y magnificencia con sus capitanes y soldados y con los estraños; la prudencia y buen consejo en todos sus hechos. Repetían muchas vezes los nombres de los Incas, tío y sobrino; dezían que dignamente merescían, por sus virtudes, renombres de tanta majestad y alteza. En pos de la gente de guerra ivan los Incas de la sangre real, con sus armas en las manos, assí los que salieron de la ciudad como los que venían de la guerra, todos igualmente compuestos, sin diferencia alguna, porque cualesquiera hazañas que pocos o muchos Incas hiziessen, las hazían comunes de todos ellos, como si todos se huvieran hallado en ellas.

En medio de los Incas iva el general, y el príncipe a su lado derecho; tras ellos iva el Inca Pachacútec en sus andas de oro. Con esta orden fueron hasta los límites de la casa del Sol, donde se apearon los Incas

39

y se descalçaron todos, si no fué el Rey, y assí fueron todos hasta la puerta del templo, donde se descalçó el Inca y entró dentro con todos los de su sangre real, y no otros, y haviéndole adorado y rendido las gracias de las victorias que les havía dado, se bolvieron a la plaça principal de la ciudad, donde se solenizó la fiesta con cantares y bailes y mucha comida y bevida, que era lo más principal de sus fiestas.

Cada nasción, según su antigüedad, se levantava de su asiento e iva a bailar y cantar delante del Inca, conforme al uso de su tierra; llevavan consigo sus criados, que tocavan los atambores y otros instrumentos y respondían a los cantares; y acabando de bailar aquéllos, se brindavan unos con otros, y luego se levantavan otros a bailar, y luego otros y otros, y desta manera durava el baile todo el día. Por esta orden regozijaron la solenidad de aquel triunfo por espacio de una lunación; y assí lo hizieron en todos los triunfos passados, mas no hemos dado cuenta dellos porque éste de Cápac Yupanqui fué el más solene de los que hasta entonces se hizieron.

CAPÍTULO XVII

Redúzense dos valles, y Chincha responde con sobervia.

PASSADAS las fiestas, descansaron los Incas tres o cuatro años sin hazer guerra; solamente atendían a ilustrar y engrandecer con edificios y beneficios las provincias y reinos ganados. Tras este largo tiempo que los pueblos huvieron descansado, trataron los Incas de hazer la conquista de los llanos, que por aquella parte no tenían ganado más de hasta Nanasca, y, haviéndose consultado en el consejo de guerra, mandó apercebir treinta mil soldados que fuessen luego a la conquista, y quedassen apercibiéndose otros treinta mil para remudar los exércitos de dos a dos meses, que convenía hazerlo assí porque la tierra de los llanos es enferma y peligrosa para los nascidos y criados en la sierra.

Aprestada la gente, mandó el Inca Pachacútec que los treinta mil hombres quedassen en los pueblos comarcanos, apercebidos para cuando los llamassen, y los otros treinta mil salieron para la conquista. Con los cuales salieron los tres Incas, que son el Rey y el príncipe Inca Yupanqui y el general Cápac Yupanqui, y caminaron por sus jornadas hasta las provincias llamadas Rucana y Hatumrucana, donde el Inca quiso quedarse, por estar en comarca que pudiesse dar calor a la guerra y acudir al govierno de la paz.

Los Incas, tío y sobrino, passaron adelante, hasta Nanasca; de allí embiaron mensajeros al valle de Ica, que está al norte de Nanasca, con los requerimientos acostumbrados. Los naturales pidieron plazo para comunicar la respuesta, y al fin de algunas diferencias acordaron recebir al Inca por señor, porque, por el largo tiempo de la vezindad de Nanasca, havían sabido y visto el suave govierno de los Incas. Lo mismo hizieron los del valle de Pisco, aunque con alguna dificultad, por la vezindad del gran valle de Chincha, cuyo favor y socorro quisieron pedir, y lo dexaron de intentar por parecerles que no podía ser el socorro tan grande que bastasse a defenderlos del Inca, por lo cual tomaron el consejo más seguro y saludable y acceptaron las leyes y costumbres del Inca y prometieron de adorar al Sol por su Dios y repudiar y abominar los dioses que tenían.

Al valle de Ica, que es fértil, como lo son todos aquellos valles, ennoblescieron todos aquellos Reyes Incas con una hermosíssima acequia que mandaron sacar de lo alto de las sierras, muy caudalosa de agua, cuyas corrientes trocaron en contra con admirable artificio, que, yendo naturalmente encaminadas al levante, las hizieron bolver al poniente, porque un río que passa por aquel valle traía muy poca agua de verano y padescían los indios mucha esterilidad en sus sembrados, que muchos años que en la sierra llovía poco, los perdían por falta de riego. Y con el socorro del acequia, que era mayor que el río, ensancharon las tierras de lavor en más que otro tanto, y de allí adelante vivieron en grande abundancia y prosperidad. Todo lo cual causava que los indios conquistados y no conquistados desseassen y amassen el Imperio de los Incas, cuya vigilancia y cuidado notavan que se empleava siempre en semejantes beneficios de los valles.

Es de saber que generalmente los indios de aquella costa, en casi quinientas leguas dende Trujillo hasta Tarapaca, que es lo último del Perú, norte sur, adoravan en común a la mar (sin los ídolos que en particular cada provincia tenía); adorávanla por el beneficio que con su pescado les hazía para comer y para estercolar sus tierras, que en algunas partes de aquella costa las estercolan con cabeças de sardinas; y assí le llamavan Mamacocha, que quiere dezir madre mar, como que hazía oficio de madre en darles de comer. Adoravan también comúnmente a la vallena, por su grandeza y monstruosidad, y en particular unas provincias adoravan a unos peces y otras a otros, según que les eran más provechosos, porque los matavan en más cantidad. Ésta era, en suma, la idolatría de los yuncas de aquella costa, antes del Imperio de los Incas.

Haviendo ganado los dos valles, Ica y Pisco, embiaron los Incas sus mensajeros al grande y poderoso valle llamado Chincha (por quien se llamó Chinchasuyu todo aquel distrito, que es una de las cuatro partes

41

en que dividieron los Incas su Imperio), diziendo que tomassen las armas o diessen la obediencia al Inca Pachacútec, hijo del Sol.

Los de Chincha, confiados en la mucha gente de guerra que tenían, quisieron bravear; dixeron que ni querían al Inca por su Rey ni al Sol por su dios; que ellos tenían dios a quien adorar y Rey a quien servir; que su dios en común era la mar, que, como todos lo veían, era mayor cosa que el Sol y tenía mucho pescado que les dar, y que el Sol no les hazía beneficio alguno, antes los ofendía con su demasiado calor; que su tierra era caliente y no havían menester al Sol; que los de la sierra, que vivían en tierras frías, le adorassen, pues tenían necessidad dél. Y cuanto al Rey, dixeron que ellos le tenían natural, de su mismo linaje, que no lo querían estranjero, aunque fuesse hijo del Sol, qué ni havían menester al Sol ni a sus hijos tampoco; y que no tenían necessidad de que los apercibiessen para las armas, que quien los buscasse los hallaría siempre bien apercebidos para defender su tierra, su libertad y sus dioses, particularmente a su dios llamado Chincha Cámac, que era sustentador y hazedor de Chincha; que los Incas harían mejor en bolverse a sus casas que no en tener guerra con el señor y Rey de Chincha, que era poderosíssimo Príncipe. Los naturales de Chincha se presciavan haver venido sus antepassados de lexas tierras (aunque no dizen de dónde), con capitán general tan religioso como valiente, según ellos dizen; y que ganaron aquel valle a fuerça de armas, destruyendo los que hallaron en él, y que no hizieron mucho porque era una gente vil y apocada, los cuales perescieron todos sin quedar alguno, y que hizieron otras mayores valentías que se dirán adelante.

CAPÍTULO XVIII
La pertinacia de Chincha y cómo al fin se reduze.

AVIDA la respuesta caminaron los Incas hazia Chincha. El curaca, que se llamava del mismo nombre, salió con una buena vanda de gente fuera del mismo valle a escaramuçar con los Incas, mas por la mucha arena no pudieron pelear los unos ni los otros, y los yuncas se fueron retirando hasta meterse en el valle, donde resistieron la entrada a los Incas, mas no pudieron hazer tanto que no perdiessen sitio bastante donde se aloxassen los enemigos. La guerra se travó entre ellos muy cruel, con muertes y heridas de ambas partes. Los yuncas peleavan por defender su patria y los Incas por aumentar su Imperio, honra y fama.

Assí estuvieron muchos días en su porfía; los Incas los combidaron muchas vezes con la paz y amistad; los yuncas, obstinados en su pertinacia y confiados en el calor de su tierra, que forçaría a los serranos que se saliessen della, no quisieron aceptar partido alguno, antes se mostravan cada día más rebeldes, porfiando en su vana esperança. Los Incas, guardando su antigua costumbre de no destruir los enemigos por guerra, sino conquistarlos por bien, dexaron correr el tiempo hasta que los yuncas se cansassen y se entregassen de su grado, y porque havían passado ya dos meses, mandaron los Incas renovar su exército antes que el calor de aquella tierra les hiziesse mal; para lo cual embiaron a mandar que la gente que había quedado aprestada para aquel efecto caminasse a toda priessa, para que los que asistían en la guerra saliessen antes que enfermassen por el mucho calor de la tierra.

Los maeses de campo del nuevo exército se dieron priessa a caminar, y en pocos días llegaron a Chincha; el general Cápac Yupanqui los recibió, y despidió el exército viejo; mandó que estuviessen aprestados otros tantos soldados, para renovar otra vez el exército si fuesse menester. Mandó assimismo que el príncipe, su sobrino, se saliesse a la sierra con los soldados viejos, por que su salud y vida no corriesse tanto riesgo en los llanos.

Despachadas estas cosas, apretó el general la guerra contra los de Chincha, sitiándolos más estrechamente y talando las mieses y los fructos del campo, para que la hambre los rindiesse. Mandó quebrar las acequias, para que no pudiessen regar lo que no alcançaron a talar, que fué lo que más sintieron los yuncas; porque, como la tierra es tan caliente y el Sol arde mucho en ella, tiene necessidad de que la rieguen cada tres o cuatro días para poder dar fructo.

Pues como los yuncas se viessen por una parte apretados con el sitio más estrecho y quebradas las acequias, y por otra perdida la esperança que tenían de que los Incas se havían de salir a la sierra de temor de las enfermedades de los llanos, viendo ahora nuevo exército y sabiendo que lo havían de renovar cada tres meses, perdieron parte del orgullo, mas no la pertinacia, y en ella se estuvieron otros dos meses, que no quisieron aceptar la paz y amistad que los Incas les ofrecían cada ocho días. Por una parte resistían a sus enemigos con las armas, haziendo lo que podían y sufriendo con mucha paciencia los trabajos de la guerra. Por otra acudían con gran devoción y promessas a su dios Chincha Cámac; particularmente las mujeres, con muchas lágrimas y sacrificios le pedían los librasse del poder de los Incas.

Es de saber que los indios de este hermoso valle Chincha tenían un ídolo famoso, que adoravan por dios, y le llamavan Chincha Cámac. Levantaron este dios a semejança del Pachacámac, dios no conocido, que los Incas adoravan mentalmente, como se ha dicho atrás; porque supie-

43

ron que los naturales de otro gran valle que está adelante de Chincha (del cual hablaremos presto) havían levantado al Pachacámac por su dios y héchole un templo famoso. Pues como supiessen que Pachacámac quería dezir sustentador del universo, les pareció que, teniendo tanto que sustentar, se descuidaría o no podría sustentar a Chincha tan bastantemente como sus moradores quisieran. Por lo cual les pareció inventar un dios que fuesse particular sustentador de su tierra, y assí le llamaron Chincha Cámac, en cuya confiança estavan obstinados a no rendirse a los enemigos, esperando que, siendo su dios casero, los libraría presto dellos.

Los Incas sufrían con mucha paciencia el hastío de la guerra y la porfía de los yuncas, por no destruirlos, mas no por esso dexavan de apretarles en todo lo que podían, como no fuesse matarlos.

El Inca Cápac Yupanqui, viendo la rebeldía de los yuncas y que se perdía tiempo y reputación en esperarlos tanto, y que para cumplir con la piedad del Inca, su hermano, bastava lo esperado y que podría ser que la mansedumbre que se usava con los enemigos se convirtiesse en crueldad contra los suyos, si enfermassen, como se temía del mucho calor de aquella tierra para indios no hechos a ella, les embió un mensaje diziendo que ya él havía cumplido con el mandato del Inca, su hermano, que era que atraxesse los indios a su imperio por bien, y no por mal, y que ellos, cuanta más piedad havían sentido en los Incas, tanto más rebeldes se mostravan, atribuyéndolo a covardía; por tanto, les embiava a amonestar que se rindiessen al servicio del Inca dentro de ocho días, los cuales passados, les prometía passarlos todos a cuchillo y poblar sus tierras de nuevas gentes que a ellas traería. Mandó a los mensajeros que, dado el recaudo, se bolviessen sin esperar respuesta.

Los yuncas temieron el recaudo, porque vieron que el Inca tenía demasiada razón, que les havía sufrido y esperado mucho, y que, pudiendo haverles hecho la guerra a fuego y a sangre, la havía hecho con mucha mansedumbre, que havía usado assí con ellos como con sus heredades, no las talando del todo, por lo cual, haviéndolo platicado, les paresció no irritarlo a mayor saña, sino hazer lo que les mandava, pues ya la hambre y los trabajos los forçavan a que se rindiessen. Con este acuerdo embiaron sus embaxadores, suplicando al Inca los perdonasse y recibiesse por súbditos, que la rebeldía que hasta allí havían tenido la trocarían de allí adelante en lealtad, para le servir como buenos vassallos. Otro día fué el curaca, acompañado de sus deudos y otros nobles, a besar las manos al Inca y a darle la obediencia personalmente.

CAPÍTULO XIX

Conquistas antiguas y jatancias falsas de los Chinchas.

L INCA holgó mucho con el curaca Chincha por ver acabada aquella guerra, que le havía dado hastío y pesadumbre, y assí recibió con mucha afabilidad al gran yunca y le dixo muy buenas palabras acerca del perdón y de la rebeldía passada, porque el curaca se mostrava muy penado y afligido de su delicto. El Inca le mandó que no hablasse más en ello ni se le acordasse, que ya el Rey, su hermano, lo tenía borrado de la memoria; y para que viesse que estava perdonado, le hizo mercedes en nombre del Inca a él y a los suyos y les dió de vestir y preseas de las muy estimadas del Inca, con que todos quedaron muy contentos.

Estos indios de Chincha se jatan mucho en este tiempo diziendo la mucha resistencia que hizieron a los Incas, y que no los pudieron sujetar de una vez, sino que fueron sobre ellos dos vezes, que de la primera vez se retiraron y bolvieron a sus tierras; y lo dizen por los dos exércitos que fueron sobre su provincia, trocándose el uno por el otro, como se ha dicho. Dizen también que tardaron los Incas muchos años en conquistarlos, y que más los rindieron con las promessas, dádivas y presentes, que no con las armas, haziendo valentía suya la mansedumbre de los Incas, cuya potencia en aquellos tiempos era ya tanta que, si quisieran ganarlos por fuerça, pudieran hazerlo con mucha facilidad. Mas esto del blasonar, passada la tormenta, quienquiera lo sabe hazer bien.

También dizen que antes que los Incas los sujetaron se vieron tan poderosos y fueron tan belicosos que muchas vezes salían a correr la tierra y traían muchos despojos della, y que los serranos les temían y les desamparavan los pueblos, y que desta manera llegaron muchas vezes hasta la provincia Colla. Todo lo cual es falso, porque aquellos yuncas, por la mayor parte, son gente regalada y de poco trabajo, y para llegar a los Collas havían de caminar casi dozientas leguas y atravesar provincias mayores y más pobladas que la suya. Y lo que más les contradize es que los yuncas, como en su tierra haze mucho calor y no oyen jamás truenos, porque no llueve en ella, en subiendo a la sierra y oyendo tronar se mueren de miedo y no saben dónde se meter y se buelven huyendo a sus tierras. Por todo lo cual se vee que los yuncas levantan grandes testimonios en su favor contra los de la sierra.

El Inca Cápac Yupanqui, entre tanto que se dava orden y assiento en el govierno de Chincha, avisó al Inca, su hermano, de todo lo hasta allí succedido, y le suplicó le embiasse nuevo exército para trocar el que tenía y passar adelante en la conquista de los yuncas; y tratando en Chincha de las nuevas leyes y costumbres que havían de tener, supo que havía algunos sométicos, y no pocos, los cuales mandó prender, y en un día los quemaron vivos todos juntos y mandaron derribar sus casas y talar sus heredades y sacar los árboles de raíz, por que no quedasse memoria de cosa que los sodomitas huviessen plantado con sus manos, y las mujeres y hijos quemaran por el pecado de sus padres, si no paresciera inhumanidad, porque fué un vicio éste que los Incas abominaron fuera de todo encarecimiento.

El tiempo adelante los Reyes Incas ennoblescieron mucho este valle de Chincha: hizieron soleníssimo templo para el Sol y casa de escogidas; tuvo más de treinta mil vezinos; es uno de los más hermosos valles que hay en el Perú. Y por que las hazañas y conquistas deste Rey Pachacútec fueron muchas, y porque hablar siempre en una materia suele enfadar, me paresció dividir su vida y hechos en dos partes y poner en medio dos fiestas principales que aquellos Reyes en su gentilidad tuvieron; hecho esto, bolveremos a la vida deste Rey.

CAPÍTULO XX

La fiesta principal del Sol y cómo se preparavan para ella.

ESTE nombre *Raimi* suena tanto como Pascua o fiesta solenne. Entre cuatro fiestas que solenizavan los Reyes Incas en la ciudad del Cozco, que fué otra Roma, la soleníssima era la que hazían al Sol por el mes de junio, que llamavan Intip Raimi, que quiere dezir la Pascua solenne del Sol, y absolutamente le llamavan Raimi, que significa lo mismo, y si a otras fiestas llamavan con este nombre era por participación desta fiesta, a la cual pertenescía derechamente el nombre Raimi; celebrávanla passado el solsticio de junio.

Hazían esta fiesta al Sol en reconoscimiento de tenerle y adorarle por sumo, solo y universal Dios, que con su luz y virtud criava y sustentava todas las cosas de la tierra.

Y en reconocimiento de que era padre natural del primer Inca Manco Cápac y de la Coya Mama Ocllo Huaco y de todos los Reyes y de sus hijos y descendientes, embiados a la tierra para el beneficio universal de las gentes, por estas causas, como ellos dizen, era soleníssima esta fiesta.

Hallávanse a ella todos los capitanes principales de guerra ya jubilados y los que no estavan ocupados en la milicia y todos los curacas, señores de vassallos, de todo el Imperio; no por precepto que les obligasse a ir a ella, sino porque ellos holgavan de hallarse en la solenidad de tan gran fiesta; que, como contenía en sí la adoración de su Dios, el Sol, y la veneración del Inca, su Rey, no quedava nadie que no acudiesse a ella. Y cuando los curacas no podían ir por estar impedidos de vejez o de enfermedad o con negocios graves en servicio del Rey o por la mucha distancia del camino, embiavan a ella los hijos y hermanos, acompañados de los más nobles de su parentela, para que se hallassen a la fiesta en nombre dellos. Hallávase a ella el Inca, en persona, no siendo impedido en guerra forçosa o en visita del reino.

Hazía el Rey las primeras cerimonias como sumo sacerdote, que, aunque siempre havía sumo sacerdote de la misma sangre, porque lo havía de ser hermano o tío del Inca, de los legítimos de padre y madre, en esta fiesta, por ser particular del Sol, hazía las cerimonias el mismo Rey, como hijo primogénito de esse Sol, a quien primero y principalmente tocava solenizar su fiesta.

Los curacas venían con todas sus mayores galas y invenciones que podían haver: unos traían los vestidos chapados de oro y plata, y guirnaldas de lo mismo en las cabeças, sobre sus tocados.

Otros venían ni más ni menos que pintan a Hércules, vestida la piel de león y la cabeça encaxada en la del indio, porque se precian los tales descendir de un león.

Otros venían de la manera que pintan los ángeles, con grandes alas de un ave que llaman *cúntur*. Son blancas y negras, y tan grandes que muchas han muerto los españoles de catorze y quinze pies, de punta a punta de los buelos; porque se jatan descendir y haver sido su origen de un cúntur.

Otros traían máscaras hechas a posta, de las más abominables figuras que pueden hazer, y éstos son los yuncas. Entravan en las fiestas haziendo ademanes y visajes de locos, tontos y simples. Para lo cual traían en las manos instrumentos apropriados, como flautas, tamborinos mal concertados, pedaços de pellejos, con que se ayudavan para hazer sus tonterías.

Otros curacas venían con otras diferentes invenciones de sus blasones. Traía cada nasción sus armas, con que peleavan en las guerras: unos traían arcos y flechas, otros lanças, dardos, tiraderas, porras, hondas y hachas de asta corta, para pelear con una mano, y otras de asta larga, para combatir a dos manos.

Traían pintadas las hazañas que en servicio del Sol y de los Incas havían hecho; traían grandes atabales y trompetas, y muchos ministros que los tocavan; en suma, cada nación venía lo mejor arreado y más bien acompañado que podía, procurando cada uno en su tanto aventajarse de sus vezinos y comarcanos, o de todos, si pudiesse.

Preparávanse todos, generalmente, para el Raimi del Sol, con ayuno riguroso, que en tres días no comían sino un poco de maíz blanco, crudo, **47** y unas pocas de yervas que llaman *chúcam* y agua simple. En todo este tiempo no encendían fuego en toda la ciudad, y se abstenían de dormir con sus mujeres.

Passado el ayuno, la noche antes de la fiesta los sacerdotes Incas deputados para el sacrificio entendían en apercebir los carneros y corderos que se havían de sacrificar y las demás ofrendas de comida y bevida que al Sol se havía de ofrecer. Todo lo cual se prevenía sabida la gente que a la fiesta havía venido, porque de las ofrendas havían de alcançar todas las nasciones, no solamente los curacas y los embaxadores, sino también los parientes, vassallos y criados de todos ellos.

Las mujeres del Sol entendían aquella noche en hazer grandíssima cantidad de una massa de maíz que llaman *çancu;* hazían panezillos redondos, del tamaño de una mançana común, y es de advertir que estos indios no comían nunca su trigo amassado y hecho pan sino en esta fiesta y en otra que llamavan Citua, y no comían este pan a toda la comida, sino dos o tres bocados al principio; que su comida ordinaria, en lugar de pan, es la çara tostada o cozida en grano.

La harina para este pan, principalmente lo que el Inca y los de su sangre real havían de comer, la molían y amassavan las vírgines escogidas, mujeres del Sol, y estas mismas guisavan toda la demás vianda de aquella fiesta; porque el banquete más parecía que lo hazía el sol a sus hijos que sus hijos a él; y por tanto guisavan las vírgines, como mujeres que eran del Sol.

Para la demás gente común amassavan el pan, y guisavan la comida otra infinidad de mujeres diputadas para esto. Empero, el pan, aunque era para la comunidad, se hazía con atención y cuidado de que a lo menos la harina la tuviessen hecha donzellas porque este pan lo tenían por cosa sagrada, no permitido comerse entre año, sino en solo esta festividad, que era fiesta de sus fiestas.

CAPÍTULO XXI

Adoravan al Sol, ivan a su casa, sacrificavan un cordero.

PREVENIDO lo necessario, el día siguiente, que era el de la fiesta, al amanescer, salía el Inca acompañado de toda su parentela, la cual iva por su orden, conforme a la edad y dignidad de cada uno, a la plaça mayor de la ciudad, que llaman Haucaipata. Allí esperavan a que saliesse el Sol, y estavan todos descalços y con grande atención, mirando al oriente, y en asomando el Sol se ponían todos de cuclillas (que entre estos indios es tanto como ponerse de rodillas) para le adorar, y con los braços abiertos y las manos alçadas y puestas en derecho del rostro, dando besos al aire (que es lo mismo que en España besar su propria mano o la ropa del Príncipe, cuando le reverencian), le adoravan con grandíssimo afecto y reconoscimiento de tenerle por su Dios y padre natural.

Los curacas, porque no eran de la sangre real, se ponían en otra plaça, pegada a la principal, que llaman Cussipata; hazían al Sol la misma adoración que los Incas. Luego el Rey se ponía en pie, quedando los demás de cuclillas, y tomava dos grandes vasos de oro, que llaman *aquilla*, llenos del brevaje que ellos beven. Hazía esta cerimonia (como primogénito) en nombre de su padre, el Sol, y con el vaso de la mano derecha le combidava a bever, que era lo que el Sol havía de hazer, combidando el Inca a todos sus parientes, porque esto del darse a bever unos a otros era la mayor y más ordinaria demostración que ellos tenían del beneplácito del superior para con el inferior y de la amistad del un amigo con el otro.

Hecho el combite del bever, derramava el vaso de la mano derecha, que era dedicado al Sol, en un tinajón de oro, y del tinajón salía a un caño de muy hermosa cantería, que desde la plaça mayor iva hasta la casa del Sol, como que él se lo tuviesse bevido. Y del más vaso de la mano izquierda, tomava el Inca un trago, que era su parte, y luego se repartía lo demás por los demás Incas, dando a cada uno un poco en un vaso pequeño de oro o plata, que para lo recebir tenía apercebido, y de poco en poco rece[b]avan el vaso principal que el Inca havía tenido, para que aquel licor primero, sanctificado por mano del Sol o del Inca, o de ambos a dos, comunicasse su virtud al que le fuessen echando. Desta bevida bevían todos los de la sangre real, cada uno un trago. A los demás curacas, que estavan en la otra plaça, davan a bever del mismo brevaje que las mujeres del Sol havían hecho, pero no de la sanctificada, que era solamente para los Incas.

Hecha esta cerimonia, que era como salva de lo que después se havía de bever, ivan todos, por su orden, a la casa del Sol, y dozientos passos antes de llegar a la puerta se descalçavan todos, salvo el Rey, que no se descalçava hasta la misma puerta del templo. El Inca y los de su sangre entravan dentro, como hijos naturales, y hazían su adoración a la imagen del Sol. Los curacas, como indignos de tan alto lugar, porque no eran hijos, quedavan fuera, en una gran plaça que hoy está ante la puerta del templo.

El Inca ofrecía de su propria mano los vasos de oro en que havía hecho la cerimonia; los demás Incas davan sus vasos a los sacerdotes Incas que para servicio del Sol estavan nombrados y dedicados, porque a los no sacerdotes, aunque de la misma sangre del Sol (como a seglares), no les era permitido hazer oficio de sacerdotes. Los sacerdotes, haviendo

49

ofrecido los vasos de los Incas, salían a la puerta a recebir los vasos de los curacas, los cuales llegavan por su antigüedad, como havían sido reduzidos al Imperio, y que davan sus vasos, y otros cosas de oro y plata que para presentar al Sol havían traído de sus tierras, como ovejas, corderos, lagartijas, sapos, culebras, zorras, tigres y leones y mucha variedad de aves; en fin, de lo que más abundancia havía en sus provincias, todo contrahecho al natural en plata y oro, aunque en pequeña cantidad cada cosa.

Acabada la ofrenda, se bolvían a sus plaças por su orden; luego venían los sacerdotes Incas, con gran suma de corderos, ovejas machorras y carneros de todas colores, porque el ganado natural de aquella tierra es de todas colores, como los cavallos de España. Todo este ganado era del Sol. Tomavan un cordero negro, que este color fué entre estos indios antepuesto a los demás colores para los sacrificios, porque lo tenían por de mayor deidad, porque dezían que la res prieta era en todo prieta, y que la blanca, aunque lo fuesse en todo su cuerpo, siempre tenía el hocico prieto, lo cual era defecto, y por tanto era tenida en menos que la prieta. Y por esta razón los Reyes, lo más del tiempo vestían de negro, y el de luto dellos era el vellorí, color pardo que llaman.

Este primer sacrificio del cordero prieto era para catar los agüeros y pronósticos de su fiesta. Porque todas las cosas que hazían de importancia, assí para la paz como para la guerra, casi siempre sacrificavan un cordero, para mirar y certificarse por el coraçón y pulmones si era acepto al Sol, esto es, si havía de ser felice o no aquella jornada de guerra, si havían de tener buena cosecha de frutos aquel año. Para unas cosas tomavan sus agüeros en un cordero, para otras en un carnero, para otras en una oveja estéril, que, cuando se dixere oveja, siempre se ha de entender estéril, porque las parideras nunca las matavan, ni aun para su comer, sino cuando eran ya inútiles para criar.

Tomavan el cordero o carnero y poníanle la cabeça hazia el oriente; no les atavan las manos ni los pies, sino que lo tenían asido tres o cuatro indios; abríanle vivo por el costado izquierdo, por do metían la mano y sacavan el coraçón, con los pulmones y todo el gazgorro, arrancándolo con la mano y no cortándolo, y havía de salir entero desde el paladar.

✳✳✳   ✳✳✳   ✳✳✳
✳✳✳   ✳✳✳   ✳✳✳

CAPÍTULO XXII

Los agüeros de sus sacrificios, y fuego para ellos.

TENÍAN por felicíssimo agüero si los pulmones salían palpitando, no acabados de morir, como ellos dezían, y haviendo este buen agüero, aunque huviesse otros en contrario, no hazían caso dellos. Porque dezían que la bondad deste dichoso agüero vencía a la maldad y desdicha de todos los malos. Sacada la assadura, lo hinchavan de un soplo y guardavan el aire dentro, atando el cañón de la assadura o apretando con las manos, y luego miravan las vías por donde el aire entra en los pulmones y las venillas que hay por ellos, a ver si estavan muy hinchados o poco llenos del aire, porque cuanto más hinchados, tanto más felice era el agüero. Otras cosas miravan, que no sabré dezir cuáles, porque no las noté; de las dichas me acuerdo, que miré en ellos dos vezes, que como niño acerté a entrar en ciertos corrales donde indios viejos, aún no bautizados, estavan haziendo este sacrificio, no del Raimi, que cuando yo nascí ya era acabado, sino en otros casos particulares en que miravan sus agüeros, y para los mirar sacrificavan los corderos y carneros, como hemos dicho del sacrificio del Raimi; porque cuanto hazían en sus sacrificios particulares era semejança de lo que hazían en sus fiestas principales.

Tenían por infelicíssimo agüero si la res, mientras le abrían el costado, se levantava en pie, venciendo de fuerça a los que le tenían asido. Assimismo era mala señal si al arrancar del cañón del assadura se quebrava y no salía todo entero. También era mal pronóstico que los pulmones saliessen rotos o el coraçón lastimado, y otras cosas, que, como he dicho, ni las pregunté ni las noté. Déstas me acuerdo porque las oí hablar a los indios que hallé haziendo el sacrificio, preguntándose unos a otros por los buenos o malos agüeros, y no se recatavan de mí por mi poca edad.

Bolviendo a la solenidad de la fiesta Raimi, dezimos que si del sacrificio del cordero no salía próspero el agüero, hazían otro del carnero, y si tampoco salía dichoso, hazían otro de la oveja machorra, y cuando éste salía infelice, no dexavan de hazer la fiesta, mas era con tristeza y llanto interior, diziendo que el Sol, su padre, estava enojado contra ellos por alguna falta o descuido, que, sin lo advertir, huviessen cometido en su servicio.

Temían crueles guerras, esterilidad en los frutos, muerte de sus ganados y otros males semejantes. Empero, cuando los agüeros pronosticavan felicidad, era grandíssimo el regozijo que en festejar su Pascua traían, por las esperanças de los bienes venideros.

Hecho el sacrificio del cordero, traían gran cantidad de corderos, ovejas y carneros para el sacrificio común; y no lo hazían como el passado, abriéndolos vivos, sino que llanamente los degollavan y dessollavan; guardavan la sangre y el coraçón de todos ellos y lo ofrescían al Sol, como el del primer cordero; quemávanlo todo hasta que se convertía en ceniza.

El fuego para aquel sacrificio havía de ser nuevo, dado de mano del Sol, como ellos dezían. Para el cual tomavan un braçalete grande, que llaman *chipana* (a semejança de otros que comúnmente traían los Incas en la muñeca izquierda), el cual tenía el sumo sacerdote; era grande, más que los comunes; tenía por medalla un vaso cóncavo, como media naranja, muy bruñido; poníanlo contra el Sol, y a un cierto punto, donde los rayos que del vaso salían davan en junto, ponían un poco de algodón muy carmenado, que no supieron hazer yesca, el cual se encendía en breve espacio, porque es cosa natural. Con este fuego dado assí, de mano del Sol, se quemava el sacrificio y se assava toda la carne de aquel día. Y del fuego llevavan al templo del Sol y a la casa de las vírgines, donde lo conservavan todo el año, y era mal agüero apagárseles, como quiera que fuesse. Si la víspera de la fiesta, que era cuando se apercebía lo necessario para el sacrificio del día siguiente, no hazía sol para sacar el fuego nuevo, lo sacavan con dos palillos rollizos, delgados, como el dedo merguerite, y largos de media vara, barrenando uno con otro; los palillos son de color de canela; llaman *u'yaca* assí a los palillos como al sacar del fuego, que una misma dicción sirve de nombre y verbo. Los indios se sirven dellos en lugar de eslavón y pedernal, y de camino los llevan para sacar fuego en las dormidas que han de hazer en despoblados, como yo lo vi muchas vezes caminando con ellos, y los pastores se valen dellos para lo mismo.

Tenían por mal agüero sacar el fuego para el sacrificio de la fiesta con aquel instrumento; dezían que pues se lo negava el Sol de su mano, estava enojado dellos. Toda la carne de aquel sacrificio assavan en público, en las dos plaças, y la repartían por todos los que se havían hallado en la fiesta, assí Incas como curacas y la demás gente común, por sus grados. Y a los unos y a los otros se la davan con el pan llamado *çancu*; y éste era el primer plato de su gran fiesta y banquete solenne. Luego traían otra gran variedad de manjares, que comían sin bever entre comida, porque fué costumbre universal de los indios del Perú no bever mientras comían.

De lo que hemos dicho puede haver nascido lo que algunos españoles han querido afirmar, que comulgavan estos Incas y sus vassallos como los cristianos. Lo que entre ellos havía hemos contado llanamente: aseméjalo cada uno a su gusto.

Passada la comida, les traían de bever en grandíssima abundancia, que éste era uno de los vicios más notables que estos indios tenían, aunque ya el día de hoy, por la misericordia de Dios y por el buen exemplo que los españoles en este particular les han dado, no hay indio que se emborrache, sino que lo vituperan y abominan por grande infamia, que si en todo vicio huviera sido el exemplo tal, huvieran sido apostólicos predicadores del Evangelio.

CAPÍTULO XXIII

Bríndanse unos a otros, y con qué orden.

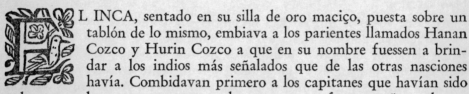L INCA, sentado en su silla de oro maciço, puesta sobre un tablón de lo mismo, embiava a los parientes llamados Hanan Cozco y Hurin Cozco a que en su nombre fuessen a brindar a los indios más señalados que de las otras nasciones havía. Combidavan primero a los capitanes que havían sido valerosos en la guerra, que estos tales, aunque no fuessen señores de vassallos, eran, por su valerosidad, preferidos a los curacas; pero si el curaca, juntamente con ser señor de vassallos, havía sido capitán en la guerra, le hazían honra por el un título y por el otro. Luego, en segundo lugar, mandava el Inca combidar a bever a los curacas de la redondez del Cozco, que eran todos los que el primer Inca Manco Cápac reduxo a su servicio; los cuales, por el privilegio tan favorable que aquel Príncipe les dió del nombre Inca, eran tenidos por tales y estimados en el primer grado, después de los Incas de la sangre real, y preferidos a todas las demás nasciones; porque aquellos Reyes nunca jamás imaginaron disminuir, en todo ni en parte, previlegio o merced alguna que en común o en particular sus passados huviessen hecho a sus vassallos; antes las ivan confirmando y aumentando de más en más.

Para este brindarse que unos a otros se hazían, es de saber que todos estos indios generalmente (cada uno en su tanto) tuvieron y hoy tienen los vasos para bever todos hermanados, de dos en dos: o sean grandes o chicos, han de ser de un tamaño, de una misma hechura, de un mismo metal, de oro o plata o de madera. Y esto hazían por que huviesse igualdad en lo que se beviesse. El que combidava a bever llevava sus dos vasos en las manos, y si el combidado era de menor calidad, le dava el vaso de la mano izquierda, y si de mayor o igual, el de la derecha, con más o menos comedimiento, conforme al grado o calidad del uno y del otro, y luego bevían ambos a la par, y, haviendo buelto a rescebir su vaso, se bolvía a su lugar, y siempre en semejantes fiestas el primer combite era del mayor al menor, en señal de merced y favor que el superior hazía al inferior. Dende a poco iva el inferior a combidar al superior, en reconoscimiento de su vassallaje y servitud.

Guardando esta común costumbre, embiava el Inca a combidar primero a sus vassallos por la orden que hemos dicho, prefiriendo en cada nasción a los capitanes de los que no lo eran. Los Incas que llevavan la bevida dezían al combidado: "El Çapa Inca te embía a combidar a bever, y yo vengo en su nombre a bever contigo". El capitán o curaca tomava el vaso con gran reverencia y alçava los ojos al Sol, como dándole gracias por aquella no merecida merced que su hijo le hazía, y haviendo bevido bolvía el vaso al Inca, sin hablar palabra más de con ademanes y muestras de adoración con las manos y los labios, dando besos al aire.

Y es de advertir que el Inca no embiava a combidar a bever a todos los curacas en general (aunque a los capitanes sí), sino a algunos en particular, que eran más bienquistos de sus vassallos, más amigos del bien común; porque éste fué el blanco a que ellos tiravan, assí el Inca como los curacas y los ministros de paz y de guerra. A los demás curacas combidavan a bever los mismos Incas, que llevavan los vasos en su proprio nombre, y no en nombre del Inca, que les bastava y lo tenían a muy buena dicha; porque era Inca, hijo del Sol, también como su Rey.

Hecho el primer combite del bever, dende a poco espacio los capitanes y curacas de todas nasciones bolvían a combidar por la misma orden que havían sido combidados los unos al mismo Inca y los otros a los otros Incas, cada uno al que le havía bevido. Al Inca llegavan sin hablar, no más de con la adoración que hemos dicho. Él los recebía con grande afabilidad y tomava los vasos que le davan, y porque no podía ni le era lícito beverlos todos, acometía llegarlos a la boca; de algunos bevía un poco, tomando de unos más y de otros menos, conforme a la merced y favor que a sus dueños les quería hazer, según el mérito y calidad dellos. Y a los criados que cabe sí tenía, que eran todos Incas del previlegio, mandava beviessen por él con aquellos capitanes y curacas; los cuales, haviendo bevido, les bolvían sus vasos.

Estos vasos, porque el Çapa Inca los havía tocado con la mano y con los labios, los tenían los curacas en grandíssima veneración, como a cosa sagrada; no bevían en ellos ni los tocavan, sino que los ponían como a ídolos, donde los adoravan en memoria y reverencia de su Inca, que les havía tocado; que cierto, llegando a este punto, ningún encarecimiento basta a poder dezir suficientemente el amor y veneración interior y exterior que estos indios a sus Reyes tenían.

Hecho el retorno y cambio de la bevida, se bolvían todos a sus puestos. Luego salían las danças, cantares y bailes de diversas maneras, con las divisas, blasones, máscaras e invenciones que cada nasción traía. Y entre tanto que cantavan y bailavan, no cessava el bever, combidándose unos Incas a otros, unos capitanes y curacas a otros, conforme a sus particulares amistades y a la vezindad de sus tierras y otros respectos que entre ellos huviesse.

Nueve días durava el celebrar la fiesta Raimi, con la abundancia del comer y bever que se ha dicho y con la fiesta y regozijo que cada uno podía mostrar; pero los sacrificios para tomar los agüeros no los hazían más del primer día. Passados los nueve, se bolvían los curacas a sus tierras, con licencia de su Rey, muy alegres y contentos de haver celebrado la fiesta principal de su Dios el Sol. Cuando el Rey andava ocupado en las guerras o visitando sus reinos, hazía la fiesta donde le tomava el día de la fiesta, mas no era con la solenidad que en el Cozco; en la cual tenía cuidado de hazerla el governador Inca y el sumo sacerdote y los demás Incas de la sangre real, y entonces acudían los curacas o los embaxadores de las provincias, cada cual a la fiesta que más cerca les caía.

CAPÍTULO XXIV

Armavan cavalleros a los Incas, y cómo los examinavan.

ESTE nombre *huaracu* es de la lengua general del Perú: suena tanto como en castellano armar cavallero, porque era dar insignias de varón a los moços de la sangre real, y habilitarlos, assí para ir a la guerra como para tomar estado. Sin las cuales insignias no eran capaces ni para lo uno ni para lo otro, que, como dizen los libros de cavallerías, eran donzeles que no podían vestir armas. Para darles estas insignias, que las diremos adelante, passavan los moços que se disponían a recebirlas por un noviciado rigurosíssimo, que era ser examinados en todos los trabajos y necessidades que en la guerra se les podían ofrecer, assí en próspera como en adversa fortuna, y para que nos demos mejor a entender, será bien vamos desmembrando esta fiesta y solenidad, recitándola a pedaços, que, cierto, para gente tan bárbara tiene muchas cosas de pulicía y admiración, encaminadas a la milicia. Es de saber que era fiesta de mucho regozijo para la gente común y de gran honra y majestad para los Incas, assí viejos como moços, para los ya aprovados y para los que entonces se aprovavan. Porque la honra o infamia que desta aprovación los novicios sacavan, participava toda la parentela, y como la de los Incas fuesse toda una familia, principalmente la de los ligítimos y limpios en sangre real, corría por todos ellos el bien o mal que cada uno passava, aunque más en particular por los más propincuos.

Cada año o cada dos años, o más o menos, como havía la dispusición, admitían los moços Incas (que siempre se ha de entender dellos y no de otros, aunque fuessen hijos de grandes señores) a la aprovación militar: havían de ser de diez y seis años arriba. Metíanlos en una casa que para estos exercicios tenían hecha en el barrio llamado Collcampata, que aún yo la alcancé en pie y vi en ella alguna parte destas fiestas, que más propriamente se pudieran dezir sombras de las passadas que realidad y grandeza dellas. En esta casa havía Incas viejos, esperimentados en paz y en guerra, que eran maestros de los novicios, que los examinavan en las cosas que diremos y en otras que la memoria ha perdido. Hazíanles ayunar seis días un ayuno muy riguroso, porque no les davan más de sendos puñados de *çara* cruda, que es su trigo, y un jarro de agua simple, sin otra cosa alguna, ni sal, ni *uchu*, que es lo que en España llaman pimiento de las Indias, cuyo condimento enriquece y saborea cualquiera pobre y mala comida que sea, aunque no sea sino de yervas, y por esto se lo quitavan a los novicios.

No se permitía ayunar más de tres días este ayuno riguroso; empero, doblávanselo a los noveles, porque era aprovación y querían ver si eran hombres para sufrir cualquiera sed o hambre que en la guerra se les ofreciesse. Otro ayuno menos riguroso ayunavan los padres y hermanos y los parientes más cercanos de los noveles, con grandíssima observancia, rogando todos a su padre el Sol diesse fuerças y ánimo a aquellos sus hijos para que saliessen con honra aprovados de aquellos exercicios. Al que en este ayuno se mostrava flaco y debilitado o pedía más comida, lo reprovavan y echavan del noviciado. Passado el ayuno, haviéndolos confortado con alguna más vianda, los examinavan en la ligereza de sus personas, para lo cual les hazían correr desde el cerro llamado Huanacauri (que ellos tenían por sagrado) hasta la fortaleza de la misma ciudad, que deve de haver casi legua y media, donde les tenían puesta una señal, como pendón o vandera, y el primero que llegava quedava elegido por capitán de todos los demás. También quedava con grande honra el segundo, tercero y cuarto, hasta el dézimo de los primeros y más ligeros; y por el semejante quedavan notados de infamia y reprovados los que se desalentavan y desmayavan en la carrera. En la cual se ponían a trechos los padres y parientes a esforçar los que corrían, poniéndoles delante la honra y la infamia, diziéndoles que eligiessen por menos mal rebentar, antes que desmayar en la carrera.

Otro día los dividían en dos números iguales: a los unos mandavan quedar en la fortaleza y a los otros salir fuera, y que peleassen unos contra otros, unos para ganar el fuerte y otros por defenderle. Y haviendo combatido desta manera todo aquel día, los trocavan el siguiente, que los que havían sido defensores fuessen ofensores, para que de todas maneras mostrassen la agilidad y habilidad que en ofender o defender las plaças fuertes les convenía tener. En estas peleas, aunque les templavan las armas para que no fuessen tan rigurosas como en las veras, havía muy buenas heridas, y algunas vezes muertes, porque la codicia de la victoria los encendía hasta matarse.

CAPÍTULO XXV

Havían de saber hazer sus armas y el calçado.

PASSADOS estos exercicios en común, les hazían luchar unos con otros, los más iguales en edad, y que saltassen y tirassen una piedra chica o grande y una lança y un dardo y cualquiera otra arma arrojadiza. Hazíanles tirar al terrero con arcos y flechas, para ver la destreza que tenían en la puntería y uso destas armas. También les hazían tirar a tira más tira, para prueva de la fortaleza y exercicio de sus braços. Lo mismo les hazían hazer con las hondas, mandándoles tirar a puntería y a lo largo. Sin estas armas, los examinavan en todas las demás que ellos usavan en la guerra, para ver la destreza que en ellas tenían. Hazíanles velar en vezes diez o doze noches, puestos como centinelas, para esperimentar si eran hombres que resistían la fuerça del sueño: requeríanlos a sus horas inciertas, y al que hallavan durmiendo reprovavan con grande ignominia, diziéndole que era niño para recebir insignias militares de honra y majestad. Heríanlos ásperamente con varas de mimbre y otros renuevos, en los braços y piernas, que los indios del Perú en su hábito común traen descubiertas, para ver qué semblante mostravan a los golpes, y si hazían sentimiento de dolor con el rostro o con encoger tanto cuanto las piernas o braços, lo repudiavan diziendo que quien no era para sufrir golpes de varas tan tiernas, menos sufrirían los golpes y heridas de las armas duras de sus enemigos. Havían de estar como insensibles.

Otras vezes los ponían trechos calle, y en ella entrava un capitán maestro de armas con una arma a manera de montante, o digamos porra, porque le es más semejante, que se juega a dos manos, que los indios llaman *macana;* otras vezes con una pica, que llaman *chuqui,* y con cualquiera destas armas jugava diestríssimamente entre los noveles y les passava los votes por delante de los ojos, como que se los quisiesse sacar, o por las piernas, como para las quebrar, y si por desgracia hazían algún semblante de temor, palpitando los ojos o retrayendo la pierna, los echavan de la aprovación, diziendo que quien temía los ademanes de las armas que sabían que no les havían de herir, mucho más temerían las de los enemigos, pues eran ciertos que se los tiravan para matarlos; por lo cual les convenía estar sin moverse, como rocas combatidas del mar y del viento.

Sin lo dicho, havían de saber hazer de su mano todas las armas ofensivas que en la guerra huviessen menester, a lo menos las más comunes y las que no tienen necessidad de herrería, como un arco y flechas, una tiradera que se podrá llamar bohordo, porque se tira con amiento de palo o de cordel; una lança, la punta aguzada en lugar de hierro; una honda de cáñamo o esparto, que a necessidad se sirven y aprovechan de todo. De armas defensivas no usaron de ningunas, si no fueron rodelas o paveses, que ellos llaman *huallcanca*. Estas rodelas havían de saber hazer también de lo que pudiessen haver. Havían de saber hazer el calçado que ellos traen, que llaman *usuta*, que es de una suela de cuero o de esparto o de cáñamo, como las suelas de los alpargates que en España hazen; no les supieron dar capellada, empero atan las suelas al pie con unos cordeles del mismo cáñamo o lana, que por abreviar diremos que son a semejança de los çapatos abiertos que los religiosos de San Francisco traen.

Los cordeles para este calçado hazen de lana torcida con un palillo; la lana tienen al torcer en la una mano y el palillo en la otra, y con media braça de cordel tienen harto para el un pie. Es gruesso como el dedo mergarite, porque, cuanto más gruesso, menos ofende, el pie. A esta manera de torcer un cordel, y para el efecto que vamos contando, dize un historiador de las Indias, hablando de los Incas, que hilavan, sin dezir cómo ni para qué. Podrásele perdonar esta falsa relación que le hizieron, con otras muchas que assí en perjuizio de los indios como de los españoles recibió sin culpa suya, porque escrivió de lexos y por relaciones varias y diversas, compuestas conforme al interés y pretensión de los que se las davan. Por lo cual sea regla general que en toda la gentilidad no ha havido gente más varonil, que tanto se haya preciado de cosas de hombres, como los Incas, ni que tanto aborreciessen las cosas mujeriles; porque cierto, todos ellos generalmente fueron magnánimos y aspiraron a las cosas más altas de las que manejaron; porque se preciavan de hijos del Sol, y este blasón llevantava a ser heroicos.

Llaman a esta manera de torcer lana *mílluy*. Es verbo que solo, sin más dicciones, significa torcer lana con palillo para cordel de calçado o para sogas de cargar, que también las hazían de lana, y porque este oficio era de hombres, no usavan deste verbo las mujeres en su lenguaje, porque era hazerse hombres. Al hilar de las mujeres dizen *buhca*: es verbo; quiere dezir hilar con huso para texer; también significa el huso.

Y porque este oficio era proprio de las mujeres, no usavan del verbo *buhca* los hombres, porque era hazerse mujeres. Y esta manera de hablar usan mucho en aquel lenguaje, como adelante notaremos en otros verbos y nombres que los curiosos holgarán ver. De manera que los españoles que escriven en España historias del Perú, no alcançando estas propriedades del lenguaje, y los que las escriven en el Perú, no dándoseles nada por ellas, no es mucho que las interpreten conforme a su lengua española y que llevanten falsos testimonios a los Incas, sin quererlo hazer. Bolviendo a nuestro cuento, dezimos que los noveles havían de saber hazer las armas y el calçado que en la guerra, en tiempo de necessidad, huviessen menester. Todo lo cual les pedían para que en la necessidad forçosa de cualquiera acaecimiento no se hallassen desamparados, sino que tuviessen habilidad y maña para poderse valer por sí.

CAPÍTULO XXVI

Entrava el príncipe en la aprovación; tratávanle con más rigor que a los demás.

AZÍALES un parlamento cada día uno de los capitanes y maestros de aquellas cerimonias. Traíales a la memoria la descendencia del Sol, las hazañas hechas, assí en paz como en guerra, por sus Reyes passados y por otros famosos varones de la misma sangre real; el ánimo y esfuerço que devían tener en las guerras para aumentar su Imperio; la paciencia y sufrimiento en los trabajos, para mostrar su ánimo y generosidad; la clemencia, piedad y mansedumbre con los pobres y súbditos; la rectitud en la justicia, el no consentir que se hiziesse agravio a nadie; la liberalidad y magnificencia para con todos, como hijos que eran del Sol. En suma, les persuadía a todo lo que en su moral filosofía alcançaron que convenía a gente que se preciava ser divina y haver descendido del cielo. Haziánles dormir en el suelo, comer poco y mal, andar descalços y todo lo demás perteneciente a la guerra, para ser buenos soldados en ella.

En esta aprovación entrava también el primogénito Inca, legítimo heredero del Imperio, cuando era de edad para poder hazer los exercicios, y es de saber que en todos ellos lo examinavan con el mismo rigor que a los demás, sin que la alteza de tan gran principado le assentasse de trabajo alguno, si no era del pendón que ganava el más ligero en la carrera para ser capitán; que se lo davan al príncipe, porque dezían que era suyo, juntamente con la herencia del reino. En todos los demás exercicios, assí de ayuno como de las disciplinas militares y saber hazer las

59

armas necessarias y el calçado para sí y dormir en el suelo y comer mal y andar descalço, en ninguna cosa destas era previlegiado; antes, si podía ser, lo llevavan por más rigor que a los demás, y dezían a esto que, haviendo de ser Rey, era justo que, en cualquiera cosa que huviesse de hazer, hiziesse ventaja a todos los demás, como la hazía en el estado y alteza de señorío; porque si viniessen a igual fortuna, no era decente a la persona real ser para menos que otro, sino que en la prosperidad y adversidad se aventajasse de todos, assí en los dotes del ánimo como en las cosas agibles, principalmente en las de la guerra.

Por las cúales excelencias, dezían ellos, merecía reinar mejor que por ser primogénito de su padre. Dezían también que era muy necessario que los Reyes y príncipes esperimentassen los trabajos de la guerra, para que supiessen estimar, honrar y gratificar a los que en ella los sirviessen. Todo el tiempo que durava el noviciado, que era de una luna nueva a otra, andava el príncipe vestido del más pobre y vil hábito que se podía imaginar, hecho de andrajos vilíssimos, y con él parecía en público todas las vezes que era menester. Afirmava a esto que le ponían aquel hábito para que adelante, cuando se viesse poderoso Rey, no menospreciasse los pobres, sino que se acordasse haver sido uno dellos y traído su divisa, y por ende fuesse amigo dellos y les hiziesse caridad, para merecer el nombre Huachacúyac que a sus Reyes davan, que quiere dezir amador y bienhechor de pobres. Hecho el examen, los calificavan y davan por dignos de las insignias de Inca y los nombravan verdaderos Incas, hijos del Sol. Luego venían las madres y hermanas de los donzeles y les calçavan usutas de esparto crudo, en testimonio de que havían hollado y passado por la aspereza de los exercicios militares.

CAPÍTULO XXVII

El Inca dava la principal insignia y un pariente las demás.

ECHA esta cerimonia, davan aviso al Rey, el cual venía acompañado de los más ancianos de su real sangre, y, puesto delante de los noveles, les hazía una breve plática, diziéndoles que no se contentassen con las insignias de cavalleros de la sangre real para las traer solamente y ser honrados, sino que con ellas, usando de las virtudes que sus antepassados havían tenido, particularmente de la justicia para con todos y de la misericordia para con los pobres y flacos, se mostrassen verdaderos hijos del Sol, a quien, como a su padre, devía[n] asemejar en el resplandor de sus obras, en el beneficio común de los vassallos, pues para les hazer bien los havía embiado del cielo a la tierra. Passada la plática, llegavan los noveles uno a uno ante el Rey, y, puestos de rodillas, recebían de su mano la primera y principal insignia, que era el horadar las orejas, insignia real y de suprema alteza. Horadávaselas el mismo Inca, por el lugar donde se traen comúnmente los çarcillos, y era con alfileres gruesos de oro, y dexávaselos puestos para que mediante ellos las curassen y agrandassen como las agrandan, en increíble grandeza.

El novel besava la mano al Inca, en testimonio de (como ellos dezían) mano que tal merced hazía, merescía ser besada. Luego passava adelante y se ponía en pie delante de otro Inca, hermano o tío del Rey, segundo en autoridad a la persona real. El cual le descalçava las usutas de esparto crudo, en testimonio de que era ya passado el rigor del examen, y le calçava otras de lana, muy galanas, como las que el Rey y los demás Incas traían. La cual cerimonia era como el calçar las espuelas en España cuando les dan el hábito a los cavalleros de las órdenes militares. Y después de havérselas calçado, le besava en el hombro derecho, diziendo: "El hijo del Sol, que tal prueva ha dado de sí, meresce ser adorado", que el verbo besar significa también adorar, reverenciar y hazer cortesía. Hecha esta cerimonia, entrava el novel en un cercado de paramentos, donde otros Incas ancianos le ponían los pañetes, insignia de varón, que hasta entonces les era prohibido el traerlos. Los pañetes eran hechos a manera de un paño de cabeça, de tres puntas; las dos dellas ivan a la larga, cosidas a un cordón, grueso como el dedo, que ceñían al cuerpo y lo atavan atrás, en derecho de los riñones, y quedava el paño delante de las vergüenças. La otra punta del paño atavan atrás al mismo cordón, passándola por entre los muslos, de manera que, aunque se quitassen los vestidos, quedavan bastante y honestamente cubiertos.

La insignia principal era el horadar las orejas, porque era insignia real, y la segunda era poner los pañetes, que era insignia de varón. El calçado más era cerimonia que por vía de regalo: se les hazía como a gente trabajada, que no cosa essencial de honra ni calidad. Este nombre *huaracu*, que en sí significa y contiene todo lo que desta solene fiesta hemos dicho, se deduze deste nombre *huara*, que es pañete, porque al varón que merescía ponérselo le pertenescían todas las demás insignias, honras y dignidades que entonces y después, en paz y en guerra, se le podían dar. Sin las insignias dichas, ponían en las cabeças, a los noveles, ramilletes de dos maneras de flores, unas que llaman *cántut*, que son hermosíssimas de forma y color, que unas son amarillas, otras moradas y otras coloradas, y cada color de por sí en estremo fino. La otra manera de flor llaman *chihuaihua*; es amarilla; asemeja en el talle a las clavellinas de España. Estas dos maneras de flores no las podían traer la gente común, ni los curacas, por grandes señores que fuessen, sino solamente los de la sangre real. También les ponían en la cabeça una hoja de yerva que llaman *uíñay huaina,* que quiere dezir siempre moço; es verde; asemeja a la hoja del lirio; conserva mucho tiempo su verdor, y, aunque se seque, nunca lo pierde, y por esto le llaman assí.

Al príncipe heredero davan las mismas flores y hoja de yerva y todas las demás insignias que a los demás Incas noveles, porque, como hemos dicho, en ninguna cosa se diferenciava dellos, salvo en una borla que le ponían sobre la frente, que le tomava de una sien a otra, la cual tenía como cuatro dedos de caída. No era redonda, como entienden los españoles por este nombre borla, sino prolongada a manera de rapazejo. Era de lana, porque estos indios no tuvieron seda, y de color amarillo. Esta divisa era solamente del príncipe heredero, y no la podía traer otro alguno, aunque fuesse hermano suyo, ni el mismo príncipe hasta haver passado por el examen y aprovación.

Por última divisa real davan al príncipe una hacha de armas, que llaman *champi,* con una asta de más de una braça en largo. El hierro tenía una cuchilla de la una parte y una punta de diamante de la otra, que para ser partesana no le faltava más de la punta que la partesana tiene por delante. Al ponérsela en la mano, le dezían: *Aucacunápac.* Es dativo del número plural; quiere dezir: para los tiranos, para los traidores, crueles, alevosos, fementidos, etc., que todo esto y mucho más significa el nombre *auca.* Querían dezirle en sola esta palabra, conforme al frasis de aquel lenguaje, que le davan aquella arma en señal y divisa de que havía de tener mucho cuidado de castigar a los tales; porque las demás divisas, de las flores lindas y olorosas, le dezían que significavan su clemencia, piedad y mansedumbre y los demás ornamentos reales que devía tener para con los buenos y leales. Que como su padre el Sol criava aquellas flores por los campos, para el contento y regalo de los hombres, assí criasse el príncipe aquellas virtudes en su ánimo y coraçón, para hazer bien a todos, para que dignamente le llamassen amador y bienhechor de pobres. Y su nombre y fama viviesse para siempre en el mundo.

Haviéndole dicho estas razones, delante de su padre, los ministros de la cavallería, venían los tíos y hermanos del príncipe y todos los de su sangre real, y, puestos de rodillas, a la usança dellos, le adoravan por primogénito de su Inca. La cual cerimonia era como jurarle por príncipe heredero y sucessor del Imperio, y entonces le ponían la borla amarilla.

Con esto acabavan los Incas su fiesta solene del armar cavalleros a sus noveles.

CAPÍTULO XXVIII

Divisas de los Reyes y de los demás Incas, y los maestros de los noveles.

L REY traía esta misma borla; empero, era colorada. Sin la borla colorada, traía el Inca en la cabeça otra divisa más particular suya, y eran dos plumas de los cuchillos de las alas de una ave que llaman *corequenque*. Es nombre proprio en la lengua general: no tiene significación de cosa alguna; en la particular de los Incas, que se ha perdido, la devía de tener. Las plumas son blancas y negras, a pedaços; son del tamaño de las de un halcón baharí prima; y havían de ser hermanas, una de la una ala y otra de la otra. Yo se las vi puestas al Inca Sairi Túpac. Las aves que tienen estas plumas se hallan en el despoblado de Uillcanuta, treinta y dos leguas de la ciudad del Cozco, en una laguna pequeña que allí hay, al pie de aquella inacesible sierra nevada; los que las han visto afirman que no se veen más de dos, macho y hembra; que sean siempre unas, ni de dónde vengan ni dónde críen, no se sabe, ni se han visto otras en todo el Perú más de aquellas, según dizen los indios, con haver en aquella tierra otras muchas sierras nevadas y despoblados y lagunas grandes y chicas como la de Uillcanuta. Parece que semeja esto a lo del ave fénix, aunque no sé quién la haya visto como han visto estotras.

Por no haverse hallado más de estas dos ni haver noticia, según dizen, que haya otras en el mundo, traían los Reyes Incas sus plumas y las estimavan en tanto, que no las podía traer otro en ninguna manera, ni aun el príncipe heredero; porque dezían que estas aves, por su singularidad, semejavan a los primeros Incas, sus padres, que no fueron más de dos, hombre y mujer, venidos del cielo, como ellos dezían, y por conservar la memoria de sus primeros padres traían por principal divisa las plumas destas aves, teniéndolas por cosa sagrada. Tengo para mí que hay otras muchas aves de aquéllas, que no es possible tanta singularidad; baste la del fénix, sino que ellas deven de andar apareadas a solas, como se ha dicho, y los indios, por la semejança de sus primeros Reyes, dirán lo que dizen. Basta que las plumas del corequenque fueron tan estimadas como se ha visto. Dízenme que ahora, en estos tiempos, las traen muchos indios diziendo que son descendientes de la sangre real de los Incas; y los más burlan, que ya aquella sangre se ha consumido casi del todo. Mas el exemplo estranjero con el cual han confundido las divisas que en las cabeças traían, por las cuales eran conocidos, les ha dado atrevimiento a esto y a mucho más, que todos se hazen ya Incas y Pallas.

Traían las plumas sobre la borla colorada, las puntas hazia arriba, algo apartadas la una de la otra y juntas del nascimiento. Para haver estas plumas caçavan las aves con la mayor suavidad que podían, y, quitadas las dos plumas, las bolvían a soltar, y para cada nuevo Inca que heredava el reino las bolvían a prender y quitar las plumas, porque nunca el heredero tomava las mismas insignias reales del padre, sino otras semejantes; porque al Rey difunto lo embalsamavan y ponían donde huviesse de estar, con las mismas insignias imperiales que en vida traía. Ésta es la majestad del ave corequenque y la veneración y estima en que los Reyes Incas a sus plumas tenían. Esta noticia, aunque es de poca o ninguna importancia a los de España, me pareció ponerla por haver sido cosas de los Reyes passados. Bolviendo a nuestros noveles, dezimos que, recebidas las insignias, los sacavan con ellas a la plaça principal de la ciudad, donde, en general, por muchos días, con cantos y bailes, solenizavan su victoria, y lo mismo se hazía en particular en las casas de sus padres, donde se juntavan los parientes más cercanos a festejar el triunfo de sus noveles. Cuyos maestros, para los exercicios y saber hazer las armas y el calçado, havían sido sus mismos padres. Los cuales, passada la tierna edad del niño, los industriavan y exercitavan en todas las cosas necessarias para ser aprovados, quitándoles el regalo y trocándoselo en trabajo y exercicio militar, para que, cuando llegassen a ser hombres, fuessen los que devían ser, en paz y en guerra.

CAPÍTULO XXIX

Ríndese Chuquimancu, señor de cuatro valles.

BOLVIENDO a la vida y conquistas del Inca Pachacútec, es de saber que su hermano, el general Cápac Yupanqui, haviendo hecho la conquista y sujetado al gran curaca Chincha, embió a pedir, como atrás diximos, nuevo exército al Rey, su hermano, para conquistar los valles que adelante havía. El cual se lo embió con grandes ministros y mucha munición de armas y bastimento, conforme a la calidad y grandeza de la empresa que se havía de hazer. Llegado el nuevo exército, con el cual bolvió el príncipe Inca Yupanqui, que gustava mucho de exercitarse en la guerra, salió el general de Chincha y fué al hermoso valle de Runahuánac, que quiere dezir escarmienta gentes; llamáronle assí por un río que passa por el valle, el cual, por ser muy raudo y caudaloso y haverse ahogado en él mucha gente, cobró este bravo nombre. Hanse ahogado allí muchos, que, por no rodear una legua que hay hasta una puente, que está encima del vado, se atreven al río, confiados que, como lo passan de verano, assí lo passarán de invierno, y perescen miserablemente. El nombre del río es com-

64

puesto deste nombre *runa,* que quiere dezir gente, y deste verbo *huana,* que significa escarmentar, y con la *c* final haze participio de presente, y quiere decir el que haze escarmentar, y ambas dicciones juntas dizen el que haze escarmentar las gentes. Los historiadores españoles llaman a este valle y a su río Lunaguana, corrompiendo el nombre en tres letras, como se vee; uno dellos dize que se deduxo este nombre de *guano,* que es estiércol, porque dize que en aquel valle se aprovechan mucho dél para sus sembrados. El nombre *guano* se ha de escrevir *huano,* porque, como al principio diximos, no tiene letra *g* aquella lengua general del Perú: quiere dezir estiércol, y *huana* es verbo y quiere dezir escarmentar. Deste passo y de otros muchos que apuntaremos, se puede sacar lo mal que entienden los españoles aquel lenguaje, y aun los mestizos, mis compatriotas, se van ya tras ellos en la pronunciación y en el escrivir, que casi todas las dicciones que me escriven desta mi lengua y suya vienen españolizadas, como las escriven y hablan los españoles, y yo les he reñido sobre ello, y no me aprovecha, por el común uso de corromperse las lenguas con el imperio y comunicación de diversas naciones.

En aquellos tiempos fué muy poblado aquel valle Runahuánac y otro que está al norte dél, llamado Huarcu, el cual tuvo más de treinta mil vezinos, y lo mismo fué Chincha, y otros que están al norte y al sur dellos; ahora, en estos tiempos, el que más tiene no tiene dos mil vezinos, y alguno hay tan desierto que no tiene ninguno, y está poblado de españoles.

Diziendo de la conquista de los yuncas, es de saber que el valle de Runahuánac y otros tres que están al norte dél, llamados Huarcu, Malla, Chillca, eran todos cuatro de un señor llamado Chuquimancu, el cual se tratava como Rey y presumía que todos los de su comarca le temiessen y reconociessen ventaja, aunque no fuessen sus vassallos. El cual, sabiendo que los Incas ivan a su reino, que assí le llamaremos por la presunción de su curaca, juntó la más gente que pudo y salió a defenderles el passo del río; huvo algunos recuentros, en que murieron muchos de ambas partes, mas al fin los Incas, por ir apercebidos de muchas balsas chicas y grandes, ganaron el passo del río, en el cual los yuncas no hizieron toda la defensa que pudieran, porque el Rey Chuquimancu pretendía hazer la guerra en el valle Huarcu, por parescerle que era sitio más fuerte y porque no sabía del arte militar lo que le convenía; por ende, no hizo la resistencia que pudo hazer en Runahuánac, en lo cual se engañó, como adelante veremos. Los Incas aloxaron su exército, y en menos de un mes ganaron todo aquel hermoso valle, por el mal consejo de Chuquimancu.

El Inca dexó gente de guarnición en Runahuánac, que recibiesse el bastimento que le truxessen y le asegurasse las espaldas. Y passó adelante, al Huarcu, donde fué la guerra muy cruel, porque Chuquimancu,

haviendo recogido todo su poder en aquel valle, tenía veinte mil hombres
de guerra y pretendía no perder su reputación, y assí exercitava todas
sus fuerças, con mañas y astucias, cuantas podía usar contra sus enemigos. Por otra parte, los Incas hazían por resistir y vencer, sin matarlos.
En esta porfía anduvieron más de ocho meses y se dieron batallas san-
grientas, y duraron los yuncas tanto en su obstinación, que el Inca remu-
dó el exército tres vezes, y aun otros dizen que cuatro, y para dar a
entender a los yuncas que no se havía de ir de aquel puesto hasta vencerlos, y que sus soldados estavan tan a su plazer como si estuvieran en la
corte, llamaron Cozco al sitio donde tenían el real, y a los cuarteles
del exército pusieron los nombres de los barrios más principales de la
ciudad. Por este nombre que los Incas dieron al sitio de su real, dize
Pedro de Cieça de León, capítulo setenta y tres, que, viendo los Incas
la pertinacia de los enemigos, fundaron otra ciudad como el Cozco, y
que duró la guerra más de cuatro años. Dízelo de relación de los mismos
yuncas, como él afirma, los cuales se la dieron aumentada, por engrandescer las hazañas que en su defensa hizieron, que no fueron pocas. Pero
los cuatro años fueron los cuatro exércitos que los Incas remudaron, y
la ciudad fué nombre que dieron al sitio donde estavan, y de lo uno
ni de lo otro no huvo más de lo que se ha dicho.

Los yuncas, al cabo deste largo tiempo, empeçaron a sentir hambre
muy cruel, que es la que doma y ablanda los más valientes, duros y
obstinados. Sin la hambre, havía días que los naturales de Runahuánac
importunavan a su Rey Chuquimancu se rindiesse a los Incas, pues no
podía resistirles, y que fuesse antes que los Incas, por su pertinacia, ena-
jenassen sus casas y heredades, y se las diessen a los vezinos naturales
de Chincha, sus enemigos antiguos. Y con este miedo, cuando vieron
que su Rey no acudió a su petición, dieron en huirse y bolverse a sus
casas, llevando nuevas al Inca del estado en que estavan las fuerças y
poder de sus enemigos y cómo padescían mucha hambre.

Todo lo cual, visto y sabido por Chuquimancu, temiendo no le
desamparassen todos los suyos y se fuessen al Inca, se inclinó a hazer
lo que le pedían (haviendo mostrado ánimo de buen capitán) y, consul-
tándolo con los más principales, acordaron entre todos de irse al Inca, sin
embiarle embaxada, sino ser ellos mismos los embaxadores. Con esta determinación salieron todos como havían estado en su consulta y fueron
al real de los Incas, y, puestos de rodillas ante ellos, pidieron misericordia
y perdón de sus delictos y dixeron que holgavan ser vassallos del Inca,
pues el Sol, su padre, mandava que fuesse señor de todo el mundo.

Los Incas, tío y sobrino, los recibieron con mansedumbre y les dixeron que los perdonavan, y con ropa y otras preseas que (según lo acostumbrado) les dieron, los embiaron muy contentos a sus casas.

Los naturales de aquellas cuatro provincias también se jatan, como los de Chincha, que los Incas, con todo su poder, no pudieron sujetarlos en más de cuatro años de guerra, y que fundaron una ciudad y que los vencieron con dádivas y promessas y no con las armas, y lo dizen por los tres o cuatro exércitos que remudaron, por domarlos con la hambre y hastío de la guerra, y no con el hierro. Otras muchas cosas cuentan acerca de sus hazañas y valentías, mas porque no importan a la historia, las dexaremos.

Los Incas tuvieron en mucho haver sujetado al Rey Chuquimancu, y estimaron tanto aquella victoria, que, por trofeo della y por que quedasse perpetua memoria de las hazañas que en aquella guerra hizieron los suyos, y también los yuncas, que se mostraron valerosos, mandaron hazer en el valle llamado Huarcu una fortaleza, pequeña de sitio, empero grande y maravillosa en la obra. La cual, assí por su edificio como por el lugar donde estava, que la mar batía en ella, merescía que la dexaran vivir lo que pudiera, que, según estava obrada, viviera por sí muchos siglos sin que la repararan. Cuando yo passé por allí, el año de sesenta, todavía mostrava lo que fué, para más lastimar a los que la miravan.

CAPÍTULO XXX
Los valles de Pachacámac y Rímac y sus ídolos.

UJETADO el Rey Chuquimancu y dada orden en el govierno, leyes y costumbres que él y los suyos havían de guardar, passaron los Incas a conquistar los valles de Pachacámac, Rímac, Cháncay y Huaman, que los españoles llaman la Barranca, que todos estos seis valles posseía un señor poderoso, llamado Cuismancu, que también, como el passado, presumía llamarse Rey, aunque entre los indios no hay este nombre Rey, sino otro semejante, que es Hatun Apu, que quiere dezir el gran señor. Por que no sea menester repetirlo mucha vezes, diremos aquí lo que en particular hay que dezir del valle de Pachacámac y de otro valle, llamado Rímac, al cual los españoles, corrompiendo el nombre, llaman Lima.

Es de saber que, como en otra parte hemos dicho y adelante diremos, y como lo escriven todos los historiadores, los Incas Reyes del Perú, con la lumbre natural que Dios les dió, alcançaron que havía un Hazedor de todas las cosas, al cual llamaron Pachacámac, que quiere dezir el hazedor y sustentador del universo. Esta doctrina salió primero de los Incas, y se derramó por todos sus reinos, antes y después de conquistados.

67

Dezían que era invisible y que no se dexava ver, y por esto no le hizieron templos ni sacrificios como al Sol, más de adorarle interiormente con grandíssima veneración, según las demostraciones exteriores que con la cabeça, ojos, braços y cuerpo hazían cuando le nombravan. Esta doctrina, haviéndose derramado por fama, la admitieron todas aquellas nasciones, unas después de conquistadas y otras antes; los que más en particular la admitieron antes que los Incas los sujetaran fueron los antecessores deste Rey Cuismancu, los cuales hizieron templo al Pachacámac y dieron el mismo nombre al valle donde lo fundaron, que en aquellos tiempos fué uno de los más principales que huvo en toda aquella costa. En el templo pusieron los yuncas sus ídolos, que eran figuras de peces, entre las cuales tenían también la figura de la zorra.

Este templo del Pachacámac fué soleníssimo en edificios y servicio, y uno solo en todo el Perú, donde los yuncas hazían muchos sacrificios de animales y de otras cosas, y algunos eran con sangre humana de hombres, mujeres y niños que matavan en sus mayores fiestas, como lo hazían otras muchas provincias antes que los Incas las conquistaran; y de Pachacámac no diremos aquí más, porque en el discurso de la historia, en su proprio lugar, se añadirá lo que resta por dezir.

El valle de Rímac está cuatro leguas al norte de Pachacámac. El nombre Rímac es participio de presente: quiere dezir el que habla. Llamaron assí al valle por un ídolo que en él huvo en figura de hombre, que hablava y respondía a lo que le preguntavan, como el oráculo de Apolo Délfico y otros muchos que huvo en la gentilidad antigua; y porque hablava, le llamavan el que habla, y también al valle donde estava.

Este ídolo tuvieron los yuncas en mucha veneración, y también los Incas después que ganaron aquel hermoso valle, donde fundaron los españoles la ciudad que llaman de los Reyes, por haverse fundado día de la aparición del Señor, cuando se mostró a la gentilidad. De manera que Rímac o Lima o la ciudad de los Reyes, todo es una misma cosa; tiene por armas tres coronas y una estrella.

Tenían el ídolo en un templo suntuoso, aunque no tanto como el de Pachacámac, donde ivan y embiavan sus embaxadores los señores del Perú a consultar las cosas que se les ofrescían de importancia. Los historiadores españoles confunden el templo de Rímac con el de Pachacámac y dizen que Pachacámac era el que hablava, y no hazen mención de Rímac; y este error, con otros muchos que en sus historias hay semejantes, nascen de no saber la propriedad de la lengua y de no dárseles mucho por la averiguación de las cosas, y también lo pudo causar la cercanía de los valles, que no hay más de cuatro leguas pequeñas del uno al otro, y ser ambos de un mismo señor. Y esto baste para noticia de lo que huvo en aquellos valles, y que el ídolo hablador estuvo en Rímac y no en Pachacámac, con lo cual bolveremos a tratar de la conquista dellos.

Antes que el general Cápac Yupanqui llegasse con su exército al valle Pachacámac, embió, como lo havía de costumbre, sus mensajeros al Rey Cuismancu, diziendo que obedeciesse al Inca Pachacútec y lo tuviesse por supremo señor, y guardasse sus leyes y costumbres y adorasse al Sol por principal dios y echasse de sus templos y casas los ídolos que tenían; donde no, que se aprestasse para la guerra, porque el Inca le havía de sujetar por bien o por mal, de grado o por fuerça.

CAPÍTULO XXXI

Requieren a Cuismancu su respuesta y capitulaciones.

EL GRAN señor Cuismancu estava apercebido de guerra, porque, como la huviesse visto en su vezindad, temiendo que los Incas havían de ir sobre sus tierras se havía apercebido para las defender. Y assí, rodeado de sus capitanes y soldados, oyó los mensajeros del Inca y respondió diziendo que no tenían sus vassallos necessidad de otro señor, que para ellos y sus tierras bastava él solo, y que las leyes y costumbres que guardavan eran las que sus antepassados les havían dexado; que se hallavan bien con ellas; que no tenían necessidad de otras leyes, y que no querían repudiar sus dioses, que eran muy principales, porque entre otros adoravan al Pachacámac, que, según havían oído dezir, era el hazedor y sustentador del universo; que si era verdad, de fuerça havía de ser mayor dios que el Sol, y que le tenían hecho templo donde le ofrecían todo lo mejor que tenían, hasta sacrificarle hombres, mujeres y niños por más le honrar, y que era tanta la veneración que le tenían, que no osavan mirarle, y assí los sacerdotes y el Rey entrava[n] en su templo a le adorar, las espaldas al ídolo, y también al salir, para quitar la ocasión de alçar los ojos a él, y que también adoravan al Rímac, que era un dios que les hablava y dava las respuestas que le pedían y les dezía las cosas por venir. Y assimismo adoravan la zorra, por su cautela y astucias, y que al Sol no le havían oído hablar ni sabían que hablasse como su dios Rímac, y que también adoravan la Mamacocha, que era la mar, porque los mantenía con su pescado; que les bastavan los dioses que tenían; que no querían otros, y al Sol menos, porque no havían menester más calor del que su tierra les dava; que suplicavan al Inca o le requerían los dexasse libres, pues no tenían necessidad de su imperio.

Los Incas holgaron mucho saber que los yuncas tuviessen en tanta veneración al Pachacámac, que ellos adoravan interiormente por sumo dios. Por lo cual propusieron de no les hazer guerra, sino reduzirlos por bien, con buenas razones, halagos y promessas, dexando las armas por último remedio, para cuando los regalos no aprovechassen.

Con esta determinación fueron los Incas al valle de Pachacámac. El Rey Cuismancu salió con una muy buena vanda de gente, a defender su tierra. El general Cápac Yupanqui le embió a dezir que tuviesse por bien que no peleassen hasta que huviessen hablado más largo acerca de sus dioses; porque le hazía saber que los Incas, demás de adorar al Sol, adoravan también al Pachacámac, y que no le hazían templos ni ofrecían sacrificios por no le haver visto ni conocerle ni saber qué cosa fuesse. Pero que interiormente, en su coraçón, le acatavan y tenían en suma veneración, tanto que no osavan tomar su nombre en la boca sino con grandíssima adoración y humildad, y que pues los unos y los otros adoravan a un mismo Dios, no era razón que riñessen ni tuviessen guerra, sino que fuessen amigos y hermanos. Y que los Reyes Incas, demás de adorar al Pachacámac y tenerle por hazedor y sustentador del universo, tendrían de allí adelante por oráculo y cosa sagrada al Rímac, que los yuncas adoravan, y que pues los Incas se ofrecían a venerar su ídolo Rímac, que los yuncas, en correspondencia, por vía de hermandad, adorassen y tuviessen por dios al Sol, pues por sus beneficios, hermosura y resplandor, merescía ser adorado, y no la zorra ni otros animales de la tierra ni de la mar. Y que también, por vía de paz y amistad, les pedía que obedeciessen al Inca, su hermano y señor, porque era hijo del Sol, tenido por dios en la tierra. El cual, por su justicia, piedad, clemencia y mansedumbre, y por sus leyes y govierno tan suave, era amado y querido de tantas nasciones, y que muchas dellas, por las buenas nuevas que de sus virtudes y majestad havían oído, se havían venido a sujetársele de su grado y voluntad, y que no era razón que ellos, viniendo el Inca a buscarles a sus tierras para hazerles bien, lo repudiassen. Que les encargava mirassen todas estas cosas desapassionadamente y acudiessen a lo que la razón les dictava, y no permitiessen hazer por fuerça, perdiendo la gracia del Inca, lo que al presente podían hazer con mucho aplauso de Su Majestad, a cuyo poder y fuerça de armas no havía resistencia en la tierra.

El Rey Cuismancu y los suyos oyeron los partidos del Inca, y haviendo asentado treguas, dieron y tomaron acerca dellos muchos días; al fin dellos, por la buena maña y industria de los Incas, concluyeron las pazes, con las condiciones siguientes:

Que adorassen los yuncas al Sol, como los Incas. Que le hiziessen templo aparte, como al Pachacámac, donde le sacrificassen y ofreciessen sus dones, con que no fuessen de sangre humana, porque era contra ley natural matar un hombre a otro para ofrecerlo en sacrificio, lo cual se quitasse totalmente. Que echassen los ídolos que havía en el templo de Pachacámac, porque, siendo el hazedor y sustentador del universo, no era decente que ídolos de menos majestad estuviessen en su templo y altar, y que al Pachacámac le adorassen en el coraçón y no le pusiessen estatua alguna porque, no haviendo dexado verse, no sabían qué figura tenía, y assí no podían ponerle retrato como al Sol. Que para mayor ornato y grandeza del valle Pachacámac, se fundasse en él casa de las vírgines escogidas; que eran dos cosas muy estimadas de las provincias que las alcançavan a tener, esto es, la casa del Sol y la de las vírgines, porque en ellas semejavan al Cozco, y era lo más preciado que aquella ciudad tenía. Que el Rey Cuismancu se quedasse en su señorío, como todos los demás curacas, teniendo al Inca por supremo señor; guardasse y obedeciesse sus leyes y costumbres. Y que los Incas tuviessen en mucha estima y veneración al oráculo Rímac y mandassen a todos sus reinos hiziessen lo mismo.

Con las condiciones referidas, se assentaron las pazes entre el general Cápac Yupanqui y el Rey Cuismancu, al cual se le dió noticia de las leyes y costumbres que el Inca mandava guardar. Las cuales acceptó con mucha promptitud, porque le parecieron justas y honestas, y lo mismo las ordenanças de los tributos que havían de pertenecer al Sol y al Inca. Las cuales cosas, assentadas y puestas en orden, y dexados los ministros necessarios y la gente de guarnición para seguridad de todo lo ganado, le pareció al Inca Cápac Yupanqui bolverse al Cozco, juntamente con el príncipe, su sobrino, a dar cuenta al Inca, su hermano, de todo lo sucedido con los yuncas en sus dos conquistas, y llevar consigo al Rey Cuismancu para que el Inca le conociesse y hiziesse merced de su mano, porque era amigo confederado y no rendido. Y Cuismancu holgó mucho de ir a besar las manos al Inca y ver la corte y aquella famosa ciudad del Cozco.

El Inca Pachacútec, que a los principios de aquella jornada havía quedado en la provincia Rucana, haviendo sabido lo bien que a su hermano le iva en la conquista de aquellas provincias de los llanos, se havía buelto a su imperial ciudad; salía della a recebir al hermano y al hijo con el mismo aparato de fiestas y triunfo que la vez passada, y mayor, si mayor se pudo hazer, y haviéndolos recebido, regaló con muy buenas palabras a Cuismancu, y mandó que en el triunfo entrasse entre los Incas de la sangre real, porque juntamente con ellos adorava al Pachacámac, del cual favor quedó Cuismancu tan ufano como embidiado de todos los demás curacas.

Passado el triunfo, hizo el Inca muchas mercedes a Cuismancu, y lo embió a su tierra lleno de favores y honra, y lo mismo a todos los que con él havían ido. Los cuales bolvieron a sus tierras muy contentos, pregonando que el Inca era verdadero hijo del Sol, digno de ser adorado y servido de todo el mundo. Es de saber que luego que el Demonio vió que los Incas señoreavan el valle de Pachacámac, y que su templo estava desembaraçado de los muchos ídolos que tenía, quiso hazerse particular

71

señor dél, pretendiendo que lo tuviessen por el dios no conoscido, que los indios tanto honravan, para hazerse adorar de muchas maneras y vender sus mentiras más caro en unas partes que en otras. Para lo cual dió en hablar desde los rincones del templo a los sacerdotes de mayor dignidad y crédito, y les dixo que ahora que estava solo, quería hazer merced de responder a sus demandas y preguntas; no a todas en común, sino a las de más importancia, porque a su grandeza y señorío no era decente hablar con hombres baxos y viles, sino con Reyes y grandes señores, y que al ídolo Rímac, que era su criado, mandaría que hablasse a la gente común y respondiesse a todo lo que le preguntassen; y assí, desde entonces, quedó assentado que en el templo de Pachacámac se consultassen los negocios reales y señoriles y en el de Rímac los comunes y plebeyos; y assí le confirmó aquel ídolo el nombre hablador, porque haviendo de responder a todos, le era forçoso hablar mucho. El Padre Blas Valera refiere también este passo, aunque brevemente.

Al Inca Pachacútec le pareció desistir por algunos años de las conquistas de nuevas provincias y dexar descansar las suyas, porque, con el trocar de los exércitos, havían recebido alguna molestia. Solamente se exercitava en el govierno común de sus reinos y en ilustrarlos con edificios y con leyes y ordenanças, ritos y cerimonias que de nuevo compuso para su idolatría, reformando lo antiguo, para que cuadrasse bien la significación de su nombre Pachacútec y su fama quedasse eternizada de haver sido gran Rey para governar sus reinos y gran sacerdote para su vana religión y gran capitán para sus conquistas, pues ganó más provincias que ninguno de sus antepassados. Particularmente enriqueció el templo del Sol; mandó chapar las paredes con planchas de oro, no solamente las del templo, mas también las de otros aposentos y las de un claustro que en él havía, que hoy vive más rico de verdadera riqueza y bienes espirituales que entonces lo estava de oro y piedras preciosas. Porque en el mismo lugar del templo donde tenían la figura del Sol está hoy el Sanctíssimo Sacramento, y el claustro sirve de andar por él las processiones y fiestas que por año se le hazen. Su Eterna Majestad sea loada por todas sus misericordias. Es el convento de Sancto Domingo.

CAPÍTULO XXXII

Van a conquistar al Rey Chimu, y la guerra cruel que se hazen.

N LOS exercicios que hemos dicho, gastó el Inca Pachacútec seis años, los cuales passados, viendo sus reinos prósperos y descansados, mandó apercebir un exército de treinta mil hombres de guerra para conquistar los valles que huviesse en la costa, hasta el paraje de Cassamarca, donde quedavan los términos de su Imperio por el camino de la sierra.

Aprestada la gente, nombró seis Incas, de los más esperimentados, que fuessen coroneles o maesses de campo del exército y consejeros del príncipe Inca Yupanqui, su hijo. Al cual mandó que fuesse general de aquella conquista, porque, como discípulo de tan buen maestro y soldado de tan gran capitán como su tío Cápac Yupanqui, havía salido tan práctico en la milicia que se le podía fiar cualquiera empresa, por grande que fuesse; y a su hermano, a quien por sus hazañas llamava mi braço derecho, mandó que se quedasse con él a descansar de los trabajos passados. En remuneración de los cuales, y en testimonio de sus reales virtudes, le nombró por su lugarteniente, segunda persona suya en la paz y en la guerra, y le dió absoluto poder y mando en todo su Imperio.

Apercebido el exército, caminó con el primer tercio el príncipe Inca Yupanqui por el camino de la sierra, hasta ponerse en la provincia Yauyu, que está en el paraje de la Ciudad de los Reyes, y allí esperó a que se juntasse todo su exército, y, haviéndolo juntado, caminó hasta Rímac, donde estava el oráculo hablador. A este príncipe heredero Inca Yupanqui dan los indios la honra y fama de haver sido el primero de los Reyes Incas que vió la Mar del Sur y que fué el que más provincias ganó en aquella costa, como se verá en el discurso de su vida. El curaca Pachacámac, llamado Cuismancu, y el de Runahuánac, que havía por nombre Chuquimancu, salieron a recebir al Príncipe con gente de guerra, para le servir en aquella conquista. El Príncipe les agradesció su buen ánimo, y les hizo mercedes y grandes favores. Del valle de Rímac fué a visitar el templo de Pachacámac; entró en él, sin murmullo de oraciones ni sacrificios más de con las ostentaciones que hemos dicho hazían los Incas al Pachacámac en su adoración mental. Luego visitó el templo del Sol, donde huvo muchos sacrificios y grandes ofrendas de oro y plata; visitó assimismo al ídolo Rímac, por favorescer a los yuncas; y por cumplir con las capitulaciones passadas, mandó ofrecerle sacrificios y que los sacerdotes le consultassen el successo de aquella jornada; y haviendo tenido respuesta que sería próspera, caminó hasta el valle que llaman los indios Huaman y los españoles la Barranca, y de allí embió los recaudos acostumbrados, de paz o de guerra, a un gran señor llamado Chimu, que era

73

señor de los valles que hay passada la Barranca hasta la ciudad que llaman Truxillo, que los más principales son cinco y han por nombre Parmunca, Huallmi, Santa, Huanapu y Chimu, que es donde está agora Truxillo, todos cinco hermosíssimos valles, muy fértiles y poblados de mucha gente, y el curaca principal se llamava el poderoso Chimu, del nombre de la provincia donde tenía su corte. Éste se tratava como Rey, y era temido de todos los que por las tres partes confinavan con sus tierras, es a saber, al levante, al norte y al sur, porque al poniente dellas está la mar.

El grande y poderoso Chimu, haviendo oído el requerimiento del Inca, respondió diziendo que estava aprestado, con las armas en las manos, para morir en defensa de su patria, leyes y costumbres, y que no quería nuevos dioses; que el Inca se enterasse desta respuesta, que no daría otra jamás. Oída la determinación de Chimu, caminó el príncipe Inca Yupanqui hasta el valle Parmunca, donde el enemigo le esperava. El cual salió con un buen escuadrón de gente a escaramuçar y tentar las fuerças de los Incas; peleó con ellos mucho espacio de tiempo, por les defender la entrada del valle, mas no pudo hazer tanto que los enemigos no le ganassen la entrada y el sitio donde se aloxaron, aunque con muchas muertes y heridas de ambas partes. El príncipe, viendo la resistencia de los yuncas, por que no tomassen ánimo por ver poca gente en su exército, embió mensajeros al Inca, su padre, dándole cuenta de lo hasta allí sucedido y suplicándole mandasse embiarle veinte mil hombres de guerra, no para los trocar con los del exército, como se havía hecho en las conquistas passadas, sino para abreviar la guerra con todos ellos, porque no pensava dar tanto espacio a los enemigos como se havía hecho con los passados, y menos con aquéllos, porque se mostravan más sobervios.

Despachados los mensajeros, aprietó la guerra por todas partes el Inca, en la cual se mostravan muy enemigos del poderoso Chimu los dos curacas, el de Pachacámac y el de Runahuánac, porque en tiempos atrás, antes de los Incas, tuvo guerra cruel con ellos sobre los términos y los pastos y sobre hazerse esclavos unos a otros, y los traía avassallados. Y al presente, con el poder del Inca, querían vengarse de los agravios y ventajas rescebidas, lo cual sentía el gran Chimu más que otra cosa alguna, y hazía por defenderse todo lo que podía.

La guerra anduvo muy sangrienta entre los yuncas, que por la enemistad antigua hazían en servicio de los Incas más que otra nasción de las otras; de manera que en pocos días ganaron todo el valle de Parmunca y echaron los naturales dél al de Huallmi, donde también huvo recuentros y peleas, mas tampoco pudieron defenderlo y se retiraron al valle que llaman Sancta, hermosíssimo en aquel tiempo entre todos los de la costa, aunque en éste casi desierto, por haverse consumido sus naturales como en todos los demás valles.

Los de Sancta se mostraron más belicosos que los de Huallmi y Parmunca: salieron a defender su tierra; pelearon con mucho ánimo y esfuerço todas las vezes que se ofresció pelear; resistieron muchos días la pujança de los contrarios, sin reconoscerles ventaja; hizieron tan buenos hechos, que ganaron honra y fama con sus proprios enemigos; esforçaron y aumentaron las esperanças de su curaca, el gran Chimu. El cual, confiado en la valentía que los suyos mostravan y en ciertas imaginaciones que publicava, diziendo que el Príncipe, como hombre regalado y delicado, se cansaría presto de los trabajos de la guerra y que los desseos de amores de su corte le bolvieran aína a los regalos della, y que lo mismo haría de la gente de guerra el desseo de ver sus casas, mujeres y hijos; cuando ellos no quisiessen irse, el calor de su tierra los echaría della, o los consumiría, si porfiassen a estarse quedos. Con estas vanas imaginaciones porfiava obstinadamente el sobervio Chimu en seguir la guerra, sin acceptar ni oír los partidos que el Inca le embiava a sus tiempos. Antes, para descubrir por entero su pertinacia, hizo llamamiento de la gente que tenía[n] los otros valles de su estado, y como ivan llegando los suyos, assí iva esforçando la guerra, más y más cruel de día en día. Huvo muchos muertos y heridos de ambas partes; cada cual dellos hazía por salir con la victoria; fué la guerra más reñida que los Incas tuvieron hasta entonces. Mas con todo esso, los capitanes y la gente principal de Chimu, mirándolo desapassionadamente, holgaran que su curaca abraçara los ofrecimientos de paz y amistad que hazía el Inca, cuya pujança entendían que a la corta o a la larga no se podía resistir. Empero, por acudir a la voluntad de su señor, sufrían con esfuerço y paciencia los trabajos de la guerra, hasta ver llevar por esclavos sus parientes, hijos, mujeres, y no osavan dezirle
lo que sentían della.

CAPÍTULO XXXIII

Pertinacia y aflicciones del gran Chimu, y cómo se rinde.

NTRE tanto que la guerra se hazía tan cruel y porfiada, llegaron los veinte mil soldados que el Príncipe pidió de socorro; con los cuales reforçó su exército y reprimió la sobervia y altivez de Chimu, trocada ya en tristeza y melancolía por ver trocadas en contra sus imaginadas esperanças; porque vió, por una parte, doblado el poder de los Incas, cuando pensava que iva faltando; por otra, sintió la flaqueza de ánimo que los suyos mostraron de ver el nuevo exército del enemigo, que como mantenían la guerra días havía más por condescender con la pertinacia de su señor, que por esperança que huviessen tenido de resistir al Inca, viendo ahora sus fuerças tan aumentadas desmayaron de golpe, y los más principales de sus parientes se fueron a Chimu y le dixeron que no durasse la obstinación hasta la total destruición de los suyos, sino que mirasse que era ya razón aceptar los ofrecimientos del Inca, siquiera porque sus émulos y enemigos antiguos no enriqueciessen tanto con los despojos que cada día les ganavan, llevándose sus mujeres y hijos para hazellos esclavos; lo cual se devía remediar con toda brevedad, antes que el daño fuesse mayor y antes que el Príncipe, por su dureza y rebeldía, cerrasse las puertas de su clemencia y mansedumbre y los llevasse a fuego y a sangre.

Con esta plática de los suyos (que más le aparesció amenaza y reprehensión que buen consejo ni aviso), quedó del todo perdido el bravo Chimu, sin saber dónde acudir a buscar remedio ni a quién pedir socorro; porque sus vezinos antes estavan ofendidos de su altivez y sobervia que no obligados ayudarle, su gente acovardada y el enemigo pujante. Viéndose, pues, tan alcançado de todas partes, propuso en sí de admitir los primeros partidos que el Príncipe le embiasse a ofrecer, mas no pedirlos él, que no mostrar tanta flaqueza de ánimo y falta de fuerças. Assí, encubriendo a los suyos esta intención, les dixo que no le faltavan esperanças y poder para resistir al Inca y salir con honra y fama de aquella guerra mediante el valor de los suyos. Que se animassen para defender su patria, por cuya salud y libertad estavan obligados a morir peleando, y no mostrassen pusilanimidad, que las guerras tenían de suyo ganar unos días y perder otros; que si al presente les llevavan algunas de sus mujeres por esclavas, se acordassen cuántas más havían traído ellos de las de sus enemigos, y que él esperava ponerlas presto en libertad; que tuviessen ánimo y no mostrassen flaqueza, pues nunca sus enemigos en lo passado se la havían sentido, ni era razón que al presente la sintiessen; que se fuessen en paz y estuviessen satisfechos, que cuidava más de la salud de los suyos que de la suya propria.

Con estos flacos consuelos y esperanças tristes, que consistían más en las palabras que en el hecho, despidió el gran Chimu a los suyos, quedando harto afligido por verles caídos de ánimo; mas con todo el mejor semblante que pudo mostrar, entretuvo la guerra hasta que llevaron los recaudos acostumbrados del Inca, ofresciéndole perdón, paz y amistad, según que otras muchas vezes se havía hecho con él. Oído el recaudo, por mostrarse todavía entero en su dureza, aunque ya la tenía trocada en blandura, respondió que él no tenía propósito de aceptar partido alguno; mas que por mirar por la salud de los suyos, se aconsejaría con ellos y haría lo que bien les estuviesse. Luego mandó llamar sus capitanes y parientes y les refirió el ofrescimiento del Inca y les dixo mirassen en aquel caso lo que a todos ellos conviniesse, que, aunque fuesse contra su voluntad, obedescería al Inca por la salud dellos.

Los capitanes holgaron mucho de sentir a su curaca en alguna manera apartado de la dureza y pertinacia passada, por lo cual, con más ánimo y libertad, le osaron dezir resolutamente que era muy justo òbedescer y tener por señor a un Príncipe tan piadoso y clemente como el Inca, que, aun teniéndolos casi rendidos, los combidava con su amistad.

Con este resoluto parescer, dado más con atrevimiento y osadía de hombres libres que con humildad de vassallos, se dió el poderoso Chimu por convencido en su rebeldía, y mostrando estar ya fuera della, embió sus embaxadores al príncipe Inca Yupanqui, diziendo suplicava a Su Alteza no faltasse para los suyos y para él la misericordia y clemencia que los Incas, hijos del Sol, havían usado en todas las cuatro partes del mundo que havían sujetado, pues a todos los culpados y pertinaces como él los havía perdonado; que se conocía en su delicto y pedía perdón, confiado en la esperiencia larga que de la clemencia de todos los Incas, sus antepassados, se tenía; que Su Alteza no se lo negaría, pues se preciava tanto del renombre amador y bienhechor de pobres, y que suplicava por el mismo perdón para todos los suyos, que tenían menos culpa que no él, porque havían resistido a Su Alteza más por obstinación de su curaca que por voluntad propria.

Con la embaxada holgó mucho el Príncipe, por haver acabado aquella conquista sin derramar la sangre que se temía; recibió con mucha afabilidad los embaxadores; mandólos regalar y dezir que bolviessen por su curaca y lo llevassen consigo para que oyesse el perdón del Inca de su misma boca y recibiesse las mercedes de su propria mano, para mayor satisfación suya.

El bravo Chimu, domado ya de su altivez y sobervia, paresció ante el Príncipe con otra tanta humildad y sumissión, y, derribándose por tierra, le adoró y repitió la misma súplica que con su embaxador havía embiado. El Príncipe, por sacarle de la aflicción que mostrava, lo recibió amorosamente; mandó a dos capitanes que lo levantassen del suelo, y, haviéndole oído, le dixo que le perdonava todo lo passado y mucho más que huviera hecho; que no había ido a su tierra a quitarle su estado y señorío, sino a mejorarle en su idolatría, leyes y costumbres, y que en confirmación de lo que dezía, si Chimu temía haver perdido su estado, le hazía merced y gracia dél, para que lo posseyesse con toda seguridad, con que echados por tierra sus ídolos, figuras de peces y animales, adorassen al Sol y sirviessen al Inca, su padre.

Chimu, alentado y esforçado con la afabilidad y buen semblante que 　**77** el Príncipe le mostró y con las palabras tan favorables que le dixo, le adoró de nuevo y respondió diziendo que el mayor dolor que tenía era no haver obedescido la palabra de tal señor luego que la oyó. Que esta maldad, aunque ya Su Alteza se la tenía perdonada, la lloraría en su coraçón toda su vida, y en lo demás cumpliría con mucho amor y voluntad lo que el Inca le mandasse, assí en la religión como en las costumbres.

Con esto se asentaron las pazes y el vassallaje de Chimu, a quien el Inca hizo mercedes de ropa de vestir para él y para sus nobles; visitó los valles de su estado, mandólos ampliar e ilustrar con edificios reales y grandes acequias que de nuevo se sacaron, para regar y ensanchar las tierras de lavor, en mucha más cantidad que las tenía antes, y se hizieron pósitos, assí para las rentas del Sol y del Inca como para socorrer los naturales en años de esterilidad, todo lo cual era de costumbre antigua mandarlo hazer los Incas. Particularmente en el valle de Parmunca, mandó el Príncipe se hiziesse una fortaleza en memoria y trofeo de la victoria que tuvo contra el Rey Chimu, que la estimó en mucho; por haver sido la guerra muy reñida de ambas partes y porque la guerra se empeçó en aquel valle, mandó se hiziesse la fortaleza en él. Hiziéronla fuerte y admirable en el edificio y muy galana en pinturas y otras curiosidades reales. Mas los estranjeros no respectaron lo uno ni lo otro, para no derribarla por el suelo; todavía quedaron algunos pedaços que sobrepujaron a la iñorancia de los que la derribaron, para muestra de cuán grande fué.

Dada orden y traça en lo que se ha dicho, y dexado los ministros necessarios para el govierno de la justicia y de la hazienda y la gente de guarnición ordinaria, dexó el Príncipe a Chimu muy favorescido y contento en su estado, y él se bolvió al Cozco, donde fué rescebido con la solenidad de triunfo y fiestas que de otras jornadas hemos dicho, las cuales duraron un mes.

CAPÍTULO XXXIV

Ilustra el Inca su Imperio, y sus exercicios hasta su muerte.

L INCA Pachacútec, viéndose ya viejo, le paresció descansar y no hazer más conquistas, pues havía aumentado a su Imperio más de ciento y treinta leguas de largo, norte sur, y de ancho todo lo que hay de la gran cordillera de la Sierra Nevada hasta la mar, que por aquel paraje hay por partes sesenta leguas leste hueste, y por otras setenta, y más y menos. Entendió en lo que siempre havía entendido, en confirmar las leyes de sus passados y hazer otras de nuevo para el beneficio común.

Fundó muchos pueblos de advenedizos, en las tierras que, por su industria, de estériles e incultas, se hizieron fértiles y abundantes mediante las muchas acequias que mandó sacar.

Edificó muchos templos al Sol, a imitación del que havía en el Cozco, y muchas casas de las vírgines que llamavan escogidas. Ordenó que se renovassen y labrassen muchos pósitos de nuevo, por los caminos reales, donde se pusiessen los bastimentos, armas y munición para los exércitos que por ellos passassen, y mandó se hiziessen casas reales donde los Incas se aloxassen cuando caminassen.

Mandó que también se hiziessen pósitos en todos los pueblos grandes o chicos, donde no los huviesse, para guardar mantenimiento con que socorrer los moradores en años de necessidad, los cuales pósitos mandó que se basteciessen de sus rentas reales y de las del Sol.

En suma, se puede dezir que renovó su Imperio en todo, assí en su vana religión, con nuevos ritos y cerimonias, quitando muchos ídolos a sus vassallos, como en las costumbres y vida moral, con nuevas leyes y premáticas, prohibiendo muchos abusos y costumbres bárbaras que los indios tenían antes de su reinado.

También reformó la milicia en lo que le paresció que convenía, por mostrarse tan gran capitán como Rey y sacerdote, y la amplió en favores y honras y mercedes, para los que en ella se aventajassen. Y particularmente ilustró y amplió la gran ciudad del Cozco con edificios y moradores. Mandó labrar una casa para sí, cerca de las escuelas que su visabuelo, Inca Roca, fundó. Por estas cosas y por su afable condición y suave govierno, fué amado y adorado como otro Júpiter. Reinó, según dizen, más de cincuenta años; otros dizen que más de sesenta. Vivía en suma paz y tranquilidad, tan obedescido como amado y tan servido como su bondad lo merescía, y al fin deste largo tiempo falleció. Fué llorado universalmente de todos sus vassallos y puesto en el número de sus dioses, como los demás Reyes Incas, sus antepassados. Fué embalsamado conforme a la costumbre dellos, y los llantos, sacrificios y ceremonias del entierro, según la misma costumbre, duraron un año.

Dexó por su universal heredero a Inca Yupanqui, su hijo, y de la Coya Anahuarque, su ligítima mujer y hermana; dexó otros, más de trezientos hijos y hijas, y aun quieren dezir, según su larga vida y multitud de mujeres, que más de cuatrocientos ligítimos en sangre y no legítimos; que, con ser tantos, dizen los indios que eran pocos para hijos de tal padre.

A estos dos Reyes, padre y hijo, confunden los historiadores españoles, dando los nombres de ambos a uno solo. El padre se llamó Pachacútec: fué su nombre proprio; el nombre Inca fué común a todos ellos, porque fué apellido desde el primer Inca, llamado Manco Cápac, cuyo nieto se llamó Lloque Yupanqui, en cuya vida diximos lo que significava la dicción Yupanqui, la cual dicción también se hizo apellido después de aquel Rey, y juntando ambos apellidos, que son Inca Yupanqui, se lo dizen a todos los Reyes Incas, como no tengan por nombre proprio el Yupanqui, y estánles bien estos renombres, porque es como dezir César Augusto a todos los Emperadores. Pues como los indios, contando las hazañas de sus Reyes y nombrando sus nombres, dizen Pachacútec Inca Yupanqui, entienden los españoles que es nombre de un Rey solo, y no admiten al hijo sucesor de Pachacútec, que se llamó Inca Yupanqui, el cual tomó ambos apellidos por nombre proprio y dió el mismo nombre Inca Yupanqui a su hijo heredero. A quien los indios, por excelencia y por diferenciarle de su padre, llamaron Túpac (quiere dezir el que resplandece) Inca Yupanqui, padre de Huaina Cápac, Inca Yupanqui, y abuelo de Huáscar, Inca Yupanqui, y assí se puede dezir a todos los demás Incas, por apellido.

Esto he dicho para que no se confundan los que leyeren las historias.

CAPÍTULO XXXV

Aumentó las escuelas, hizo leyes para el buen govierno.

HABLANDO deste Inca, el Padre Blas Valera dize en suma lo que se sigue:

"Muerto Viracocha Inca, y adorado por los indios entre sus dioses, sucedió su hijo, el Gran Titu, por sobrenombre Manco Cápac; llamóse assí hasta que su padre le dió el nombre Pachacútec, que es reformador del mundo. El cual nombre confirmó él después con sus esclarescidos hechos y dichos, de tal manera que de todo punto se olvidaron los nombres primeros para llamarle por ellos. Éste governó su Imperio con tanta industria, prudencia y fortaleza, assí en paz como en guerra, que no solamente lo aumentó en las cuatro partes del reino, que llamaron Tauantinsuyu, mas también hizo muchos estatutos y leyes, las cuales todas confirmaron muy de grado nuestros católicos Reyes, sacando las que pertenescían a la honra de los ídolos y a los matrimonios no lícitos. Este Inca, ante todas cosas, ennoblesció y amplió con grandes honras y favores las escuelas que el Rey Inca Roca fundó en el Cozco; aumentó el número de los preceptores y maestros; mandó que todos los señores de vassallos, los capitanes y sus hijos, y universalmente todos los indios, de cualquiera oficio que fuessen, los soldados y los inferiores a ellos, usassen la lengua del Cozco, y que no se diesse govierno, dignidad ni señorío sino al que la supiesse muy bien. Y por que ley tan provechosa no se huviesse hecho de balde, señaló maestros muy sabios de las cosas de los indios, para los hijos de los príncipes y de la gente noble, no solamente para los del Cozco, mas también para todas las provincias de su reino, en las cuales puso maestros que a todos los hombres de provecho para la república enseñassen aquel lenguaje del Cozco, de lo cual sucedió que todo el reino del Perú hablava una lengua, aunque hoy, por la negligencia (no sé de quién), muchas provincias que la sabían la han perdido del todo, no sin gran daño de la predicación evangélica. Todos los indios que, obedesciendo esta ley, retienen hasta ahora la lengua del Cozco, son más urbanos y de ingenios más capaces; los demás no lo son tanto.

"Este Pachacútec prohibió que ninguno, sino los príncipes y sus hijos, pudiessen traer oro ni plata ni piedras preciosas ni plumas de aves de diversas colores, ni vestir lana de vicuña, que se texe con admirable artificio. Concedió que los primeros días de la luna, y otros de sus fiestas y solenidades, se adornassen moderadamente; la cual ley guardan hasta ahora los indios tributarios, que se contentan con el vestido común y ordinario, y assí escusan mucha corruptela que los vestidos galanos y sobervios suelen causar. Pero los indios criados de los españoles y los que habitan en las ciudades de los españoles son muy desperdiciados en esto, y causan mucho daño y mengua en sus haziendas y conciencias. Mandó este Inca que usassen mucha escaseza en el comer, aunque en el bever tuvieron más libertad, assí los príncipes como los plebeyos. Constituyó que huviesse juezes particulares contra los ociosos, holgazanes; quiso que todos anduviessen ocupados en sus oficios o en servir a sus padres o a sus amos o en el beneficio de la república, tanto que a los muchachos y muchachas de cinco, seis, siete años, les hazían ocuparse en alguna cosa, conforme a su edad. A los ciegos, cojos y mudos, que podían trabajar con las manos, los ocupavan en diversas cosas; a los viejos y viejas les mandavan que ojeassen los páxaros de los sembrados, a los cuales todos davan cum-   *81* plidamente de comer y de vestir, de los pósitos públicos. Y por que el continuo trabajo no les fatigasse tanto que los oprimiesse, establesció ley que en cada mes (que era por lunas) huviesse tres días de fiesta, en las cuales se holgassen con diversos juegos de poco interés. Ordenó que en cada mes huviesse tres ferias, de nueve en nueve días, para que los aldeanos y trabajadores del campo, haviendo cada cual gastado ocho días en sus oficios, viniessen a la ciudad, al mercado, y entonces viessen y oyessen las cosas que el Inca o su Consejo huviessen ordenado, aunque después este mismo Rey quiso que los mercados fuessen cotidianos, como hoy los vemos, los cuales ellos llaman *catu;* y las ferias ordenó que fuessen en día de fiesta, por que fuessen más famosas. Hizo ley que cualquiera provincia o ciudad tuviesse término señalado, que encerrasse en sí los montes, pastos, bosques, ríos y lagos y las tierras de lavor; las cuales cosas fuessen de aquella tal ciudad o provincia, en término y juridición perpetua, y que ningún governador ni curaca fuesse osado a las desminuir, dividir o aplicar alguna parte para sí ni para otro, sino que aquellos campos se repartiessen por medida igual, señalada por la misma ley, en beneficio común y particular de los vezinos y habitadores de la tal provincia o ciudad, señalando su parte para las rentas reales y para el Sol, y que los indios arassen, sembrassen y cogiessen los frutos, assí los suyos como los de los erarios, de la manera que les dividían las tierras; y ellos eran obligados a labrarlas en particular y en común. De aquí se averigua ser falso lo que muchos falsamente afirman, que los indios no tuvieron derecho de propriedad en sus heredades y tierras, no entendiendo que aquella división se hazía, no por cuenta ni razón de las possessiones, sino por el trabajo común y particular que havían de poner en labrarlas; porque fué antiquíssima costumbre de los indios que no solamente las obras públicas, mas también las particulares, las hazían y acabavan trabajando todos en ellas, y por esto medían las tierras, para que cada uno trabajasse en la parte que le cupiesse. Juntávase toda la multitud, y labravan primeramente sus tierras particulares en común, ayudándose unos a otros, y luego labravan las del Rey; lo mismo hazían al sembrar y coger los frutos y encerrarlos en los pósitos reales y comunes. Casi desta misma manera labravan sus casas; que el indio que tenía necesidad de labrar la suya, iva al Concejo para que señalasse el día que se huviesse de hazer; los del pueblo acudían con igual consentimiento a socorrer la necessidad de su vezino, y brevemente le hazían la casa. La cual costumbre aprovaron los Incas y la confirmaron con ley que sobre ella hizieron. Y el día de hoy muchos pueblos de indios que guardan aquel estatuto ayudan grandemente a la cristiana caridad; pero los indios avaros, que no son más de para sí, dañan a sí proprios y no aprovechan a los otros; antes los tienen ofendidos".

CAPÍTULO XXXVI

Otras muchas leyes del Inca Pachacútec, y sus dichos sentenciosos.

"EN SUMA, este Rey, con parescer de sus Consejos, aprovó muchas leyes, derechos y estatutos, fueros y costumbres de muchas provincias y regiones, porque eran en provecho de los naturales; otras muchas quitó, que eran contrarias a la paz común y al señorío y majestad real; otras muchas instituyó de nuevo, contra los blasfemos, patricidas, fratricidas, homicidas, contra los traidores al Inca, contra los adúlteros, assí hombres como mujeres, contra los que sacavan las hijas de casa de sus padres, contra los que violavan las donzellas, contra los que se atrevían a tocar las escogidas, contra los ladrones, de cualquiera cosa que fuesse el hurto, contra el nefando y contra los incendiarios, contra los incestuosos en línea recta; hizo otros muchos decretos para las buenas costumbres y para las cerimonias de sus templos y sacrificios; confirmó otros muchos que halló hechos por los Incas sus antecesores, que son éstos: que los hijos obedesciessen y sirviessen a sus padres hasta los veinte y cinco años; ninguno se casasse sin licencia de sus padres y de los padres de la moça; casándose sin licencia, no valiesse el contrato, y los hijos fuessen no legítimos; pero si después de havidos los hijos y vivido juntos los casados, alcançassen el consentimiento y aprovación de sus padres y suegros, entonces fuesse lícito el casamiento y los hijos se hiziessen ligítimos. Aprovó las herencias de los estados y señoríos, conforme a la antigua costumbre de cada provincia o reino; que los juezes no pudiessen recebir cohechos de los pleiteantes. Otras muchas leyes hizo este Inca, de menos cuenta, que las dexo por escusar prolijidad. Adelante diremos las que hizo para el govierno de los juezes, para contraer los matrimonios, para hazer los testamentos y para la milicia y para la cuenta de los años. En estos nuestros días, el visorrey Don Francisco de Toledo trocó, mudó y revocó muchas leyes y estatutos de los que este Inca establesció; los indios, admirados de su poder absoluto, le llamaron segundo Pachacútec, por dezir que era reformador del primer reformador. Era tan grande la reverencia y acatamiento que tenían a aquel Inca, que hasta hoy no pueden olvidarle".

Hasta aquí es del Padre Blas Valera, que lo hallé en sus papeles rotos; lo que promete dezir adelante de las leyes para los juezes, para los matrimonios y testamentos, para la milicia y la cuenta del año, se perdió, que es gran lástima. En otra hoja hallé parte de los dichos sentenciosos deste Inca Pachacútec; son los que se siguen:

"Cuando los súbditos y sus capitanes y curacas obedescen de buen ánimo al Rey, entonces goza el reino de toda paz y quietud.

"La embidia es una carcoma que roe y consume las entrañas de los embidiosos.

"El que tiene embidia y es embidiado, tiene doblado tormento.

"Mejor es que otros, por ser tú bueno, te hayan embidia, que no que la hayas tú a otros, por ser tú malo.

"Quien tiene embidia de otro, a sí proprio se daña.

"El que tiene embidia de los buenos saca dellos mal para sí, como haze la araña en sacar de las flores ponçoña.

"La embriaguez, la ira y locura, corren igualmente; sino que las dos primeras son voluntarias y mudables y la tercera es perpetua.

"El que mata a otro sin autoridad o causa justa, a él proprio se condena a muerte.

"El que mata a su semejante, necessario es que muera; por lo cual los Reyes antiguos, progenitores nuestros, instituyeron que cualquiera homiziano fuesse castigado con muerte violenta, y Nos lo confirmamos de nuevo.

"En ninguna manera se deven permitir ladrones; los cuales, pudiendo ganar hazienda con honesto trabajo y posseerla con buen derecho, quieren más haverla hurtando o robando; por lo cual es muy justo que sea ahorcado el que fuere ladrón.

"Los adúlteros que afean la fama y la calidad ajena y quitan la paz y la quietud a otros deven ser declarados por ladrones, y por ende condenados a muerte, sin remissión alguna.

"El varón noble y animoso es conoscido por la paciencia que muestra en las adversidades.

"La impaciencia es señal de ánimo vil y baxo, mal enseñado y peor acostumbrado.

"Cuando los súbditos obedescen lo que pueden, sin contradición alguna, deven los Reyes y governadores usar con ellos de liberalidad y clemencia; mas, de otra manera, de rigor y justicia, pero siempre con prudencia.

"Los juezes que reciben a escondidillas las dádivas de los negociantes y pleiteantes deven ser tenidos por ladrones y castigados con muerte, como tales.

"Los governadores deven advertir y mirar dos cosas con mucha atención. La primera, que ellos y sus súbditos guarden y cumplan perfectamente las leyes de sus Reyes. La segunda, que se aconsejen con mucha vigilancia y cuidado para las comodidades comunes y particulares de su provincia. El indio que no sabe governar su casa y familia, menos sabrá governar la república; este tal no deve ser preferido a otros.

"El médico o hervolario que iñora las virtudes de las yervas o que, sabiendo las de algunas, no procura saber las de todas, sabe poco o nada. Conviénele trabajar hasta conoscerlas todas, assí las provechosas como las dañosas, para merescer el nombre que pretende.

"El que procura contar las estrellas, no sabiendo aún contar los tantos y ñudos de las cuentas, digno es de risa".

Éstas son las sentencias del Inca Pachacútec; dezir los tantos y ñudos de las cuentas fué porque, como no tuvieron letras para escrivir ni cifras para contar, hazían sus cuentas con ñudos y tantos.

FIN DEL LIBRO SESTO

LIBRO SÉPTIMO
de los
COMENTARIOS REALES
DE LOS INCAS,

en el cual se da noticia de las colonias que hazían los Incas, de la criança de los hijos de los señores, de la tercera y cuarta fiesta principal que tenían, de la descripción de la ciudad del Cozco, de las conquistas que Inca Yupanqui, décimo Rey, hizo en el Perú y en el reino de Chili, de la rebelión de los Araucos contra los españoles, de la muerte de Valdivia, de la fortaleza del Cozco y de sus grandezas.
Contiene veinte y nueve capítulos.

CAPÍTULO I

Los Incas hazían colonias; tuvieron dos lenguajes.

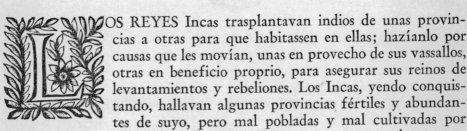

OS REYES Incas trasplantavan indios de unas provincias a otras para que habitassen en ellas; hazíanlo por causas que les movían, unas en provecho de sus vassallos, otras en beneficio proprio, para asegurar sus reinos de levantamientos y rebeliones. Los Incas, yendo conquistando, hallavan algunas provincias fértiles y abundantes de suyo, pero mal pobladas y mal cultivadas por falta de moradores; a estas tales provincias, por que no estuviessen perdidas, llevavan indios de otras de la misma calidad y temple, fría o caliente, por que no se les hiziesse de mal la diferencia del temperamento. Otras vezes los trasplantavan cuando multiplicavan mucho de manera que no cabían en sus provincias; buscávanles otras semejantes en que viviessen; sacavan la mitad de la gente de la tal provincia, más o menos la que convenía. También sacavan indios de provincias flacas y estériles para poblar tierras fértiles y abundantes. Esto hazían para beneficio, assí

86

de los que ivan como de los que quedavan, porque, como parientes, se ayudassen con sus cosechas los unos a los otros, como fué en todo el Collao, que es una provincia de más de ciento y veinte leguas de largo y que contiene en sí otras muchas provincias de diferentes nasciones, donde, por ser la tierra muy fría, no se da el maíz ni el *uchu,* que los españoles llaman pimiento, y se dan en grande abundancia otras semillas y legumbres que no se dan en las tierras calientes, como la que llaman *papa* y *quinua,* y se cría infinito ganado. De todas aquellas provincias frías sacaron por su cuenta y razón muchos indios y los llevaron al oriente dellas, que es a los Antis, y al poniente, que es a la costa de la mar, en las cuales regiones havía grandes valles fertilíssimos de llevar maíz y pimiento y frutas, las cuales tierras y valles, antes de los Incas, no se habitavan; estavan desamparados, como desiertos, porque los indios no havían sabido ni tenido maña para sacar acequias para regar los campos. Todo lo cual, bien considerado por los Reyes Incas, poblaron muchos valles de aquellos incultos con los indios que, a una mano y a otra, más cerca les caían; diéronles riego, allanando las tierras para que gozassen del agua, y les mandaron por ley que se socorriessen como parientes, trocando los bastimentos que sobravan a los unos y faltavan a los otros. También hizieron esto los Incas por su provecho, por tener renta de maíz para sus exércitos, porque, como ya se ha dicho, eran suyas las dos tercias partes de las tierras que sembravan; esto es, la una tercia parte del Sol y la otra del Inca. Desta manera tuvieron los Reyes abundancia de maíz en aquella tierra, tan fría y estéril, y los Collas llevavan en su ganado, para trocar con los parientes trasplantados, grandíssima cantidad de *quinua* y *chuñu,* que son papas passadas, y mucho tasajo, que llaman *charqui,* y bolvían cargados de maíz y pimientos y frutas, que no las havía en sus tierras; y éste fué un aviso y prevención que los indios estimaron en mucho.

Pedro de Cieça de León, hablando en este mismo propósito, capítulo noventa y nueve, dize: "Siendo el año abundante, todos los moradores deste Collao viven contentos y sin necessidad; mas si es estéril y falto de agua, passan grandíssima necessidad. Aunque a la verdad, como los Reyes Incas que mandaron este Imperio fueron tan sabios y de tan buena governación y tan bien proveídos, establescieron cosas y ordenaron leyes a su usança, que, verdaderamente, si no fuera mediante ello las más de las gentes de su señorío passaran con gran trabajo y vivieran con gran necessidad, como antes que por ellos fueran señoreados. Y esto helo dicho porque en estos Collas y en todos los más valles del Perú, que, por ser fríos, no eran tan fértiles y abundantes como los pueblos cálidos y bien proveídos, mandaron que, pues la gran serranía de los Andes comarcava con la mayor parte de los pueblos, que de cada uno saliesse cierta cantidad de indios con sus mujeres, y estos tales, puestos en las partes que sus caciques les mandavan y señalavan, labravan los campos en donde sembravan lo que faltava en sus naturalezas, proveyendo con el fruto que cogían a sus señores o capitanes, y eran llamados *mitimaes*. Hoy día sirven y están debaxo de la encomienda principal, y crían y curan la preciada coca. Por manera que, aunque en todo el Collao no se coge ni siembra maíz, no les falta a los señores naturales dél y a los que quieren procurar con la orden ya dicha; porque nunca dexan de traer cargas de maíz, coca y frutas de todo género y cantidad de miel". Hasta aquí es de Pedro de Cieça, sacado a la letra.

Trasplantávanlos también por otro respecto, y era cuando havían conquistado alguna provincia belicosa, de quien se temía que, por estar lexos del Cozco y por ser de gente feroz y brava, no havía de ser leal ni havía de querer servir en buena paz. Entonces sacavan parte de la gente de aquella tal provincia, y muchas vezes la sacavan toda, y la passavan a otra provincia de las domésticas, donde, viéndose por todas partes rodeados de vassallos leales y pacíficos, procurassen ellos también ser leales, baxando la cerviz al yugo que ya no podían desechar. Y en estas maneras de mudar indios siempre llevavan Incas de los que lo eran por privilegio del primer Rey Manco Cápac, y embiávanlos para que governassen y doctrinassen a los demás. Con el nombre destos Incas honravan a todos los demás que con ellos ivan, por que fuessen más respectados de los comarcanos. A todos estos indios, trocados desta manera, llamavan *mítmac*, assí a los que llevavan como a los que traían: quiere dezir trasplantados o advenedizos, que todo es uno.

Entre otras cosas que los Reyes Incas inventaron para buen govierno de su Imperio, fué mandar que todos sus vassallos aprendiessen la lengua de su corte, que es la que hoy llaman lengua general, para cuya enseñança pusieron en cada provincia maestros Incas de los de privilegio, y es de saber que los Incas tuvieron otra lengua particular, que hablavan entre ellos, que no la entendían los demás indios ni les era lícito aprenderla, como lenguaje divino. Ésta, me escriven del Perú que se ha perdido totalmente, porque, como pereció la república particular de los Incas, pereció también el lenguaje dellos. Mandaron aquellos Reyes aprender la lengua general por dos respectos principales. El uno fué por no tener delante de sí tanta muchedumbre de intérpretes como fuera menester para entender y responder a tanta variedad de lenguas y naciones como havía en su Imperio. Querían los Incas que sus vassallos les hablassen boca a boca (a lo menos personalmente, y no por terceros) y oyessen de la suya el despacho de sus negocios, porque alcançaron cuánta más satisfación y consuelo da una misma palabra dicha por el Príncipe, que no por el ministro. El otro respecto y más principal fué porque las nasciones estrañas (las cuales, como atrás diximos, por no entenderse unas a otras se tenían por enemigas y se hazían cruel guerra), hablándose y comunicándose lo interior de sus coraçones, se amassen unos a otros como si fuessen de una familia y parentela y perdiessen la esquiveza que les causava el no entenderse. Con este artificio domesticaron y unieron los Incas tanta variedad de nasciones diversas y contrarias en idolatría y costumbres como las que hallaron y sujetaron a su Imperio, y los traxeron mediante la lengua a tanta unión y amistad que se amavan como hermanos, por lo cual muchas provincias que no alcançaron el Imperio de los Incas, aficionados y convencidos deste beneficio, han aprendido después acá la lengua general del Cozco, y la hablan y se entienden con ella muchas nasciones de diferentes lenguas, y por sola ella se han hecho amigos y confederadores donde solían ser enemigos capitales. Y al contrario, con el nuevo govierno la han olvidado muchas nasciones que la sabían, como lo testifica el Padre Blas Valera, hablando de los Incas, por estas palabras: "Mandaron que todos hablassen una lengua, aunque el día de hoy, por la negligencia (no sé de quién) la han perdido del todo muchas provincias, no sin gran daño de la predicación evangélica, porque todos los indios que, obedesciendo esta ley, retienen hasta ahora la lengua del Cozco, son más urbanos y de ingenios más capaces, lo cual no tienen los demás". Hasta aquí es del Padre Blas Valera; quiçá adelante pondremos un capítulo suyo donde dize que no se deve permitir que se pierda la lengua general del Perú, porque, olvidada aquélla, es necessario que los predicadores aprendan muchas lenguas para predicar el Evangelio, lo cual es imposible.

CAPÍTULO II

Los herederos de los señores se criavan en la corte, y las causas por qué.

MANDARON también aquellos Reyes que los herederos de los señores de vassallos se criassen en la corte y residiessen en ella mientras no heredassen sus estados, para que fuessen bien doctrinados y se hiziessen a la condición y costumbres de los Incas, tratando con ellos amigablemente, para que después, por la comunicación y familiaridad passada, los amassen y sirviessen con afición: llamávanles *mítmac*, porque eran advenedizos. También lo hazían por ennoblecer y honrar su corte con la presencia y compañía de tantos herederos de reinos, estados y señoríos como en aquel Imperio havía. Este mandato facilitó que la lengua general se aprendiesse con más gusto y menos trabajo y pesadumbre; porque, como los criados y vassallos de los herederos ivan por su rueda a la corte a servir a sus señores, siempre que bolvían a sus tierras llevavan algo aprendido de la lengua cortesana, y la hablavan con gran vanagloria entre los suyos, por ser lengua de gente que ellos tenían por divina, y causavan grande embidia para que los demás la desseassen y procurassen saber, y los que assí sabían algo, por passar adelante en el lenguaje, tratavan más a menudo y más familiarmente con los governadores y ministros de la justicia y de la hazienda real, que asistían en sus tierras. Desta manera, con suavidad y facilidad, sin la particular industria de los maestros, aprendieron y hablaron la lengua general del Cozco en pocas menos de mil y trezientas leguas de largo que ganaron aquellos Reyes.

Sin la intención de ilustrar su corte con la asistencia de tantos príncipes, tuvieron otra aquellos Reyes Incas para mandarlo, y fué por asegurar sus reinos y provincias de levantamientos y rebeliones, que, como tenían su Imperio tan estendido que havía muchas provincias que estavan a cuatrocientas y a quinientas y a seiscientas leguas de su corte, y eran las mayores y más belicosas, como eran las del reino de Quitu y Chili, y otras sus vezinas, de las cuales se recelavan que por la distancia del lugar y ferocidad de la gente se levantarían en algún tiempo y procurarían desechar el yugo del Imperio, y aunque cada una de por sí no era parte, podrían convocarse y hazer liga entre muchas provincias y en diversas partes y acometer el reino por todos cabos, que fuera un gran peligro para que se perdiera el señorío de los Incas. Para asegurarse de todos estos inconvenientes y otros que suceden en imperios tan grandes, tomaron por remedio mandar que todos los herederos asistiessen en su corte, donde, en presencia y ausencia del Inca, se tenía cuidado de tratarlos con regalo y favores, acariciando a cada uno conforme a sus méritos, calidad y estado. De los cuales favores particulares y generales davan los príncipes cuenta a sus padres a menudo, embiándoles los vestidos y presseas que el Inca les dava de su proprio traer y vestir, que era tan estimado entre ellos que no se puede encarescer. Con lo cual pretendían los Reyes Incas obligar a sus vassallos a que en agradecimiento de sus beneficios les fuessen leales, y cuando fuessen tan ingratos que no los reconosciessen, a lo menos temiessen y reprimiessen sus malos desseos, viendo que estavan sus hijos y herederos en la corte, como en rehenes y prendas de la fidelidad dellos.

Con esta industria y sagacidad y otras semejantes, y con la rectitud de su justicia, tuvieron los Incas su Imperio en tanta paz y quietud, que en todo el tiempo que imperaron casi apenas huvo rebelión ni levantamiento que aplacar o castigar. El Padre Joseph de Acosta, hablando del govierno de los Reyes Incas, libro seis, capítulo doze, dize: "Sin duda era grande la reverencia y afición que esta gente tenía a sus Incas, sin que se halle jamás haverles hecho ninguno dellos traición; porque en su govierno procedían, no sólo con gran poder, sino también con mucha rectitud y justicia, no consintiendo que nadie fuesse agraviado. Ponía el Inca sus governadores por diversas provincias, y havía unos supremos e inmediatos a él, otros más moderados y otros particulares, con estraña subordenación, en tanto grado que ni emborracharse ni tomar una maçorca de maíz de su vezino se atrevían".

Hasta aquí es del Padre Maestro Acosta.

CAPÍTULO III

De la lengua cortesana.

L CAPÍTULO del Padre Blas Valera que trata de la lengua general del Perú, que atrás propusimos dezir, era el capítulo nono del libro segundo de su *Historia,* que assí lo muestran sus papeles rotos, el cual, con su título al principio, como Su Paternidad lo escrivía, dize assí:

"Capítulo nono. De la lengua general y de su facilidad y utilidad.

"Resta que digamos algo de la lengua general de los naturales del Perú, que, aunque es verdad que cada provincia tiene su lengua particular diferente de las otras, una es y general la que llaman Cozco, la cual, en tiempo de los Reyes Incas, se usava desde Quitu hasta el reino de Chili y hasta el reino Tucma, y ahora la usan los caciques y los indios que los españoles tienen para su servicio y para ministros de los negocios. Los Reyes Incas, dende su antigüedad, luego que sujetavan cualquiera reino o provincia, entre otras cosas que para la utilidad de los vassallos se les ordenava, era mandarles que aprendiessen la lengua cortesana del Cozco y que la enseñassen a sus hijos. Y por que no saliesse vano lo que mandavan, les davan indios naturales del Cozco que les enseñassen la lengua y las costumbres de la corte. A los cuales, en las tales provincias y pueblos, davan casas, tierras y heredades para que, naturalizándose en ellas, fuessen maestros perpetuos ellos y sus hijos. Y los governadores Incas anteponían en los oficios de la república, assí en la paz como en la guerra, a los que mejor hablavan la lengua general. Con este concierto regían y governavan los Incas en paz y quietud todo su Imperio, y los vassallos de diversas nasciones se havían como hermanos, porque todos hablavan una lengua. Los hijos de aquellos maestros naturales del Cozco viven todavía derramados en diversos lugares, donde sus padres solían enseñar; mas porque les falta

la autoridad que a sus mâyores antiguamente se les dava, no pueden
enseñar a los indios ni compelerles a que aprendan. De donde ha nascido
que muchas provincias, que cuando los primeros españoles entraron
en Cassamarca sabían esta lengua común como los demás indios, ahora
la tienen olvidada del todo, porque, acabándose el mando y el Imperio
de los Incas, no huvo quién se acordasse de cosa tan acomodada y
necessaria para la predicación del Sancto Evangelio, por el mucho olvido
que causaron las guerras que entre los españoles se levantaron, y después dellas por otras causas, principalmente (según pienso) por los
varios impedimentos que el malvado Satanás ha sembrado para que
aquel estatuto tan provechoso no se pusiesse en execución. Por lo cual,
todo el término de la ciudad de Trujillo y otras muchas provincias de
la juridición de Quitu ignoran del todo la lengua general que hablavan;
y todos los Collas y los Puquinas, contentos con sus lenguajes particulares y proprios, desprecian la del Cozco. Demás desto, en muchos lugares donde todavía vive la lengua cortesana, está ya tan corrupta que
casi parece otra lengua diferente. También es de notar que aquella
confusión y multitud de lenguas que los Incas, con tanto cuidado, procuraron quitar, ha buelto a nascer de nuevo, de tal manera que el día
de hoy se hallan entre los indios más diferencias de lenguajes que havía
en tiempo de Huaina Cápac, último Emperador dellos. De donde ha
nascido que la concordia de los ánimos que los Incas pretendían que
huviera en aquellos gentiles por la conformidad de un lenguaje, ahora,
en estos tiempos, casi no la hay, con ser ya fieles, porque la semejança
y conformidad de las palabras casi siempre suelen reconciliar y traer
a verdadera unión y amistad a los hombres. Lo cual advirtieron poco
o nada los ministros que por mandado de un visorrey entendieron en
reduzir muchos pueblos pequeños de los indios en otros mayores, juntando en un lugar muchas diversas nasciones por el impedimiento que
antes havía para la predicación de los indios, por la distancia de los
lugares, el cual ahora se ha hecho mucho mayor por la variedad de las
nasciones y lenguajes que se juntaron, por lo cual (humanamente hablando) es impossible que los indios del Perú, mientras durare esta
confusión de lenguas, puedan ser bien instruídos en la fe y en las buenas
costumbres, si no es que los sacerdotes sepan todas las lenguas de aquel
Imperio, que es impossible; y con saber sola la del Cozco, como quiera
que la sepan, pueden aprovechar mucho. No faltan algunos que les
parece sería muy acertado que obligassen a todos los indios a que aprendiessen la lengua española, por que los sacerdotes no trabajassen tan
en vano en aprender la indiana. La cual opinión ninguno que la oye
dexa de entender que nasció antes de flaqueza de ánimo que torpeza de
entendimiento. Porque si es único remedio que los indios aprendan la

lengua castellana, tan dificultosa ¿por qué no lo será que aprendan la suya cortesana, tan fácil, y para ellos casi natural? Y al contrario, si los españoles, que son de ingenio muy agudo y muy sabios en sciencias, no pueden, como ellos dizen, aprender la lengua general del Cozco ¿cómo se podrá hazer que los indios, no cultivados ni enseñados en letras, aprendan la lengua castellana? Lo cierto es que aunque se hallassen muchos maestros que quisiessen enseñar de gracia la lengua castellana a los indios, ellos, no haviendo sido enseñados, particularmente la gente común, aprenderían tan mal que cualquiera sacerdote, si quisiesse, aprendería y hablaría despiertamente diez diversos lenguajes de los del Perú antes que ellos hablassen ni aprendiessen el lenguaje castellano. Luego no hay para qué impongamos a los indios dos cargas tan pessadas como mandarles olvidar su lengua y aprender la ajena, por librarnos de una molestia tan pequeña como aprender la lengua cortesana dellos. Bastará que se les enseñe la Fe Católica por el general lenguaje del Cozco, el cual no se diferencia mucho de los más lenguajes de aquel Imperio. Esta mala confusión que se ha levantado de las lenguas, podrían los visorreyes y los demás governadores atajar fácilmente con que a los demás cuidados añadiessen éste, y es que a los hijos de aquellos preceptores que los Incas ponían por maestros, les mandassen que bolviessen a enseñar la lengua general a los demás indios, como antes solían, que es fácil de aprender, tanto que un sacerdote que yo conoscí, docto en el derecho canónico, y piadoso, que desseava la salud de los indios del repartimiento que le cupo doctrinar, para enseñarles mejor procuró aprender con gran cuidado la lengua general, y rogó e importunó muchas vezes a sus indios que la aprendiessen, los cuales, por agradarle, trabajaron tanto, que en poco más de un año la aprendieron y hablaron como si fuera la suya materna, y assí se les quedó por tal, y el sacerdote halló por esperiencia cuánto más dispuestos y dóciles estavan para la doctrina cristiana con aquel lenguaje que con el suyo. Pues si este buen sacerdote, con una mediana diligencia, pudo alcançar de los indios lo que desseava ¿por qué no podrán lo mismo los obispos y visorreyes? Cierto, con mandarles que sepan la lengua general pueden los indios del Perú, dende Quitu hasta los Chichas, ser governados y enseñados con mucha suavidad. Y es cosa muy digna de ser notada que los indios, que el Inca govierna con muy pocos juezes, ahora no basten trezientos corregidores a regirles, con mucha dificultad y casi perdido el trabajo. La causa principal desto es la confusión de las lenguas, por la cual no se comunican unos con otros. La facilidad de aprenderse en breve tiempo y con poco trabajo la lengua general del Perú la testifican muchos que la han procurado saber, y yo conoscí muchos sacerdotes que, con mediana diligencia, se hizieron diestros en ella. En Chuquiapu huvo un sacerdote teólogo que, de relación de otros, no aficionados a esta lengua general de los indios, la aborreció de

93

manera que aun de oírla nombrar se enfadava, entendiendo que de ninguna manera la aprendería por la mucha dificultad que le havían dicho que tenía. Acaesció que antes que en aquel pueblo se fundara el Colegio de la Compañía, acertó a venir un sacerdote della, y paró allí algunos días a doctrinar los indios y les predicava en público en la lengua general. Aquel sacerdote, por la novedad del hecho, fué a oír un sermón, y como viesse que declarava en indio muchos lugares de la Sancta Escriptura, y que los indios, oyéndolos, se admiravan y se aficionavan a la doctrina, cobró alguna devoción a la lengua. Y después del sermón habló al sacerdote, diziendo: "¿Es possible que en una lengua tan bárbara se puedan declarar y hablar las palabras divinas, tan dulces y misteriosas?". Fuéle respondido que sí, y que si él quería trabajar con algún cuidado en la lengua general, podría hazer lo mismo dentro en cuatro o cinco meses. El sacerdote, con el desseo que tenía de aprovechar las ánimas de los indios, prometió de aprenderla con todo cuidado y diligencia, y haviendo recebido del religioso algunas reglas y avisos para estudiarla, trabajó de manera que, passados seis meses, pudo oír las confisiones de los indios y predicarles con suma alegría suya y gran provecho de los indios".

CAPÍTULO IV

De la utilidad de la lengua cortesana.

"PUES hemos dicho y provado cuán fácil es de aprender la lengua cortesana, aun a los españoles que van de acá, necessario es dezir y conceder cuánto más fácil será aprenderla los mismos indios del Perú, aunque sean de diversos lenguajes; porque aquélla paresce que es de su nasción y propria suya. Lo cual se prueva fácilmente, porque vemos que los indios vulgares, que vienen a la Ciudad de los Reyes o al Cozco o a la Ciudad de la Plata o a las minas de Potocchi, que tienen necessidad de ganar la comida y el vestido por sus manos y trabajo, con sola la continuación, costumbre y familiaridad de tratar con los demás indios, sin que les den reglas ni manera de hablar, en pocos meses hablan muy despiertamente la lengua del Cozco, y cuando se buelven a sus tierras, con el nuevo y más noble lenguaje que aprendieron, parescen más nobles, más adornados y más capaces en sus entendimientos; y lo que más estiman es que los demás indios de su pueblo los honran y tienen en más, por esta lengua real que aprendieron. Lo cual advirtieron y notaron los Padres de la

Compañía de Jesús en el pueblo llamado Sulli, cuyos habitadores son todos Aimaraes, y lo mismo dizen y afirman otros muchos sacerdotes y los juezes y corregidores de aquellas provincias, que la lengua cortesana tiene este don particular, digno de ser celebrado, que a los indios del Perú les es de tanto provecho como a nosotros la lengua latina; porque demás del provecho que les causa en sus comercios, tratos y contratos y en otros aprovechamientos temporales y bienes spirituales, les haze más agudos de entendimiento y más dóciles y más ingeniosos para lo que quisieren aprender, y de bárbaros los trueca en hombres políticos y más urbanos. Y assí los indios Puquinas, Collas, Urus, Yuncas y otras nasciones, que son rudos y torpes, y por su rudeza aun sus proprias lenguas las hablan mal, cuando alcançan a saber la lengua del Cozco paresce que echan de sí la rudeza y torpeza que tenían y que aspiran a cosas políticas y cortesanas y sus ingenios pretenden subir a cosas más altas; finalmente, se hazen más capaces y suficientes para recebir la doctrina de la Fe Católica, y cierto, los predicadores que saben bien esta lengua cortesana se huelgan de levantarse a tratar cosas altas y declararlas a sus oyentes sin temor alguno; porque assí como los indios que hablan esta lengua tienen los ingenios más aptos y capaces, assí aquel lenguaje tiene más campo y mucha variedad de flores y elegancias para hablar por ellas, y desto nasce que los Incas del Cozco, que la hablan más elegante y más cortesanamente, reciben la doctrina evangélica, en el entendimiento y en el coraçón, con más eficacia y más utilidad. Y aunque en muchas partes y entre los rudíssimos indios Uriquillas y los fieríssimos Chirihuanas, la divina gracia, muchas vezes sin estas ayudas ha obrado grandezas y maravillas, como adelante diremos; pero también se vee que por la mayor parte corresponde y se acomoda a estos nuestros humanos medios. Y cierto que entre otros muchos de que la Divina Majestad quiso usar para llamar y disponer esta gente bárbara y ferina a la predicación de su Evangelio, fué el cuidado y diligencia que los Reyes Incas tuvieron de doctrinar estos sus vassallos con la lumbre de la ley natural y con que todos hablassen un lenguaje, lo cual fué uno de los principales medios para lo que se ha dicho. Lo cual todos aquellos Reyes Incas (no sin divina providencia) procuraron, con gran diligencia y cuidado, que se introduxesse y guardasse en todo aquel su Imperio. Pero es lástima que lo que aquellos gentiles bárbaros trabajaron para desterrar la confusión de las lenguas, y con su buena maña e industria salieron con ello, nosotros nos hayamos mostrado negligentes y descuidados en cosa tan acomodada para enseñar a los indios la doctrina de Cristo, Nuestro Señor. Pero los governadores que acaban y ponen en efecto cualquiera cosa dificultosa, hasta la muy dificultosa de la reducción de los pueblos, podrían también mandar y poner en execución ésta tan fácil, para que se quite aquella maldad de idolatrías y bárbaras tinieblas entre los indios ya fieles y cristianos".

Hasta aquí es del Padre Blas Valera, que, por parescerme cosa tan necessaria para la enseñança de la doctrina cristiana, lo puse aquí; lo que más dize de aquella lengua general es dezir (como hombre docto en muchas lenguas) en qué cosas se asemeja la del Perú a la latina y en qué a la griega y en qué a la hebrea; que, por ser cosas no necessarias para la dicha enseñança, no las puse aquí. Y porque no salimos del propósito de lenguas, diré lo que el Padre Blas Valera en otra parte dize, hablando contra los que tienen que los indios del Nuevo Orbe decienden de los judíos descendientes de Abraham, y que para comprovación desto traen algunos vocablos de la lengua general del Perú que semejan a las diciones hebreas, no en la significación, sino en el sonido de la voz. Reprovando esto el Padre Blas Valera dize, entre otras cosas curiosas, que a la lengua general del Perú le faltan las letras que en las Advertencias diximos, que son *b, d, f, g, j* jota, *x,* y que siendo los judíos tan amigos de su padre Abraham, que nunca se les cae su nombre de la boca, no havían de tener lengua con falta de la letra *b,* tan principal para la pronunciación deste nombre *Abraham.* A esta razón añadiremos otra, y es que tampoco tiene aquella lengua sílaba de dos consonantes, que llaman *muta cum liquida,* como *bra, cra, cro, pla, pri, clla, cllo,* ni otros semejantes. De manera que para nombrar el nombre *Abraham,* le falta a aquella lengua general no solamente le letra *b,* pero también la sílaba *bra,* de donde se infiere que no tienen razón los que quieren afirmar por conjeturas lo que no se sabe por razón evidente; y aunque es verdad que aquella mi lengua general del Perú tiene algunos vocablos con letras *muta cum liquida,* como *papri, huacra, rocro, pocra, chacra, llaclla, chocllo,* es de saber que para el deletrear de las sílabas y pronunciar las diciones, se ha de apartar la *muta* de la *liquida,* como *pap-ri, huac-ra, roc-ro, poc-ra, chac-ra, llac-lla, choc-llo* y todos los demás que huviere semejantes, en lo cual no advierten los españoles, sino que los pronuncian con la corrupción de letras y sílabas que se les antoja, que donde los indios dicen *pampa,* que es plaça, dizen los españoles *bamba,* y por *Inca* dizen *Inga,* y por *roc-ro* dizen *locro,* y otros semejantes, que casi no dexan vocablo sin corrupción, como largamente lo hemos dicho y diremos adelante.

Y con esto será bien bolvamos a nuestra historia.

CAPÍTULO V

Tercera fiesta solenne que hazían al Sol.

UATRO fiestas solennes celebravan por año los Incas en su corte. La principal y solenníssima era la fiesta del Sol llamada Raimi, de la cual hemos hecho larga relación; la segunda y no menos principal era la que hazían cuando armavan cavalleros a los noveles de la sangre real; también hemos hecho mención désta. Resta dezir de las otras dos que quedan, con las cuales daremos fin a las fiestas, porque contar las ordinarias, que se hazían cada luna, y las particulares, que se celebravan en hazimiento de gracias de grandes victorias que ganavan o cuando alguna provincia o reino venía de su voluntad a sujetarse al imperio del Inca, sería cosa muy prolixa y aun penosa; baste saber que todas se hazían dentro en el templo del Sol, a semejança de su fiesta principal, aunque con muchas menos ceremonias y menos solenidad, sin salir a las plaças.

La tercera fiesta solene se llamava Cusquieraimi; hazíase cuando ya la sementera estava hecha y nascido el maíz. Ofrescían al Sol muchos corderos, ovejas machorras y carneros, suplicándole mandasse al yelo no les quemasse el maíz, porque en aquel valle del Cozco y en el de Sacsahuana y otros comarcanos, y en cualesquiera otros que sean del temple de aquéllos, es muy riguroso el yelo, por ser tierra fría, y daña más al maíz que a otra mies o legumbre, y es de saber que en aquellos valles yela todo el año, assí de verano como de invierno, como anochesca raso, y más yela por San Juan que por Navidad, porque entonces anda el Sol más apartado dellos. Viendo los indios a prima noche el cielo raso, sin nuves, temiendo el yelo, pegavan fuego a los muladares para que hiziessen humo, y cada uno en particular procurava hazer humo en su corral; porque dezían que con el humo se escusava el yelo, porque servía de cubixa, como las nuves, para que no helasse. Yo vi esto que digo en el Cozco; si lo hazen hoy, no lo sé, ni supe si era verdad o no que el humo escusasse el yelo, que, como muchacho, no curava saber tan por estenso las cosas que veía hazer a los indios.

Pues como el maíz fuesse el principal sustento de los indios y el yelo le fuesse tan dañoso, temíanle mucho, y assí, cuando era tiempo de poderles ofender, suplicavan al Sol, con sacrificios, fiestas y bailes y con gran bevida, mandasse al yelo no les hiziesse daño. La carne de los animales que en estos sacrificios matavan, toda se gastava en la gente que acudía a la fiesta, porque era sacrificio hecho por todos, salvo el cordero principal que ofrecían al Sol y la sangre y asaduras de todas las demás reses que matavan, todo lo cual consumían en el fuego y lo ofrecían a su Dios el Sol, a semejança de la fiesta Raimi.

CAPÍTULO VI

Cuarta fiesta; sus ayunos y el limpiarse de sus males.

A CUARTA y última fiesta solene que los Reyes Incas celebravan en su corte llamavan Citua; era de mucho regozijo para todos, porque la hazían cuando desterravan de la ciudad y su comarca las enfermedades y cualesquiera otras penas y trabajos que los hombres pueden padescer: era como la expiación de la antigua gentilidad, que se purificavan y limpiavan de sus males. Preparávanse para esta fiesta con ayuno y abstinencia de sus mujeres; el ayuno hazían el primer día de la luna del mes de septiempre, después del equinoccio; tuvieron los Incas dos ayunos rigurosos, uno más que otro: el más riguroso era de solo maíz y agua, y el maíz havía de ser crudo y en poca cantidad; este ayuno, por ser tan riguroso, no passava de tres días; en el otro, más suave, podían comer el maíz tostado y en alguna más cantidad, y yervas crudas, como se comen las lechugas y rávanos, etc., y axí, que los indios llaman *uchu*, y sal, y bevían de su brevaje, mas no comían vianda de carne ni pescado ni yervas guisadas, y en el [un] ayuno y en el otro no podían comer más de una vez al día. Llaman al ayuno *caci*, y al más riguroso *hatuncaci*, que quiere dezir el ayuno grande.

Preparados todos en general, hombres y mujeres, hasta los niños, con un día del ayuno riguroso, amassavan la noche siguiente el pan llamado *çancu*; cozíanlo hecho pelotas en ollas, en seco, porque no supieron qué cosa era hazer hornos; dexávanlo a medio cozer, hecho massa. Hazían dos maneras de pan; en el uno echavan sangre humana de muchachos y niños de cinco años arriba y diez abaxo, sacada por sangría y no con muerte. Sacávanla de la junta de las cejas, encima de las narizes, y esta sangría también la usavan en sus enfermedades; yo las vi hazer. Cozían cada manera de pan aparte, porque era para diversos efectos; juntávanse a hazer estas ceremonias por sus parentelas; ivan a casa del hermano mayor los demás hermanos; y los que no los tenían, a casa del pariente más cercano mayor en edad.

La misma noche del amassijo, poco antes del amanecer, todos los que havían ayunado se lavavan los cuerpos y tomavan un poco de la masa mezclada con sangre y la passavan por la cabeça y rostro, pecho y espaldas, braços y piernas, como que se limpiavan con ella para echar de sus cuerpos todas sus enfermedades. Hecho esto, el pariente mayor, señor de la casa, untava con la massa los umbrales de la puerta de la calle y la dexava pegada a ellos, en señal que en aquella casa se havía hecho el lavatorio y limpiado los cuerpos. Las mismas cerimonias hazía el sumo sacerdote en la casa y templo del Sol, y embiava otros sacerdotes que hiziessen lo mismo en la casa de las mujeres del Sol y en Huanacauri, que era un templo, una legua de la ciudad, que tenían en gran veneración por ser el primer lugar donde paró el Inca Manco Cápac cuando vino al Cozco, como en su lugar diximos. Embiavan también sacerdotes a los demás lugares que tenían por sagrados, que era donde el demonio les hablava haziéndose Dios. En la casa real hazía las cerimonias un tío del Rey, el más antiguo dellos; havía de ser de los ligítimos.

Luego, en saliendo el Sol, haviéndole adorado y suplicado mandasse desterrar todos los males interiores y exteriores que tenían, se desayunavan con el otro pan, amasado sin sangre. Hecha la adoración y el desayuno, que se hazía a hora señalada, porque todos a una adorassen a el Sol, salía de la fortaleza un Inca de la sangre real, como mensajero del Sol, ricamente vestido, ceñida su manta al cuerpo, con una lança en la mano, guarnecida con un listón hecho de plumas de diversas colores, de una tercia en ancho, que baxava desde la punta de la lança hasta el recatón, pegada a trechos con anillos de oro (la cual insignia también servía de vandera en las guerras); salía de la fortaleza y no del templo del Sol, porque dezían que era mensajero de guerra y no de paz; que la fortaleza era casa del Sol para tratar en ella cosas de guerra y armas, y el templo era su morada para tratar en ella de paz y amistad. Baxava corriendo por la cuesta abaxo del cerro llamado Sacsahuámam, blandiendo la lança hasta llegar en medio de la plaça principal, donde estavan otros cuatro Incas de la sangre real, con sendas lanças en las manos, como la que traía el primero, y sus mantas ceñidas como se las ciñen todos los indios siempre que han de correr o hazer alguna cosa de importancia, por que no les estorve. El mensajero que venía tocava con su lança las de los cuatro indios y les dezía que el Sol mandava que, como mensajeros suyos, desterrassen de la ciudad y de su comarca las enfermedades y otros males que en ella huviesse.

Los cuatro Incas partían corriendo hazia los cuatro caminos reales que salen de la ciudad y van a las cuatro partes del mundo, que llamaron Tauantinsuyu; los vezinos y moradores, hombres y mujeres, viejos y niños, mientras los cuatro ivan corriendo, salían a las puertas de sus casas, y, con grandes vozes y alaridos de fiesta y regozijo, sacudían la ropa que en las manos sacavan de su vestir y la que tenían vestida, como cuando sacuden el polvo; luego passavan las manos por la cabeça y rostro, braços y piernas y por todo el cuerpo, como cuando se lavan, todo lo cual era echar los males de sus casas para que los mensajeros del Sol los desterrassen de la ciudad. Esto hazían no solamente en las calles por donde passavan los cuatro Incas, mas también en toda la ciudad generalmente; los mensajeros corrían con las lanças un cuarto de legua fuera de la ciudad, donde hallavan apercibidos otros cuatro Incas, no de la sangre real, sino de los de privilegio, los cuales, tomando las lanças, corrían otro cuarto de legua, y assí otros y otros, hasta alexarse de la

ciudad cinco y seis leguas, donde hincavan las lanças, como poniendo
término a los males desterrados, para que no
bolviessen de allí a dentro.

CAPÍTULO VII

Fiesta noturna para desterrar los males de la ciudad.

A NOCHE siguiente salían con grandes hachos de paja, texida como los capachos del azeite, en forma redonda como
bolas: llámanles *pancuncu*; duran mucho en quemarse. Atávanles sendos cordeles de una braça en largo; con los hachos
corrían todas las calles, hondeándolas hasta salir fuera de la
ciudad, como que desterravan con los hachos los males noturnos, haviendo desterrado con las lanças los diurnos; y en los arroyos que por
ella passan echavan los hachos quemados y el agua en que el día antes
se havían lavado, para que las aguas corrientes llevassen a la mar los
males que con lo uno y lo otro havían echado de sus casas y de la ciudad.
Si otro día después cualquier indio, de cualquier edad que fuesse, topava
en los arroyos algún hacho destos, huía dél más que del fuego, por que
no se le pegassen los males que con ellos havían ahuyentado.

Hecha la guerra y desterrados los males a hierro y a fuego, hazían
por todo aquel cuarto de la luna grandes fiestas y regozijos, dando gracias al Sol porque les havía desterrado sus males; sacrificávanle muchos
corderos y carneros, cuya sangre y asaduras quemavan en sacrificio, y
la carne asavan en la plaça y la repartían por todos los que se hallavan
en la fiesta. Havía aquellos días, y también las noches, muchos bailes y
cantares y cualquiera otra manera de contento y regocijo, assí en las
casas como en las plaças, porque el beneficio y la salud que havían recibido era común.

Yo me acuerdo haver visto en mis niñezes parte desta fiesta. Vi salir
el primer Inca con la lança, no de la fortaleza, que ya estava desierta,
sino de una de las casas de los Incas que está en la falda del mismo cerro
de la fortaleza; llaman al sitio de la casa Collcampata; vi correr los cuatro indios con sus lanças; vi sacudir la ropa a toda la demás gente común y hazer los demás ademanes; viles comer el pan llamado *çancu*;
vi los hachos llamados *pancuncu*; no vi la fiesta que con ellos hizieron
de noche, porque fué a deshora y yo estava ya dormido. Acuérdome que
otro día vi un *pancuncu* en el arroyo que corre por medio de la plaça;
estava junto a las casas de mi condiscípulo en gramática, Juan de Cello-

rico; acuérdome que huían dél los muchachos indios que passavan por la calle; yo no huí, porque no sabía la causa, que si me la dixeran también huyera, que era niño de seis a siete años.

Aquel hacho echaron dentro en la ciudad donde digo, porque ya no se hazía la fiesta con la solenidad, observancia y veneración que en tiempo de sus Reyes; no se hazía por desterrar los males, que ya se ivan desengañando, sino en recordación de los tiempos passados, porque todavía vivían muchos viejos, antiguos en su gentilidad, que no se havían bautizado. En tiempo de los Incas no paravan con los hachos hasta salir fuera de la ciudad y allá los dexavan. El agua en que se havían lavado los cuerpos derramavan en los arroyos que passan por ella, aunque saliessen lexos de sus casas a buscarlos; que no les era lícito derramarla fuera de los arroyos, por que los males que con ella se havían lavado no se quedassen entre ellos, sino que el agua corriente los llevasse a la mar, como se ha dicho arriba.

Otra fiesta hazían los indios en particular, cada uno en su casa, y era después de haver encerrado sus miesses en sus orones, que llaman *pirua;* quemavan cerca de los orones un poco de sevo, en sacrificio al Sol; la gente noble y más rica quemavan conejos caseros, que llaman *coy,* dándole gracias por haverles proveído de pan para comer aquel año; rogávanle mandasse a los orones guardassen bien y conservassen el pan que havía dado para sustento de los hombres, y no hazían más peticiones que éstas.

Otras fiestas hazían los sacerdotes entre año, dentro en la casa del Sol, mas no salían con ellas a plaça ni se tenían en cuenta para las cotejar con las cuatro principales que hemos referido, las cuales eran como pascuas del año, y las fiestas comunes eran sacrificios ordinarios que hazían al Sol cada luna.

CAPÍTULO VIII

La descripción de la imperial ciudad del Cozco.

L INCA Manco Cápac fué el fundador de la ciudad del Cozco, la cual los españoles honraron con renombre largo y honroso, sin quitarle su proprio nombre: dixeron la Gran Ciudad del Cozco, cabeça de los reinos y provincias del Perú. También le llamaron la Nueva Toledo, mas luego se les cayó de la memoria este segundo nombre, por la impropiedad dél, porque el Cozco no tiene río que la ciña como a Toledo, ni le assemeja en el sitio, que su poblazón empieça de las laderas y faldas de un cerro alto y se tiende a todas partes por un llano grande y espacioso; tiene calles anchas y largas y plaças muy grandes, por lo cual los españoles todos, en general, y los escrivanos reales y los notarios, en sus scripturas públicas, usan del primer título; porque el Cozco, en su Imperio, fué otra Roma en el suyo, y assí se puede cotejar la una con la otra porque se assemejan en las cosas más generosas que tuvieron. La primera y principal, en haver sido fundadas por sus primeros Reyes. La segunda, en las muchas y diversas nasciones que conquistaron y sujetaron a su Imperio. La tercera, en las leyes tantas y tan buenas y boníssimas que ordenaron para el govierno de sus repúblicas. La cuarta, en los varones tantos y tan excelentes que engendraron y con su buena doctrina urbana y militar criaron. En los cuales Roma hizo ventaja al Cozco, no por haverlos criado mejores, sino por haver sido más venturosa en haver alcançado letras y eternizado con ellas a sus hijos, que los tuvo no menos ilustres por las sciencias que eccelentes por las armas; los cuales se honraron al trocado unos a otros: éstos, haziendo hazañas en la guerra y en la paz, y aquéllos escriviendo las unas y las otras, para honra de su patria y perpetua memoria de todos ellos, y no sé cuáles dellos hizieron más, si los de las armas o los de las plumas, que, por ser estas facultades tan heroicas, corren lanças parejas, como se vee en el muchas vezes grande Julio César, que las exercitó ambas con tantas ventajas que no se determina en cuál dellas fué más grande. También se duda cuál destas dos partes de varones famosos deve más a la otra, si los guerreadores a los escriptores, porque escrivieron sus hazañas y las eternizaron para siempre, o si los de las letras a los de las armas, porque les dieron tan grandes hechos como los que cada día hazían, para que tuvieran qué escrivir toda su vida. Ambas partes tienen mucho que alegar, cada una en su favor; dexarlas hemos, por dezir la desdicha de nuestra patria, que, aunque tuvo hijos esclarescidos en armas y de gran juizio y entendimiento, y muy hábiles y capaces para las sciencias, porque no tuvieron letras no dexaron memoria de sus grandes hazañas y agudas sentencias, y assí perescieron ellas y ellos juntamente con su república. Sólo quedaron algunos de sus hechos y dichos, encomendados a una tradición flaca y miserable enseñança de palabra, de padres a hijos, la cual también se ha perdido con la entrada de la nueva gente y trueque de señorío y govierno ajeno, como suele acaescer siempre que se pierden y truecan los imperios.

Yo, incitado del desseo de la conservación de las antiguallas de mi patria, essas pocas que han quedado, por que no se pierdan del todo, me dispuse al trabajo tan eccesivo como hasta aquí me ha sido y delante me ha de ser, al escrivir su antigua república hasta acabarla, y porque la ciudad del Cozco, madre y señora della, no quede olvidada en su particular, determiné dibuxar en este capítulo la descripción della, sacada de la misma tradición que como a hijo natural me cupo y de lo que yo con proprios ojos vi; diré los nombres antiguos que sus barrios tenían, que hasta el año de mill y quinientos y sesenta, que yo salí della, se conservavan en su antigüedad. Después acá se han trocado algunos nombres de aquéllos, por las iglesias parroquiales que en algunos barrios se han labrado.

El Rey Manco Cápac, considerando bien las comodidades que aquel hermoso valle del Cozco tiene, el sitio llano, cercado por todas partes de sierras altas, con cuatro arroyos de agua, aunque pequeños, que riegan todo el valle, y que en medio dél havía una hermosíssima fuente de agua salobre para hazer sal, y que la tierra era fértil y el aire sano, acordó fundar su ciudad imperial en aquel sitio, conformándose, como dezían los indios, con la voluntad de su padre, el Sol, que, según la seña que le dió de la barrilla de oro, quería que asentasse allí su corte, porque havía de ser cabeça de su Imperio. El temple de aquella ciudad antes es frío que caliente, mas no tanto que obligue a que busquen fuego para calentarse; basta entrar en un aposento donde no corra aire para perder el frío que traen de la calle, mas si hay brasero encendido sabe muy bien, y si no lo hay, se passan sin él; lo mismo es en la ropa del vestir, que, si se hazen a andar como de verano, les basta; y si como de invierno, se hallan bien. En la ropa de la cama es lo mismo; que si no quieren más de una freçada, tienen harto, y si quieren tres, no congojan, y esto es todo el año, sin diferencia del invierno al verano, y lo mismo es en cualquiera otra región fría, templada o caliente de aquella tierra, que siempre es de una misma manera. En el Cozco, por participar, como dezimos, más de frío y seco que de calor y húmido, no se corrompe la carne; que si cuelgan un cuarto della en un aposento que tenga ventanas abiertas, se conserva ocho días y quinze y treinta y ciento, hasta que se seca como un tasajo. Esto vi en la carne del ganado de aquella tierra; no sé qué será en la del ganado que han llevado de España, si por ser la del carnero de acá más caliente que la de allá, hará lo mismo o no sufrirá tanto; que esto no lo vi, porque en mis tiempos, como adelante diremos, aún no se matavan carneros de Castilla por la poca cría que havía dellos. Por ser el temple frío no hay moscas en aquella ciudad, sino muy pocas, y éssas se hallan al Sol, que en los aposentos no entra ninguna. Mosquitos de los que pican no hay ninguno, ni otras savandijas enfadosas: de todas es limpia aquella ciudad. Las primeras casas y moradas della se hizieron en las laderas y faldas del cerro llamado Sacsahuaman, que está entre el oriente y el septentrión de la ciudad. En la cumbre de aquel cerro edificaron después, los successores deste Inca, aquella sobervia fortaleza, poco estimada, antes aborrecida de los mismos que la ganaron, pues la derribaron en brevíssimo tiempo. La ciudad estava dividida en las dos

partes que al principio se dixo: Hanan Cozco, que es Cozco el alto, y
Hurin Cozco, que es Cozco el baxo. Dividíalas el camino de Antisuyu,
que es el que va al oriente: la parte septentrional se llamava Hanan
Cozco y la meridional Hurin Cozco. El primer barrio, que era el más
principal, se llamava Collcampata: *cóllcam* deve de ser dicción de la lengua particular de los Incas, no sé qué signifique; *pata* quiere dezir andén;
también significa grada de escalera, y porque los andenes se hazen en
forma de escalera, les dieron este nombre; también quiere dezir poyo,
cualquiera que sea.

En aquel andén fundó el Inca Manco Cápac su casa real, que después fué de Paullu, hijo de Huaina Cápac. Yo alcançé della un galpón
muy grande y espacioso, que servía de plaça, en días lloviosos, para solenizar en él sus fiestas principales; sólo aquel galpón quedava en pie
cuando salí del Cozco, que otros semejantes, de que diremos, los dexé
todos caídos. Luego se sigue, yendo en cerco hazia el oriente, otro barrio
llamado Cantutpata: quiere dezir andén de clavellinas. Llaman *cántut*
a unas flores muy lindas, que semejan en parte a las clavellinas de España. Antes de los españoles no havía clavellinas en aquella tierra. Seméjase el cántut, en rama y hoja y espinas, a las cambroneras del Andaluzía; son matas muy grandes, y porque en aquel barrio las havía
grandíssimas (que aún yo las alcancé), le llamaron assí. Siguiendo el
mismo viaje en cerco al levante, se sigue otro barrio llamado Pumacurcu:
quiere dezir viga de leones. *Puma* es león; *curcu*, viga, porque en unas
grandes vigas que havía en el barrio atavan los leones que presentavan
al Inca, hasta domesticarlos y ponerlos donde havían de estar. Luego se
sigue otro barrio grandíssimo, llamado Tococachi: no sé qué signifique
la compostura deste nombre, porque *toco* quiere dezir ventana; *cachi*
es la sal que se come. En buena compostura de aquel lenguaje, dirá sal
de ventana, que no sé qué quisiessen dezir por él, si no es que sea nombre proprio y tenga otra significación que yo no sepa. En este barrio
estuvo edificado primero el convento del divino San Francisco. Torciendo
un poco al mediodía, yendo en cerco, se sigue el barrio que llaman Munaicenca: quiere dezir ama la nariz, porque *muna* es amar o querer, y
cenca es nariz. A qué fin pusiessen tal nombre, no lo sé; devió ser con
alguna ocasión o superstición, que nunca los ponían acaso. Yendo todavía con el cerco al mediodía, se sigue otro gran barrio, que llaman
Rimacpampa: quiere dezir la plaça que habla, porque en ella se apregonavan algunas ordenanças, de las que para el govierno de la república
tenían hechas. Apregonávanlas a sus tiempos para que los vezinos las
supiessen y acudiessen a cumplir lo que por ellas se les mandava, y porque la plaça estava en aquel barrio, le pusieron el nombre della; por esta
plaça sale el camino real que va a Collasuyu. Passado el barrio de Rimacpampa, está otro, al mediodía de la ciudad, que se dize Pumapchu-

pan: quiere dezir cola de león, porque aquel barrio fenesce en punta, por dos arroyos que al fin dél se juntan, haziendo punta de escuadra. También le dieron este nombre por dezir que era aquel barrio lo último de la ciudad: quisieron honrarle con llamarle cola y cabo del león. Sin esto, tenían leones en él, y otros animales fieros. Lexos deste barrio, al poniente dél, havía un pueblo de más de trezientos vezinos llamado Cayaucachi. Estava aquel pueblo más de mil passos de las últimas casas de la ciudad; esto era el año de mil y quinientos y sesenta; ahora, que es el año de mil y seiscientos y dos, que escrivo esto, está ya (según me han dicho) dentro, en el Cozco, cuya poblazón se ha estendido tanto que lo ha abraçado en sí por todas partes.

Al poniente de la ciudad, otros mil passos della, havía otro barrio llamado Chaquillchaca, que también es nombre impertinente para compuesto, si ya no es proprio. Por allí sale el camino real que va a Cuntisuyu; cerca de aquel camino están dos caños de muy linda agua, que va encañada por debaxo de tierra; no saben dezir los indios de dónde la llevaron, porque es obra muy antigua, y también porque van faltando las tradiciones de cosas tan particulares. Llaman *collquemachác-huay* a aquellos caños: quiere dezir culebras de plata, porque el agua se asemeja en lo blanco a la plata y los caños a las culebras, en las bueltas que van dando por la tierra. También me han dicho que llega ya la poblazón de la ciudad hasta Chaquillchaca. Yendo con el mismo cerco, bolviendo del poniente hazia el norte, havía otro barrio, llamado Pichu. También estava fuera de la ciudad. Adelante déste, siguiendo el mismo cerco, havía otro barrio, llamado Quillipata. El cual también estava fuera de lo poblado. Más adelante, al norte de la ciudad, yendo con el mismo cerco, está el gran barrio llamado Carmenca, nombre proprio y no de la lengua general. Por él sale el camino real que va a Chinchasuyu. Bolviendo con el cerco, hazia el oriente, está luego el barrio llamado Huacapuncu: quiere dezir la puerta del santuario, porque *huaca,* como en su lugar declaramos, entre otras muchas significaciones que tiene, quiere dezir templo o santuario; *puncu* es puerta. Llamáronle assí porque por aquel barrio entra el arroyo que passa por medio de la plaça principal del Cozco, y con el arroyo baxa una calle muy ancha y larga, y ambos atraviessan toda la ciudad, y legua y media della van a juntarse con el camino real de Collasuyu. Llamaron aquella entrada puerta del santuario o del templo, porque demás de los barrios dedicados para templo del Sol y para la casa de las vírgines escogidas, que eran sus principales santuarios, tuvieron toda aquella ciudad por cosa sagrada y fué uno de sus mayores ídolos; y por este respecto llamaron a esta entrada del arroyo y de la calle, puerta del santuario, y a la salida del mismo arroyo y calle dixeron cola del león, por dezir que su ciudad era santa en sus leyes y vana religión y un león en sus armas y milicia. Este barrio Huacapuncu llega a juntarse con el de Collcampata, de donde empeçamos a hazer el cerco de los barrios de la ciudad; y assí queda hecho el cerco entero.

CAPÍTULO IX
La ciudad contenía la descripción de todo el Imperio.

OS INCAS dividieron aquellos barrios conforme a las cuatro partes de su Imperio, que llamaron Tahuantinsuyu, y esto tuvo principio desde el primer Inca Manco Cápac, que dió orden que los salvajes que reduzía a su servicio fuessen poblando conforme a los lugares de donde venían: los del oriente al oriente y los del poniente al poniente, y assí a los demás. Conforme a esto estavan las casas de aquellos primeros vassallos en la redondez de la parte de adentro de aquel gran cerco, y los que se ivan conquistando ivan poblando conforme a los sitios de sus provincias. Los curacas hazían sus casas para cuando viniessen a la corte, y cabe las del uno hazía otro las suyas, y luego otro y otro, guardando cada uno dellos el sitio de su provincia; que si estava a mano derecha de su vezina, labrava sus casas a su mano derecha, y si a la izquierda a la izquierda, y si a las espaldas, a las espaldas, por tal orden y concierto, que, bien mirados aquellos barrios y las casas de tantas y tan diversas nasciones como en ellas vivían, se veía y comprehendía todo el Imperio junto, como en el espejo o en una pintura de cosmografía. Pedro de Cieça, escriviendo el sitio del Cozco, dize al mismo propósito lo que se sigue, capítulo noventa y tres: "Y como esta ciudad estuviesse llena de nasciones estranjeras y tan peregrinas, pues havía indios de Chile, Pasto, Cañares, Chachapoyas, Guancas, Collas y de los demás linajes que hay en las provincias ya dichas, cada linaje dellos estava por sí, en el lugar y parte que les era señalado por los governadores de la misma ciudad. Éstos guardavan las costumbres de sus padres, andavan al uso de sus tierras, y, aunque huviesse juntos cien mil hombres, fácilmente se conoscían con las señales que en las cabeças se ponían", etc. Hasta aquí es de Pedro de Cieça.

Las señales que traían en las cabeças eran maneras de tocados que cada nación y cada provincia traía, diferente de la otra, para ser conoscida. No fué invención de los Incas, sino uso de aquellas gentes; los Reyes mandaron que se conservasse, por que no se confundiessen las nasciones y linajes de Pasto a Chile; según el mismo autor, capítulo treinta y ocho, hay más de mil y trezientas leguas. De manera que en aquel gran cerco de barrios y casas vivían solamente los vassallos de todo el Imperio, y no los Incas ni los de su sangre real; eran arrabales de la ciudad, la cual iremos ahora pintando por sus calles, de septentrión al mediodía, y los barrios y casas que hay entre calle y calle como ellas van; diremos las casas de los Reyes y a quién cupieron en el repartimiento que los españoles hizieron dellas, cuando las ganaron.

Del cerro llamado Sacsahuaman desciende un arroyo de poca agua, y corre norte sur hasta el postrer barrio, llamado Pumapchupan. Va dividiendo la ciudad de los arrabales. Más adentro de la ciudad hay una calle que ahora llaman la de San Agustín, que sigue el mismo viaje norte sur, descendiendo dende las casas del primer Inca Manco Cápac hasta en derecho de la plaça Rimacpampa. Otras tres o cuatro calles atraviessan de oriente a poniente aquel largo sitio que hay entre aquella calle y el arroyo. En aquel espacio largo y ancho vivían los Incas de la sangre real, divididos por sus *aillus*, que es linajes, que aunque todos ellos eran de una sangre y de un linaje, descendientes del Rey Manco Cápac, con todo esso hazían sus divisiones de descendencia de tal o tal Rey, por todos los Reyes que fueron, diziendo: éstos descienden del Inca fulano y aquéllos del Inca zutano; y assí por todos los demás. Y esto es lo que los historiadores españoles dizen, en confuso, que tal Inca hizo tal linaje y tal Inca otro linaje llamado tal, dando a entender que eran diferentes linajes, siendo todo uno, como lo dan a entender los indios con llamar en común a todos aquellos linajes divididos Cápac Aillu, que es linaje augusto, de sangre real. También llamaron Inca, sin división alguna, a los varones de aquel linaje, que quiere dezir varón de la sangre real, y a las mujeres llamaron Palla, que es mujer de la misma sangre real. En mis tiempos vivían en aquel sitio, descendiendo de lo alto de la calle, Rodrigo de Pineda, Joan de Saavedra, Diego Ortiz de Guzmán, Pedro de los Ríos y su hermano Diego de los Ríos, Hierónimo Costillas, Gaspar Jara —cuyas eran las casas que ahora son convento del Divino Augustino—, Miguel Sánchez, Juan de Santa Cruz, Alonso de Soto, Gabriel Carrera, Diego de Trujillo, conquistador de los primeros y uno de los treze compañeros que perseveraron con Don Francisco Piçarro, como en su lugar diremos; Antón Ruiz de Guevara, Joan de Salas, hermano del Arçobispo de Sevilla e Inquisidor general Valdez de Salas, sin otros de que no me acuerdo; todos eran señores de vassallos, que tenían repartimiento de indios, de los segundos conquistadores del Perú. Sin éstos, vivían en aquel sitio otros muchos españoles que no tenían indios. En una de aquellas casas se fundó el convento del Divino Augustino, después que yo salí de aquella ciudad. Llamamos conquistador de los primeros a cualquiera de los ciento y sessenta españoles que se hallaron con Don Francisco Piçarro en la prisión de Atahuallpa; y los segundos son los que entraron con Don Diego de Almagro y los que fueron con Don Pedro de Alvarado, que todos entraron casi juntos; a todos éstos dieron nombre de conquistadores del Perú, y no a más, y los segundos honravan mucho a los primeros, aunque algunos fuessen de menos cantidad y de menos calidad que no ellos, porque fueron primeros.

Bolviendo a lo alto de la calle de San Agustín, para entrar más adentro en la ciudad, dezimos que en lo alto della está el convento de Sancta Clara; aquellas casas fueron primero de Alonso Díaz, yerno del governador Pedro Arias de Ávila; a mano derecha del convento hay muchas casas de españoles: entre ellas estavan las de Francisco de Barrientos, que después fueron de Juan Álvarez Maldonado. A mano derecha dellas están las que fueron de Hernando Bachicao y después de Juan Alonso Palomino; de frente dellas, al mediodía, están las casas episcopales, las cuales fueron antes de Juan Balsa y luego fueron de Francisco de Villacastín. Luego está la iglesia catedral, que sale a la plaça principal. Aquella pieça, en tiempo de los Incas, era un hermoso galpón, que en días lloviosos les servía de plaça para sus fiestas. Fueron casas del Inca Viracocha, octavo Rey; yo no alcancé dellos más de el galpón; los españoles, cuando entraron en aquella ciudad, se alojaron todos en él, por estar juntos para lo que se les ofreciesse. Yo la conoscí cubierta de paja y la vi cubrir de texa. Al norte de la Iglesia Mayor, calle en medio, hay muchas casas con sus portales, que salen a la plaça principal; servían de tiendas para oficiales. Al mediodía de la Iglesia Mayor, calle en medio, están las tiendas principales de los mercaderes más caudalosos.

A las espaldas de la iglesia están las casas que fueron de Juan de Berrio, y otras de cuyos dueños no me acuerdo.

A las espaldas de las tiendas principales están las casas que fueron de Diego Maldonado, llamado el Rico, porque lo fué más que otro alguno de los del Perú: fué de los primeros conquistadores. En tiempo de los Incas se llamava aquel sitio Hatuncancha: quiere dezir barrio grande. Fueron casas de uno de los Reyes, llamado Inca Yupanqui; al mediodía de las de Diego Maldonado, calle en medio, están las que fueron de Francisco Hernández Girón. Adelante de aquéllas, al mediodía, están las casas que fueron de Antonio Altamirano, conquistador de los primeros, y Francisco de Frías y Sebastián de Caçalla, con otras muchas que hay a sus lados y espaldas; llámase aquel barrio Puca Marca: quiere dezir barrio colorado. Fueron casas del Rey Túpac Inca Yupanqui. Adelante de aquel barrio, al mediodía, está otro grandíssimo barrio, que no me acuerdo de su nombre; en él están las casas que fueron de Alonso de Loaisa, Martín de Meneses, Joan de Figueroa, Don Pedro Puerto Carrero, García de Melo, Francisco Delgado, sin otras muchas de señores de vassallos cuyos nombres se me han ido de la memoria. Más adelante de aquel barrio, yendo todavía al sur, está la plaça llamada Intipampa: quiere dezir plaça del Sol, porque estava delante de la casa y templo del

Sol, donde llegavan, los que no eran Incas, con las ofrendas que le llevavan, porque no podían entrar dentro en la casa. Allí las recebían los sacerdotes y las presentavan a la imagen del Sol, que adoravan por Dios. El barrio donde estava el templo del Sol se llamava Coricancha, que es barrio de oro, plata y piedras preciosas, que, como en otra parte diximos, havía en aquel templo y en aquel barrio. Al cual se sigue el que llaman Pumapchupan, que son ya arrabales de la ciudad.

CAPÍTULO X
El sitio de las escuelas y el de tres casas reales y el de las escogidas.

PARA dezir los barrios que quedan, me conviene bolver al barrio Huacapuncu, que es puerta del santuario, que estava al norte de la plaça principal de la ciudad, al cual se le seguía, yendo al mediodía, otro barrio grandíssimo, cuyo nombre se me ha olvidado; podrémosle llamar el barrio de las escuelas, porque en él estavan las que fundó el Rey Inca Roca, como en su vida diximos. En indio dizen *Yacha Huaci*, que es casa de enseñança. Vivían en él los sabios y maestros de aquella república, llamados *amauta*, que es filósofo, y *haráuec*, que es poeta, los cuales eran muy estimados de los Incas y de todo su Imperio. Tenían consigo muchos de sus discípulos, principalmente los que eran de la sangre real. Yendo del barrio de las escuelas al mediodía, están dos barrios, donde havía dos casas reales que salían a la plaça principal. Tomavan todo el lienço de la plaça; la una dellas, que estava al levante de la otra, se dezía Coracora: quiere dezir hervaçales, porque aquel sitio era un gran hervaçal y la plaça que está delante era un tremedal o cenegal, y los Incas mandaron ponerla como está. Lo mismo dize Pedro de Cieça, capítulo noventa y dos. En aquel hervaçal fundó el Rey Inca Roca su casa real, por favorescer las escuelas, yendo muchas vezes a ellas a oír los maestros. De la casa Coracora no alcancé nada, porque ya en mis tiempos estava toda por el suelo; cupo en suerte, cuando se repartió la ciudad, a Gonçalo Piçarro, hermano del marqués Don Francisco Piçarro, que fué uno de los que la ganaron. A este cavallero conoscí en el Cozco después de la batalla de Huarina y antes de la de Sacsahuana; tratávame como a proprio hijo: era yo de ocho a nueve años. La otra casa real, que estava al poniente de Coracora, se llamava Cassana, que quiere dezir cosa para helar. Pusiéronle este nombre por admiración, dando a entender que tenía tan grandes y tan hermosos edificios, que havían de helar y pasmar al que los mirasse con atención. Eran casas del gran Inca Pachacútec, visnieto de Inca Roca, que, por favorescer las escuelas que su visabuelo fundó, mandó labrar su casa cerca dellas. Aquellas dos casas reales tenían a sus espaldas las escuelas. Estavan las unas y las otras todas juntas, sin división. Las escuelas tenían sus puertas principales a la calle y al arroyo; los Reyes passavan por los postigos a oír las liciones de sus filósofos, y el Inca Pachacútec las leía muchas vezes, declarando sus leyes y estatutos, que fué gran legislador. En mi tiempo abrieron los españoles una calle, que dividió las escuelas de las casas reales; de la que llamavan Cassana alcancé mucha parte de las paredes, que eran de cantería ricamente labrada, que mostravan haver sido aposentos reales, y un hermosíssimo galpón, que en tiempo de los Incas, en días lloviosos, servía de plaça para sus fiestas y bailes. Era tan grande que muy holgadamente pudieran sesenta de a cavallo jugar cañas dentro en él. Al convento de San Francisco vi en aquel galpón, que, porque estava lexos de lo poblado de los españoles, se passó a él desde el barrio Tococachi, donde antes estava. En el galpón tenían apartado para iglesia un gran pedaço, capaz de mucha gente; luego estavan las celdas, dormitorio y refitorio y las demás oficinas del convento, y, si estuviera descubierto, dentro pudieran hazer claustro. Dió el galpón y todo aquel sitio a los frailes Juan de Pancorvo, conquistador de los primeros, a quien cupo aquella casa real en el repartimiento que se hizo de las casas; otros muchos españoles tuvieron parte en ellas, mas Juan de Pancorvo las compró todas a los principios, cuando se davan de balde. Pocos años después se passó el convento donde ahora está, como en otro lugar diremos, tratando de la limosna que los de la ciudad hizieron a los religiosos para comprar el sitio y la obra de la iglesia. También vi derribar el galpón y hazer en el barrio Cassana las tiendas con sus portales, como hoy están, para morada de mercaderes y oficiales.

Delante de aquellas casas, que fueron casas reales, está la plaça principal de la ciudad, llamada Haucaipata, que es andén o plaça de fiestas y regozijos. Tendrá, norte sur, dozientos passos de largo, poco más o menos, que son cuatrocientos pies; y leste hueste, ciento y cincuenta passos de ancho hasta el arroyo. Al cabo de la plaça, al mediodía della, havía otras dos casas reales; la que estava cerca del arroyo, calle en medio, se llamava Amarucancha, que es barrio de las culebras grandes; estava de frente de Cassana; fueron casas de Huaina Cápac; ahora son de la Sancta Compañía de Jesús. Yo alcancé dellas un galpón grande, aunque no tan grande como el de Cassana. Alcancé también un hermosíssimo cubo redondo, que estava en la plaça, delante de la casa. En otra parte diremos de aquel cubo, que, por haver sido el primer aposento que los españoles tuvieron en aquella ciudad (demás de su gran hermosura), fuera bien que lo sustentaran los ganadores della; no alcancé otra cosa de aquella casa real: toda la demás estava por el suelo. En el primer repartimiento cupo lo principal de esta casa real, que era lo que salía a la plaça, [a] Hernando Piçarro, hermano del marqués Don Francisco Piçarro, que también fué de los primeros ganadores de aquella ciudad. A este cavallero vi en la corte de Madrid, año de mil y quinientos y sesenta y dos. Otra parte cupo a Mancio Serra de Leguiçamo, de los primeros conquistadores. Otra parte a Antonio Altamirano, al cual conoscí dos casas: devió de comprar la una dellas. Otra parte se señaló para cárcel de españoles. Otra parte cupo a Alonso Maçuela, de los primeros conquistadores; después fué de Martín Dolmos. Otras partes cupieron a otros, de los cuales no tengo memoria. Al oriente de Amarucancha, la calle del Sol en medio, está el barrio llamado Ac-llahuaci, que es casa de escogidas, donde estava el convento de las donzellas dedicadas al Sol, de las cuales dimos larga cuenta en su lugar, y de lo que yo alcancé de sus edificios resta dezir que en el repartimiento cupo parte de aquella casa a Francisco Mexía, y fué lo que sale al lienço de la plaça, que también se ha poblado de tiendas de mercaderes. Otra parte cupo a Pedro del Barco y otra parte al Licenciado de la Gama, y otras a otros, de que no me acuerdo.

Toda la poblazón que hemos dicho de barrios y casas reales estava al oriente del arroyo que passa por la plaça principal, donde es de advertir que los Incas tenían aquellos tres galpones a los lados y frente de la plaça, para hazer en ellos sus fiestas principales aunque lloviesse, los días en que cayessen las tales fiestas, que eran por las lunas nuevas de tales o tales meses y por los solsticios. En el levantamiento general que los indios hizieron contra los españoles, cuando quemaron toda aquella ciudad, reservaron del fuego los tres galpones de los cuatro que hemos dicho, que son el de Collcampata, Cassana y Amarucancha, y sobre el cuarto, que era alojamiento de los españoles, que ahora es iglesia catedral, echaron innumerables flechas con fuego, y la paja se encendió en más de veinte partes y se bolvió apagar, como en su lugar diremos, que no permitió Dios que aquel galpón se quemasse aquella noche ni otras muchas noches y días que procuraron quemarlo, que por estas maravillas y otras semejantes que el Señor hizo para que su Fe Católica entrara en aquel Imperio, lo ganaron los españoles. También reservaron el templo del Sol y la casa de las vírgines escogidas; todo lo demás quemaron, por quemar los españoles.

*** *** ***

CAPÍTULO XI

Los barrios y casas que hay al poniente del arroyo.

TODO lo que hemos dicho de las casas reales y poblazón de aquella ciudad estava al oriente del arroyo que passa por medio della. Al poniente del arroyo está la plaça que llaman Cussipata, que es andén de alegría y regozijo. En tiempo de los Incas aquellas dos plaças estavan hechas una; todo el arroyo estava cubierto con vigas gruesas, y encima dellas losas grandes para hazer suelo, porque acudían tantos señores de vassallos a las fiestas principales que hazían al Sol, que no cabían en la plaça, que llamamos principal; por esto la ensancharon con otra, poco menos grande que ella. El arroyo cubrieron con vigas, porque no supieron hazer bóveda. Los españoles gastaron la madera y dexaron cuatro puentes a trechos, que yo alcancé, y eran también de madera. Después hizieron tres de bóveda, que yo dexé. Aquellas dos plaças en mis tiempos no estavan divididas, ni tenían casas a una parte y a otra del arroyo, como ahora las tienen. El año de mill y quinientos y cincuenta y cinco, siendo corregidor Garcilasso de la Vega, mi señor, se labraron y adjudicaron para proprios de la ciudad; que la triste, aunque havía sido señora y emperatriz de aquel grande Imperio, no tenía entonces un maravedí de renta; no sé lo que tiene ahora. Al poniente del arroyo no havían hecho edificios los Reyes Incas; sólo havía el cerco de los arrabales, que hemos dicho. Tenían guardado aquel sitio para que los Reyes successores hizieran sus casas, como havían hecho los passados, que, aunque es verdad que las casas de los antecessores también eran de los sucessores, ellos mandavan labrar, por grandeza y majestad, otras para sí, por que retuviessen el nombre del que las mandó labrar, como todas las demás cosas que hazían, que no perdían los nombres de los Incas, sus dueños; lo cual no dexa de ser particular grandeza de aquellos Reyes. Los españoles labraron sus casas en aquel sitio, las cuales iremos deziendo, siguiendo el viaje norte sur, cómo ellas están y cúyas eran cuando yo las dexé.

Baxando con el arroyo desde la puerta Auacapuncu, las primeras casas eran de Pedro de Orué; luego seguían las de Juan de Pancorvo, y en ella vivía Alonso de Marchena, que, aunque tenía indios, no quería Juan de Pancorvo que viviesse en otra casa, por la mucha y antigua amistad que siempre tuvieron. Siguiendo el mismo viaje, calle en medio, están las casas que fueron de Hernán Bravo de Laguna, que antes fueron de Antonio Navarro y Lope Martín, de los primeros conquistadores; otras havía pegadas a ésta, que, por ser españoles que no tenían indios, no los nombramos, y lo mismo se entienda de los barrios que hemos dicho y dixéremos, porque hazer otra cosa fuera prolixidad insufrible.

A las casas de Hernán Bravo sucedían las que fueron de Alonso de Hinojosa, que antes fueron del licenciado Carvajal, hermano del fator Illén Suárez Carvajal, de quien hazen mención las historias del Perú. Siguiendo el mismo viaje norte sur, sucede la plaça Cusipata, que hoy llaman de Nuestra Señora de las Mercedes; en ella están los indios e indias que con sus miserias hazían en mis tiempos oficios de mercaderes, trocando unas cosas por otras; porque en aquel tiempo no havía uso de moneda labrada, ni se labró en los veinte años después; era como feria o mercado, que los indios llaman *catu*. Passada la plaça, al mediodía della, está el convento de Nuestra Señora de las Mercedes, que abraça todo un barrio de cuatro calles; a sus espaldas, calle en medio, havía otras casas de vezinos, que tenían indios, que, por no acordarme de los nombres de sus dueños, no las nombro; no passava entonces la poblazón de aquel puesto.

Bolviendo al barrio llamado Carmenca, para baxar con otra calle de casas, dezimos que las más cercanas a Carmenca son las que fueron de Diego de Silva, que fué mi padrino de confirmación, hijo del famoso Feliciano de Silva. Al mediodía destas, calle en medio, estavan las de Pedro López de Caçalla, secretario que fué del Presidente Gasca, y las de Juan de Betanços y otras muchas que hay a un lado y a otro y a las espaldas de aquéllas, cuyos dueños no tenían indios. Passando adelante al mediodía, calle en medio, están las casas que fueron de Alonso de Mesa, conquistador de los primeros, las cuales salen a la plaça de Nuestra Señora; a sus lados y espaldas hay otras muchas colaterales, de que no se haze mención; las casas que están al mediodía de las de Alonso de Mesa, calle en medio, fueron de Garcilasso de la Vega, mi señor; tenía encima de la puerta principal un corredorcillo largo y angosto, donde acudían los señores principales de la ciudad a ver las fiestas de sortija, toros y juegos de cañas que en aquella plaça se hazían; y antes de mi padre, fueron de un hombre noble, conquistador de los primeros, llamado Francisco de Oñate, que murió en la batalla de Chupas. De aquel corredorcillo y de otras partes de la ciudad se vee una punta de sierra nevada en forma de pirámide; tan alta, que, con estar veinte y cinco leguas della y haver otras sierras en medio, se descubre mucha altura de aquella punta; no se veen peñas ni riscos, sino nieve pura y perpetua, sin menguar jamás. Llámanle Uillcanuta: quiere dezir cosa sagrada o maravillosa, más que las comunes, porque este nombre Uillca nunca lo dieron sino a cosas dignas de admiración; y cierto, aquella pirámide lo es, sobre todo encarecimiento que della se pueda hazer. Remítome a los que la han visto o la vieren. Al poniente de las casas de mi padre estavan las de Vasco de Guevara, conquistador de los segundos, que después fueron de la Coya Doña Beatriz, hija de Huaina Cápac. Al mediodía estavan las de Antonio de Quiñones, que también salían a la plaça de Nuestra Señora, calle en medio. Al mediodía de las de Antonio de Quiñones estavan las de Tomás Vázquez, conquistador de los primeros. Antes dél fueron de Alonso de Toro, teniente general que fué de Gonçalo Piçarro. Matóle su suegro Diego González, de puro miedo que dél huvo en ciertos enojos caseros. Al poniente de las de Tomás Vázquez estavan las que fueron de Don Pedro Luis de Cabrera, y después fueron de Rodrigo de Esquivel. Al mediodía de las de Tomás Vázquez estavan las de Don Antoño Pereira, hijo de Lope Martín, portugués. Luego se seguían las casas de Pedro Alonso Carrasco, conquistador de los primeros. Al mediodía de las casas de Pedro Alonso Carrasco havía otras de poco momento, y eran las últimas de aquel barrio, el cual se iva poblando por los años de mill y quinientos y cincuenta y siete y cincuenta y ocho. Bolviendo a las faldas del cerro Carmenca, dezimos que al poniente de las casas de Diego de Silva están las que fueron de Francisco de Villafuerte, conquistador de los primeros y uno de los treze compañeros de Don Francisco Piçarro. Al mediodía dellas, calle en medio, havía un andén muy largo y ancho; no tenía casas. Al mediodía de aquel andén havía otro hermosíssimo, donde ahora está el convento del divino San Francisco; delante del convento está una muy grande plaça; al mediodía della, calle en medio, están las casas de Juan Julio de Hojeda, de los primeros conquistadores, padre de Don Gómez de Tordoya, que hoy vive. Al poniente de las casas de Don Gómez estavan las que fueron de Martín de Arbieto, y por aquel paraje, el año de mill y quinientos y sesenta, no havía más poblazón. Al poniente de las casas de Martín de Arbieto está un llano muy grande, que en mis tiempos servía de exercitar los cavallos en él; al cabo del llano labraron aquel rico y famoso hospital de indios que está en él; fundóse año de mil y quinientos y cincuenta y cinco o cincuenta y seis, como luego diremos. La poblazón que entonces havía era la que hemos dicho. La que ahora hay más, se ha poblado de aquel año acá. Los cavalleros que he nombrado en este discurso, todos eran muy nobles en sangre y famosos en armas, pues ganaron aquel riquíssimo Imperio; los más dellos conoscí, que de los nombrados no me faltaron diez por conoscer.

CAPÍTULO XII

Dos limosnas que la ciudad hizo para obras pías.

PARA tratar de la fundación de aquel hospital y de la limosna primera que para ella se juntó, me conviene dezir primero de otra limosna que los vezinos de aquella ciudad hizieron a los religiosos del divino San Francisco, para pagar el sitio y el cuerpo de la iglesia que hallaron labrado; porque lo uno sucedió a lo otro y todo passó siendo corregidor del Cozco Garcilasso de la Vega, mi señor. Es assí que estando el convento en Cassana, como hemos dicho, los frailes, no sé con qué causa, pusieron demanda a Juan Rodríguez de Villalobos, cuyo era el sitio y lo que en él estava labrado, y llevaron carta y sobrecarta de la Chancillería de los Reyes para que les diessen la possesión del sitio, pagando a Villalobos lo que se apreciasse que valían aquellos dos andenes y lo labrado de la iglesia. Todo ello apreció en veinte y dos mill y dozientos ducados. Era entonces guardián un religioso de los recoletos, llamado Fray Juan Gallegos, hombre de santa vida y de mucho exemplo, el cual hizo la paga dentro en casa de mi padre, que fué el que le dió la possesión; y llevó aquella cantidad en barras de plata. Admirándose los presentes de que unos religiosos tan pobres hiziessen una paga tan cumplida y rica, y en tan breve tiempo, porque vino mandado que se hiziesse dentro de tiempo limitado, dixo el guardián: "Señores, no os admiréis, que son obras del cielo y de la mucha caridad desta ciudad, que Dios guarde, y para que sepáis cuán grande es, os certifico que el lunes desta semana en que estamos no tenía trezientos ducados para esta paga, y hoy, jueves por la mañana, me hallé con la cantidad que veis presente, porque acudieron estas dos noches, en secreto, assí vezinos que tienen indios como cavalleros soldados que no los tienen, con sus limosnas, en tanta cantidad, que despedí muchas dellas cuando vi que tenía bastante recaudo; y más, os digo que estas dos noches passadas no nos dexaron dormir, llamando a la portería con su caridad y limosnas". Todo esto dixo aquel buen religioso de la liberalidad de aquella ciudad, y yo lo oí. Para dezir ahora de la fundación de aquel hospital, es de saber que a este guardián sucedió otro llamado Fray Antonio de San Miguel, de la muy noble familia que deste apellido hay en Salamanca, gran teólogo, y en su vida y dotrina hijo verdadero de San Francisco, que por ser tal fué después obispo de Chili, donde vivió con la santidad que siempre, como lo apregonan aquellos reinos de Chili y del Perú. Este santo varón, el segundo año de su trienio, predicando los miércoles, viernes y domingos de la cuaresma en la iglesia catredal del Cozco, un domingo de aquéllos propuso sería bien que la ciudad hiziesse un hospital de indios y que el cabildo della fuesse patrón dél, como lo era el de la iglesia del hospital de los españoles que havía, y que se fundasse aquella casa para que huviesse a quien restituir las obligaciones que los españoles, conquistadores y no conquistadores, tenían, porque dixo que, en poco o en mucho, ninguno escapava desta deuda. Prosiguió con esta persuasión los sermones de aquella semana, y el domingo siguiente concluyó apercibiendo la ciudad para la limosna, y les dixo: "Señores, el corregidor y yo saldremos esta tarde a la una a pedir por amor de Dios para esta obra; mostraos tan largos y dadivosos para ella como os mostrasteis fuertes y animosos para ganar este Imperio". Aquella tarde salieron los dos y la pidieron, y por escrito asentaron lo que cada uno mandó; anduvieron de casa en casa de los vezinos que tenían indios, que aquel día no pidieron a otros; y a la noche bolvió mi padre a la suya, y me mandó sumar las partidas que en el papel traía, para ver la cantidad de la limosna; hallé por la suma veinte y ocho mill y quinientos pesos, que son treinta y cuatro mill y dozientos ducados; la manda menos fué de quinientos pesos, que son seiscientos ducados, y algunas llegaron a mil pesos. Ésta fué la cantidad de aquella tarde, que se juntó en espacio de cinco horas; otros días pidieron en común a vezinos y no vezinos, y todos mandaron muy largamente, tanto, que en pocos meses passaron de cien mill ducados, y luego que por el reino se supo la fundación del hospital de los naturales, acudieron, dentro del mismo año, muchas limosnas, assí hechas en salud como mandas de testamentos, con que se empeçó la obra, a la cual acudieron los indios de la juridición de aquella ciudad con gran prontitud, sabiendo que era para ellos.

Debaxo de la primera piedra que assentaron en el edificio puso Garcilasso de la Vega, mi señor, como corregidor, un doblón de oro, de los que llaman de dos caras, que son de los Reyes Católicos Don Fernando y Doña Isabel; puso aquel doblón por cosa rara y admirable que en aquella tierra se hallasse entonces moneda de oro ni de otro metal, porque no se labrava moneda, y la costumbre de los mercaderes españoles era llevar mercaderías por la ganancia que en ellas havía, y no moneda de oro ni de plata. Algún curioso devió de llevar aquel doblón, por ser moneda de España, como han llevado las demás cosas que allá no havía, y se lo daría a mi padre en aquella ocasión por cosa nueva (que yo no supe cómo lo huvo), y assí lo fué para todos los que aquel día lo vieron, que de mano en mano anduvo por todos los del cabildo de la ciudad y de otros muchos cavalleros que se hallaron presentes a la solenidad de las primeras piedras; dixeron todos que era la primera moneda labrada que en aquella tierra se havía visto, y que por su novedad se empleava muy bien en aquella obra. Diego Maldonado, llamado el Rico, por su mucha riqueza, natural de Salamanca, como regidor más antiguo, puso una plancha de plata, y en ella esculpidas sus armas. Esta pobreza se puso por fundamento de aquel rico edificio. Después acá han concedido los Sumos Pontífices muchas indulgencias y perdones a los que fallescieren en aquella casa. Lo cual, sabido por una india de la sangre real que yo conocí, viéndose cercana a la muerte, pidió que para su remedio la llevassen al hospital. Sus parientes le dixeron que no los afrentasse con irse al hospital, pues tenía hazienda para curarse en su casa. Respondió que no pretendía curar el cuerpo, que ya no lo havía menester, sino el alma, con las gracias e indulgencias que los Príncipes de la Iglesia havían concedido a los que morían en aquel hospital, y assí se hizo llevar, y no quiso entrar en la enfermería; hizo poner su camilla a un rincón de la iglesia del hospital. Pidió que le abriessen la sepultura cerca de su cama; pidió el hábito de San Francisco para enterrarse con él; tendiólo sobre su cama; mandó traer la cera que se havía de gastar a su intierro, púsola cerca de sí, recibió el Sanctíssimo Sacramento y la estremaunción, y assí estuvo cuatro días llamando a Dios y a la Virgen María y a toda la Corte celestial, hasta que fallesció. La ciudad, viendo que una india havía muerto tan cristianamente, quiso favorescer el hecho con honrar su entierro, por que los demás indios se animassen a hazer otro tanto, y assí fueron a sus obsequias ambos cabildos, eclesiástico y seglar, sin la demás gente noble, y la interraron con solene caridad, de que su parentela y los demás indios se dieron por muy favorescidos, regalados y estimados. Y con esto será bien nos passemos a contar la vida y hechos del Rey décimo, donde se verán cosas de grande admiración.

CAPÍTULO XIII

Nueva conquista que el Rey Inca Yupanqui pretende hazer.

L BUEN Inca Yupanqui, haviendo tomado la borla colorada y cumplido assí con la solenidad de la posessión del Imperio, como con las obsequias de sus padres, por mostrarse benigno y afable quiso que lo primero que hiziesse fuesse visitar todos sus reinos y provincias, que, como ya se ha dicho, era lo más favorable y agradable que los Incas hazían con sus vassallos, que, como una de sus vanas creencias era creer que aquellos sus Reyes eran dioses, hijos del Sol, y no hombres humanos, tenían en tanto el verlos en sus tierras y casas, que ningún encarescimiento basta a ponerlo en su punto. Por esta causa salió el Inca a visitar sus reinos, en los cuales fué recibido y adorado conforme a su gentilidad. Gastó el Inca Yupanqui en esta visita más de tres años, y haviéndose buelto a su ciudad y descansado de tan largo camino, consultó con los de su Consejo sobre hazer una brava y dificultosa jornada, que era hazia los Antis, al oriente del Cozco, porque, como por aquella parte atajava los términos de su Imperio la gran cordillera de la Sierra Nevada, desseava atravesarla y passar de la otra parte por alguno de los ríos que de la parte del poniente passan por ella al levante, que por lo alto de la sierra es impossible atravesarla por la mucha nieve que tiene y por la que perpetuamente le cae.

Tenía este desseo Inca Yupanqui, por conquistar las nasciones que huviesse de aquella parte, para reduzirlas a su Imperio y sacarlas de las bárbaras y inhumanas costumbres que tuviessen y darles el conoscimiento de su padre el Sol, para que lo tuviessen y adorassen por su Dios, como havían hecho las demás nasciones que los Incas havían conquistado. Tuvo el Inca este desseo por cierta relación que sus passados y él havían tenido, de que en aquellas anchas y largas regiones havía muchas tierras, dellas pobladas y dellas inhabitables, por las grandes montañas, lagos, ciénagas y pantanos que tenían, por las cuales dificultades no se podían habitar.

Tuvo nueva que, entre aquellas provincias pobladas, una de las mejores era la que llaman Musu y los españoles llaman los Moxos, a la cual se podría entrar por un río grande que en los Antis, al oriente de la ciudad, se haze de muchos ríos que en aquel paraje se juntan en uno, que los principales son cinco, cada uno con nombre proprio, sin otra infinidad de arroyos, los cuales todos hazen un grandíssimo río llamado Amarumayu. Dónde vaya a salir este río a la Mar del Norte, no lo sabré dezir, mas de que por su grandeza y por el viaje que lleva corriendo hazia levante, sospecho que sea uno de los grandes, que, juntándose con otros muchos, se llaman el Río de la Plata, llamado assí porque preguntando los españoles (que lo descubrieron) a los naturales de aquella costa si havía plata en aquella provincia, les dixeron que en aquella tierra no la havía; empero, que en los nascimientos de aquel gran río havía mucha. De estas palabras se le deduxo el nombre que hoy tiene, y se llama Río de Plata sin tener ninguna, famoso y tan famoso en el mundo que de los que hasta hoy se conoscen tiene el segundo lugar, permitiendo que el Río de Orellana tenga el primero.

El Río de la Plata se llama en lengua de los indios Parahuay; si esta dicción es del general lenguaje del Perú quiere dezir llovedme, y podríase interpretar, en frasis de la misma lengua, que el río, como que jatándose de sus admirables crescientes, diga: "llovedme y veréis maravillas"; porque, como otras vezes hemos dicho, es frasis de aquel lenguaje dezir en una palabra significativa la razón que se puede contener en ella. Si la dicción Parahuay es de otro lenguaje, y no del Perú, no sé qué signifique.

Juntándose aquellos cinco ríos grandes, pierde cada uno su nombre proprio, y todos juntos, hecho uno, se llaman Amarumayu. *Mayu* quiere dezir río y *amaru* llaman a las culebras grandíssimas que hay en las montañas de aquella tierra, que son como atrás las hemos pintado, y por la grandeza del río le dieron este nombre, por excelencia, dando a entender que es tan grande entre los ríos como el amaru entre las culebras.

CAPÍTULO XIV

Los successos de la jornada de Musu, hasta el fin della.

POR este río, aunque tan grande y hasta ahora mal conoscido, le pareció al Rey Inca Yupanqui hazer su entrada a la provincia Musu, que por tierra era impossible poder entrar a ella, por las bravíssimas montañas y muchos lagos, ciénagas y pantanos que hay en aquellas partes. Con esta determinación mandó cortar grandíssima cantidad de una madera que hay en aquella región, que no sé cómo se llame en indio; los españoles la llaman higuera, no porque lleve higos, que no los lleva, sino por ser tan liviana y más que la higuera.

Tardaron en cortar la madera y adereçarla, y hazer della muy grandes balsas, casi dos años. Hiziéronse tantas, que cupieron en ellas diez mil hombres de guerra y el bastimento que llevaron. Lo cual todo proveído y aprestada la gente y comida y nombrado el general y maesses de campo y los demás ministros del exército, que todos eran Incas de la sangre real, se embarcaron en las balsas, que eran capaces de treinta, cuarenta, cincuenta indios cada una, y más y menos. La comida llevavan en medio de las balsas, en unos tablados o tarimas de media vara en alto, por que no se les mojasse. Con este aparato se echaron los Incas el río abaxo, donde tuvieron grandes recuentros y batallas con los naturales, llamados Chunchu, que vivían en las riberas, a una mano y a otra del río. Los cuales salieron en gran número por agua y por tierra, assí a defenderles que no saltassen en tierra como a pelear con ellos por el río abaxo; sacaron por armas ofensivas arcos y flechas, que son las que más en común usan todas las nasciones de los Antis. Salieron almagrados los rostros, braços y piernas, y todo el cuerpo de diversas colores, que, por ser la región de aquella tierra muy caliente, andavan desnudos, no más de con pañetes; sacaron sobre sus cabeças grandes plumajes, compuestos de muchas plumas de papagayos y guacamayas.

Es assí que al fin de muchos trances en armas y de muchas pláticas **119** que los unos y los otros tuvieron, se reduxeron a la obediencia y servicio del Inca todas las nasciones de la una ribera y otra de aquel gran río, y embiaron en reconoscimiento de vassallaje muchos presentes al Rey Inca Yupanqui de papagayos, micos y huacamayas, miel y cera y otras cosas que se crían en aquella tierra. Estos presentes duraron hasta la muerte de Túpac Amaru, que fué el último de los Incas, como lo veremos en el discurso de la vida y sucessión dellos, al cual cortó la cabeça el visorrey Don Francisco de Toledo. Destos indios Chunchus, que salieron con la embaxada, y otros que después vinieron, se pobló un pueblo cerca de Tono, veinte y seis leguas del Cozco, los cuales pidieron al Inca los permitiesse poblar allí, para servirle de más cerca, y assí ha permanecido hasta hoy. Reduzidas al servicio del Inca las nasciones de las riberas de aquel río, que comúnmente se llama Chunchu, por la provincia Chunchu, passaron adelante y sujetaron otras muchas nasciones, hasta llegar a la provincia que llaman Musu, tierra poblada de mucha gente belicosa, y ella fértil de suyo; quieren dezir que está dozientas leguas de la ciudad del Cozco.

Dizen los Incas que cuando llegaron allí los suyos, por las muchas guerras que atrás havían tenido, llegaron ya pocos. Mas con todo esso se atrevieron a persuadir a los Musus se reduxessen al servicio de su Inca, que era hijo del Sol, al cual havía embiado su padre dende el cielo para que enseñasse a los hombres a vivir como hombres y no como bestias; y que adorassen al Sol por Dios y dexassen de adorar animales, piedras y palos y otras cosas viles. Y que viendo que los Musus les oían de buena gana, les dieron los Incas más larga noticia de sus leyes, fueros y costumbres, y les contaron las grandes hazañas que sus Reyes, en las conquistas passadas, havían hecho y cuántas provincias tenían sujetas, y que muchas dellas havían ido a someterse de su grado, suplicando a los Incas los recibiesse[n] por sus vassallos y que ellos los adoravan por dioses. Particularmente dizen que les contaron el sueño del Inca Viracocha y sus hazañas. Con estas cosas se admiraron tanto los Musus, que holgaron de recebir la amistad de los Incas y de abraçar su idolatría, sus leyes y costumbres, porque les parescían buenas, y que prometían governarse por ellas y adorar al Sol por su principal Dios. Mas que no querían reconoscer vassallaje al Inca, pues que no los havía vencido y sujetado con las armas. Empero, que holgavan de ser sus amigos y confederados, y que por vía de amistad harían todo lo que conviniesse al servicio del Inca, mas no por vassallaje, que ellos querían ser libres, como lo havían sido sus passados. Debaxo desta amistad dexaron los Musus a los Incas poblar en su tierra, que eran pocos más de mil cuando llegaron a ella; porque con las guerras y largos caminos se havían gastado los demás, y los Musus les dieron sus hijas por mujeres y holgaron con su parentesco, y hoy los tienen en mucha veneración y se goviernan por ellos en paz y en guerra, y luego que entre ellos se assentó la amistad y parentela, eligieron embaxadores de los más nobles para que fuessen al Cozco a adorar por hijo del Sol al Inca y confirmar la amistad y parentesco que con los suyos havían celebrado, y por la aspereza y maleza del camino, de montañas bravíssimas, ciénagas y pantanos, hizieron un grandíssimo cerco para salir al Cozco, donde el Inca los recibió con mucha afabilidad y les hizo grandes favores y mercedes. Mandó que les diessen larga noticia de la corte, de sus leyes y costumbres y de su idolatría, con las cuales cosas bolvieron los Musus muy contentos a su tierra, y esta amistad y confederación duró hasta que los españoles entraron en la tierra y la ganaron.

Particularmente dizen los Incas que en tiempo de Huaina Cápac quisieron los descendientes de los Incas que poblaron en los Musus bolverse al Cozco, porque les parescía que, no haviendo de hazer más servicio al Inca que estarse quedos, estavan mejor en su patria que fuera della, y que, teniendo ya concertada su partida para venirse todos al Cozco con sus mujeres y hijos, tuvieron nueva cómo el Inca Huaina Cápac era muerto, y que los españoles havían ganado la tierra y que el Imperio y señorío de los Incas se havía perdido, con lo cual acordaron de quedarse de hecho, y que los Musus los tienen, como diximos, en mucha veneración, y que se goviernan por ellos en paz y en guerra. Y dizen que por aquel paraje lleva ya el río seis leguas de ancho y que tardan en passarlo en sus canoas dos días.

CAPÍTULO XV

Rastros que de aquella jornada se han hallado.

TODO lo que en suma hemos dicho desta conquista y descubrimiento que el Rey Inca Yupanqui mandó hazer por aquel río abaxo, lo cuentan los Incas muy largamente, jatándose de las proezas de sus antepassados, y dizen muy grandes batallas que en el río y fuera dél tuvieron, y muchas provincias que sujetaron con grandes hazañas que hizieron. Mas yo, por parescerme algunas dellas increíbles para la poca gente que fué, y también porque como hasta ahora no posseen los españoles aquella parte de tierra que los Incas conquistaron en los Antis, no pudiendo mostrarla con el dedo, como se ha hecho de toda la demás que hasta aquí se ha referido, me paresció no mezclar cosas fabulosas, o que lo parecen, con historia verdadera, porque de aquella parte de tierra no se tiene hoy tan entera y distincta noticia como de la que los nuestros posseen. Aunque es verdad que de aquellos hechos han hallado los españoles en estos tiempos grandes rastros, como luego veremos.

El año de mil y quinientos y sesenta y cuatro un español, llamado Diego Alemán, natural de la villa de San Juan, del Condado de Niebla, vezino de la ciudad de la Paz, por otro nombre llamado el Pueblo Nuevo, donde tenía un repartimiento pequeño de indios, por persuasión de un curaca suyo juntó otros doze españoles consigo, y, llevando por guía al mismo curaca, el cual les havía dicho que en la provincia Musu havía mucho oro, fueron en demanda della a pie, porque no era camino para cavallos y también por ir más encubiertos, que el intento que llevavan no era sino descubrir la provincia y notar los caminos, para pedir la conquista y bolver después con más pujança, para ganar y poblar la tierra. Entraron por Cochapampa, que está más cerca de los Moxos.

Caminaron veinte y ocho días por montes y breñales, y al fin dellos llegaron a dar vista al primer pueblo de la provincia, y aunque su cacique les dixo que guardassen a que saliesse algún indio que pudiessen prender en silencio, para tomar lengua, no lo quisieron hazer; antes, luego que cerró la noche, con demasiada locura, entendiendo que bastava la voz española para que todo el pueblo se le rindiesse, entraron dentro, haziendo ruido de más gente de la que iva, porque los indios temiessen, pensando que eran muchos españoles. Mas sucedióles en contra, porque los indios salieron dando arma a la grita que les dieron, y reconosciendo que eran pocos, se apellidaron y dieron sobre ellos, y mataron los diez y prendieron a Diego Alemán, y los otros dos se escaparon por la escuridad de la noche, y fueron a dar donde su guía les havía dicho que les esperaría, el cual, con mejor consejo, viendo la temeridad de los españoles, no havía querido ir con ellos. Uno de los que se escaparon se dezía Francisco Moreno, mestizo, hijo de español y de india, nascido en Cochapampa, el cual sacó una manta de algodón que, colgada en el aire, servía de hamaca o cuna a un niño; traía seis campanillas de oro; la manta era texida de diversas colores, que hazían diversas labores. Luego que amanesció vieron los dos españoles y el curaca, de un cerro alto donde se havían escondido, un escuadrón de indios fuera del pueblo, con lanças y picas y petos, que relumbravan con el sol hermosamente, y la guía les dixo que todo aquello que veían relumbrar era todo oro, y que aquellos indios no tenían plata, sino era la que podían haver contratando con los del Perú. Y para dar a entender la grandeza de aquella tierra, tomó la guía su manta, que era texida de listas, y dixo: "En comparación desta tierra es tan grande el Perú como una lista destas en respecto de toda la manta". Mas el indio, como mal cosmógrafo, se engañó, aunque es verdad que aquella provincia es muy grande.

De Diego Alemán se supo después, por los indios que salen, aunque de tarde en tarde, a contratar con los del Perú, que los que le havían presso, haviendo sabido que tenía repartimiento de indios en el Perú y que era capitán y caudillo de los pocos y desatinados compañeros que llevó, le havían hecho su capitán general para la guerra que con los indios de la otra ribera del río Amarumayu tienen, y que le hazían mucho honra y lo estimavan mucho, por la autoridad y provecho que se les siguía de tener un capitán general español. El compañero que salió con Francisco Moreno el mestizo, luego que llegaron a tierra de paz, fallesció de los trabajos del camino passado, que uno de los mayores fué haver atravesado grandíssimos pantanales, que era impossible poderlos andar a cavallo. El mestizo Francisco Moreno contava largamente lo que en este descubrimiento havía visto, por cuya relación se movieron algunos desseosos de la empresa y la pidieron, y el primero fué Gómez de Tordoya, un cavallero moço al cual se la dió el conde de Nieva, visorrey que fué del Perú; y porque se juntava mucha gente para ir con él, temiendo no huviesse algún motín, le suspendieron la jornada y le notificaron que no hiziesse gente, que despidiesse la que tenía hecha.

CAPÍTULO XVI
De otros successos infelices que en aquella provincia han passado.

OS AÑOS después dió la misma provisión el licenciado Castro, governador que fué del Perú, a otro cavallero, vezino del Cozco, llamado Gaspar de Sotelo, el cual se aprestó para la jornada con mucha y muy luzida gente que se ofreció a ir con él; y el mayor y mejor apercibimiento que havía hecho era haverse concertado con el Inca Túpac Amaru, que estava retirado en Uillcapampa, que hiziessen ambos la conquista, y el Inca se havía ofrecido a ir con él y darle todas las balsas que fuessen menester, y havían de entrar por el río de Uillcapampa, que es al nordeste del Cozco. Mas como en semejantes cosas no falten émulos, negociaron con el governador, que, derogando y anulando la provisión a Gaspar de Sotelo, se la diesse a otro vezino del Cozco, llamado Juan Álvarez Maldonado, y assí se hizo. El cual juntó consigo dozientos y cincuenta y tantos soldados y más de cien cavallos y yeguas, y entró en grandes balsas que hizo, en el río Amarumayu, que es al levante del Cozco. Gómez de Tordoya, haviendo visto que la conquista que le quitaron se la havían dado a Gaspar de Sotelo y últimamente a Juan Álvarez Maldonado, para la cual él havía gastado su hazienda y la de sus amigos, desdeñado

123

del agravio, publicó que también él tenía provisión para hazer aquella jornada, porque fué verdad que, aunque le havían notificado que le derogavan la provisión, no le havían quitado la cédula; con la cual convocó gente, y por ser contra la voluntad del governador le acudieron pocos, que apenas llegaron a sesenta, con los cuales, aunque con muchas contradiciones, entró por la provincia que llaman Camata, que es al sueste del Cozco, y haviendo passado grandes montañas y cenagales, llegó al río Amarumayu, donde tuvo nueva que Juan Arias no havía passado; y como a enemigo capital, le esperó con sus trincheas hechas en las riberas del río, de donde pensava ofenderle y ser superior, que, aunque llevava pocos compañeros, fiava en el valor dellos, que era gente escogida y le eran amigos, y llevava cada uno dellos dos arcabuzes muy bien adereçados.

Juan Álvarez Maldonado, baxando por el río abaxo, llegó donde Gómez de Tordoya le esperava, y como fuessen émulos de una misma empresa, sin hablarse ni tratar de amistad o treguas (que pudieran hazer compañía y ganar para ambos, pues havía para todos), pelearon los unos con los otros, porque esta ambición de mandar no quiere igual, ni aun segundo. El primero que acometió fué Juan Álvarez Maldonado, confiado en la ventaja que a su contrario hazía de gente. Gómez de Tordoya le esperó, asegurado de su fuerte y de las armas dobles que los suyos tenían; pelearon todo el día. Huvo muchos muertos de ambas partes; pelearon también el segundo y tercero día, tan cruelmente y tan sin consideración, que se mataron casi todos, y los que quedaron, quedaron tales que no eran de provecho. Los indios Chunchus, cuya era la provincia donde estavan, viéndolos tales y sabiendo que ivan a los conquistar, apellidándose unos a otros, dieron en ellos y los mataron todos, y entre ellos a Gómez de Tordoya. Yo conoscí a estos tres cavalleros, y los dexé en el Cozco cuando salí della. Los indios prendieron tres españoles: el uno dellos fué Juan Álvarez Maldonado, y un fraile mercenario llamado Fray Diego Martín, portugués, y un herrero que se dezía maestro Simón López, gran oficial de arcabuzes. Al Maldonado, sabiendo que havía sido caudillo del un vando, le hizieron cortesía, y por verle ya inútil, que era hombre de días, le dieron libertad para que se bolviesse al Cozco a sus indios, y le guiaron hasta ponerlo en la provincia de Callauaya, donde se saca el oro finíssimo de veinte y cuatro quilates. Al fraile y al herrero detuvieron más de dos años. Y a maestro Simón, sabiendo que era herrero, le truxeron mucho cobre y le mandaron hazer hachas y açuelas, y no le ocuparon en otra cosa todo aquel tiempo. A fray Diego Martín tuvieron en veneración, sabiendo que era sacerdote y ministro del Dios de los cristianos, y aun cuando les dieron licencia para que se fuessen al Perú, rogavan al fraile que se quedasse con ellos, para que les enseñasse la doctrina cristiana, y él no lo quiso hazer. Muchas semejantes ocasiones se han perdido con los indios para haverles predicado el Sancto Evangelio sin armas.

Passados los dos años y más tiempo, dieron los Chunchus licencia a estos dos españoles para que se bolviessen al Perú, y ellos mismos los guiaron y sacaron hasta el valle de Callauaya. Los cuales contavan el sucesso de su desventurada jornada. Y contavan también lo que los Incas havían hecho por aquel río abaxo y cómo se quedaron entre los Musus y cómo los Musus desde entonces reconoscían al Inca por señor y acudían a le servir y le llevavan cada año muchos presentes de lo que en su tierra tenían. Los cuales presentes duraron hasta la muerte del Inca Túpac Amaru, que fué pocos años después de aquella desdichada entrada que Gómez de Tordoya y Juan Álvarez Maldonado hizieron. La cual hemos antepuesto sacándola de su lugar y de su tiempo, por atestiguar la conquista que el Rey Inca Yupanqui mandó hazer por el gran río Amarumayu, y de cómo se quedaron entre los Musus los Incas que entraron a hazer la conquista. De todo lo cual traían larga relación Fray Diego Martín y maestro Simón, y la davan a los que se la querían oír. Y particularmente dezía el fraile de sí que le havía pesado muy mucho de no haverse quedado entre los indios Chunchus, como se lo havían rogado, y que por no tener recaudo para dezir missa no se havía quedado con ellos, que, si lo tuviera, sin duda se quedara; y que estava muchas vezes por bolverse solo, porque no podía desechar la pena que consigo traía, acusado de su conciencia, de no haver concedido una demanda que con tanta ansia le havían hecho aquellos indios, y ella de suyo tan justa. También dezía este fraile que los Incas que havían quedado entre los Musus serían de gran provecho para la conquista que los españoles quisiessen hazer en aquella tierra. Y con esto será bien bolvamos a las hazañas del buen Inca Yupanqui y digamos de la conquista de Chili, que fué una de las suyas y de las mayores.

CAPÍTULO XVII
La nasción Chirihuana y su vida y costumbres.

OMO el principal cuidado de los Incas fuesse conquistar nuevos reinos y provincias, assí por la gloria de ensanchar su Imperio como por acudir a la ambición y codicia del reinar, que tan natural es en los hombres poderosos, determinó el Inca Yupanqui, passados cuatro años después de haver embiado el exército por el río abaxo, como se ha dicho, hazer otra conquista, y fué la de una grande provincia llamada Chirihuana, que está en los Antis, al levante de los Charcas. A la cual, por ser hasta entonces tierra in-cógnita, embió espías que con todo cuidado y diligencia ascechassen la tierra y los naturales della, para que se proveyesse con más aviso lo que para la jornada conviniesse. Las espías fueron, como se les mandó, y bolvieron diziendo que la tierra era malíssima, de montañas bravas, ciénagas, lagos y pantanos, y muy poca della de provecho para sembrar y cultivar, y que los naturales eran brutíssimos, peores que bestias fieras; que no tenían religión ni adoravan cosa alguna; que vivían sin ley ni buena costumbre, sino como animales por las montañas, sin pueblos ni casas, y que comían carne humana, y, para la haver, salían a saltear las provincias comarcanas y comían todos los que prendían, sin respectar sexo ni edad, y bevían la sangre cuando los degollavan, por que no se les perdiesse nada de la presa. Y que no solamente comían la carne de los comarcanos que prendían, sino también la de los suyos proprios cuando se morían; y que después de havérselos comido, les bolvían a juntar los huessos por sus coyunturas, y los lloravan y los enterravan en resquicios de peñas o huecos de árboles, y que andavan en cueros y que para juntarse en el coito no se tenía cuenta con las hermanas, hijas ni madres. Y que ésta era la común manera de vivir de la nasción Chirihuana.

El buen Inca Yupanqui (damos este título a este Príncipe, porque los suyos le llaman assí muy de ordinario, y Pedro de Cieça de León también se lo da siempre que habla dél), haviéndola oído, bolviendo el rostro a los de su sangre real, que eran sus tíos, hermanos y sobrinos y otros más alejados, que asistían en su presencia, dixo: "Ahora es mayor y más forçosa la obligación que tenemos de conquistar los Chirihuanas, para sacarlos de las torpeças y bestialidades en que viven y reduzirlos a vida de hombres, pues para esso nos embió Nuestro Padre el Sol". Dichas estas palabras, mandó que se apercibiessen diez mil hombres de guerra, los cuales embió con maesses de campo y capitanes de su linaje, hombres esperimentados en paz y en guerra, bien industriados en lo que devían hazer. Estos Incas fueron, y haviendo reconoscido parte de la maleza y esterilidad de la tierra y provincia Chirihuana, dieron aviso al Inca, su-plicándole mandasse proveerles de bastimento por que no les faltasse, porque no lo havía en aquella tierra, lo cual se les proveyó bastantíssi-mamente, y los capitanes y su gente hizieron todo lo possible, y al fin de dos años salieron de su conquista sin haverla hecho, por la mucha maleza de la provincia, de muchos pantanos y ciénagas, lagos y monta-ñas bravas. Y assí dieron al Inca la relación de todo lo que les había su-cedido. El cual los mandó descansar para otras jornadas y conquistas que pensava hazer, de más provecho que la passada. El visorrey Don Fran-cisco de Toledo, governando aquellos reinos el año de mill y quinientos y setenta y dos, quiso hazer la conquista de los Chirihuanas, como lo toca muy de passo el Padre Maestro Acosta, libro séptimo, capítulo veinte y ocho, para la cual apercibió muchos españoles y todo lo demás necessario para la jornada. Llevó muchos cavallos, vacas y yeguas para criar, y entró en la provincia, y a pocas jornadas vió por esperiencia las dificultades della, las cuales no havía querido creer a los que se las havían propuesto, aconsejándole no intentasse lo que los Incas, por no haver podido salir con la empresa, havían desamparado. Salió el Visorrey huyendo, y desamparó todo lo que llevava, para que los indios se contentassen con presa que les dexava y lo dexassen a él. Salió por tan malos caminos, que, por no poder llevar las azémilas una literilla en que caminava, la sacaron en hombros indios y españoles; y los Chirihuanas que los siguían, dándoles grita, entre otros vituperios les dezían: "Soltad essa vieja que lleváis en essa *petaca* (que es canasta cerrada), que aquí nos la comeremos viva".

Son los Chirihuanas, como se ha dicho, muy ansiosos por comer carne, porque no la tienen de ninguna suerte, doméstica ni salvajina, por la mucha maleza de la tierra. Y si huviessen conservado las vacas que el Visorrey les dexó, se puede esperar que hayan criado muchas, haziéndose montarazes, como en las islas de Sancto Domingo y de Cuba, porque la tierra es dispuesta para ellas. De la poca conversación y doctrina que de la jornada passada de los Incas pudieron haver los Chirihuanas, perdieron parte de su inhumanidad, porque se sabe que desde entonces no comen a sus difuntos como solían, mas de los comarcanos no perdonan alguno, y son tan golosos y apasionados por comer carne humana, que, cuando salen a saltear, sin temor de la muerte, como insensibles, se entran por las armas de los enemigos a trueque de prender uno dellos, y, si hallan pastores guardando ganado, más quieren uno de los pastores que todo el hato de las ovejas o vacas. Por esta fiereza e inhumanidad son tan temidos de todos sus comarcanos que ciento ni mill dellos no esperan diez Chirihuanas, y a los niños y muchachos los amedrentan y acallan con sólo el nombre. También aprendieron los Chirihuanas de los Incas a hazer casas para su morada, no particulares, sino en común; porque hazen un galpón grandíssimo, y dentro tantos apartadijos cuantos son los vezinos, y tan pequeños que no caben más de las personas, y les basta, porque no tienen axuar ni ropa de vestir, que andan en cueros. Y desta manera se podrá llamar pueblo cada galpón de aquéllos. Esto es lo que hay que dezir acerca de la bruta condición y vida de los Chirihuanas, que será gran maravilla poderlos sacar della.

CAPÍTULO XVIII

Prevenciones para la conquista de Chili.

L BUEN Rey Inca Yupanqui, aunque vió el poco o ningún fruto que sacó de la conquista de los Chirihuanas, no por esso perdió el ánimo de hazer otras mayores. Porque como el principal intento y blasón de los Incas fuesse reduzir nuevas gentes a su Imperio y a sus costumbres y leyes, y como entonces se hallassen ya tan poderosos, no podían estar ociosos sin hazer nuevas conquistas, que les era forçoso, assí para ocupar los vasallos en aumento de su corona como para gastar sus rentas, que eran los bastimentos, armas, vestido y calçado que cada provincia y reino, conforme a sus frutos y cosecha, contribuía cada año. Porque del oro y plata, ya hemos dicho que no lo davan los vassallos en tributo al Rey, sino que lo presentavan (sin que se lo pidiessen) para servicio y ornato de las casas reales y de las del Sol. Pues como el Rey Inca Yupanqui se viesse amado y obedescido, y tan poderoso de gente y hazienda, acordó emprender una gran empresa, que fué la conquista del reino de Chili. Para la cual, haviéndolo consultado con los de su Consejo, mandó prevenir las cosas necessarias. Y dexando en su corte los ministros acostumbrados para el govierno y administración de la justicia, fué hasta Atacama, que hazia Chili es la última provincia que havía poblada y sujeta a su Imperio, para dar calor de más cerca a la conquista, porque de allí adelante hay un gran despoblado que atravessar hasta llegar a Chili.

Desde Atacama embió el Inca corredores y espías que fuessen por aquel despoblado y descubriessen passo para Chili y notassen las dificultades del camino, para llevarlas prevenidas. Los descubridores fueron Incas, porque las cosas de tanta importancia no las fiavan aquellos Reyes sino de los de su linaje, a los cuales dieron indios de los de Atacama y de los de Tucma (por los cuales, como atrás diximos, havía alguna noticia del reino de Chili), para que los guiassen, y de dos a dos leguas fuessen y viniessen con los avisos de lo que descubriessen, porque era assí menester, para que les proveyessen de lo necessario. Con esta prevención fueron los descubridores, y en su camino passaron grandes trabajos y dificultades por aquellos desiertos, dexando señales por donde passavan para no perder el camino cuando bolviessen. Y también por que los que los siguiessen supiessen por dónde ivan. Assí fueron yendo y viniendo como hormigas, trayendo relación de lo descubierto y llevando bastimento, que era lo que más havían menester. Con esta diligencia y trabajo horadaron ochenta leguas de despoblado, que hay desde Atacama a Copayapu, que es una provincia pequeña, aunque bien poblada, rodeada de largos y anchos desiertos, porque para passar adelante hasta Cuquimpu hay otras ochenta leguas de despoblado. Haviendo llegado los descubridores a Copayapu y alcançado la noticia que pudieron haver de la provincia por vista de ojos, bolvieron con toda diligencia a dar cuenta al Inca de lo que havían visto. Conforme a la relación, mandó el Inca apercebir diez mill hombres de guerra, los cuales embió por la orden acostumbrada con un general llamado Sinchiruca y dos maesses de campo de su linaje, que no saben los indios dezir cómo se llamavan. Mandó que les llevassen mucho bastimento en los carneros de carga, los cuales también sirviessen de bastimento en lugar de carnaje, porque es muy buena carne de comer.

Luego que Inca Yupanqui huvo despachado los diez mil hombres de guerra, mandó apercebir otros tantos, y por la misma orden los embió en pos de los primeros, para que a los amigos fuessen de socorro y a los enemigos de terror y asombro. Los primeros, haviendo llegado cerca de Copayapu, embiaron mensajeros, según la antigua costumbre de los Incas, diziendo se rindiessen y sujetassen al hijo del Sol, que iva a darles nueva religión, nuevas leyes y costumbres en que viviessen como hombres, y no como brutos. Donde no, que se apercibiessen a las armas, porque por fuerça o de grado havían de obedescer al Inca, señor de las cuatro partes del mundo. Los de Copayapu se alteraron con el mensaje y tomaron las armas y se pusieron a resistir la entrada de su tierra, donde huvo algunos recuentros de escaramuças y peleas ligeras, porque los unos y los otros andavan tentando las fuerças y el ánimo ajeno. Y los Incas, en cumplimiento de lo que su Rey les havía mandado, no querían romper la guerra a fuego y a sangre, sino contemporizar con los enemigos a que se rindiessen por bien. Los cuales estavan perplexos en defenderse: por una parte los atemorizava la deidad del hijo del Sol, paresciéndoles que havían de caer en alguna gran maldición suya si no rescibían por señor a su hijo; por otra parte los animava el desseo de mantener su libertad antigua y el amor de sus diosses, que no quisieran novedades, sino vivir como sus passados.

CAPÍTULO XIX

Ganan los Incas hasta el valle que llaman Chili, y los mensajes y respuestas que tienen con otras nuevas nasciones.

N ESTAS confusiones los halló el segundo exército, que iva en socorro del primero, con cuya vista se rindieron los de Copayapu, paresciéndoles que no podrían resistir a tanta gente, y assí capitularon con los Incas lo mejor que supieron las cosas que havían de rescibir y dexar en su idolatría. De todo lo cual dieron aviso al Inca. El cual holgó mucho de tener camino abierto y tan buen principio hecho en la conquista de Chili, que, por ser un reino tan grande y tan apartado de su Imperio, temía el Inca el poderlo sujetar. Y assí estimó en mucho que la provincia Copayapu quedasse por suya por vía de paz y concierto, y no de guerra y sangre. Y siguiendo su buena fortuna, haviéndose informado de la disposición de aquel reino, mandó apercebir luego otros diez mil hombres de guerra, y, proveídos de todo lo necessario, los embió en socorro de los exércitos passados, mandándoles que pasassen adelante en la conquista y con toda diligencia pidiessen lo que huviessen menester. Los Incas, con el nuevo socorro y mandato de su Rey, passaron adelante otras ochenta leguas, y después de haver vencido muchos trabajos en aquel largo camino, llegaron a otro valle o provincia que llaman Cuquimpu, la cual sujetaron. Y no sabemos dezir si tuvieron batallas o recuentros, porque los indios de Perú, por haver sido la conquista en reino estraño y tan lexos de los suyos, no saben en particular los trances que passaron, mas de que sujetaron los Incas aquel valle de Cuquimpu. De allí passaron adelante, conquistando todas las naciones que hay hasta el valle de Chili, del cual toma nombre todo el reino llamado Chili. En todo el tiempo que duró aquella conquista, que según dizen fueron más de seis años, el Inca siempre tuvo particular cuidado de socorrer los suyos con gente, armas y bastimento, vestido y calçado, que no les faltasse cosa alguna; porque bien entendía cuánto importava a su honra y majestad que los suyos no bolviessen un pie atrás. Por lo cual vino a tener en Chili más de cincuenta mil hombres de guerra, tan bien bastecidos de todo lo necessario como si estuvieran en la ciudad del Cozco.

Los Incas, haviendo reduzido a su Imperio el valle de Chili, dieron aviso al Inca de lo que havían hecho, y cada día se lo davan de lo que ivan haziendo por horas, y haviendo puesto orden y asiento en lo que hasta allí havían conquistado, passaron adelante hazia el sur, que siempre llevaron aquel viaje, y llegaron conquistando los valles y nasciones que hay hasta el río de Maulli, que son casi cincuenta leguas del valle Chili. No se sabe qué batallas o recuentros tuviessen; antes se tiene que se huviessen reduzido por vía de paz y de amistad, por ser éste el primer intento de los Incas en sus conquistas, atraher los indios por bien y no por mal. No se contentaron los Incas con haver alargado su Imperio más de dozientas y sesenta leguas de camino que hay desde Atacama hasta el río Maulli, entre poblado y despoblado; porque de Atacama a Copayapu ponen ochenta leguas y de Copayapu a Cuquimpu dan otras ochenta; de Cuquimpu a Chili cincuenta y cinco y de Chili al río Maulli casi cincuenta, sino que con la misma ambición y cudicia de ganar nuevos estados quisieron passar adelante, para lo cual, con la buena orden y maña acostumbrada, dieron asiento en el govierno de lo hasta allí ganado y dexaron la guarnición necessaria, previniendo siempre cualquiera desgracia que en la guerra les pudiesse acaescer. Con esta determinación passaron los Incas el río Maulli con veinte mil hombres de guerra, y, guardando su antigua costumbre, embiaron a requerir a los de la provincia Purumauca, que los españoles llaman Promaucaes, recibiessen al Inca por señor o se apercibiessen a las armas. Los Purumaucas, que ya tenían noticia de los Incas y estavan apercebidos y aliados con otros sus comarcanos, como son los Antalli, Pincu, Cauqui, y entre todos determinados de morir antes que perder su libertad antigua, respondieron que los vencedores serían señores de los vencidos y que muy presto verían los Incas de qué manera los obedescían los Purumaucas.

Tres o cuatro días después de la respuesta, asomaron los Purumaucas con otros vezinos suyos, aliados, en número de diez y ocho o veinte mil hombres de guerra, y aquel día no entendieron sino en hazer su alojamiento a vista de los Incas, los cuales bolvieron a embiar nuevos requirimientos de paz y amistad, con grandes protestaciones que hizieron, llamando al Sol y a la Luna, de que no ivan a quitarles sus tierras y haziendas, sino a darles manera de vivir de hombres, y a que reconociessen al Sol por su Dios y a su hijo el Inca por su Rey y señor. Los Purumaucas respondieron diziendo que venían resueltos de no gastar el tiempo en palabras y razonamientos vanos, sino en pelear hasta vencer o morir. Por tanto, que los Incas se apercibiessen a la batalla para el día venidero, y que no les embiassen más recaudos, que no los querían oír.

CAPÍTULO XX

Batalla cruel entre los Incas y otras diversas nasciones, y el primer español que descubrió a Chili.

EL DÍA siguiente salieron ambos exércitos de sus aloxamientos, y arremetiendo unos con otros, pelearon con grande ánimo y valor y mayor obstinación, porque duró la batalla todo el día sin reconocerse ventaja, en que huvo muchos muertos y heridos; a la noche se retiraron a sus puestos. El segundo y tercero día pelearon con la misma crueldad y pertinacia, los unos por la libertad y los otros por la honra. Al fin de la tercera batalla vieron que de una parte y otra faltavan más que los medios, que eran muertos, y los vivos estavan heridos casi todos. El cuarto día, aunque los unos y los otros se pusieron en sus escuadrones, no salieron de sus alojamientos, donde se estuvieron fortalescidos, esperando defenderse del contrario si le acometiesse. Assí estuvieron todo aquel día y otros dos siguientes. Al fin dellos se retiraron a sus distritos, temiendo cada una de las partes no huviesse embiado el enemigo por socorro, a los suyos, avisándoles de lo que passava, para que se lo diessen con brevedad. A los Purumaucas y a sus aliados les paresció que havían hecho demasiado en haver resistido las armas de los Incas, que tan poderosas y invencibles se havían mostrado hasta entonces; y con esta presunción se bolvieron a sus tierras, cantando victoria y publicando haverla alcançado enteramente.

A los Incas les paresció que era más conforme a la orden de sus Reyes, los passados y del presente, dar lugar al bestial furor de los enemigos que destruirlos para sujetarlos, pidiendo socorro, que pudieran los suyos dárselo en breve tiempo. Y assí, haviéndolo consultado entre los capitanes, aunque huvo paresceres contrarios que dixeron se siguiesse la guerra hasta sujetar los enemigos, al fin se resolvieron en bolverse a lo que tenían ganado y señalar el río Maulli por término de su Imperio y no passar adelante en su conquista hasta tener nuevo orden de su Rey Inca Yupanqui, al cual dieron aviso de todo lo sucedido. El Inca les embió a mandar que no conquistassen más nuevas tierras, sino que atendiessen con mucho cuidado en cultivar y beneficiar las que havían ganado, procurando siempre el regalo y provecho de los vassallos, para que, viendo los comarcanos cuán mejorados estavan en todo con el señorío de los Incas, se reduxessen también ellos a su Imperio, como lo havían hecho otras nasciones, y que cuando no lo hiziessen, perdían ellos más que los Incas. Con este mandato, cessaron los Incas de Chili de sus conquistas, fortalescieron sus fronteras, pusieron sus términos y mojones, que a la parte del sur fué el último término de su Imperio el río Maulli. Atendieron a la administración de su justicia y a la hazienda real y del Sol con particular beneficio de los vassallos, los cuales, con mucho amor, abraçaron el dominio de los Incas, sus fueros, leyes y costumbres, y en ellas vivieron hasta que los españoles fueron a aquella tierra.

El primer español que descubrió a Chili fué Don Diego de Almagro, pero no hizo más que darle vista y bolverse al Perú, con inumerables trabajos que a ida y buelta passó. La cual jornada fué causa de la general rebelión de los indios del Perú y de la discordia que entre los dos governadores después huvo y de las guerras civiles que tuvieron y de la muerte del mismo Don Diego de Almagro, preso en la batalla que llamaron de las Salinas, y la del marqués Don Francisco Piçarro y la de Don Diego de Almagro, el mestizo, que dió la batalla que llamaron de Chupas. Todo lo cual diremos más largamente si Dios, Nuestro Señor, nos dexare llegar allá. El segundo que entró en el reino de Chili fué el governador Pedro de Valdivia; llevó pujança de gente y cavallos; passó adelante de lo que los Incas havían ganado y lo conquistó y pobló felicíssimamente, si la misma felicidad no le causara la muerte por mano de sus mismos vassallos, los de la provincia llamada Araucu, que él propio escogió para sí en el repartimiento que de aquel reino se hizo entre los conquistadores que lo ganaron. Este cavallero fundó y pobló muchas ciudades de españoles, y entre ellas la que de su nombre llamaron Valdivia; hizo grandíssimas hazañas en la conquista de aquel reino; governólo con mucha prudencia y consejo, y en gran prosperidad suya y de los suyos y con esperanças de mayores felicidades, si el ardid y buena milicia de un indio no lo atajara todo, cortándole el hilo de la vida. Y porque la muerte deste governador y capitán general fué un caso de los más notables y famosos que los indios han hecho en todo el Imperio de los Incas ni en todas las Indias, después que los españoles entraron en ellas, y más de llorar para ellos, me paresció ponerlo aquí, no más de para que se sepa llana y certificadamente la primera y segunda nueva que del sucesso de aquella desdichada batalla vino al Perú luego que sucedió, y para la contar será menester dezir el origen y principio de la causa.

CAPÍTULO XXI

Rebelión de Chili contra el governador Valdivia.

ES ASSÍ que de la conquista y repartimiento de aquel reino de Chili cupo a este cavallero, digno de imperios, un repartimiento rico, de mucho oro y de muchos vassallos, que le davan por año más de cien mill pesos de oro de tributo, y como la hambre deste metal sea tan insaciable, crescía tanto más cuanto más davan los indios. Los cuales, como no estuviessen hechos a tanto trabajo como passavan en sacar el oro ni pudiessen sufrir la molestia que les hazían por él, y como de suyo no huviessen sido sujectos a otros señores, no pudiendo llevar el yugo presente, determinaron los de Araucu, que eran los de Valdivia, y otros aliados con ellos, rebelarse; y assí lo pusieron por obra, haziendo grandes insolencias en todo lo que pudieron ofender a los españoles. El gobernador Pedro de Valdivia, que las supo, salió al castigo con ciento y cincuenta de a cavallo, no haziendo caso de los indios, como nunca lo han hecho los españoles en semejantes rebueltas y levantamiento; por esta sobervia han perescido muchos, como peresció Pedro de Valdivia y los que con él fueron, a manos de los que havían menospreciado.

Desta muerte, la primera nueva que vino al Perú fué a la Ciudad de la Plata, y la truxo un indio de Chili, escrita en dos dedos de papel, sin firma ni fecha de lugar ni tiempo, en que dezía: "A Pedro de Valdivia y a ciento y cincuenta lanças que con él ivan se los tragó la tierra". El treslado destas palabras, con testimonio de que las havía traído un indio de Chili, corrió luego por todo el Perú con gran escándalo de los españoles, no pudiendo atinar qué fuesse aquel tragárselos la tierra, porque no podían creer que hoviesse en indios pujança para matar ciento y cincuenta españoles de a cavallo, como nunca la havía havido hasta entonces, y dezían (por ser aquel reino, también como Perú, de tierra áspera, llena de sierras, valles y honduras, y ser la región subjeta a terremotos) que podría ser que caminando aquellos españoles por alguna quebrada honda, se huviesse caído algún pedaço de sierra y los huviesse coxido debaxo, y en esto se afirmavan todos, porque de la fuerça de los indios ni de su ánimo (según la espiriencia de tantos años atrás) no podían imaginar que los huviessen muerto en batalla. Estando en esta confussión los del Perú, les llegó al fin de más de sesenta días otra relación muy larga de la muerte de Valdivia y de los suyos, y de la manera cómo havía sido la última batalla que con los indios havían tenido. La cual referiré como la contava entonces la relación que de Chili embiaron, que haviendo dicho el levantamiento de los indios y las desvergüenças y maldades que havían hecho, procedía diziendo assí:

134

Cuando Valdivia llegó donde andavan los Araucos rebelados, halló doze o treze mill dellos, con los cuales huvo muchas batallas muy reñidas, en que siempre vencían los españoles; y los indios andavan ya tan amedrantados del tropel y furia de los cavallos, que no osavan salir a campaña rasa, porque diez cavallos rompían a mil indios. Solamente se entretenían en las sierras y montes, donde los cavallos no podían ser señores dellos, y de allí hazían el mal y daño que podían, sin querer oír partido alguno de los que les ofrescían, sino obstinados a morir por no ser vassallos ni sujetos de españoles. Assí anduvieron muchos días los unos y los otros. Estas malas nuevas ivan cada día la tierra adentro de los Araucos, y haviéndolas oído un capitán viejo que havía sido famoso en su milicia y estava ya retirado en su casa, salió a ver qué maravilla era aquélla que ciento y cincuenta hombres truxessen tan avassallados a doze o a treze mil hombres de guerra, y que no pudiessen valerse con ellos, lo cual no podía creer si aquellos españoles no eran demonios o hombres immortales, como a los principios lo creyeron los indios. Para desengañarse destas cosas quiso hallarse en la guerra y ver por sus ojos lo que en ella passava. Llegado a un alto, de donde descubría los dos exércitos, viendo el aloxamiento de los suyos tan largo y estendido y el de los españoles tan pequeño y recogido, estuvo mucho rato considerando qué fuesse la causa de que tan pocos venciessen a tantos, y haviendo mirado bien el sitio del campo, se havía ido a los suyos y llamado a consejo, y después de largos razonamientos de todo lo hasta allí sucedido, entre otras muchas preguntas les havía hecho éstas:

Si aquellos españoles eran hombres mortales como ellos o si eran immortales como el Sol y la luna; si sentían hambre, sed y cansancio; si tenían necesidad de dormir y descansar. En suma, preguntó si eran de carne y huesso o de hierro y azero; y de los cavallos hizo las mismas preguntas. Y siéndole respondido a todas que eran hombres como ellos y de la misma compostura y naturaleza, les havía dicho: "Pues idos todos a descansar, y mañana veremos en la batalla quién son más hombres, ellos o nosotros". Con esto se apartaron de su consejo, y al romper del alva del día siguiente mandó tocar arma, la cual dieron los indios con mucha mayor vozería y ruido de trompetas y atambores y otros muchos instrumentos semejantes que otras vezes, y en un punto armó el capitán viejo treze escuadrones, cada uno de a mil hombres, y los puso a la hila, uno en pos de otro.

CAPÍTULO XXII

Batalla con nueva orden y ardid de guerra de un indio, capitán viejo.

OS ESPAÑOLES salieron, a la grita de los indios, hermosamente armados, con grandes penachos en sus cabeças y en las de sus cavallos y con muchos pretales de cascaveles, y cuando vieron los escuadrones divididos, tuvieron en menos los enemigos, por parecerles que más fácilmente romperían muchos pequeños escuadrones que uno muy grande. El capitán indio, viendo los españoles en el campo, dixo a los del primer escuadrón: "Id vosotros, hermanos, a pelear con aquellos españoles, y no digo que los vençáis, sino que hagáis lo que pudiéredes en favor de vuestra patria. Y cuando no podáis más, huid, que yo os socorreré a tiempo, y los que huviéredes peleado en el primer escuadrón, bolviendo rotos, no os mezcléis con los del segundo, ni los del segundo con los del tercero, sino que os retiréis detrás de todos los escuadrones, que yo daré orden de lo que hayáis de hazer". Con este aviso embió el capitán viejo a pelear los suyos con los españoles, los cuales arremetieron con el primer escuadrón, y aunque los indios hizieron lo que pudieron en su defensa, los rompieron; también rompieron el segundo escuadrón, y el tercero, cuarto y quinto, con facilidad; mas no con tanta que no les costasse muchas heridas y muertes de algunos dellos y de sus cavallos.

El indio capitán, assí como se ivan desbaratando los primeros escuadrones, embiava poco a poco que fuessen a pelear por su orden los que sucedían. Y detrás de toda su gente tenía un capitán, el cual, de los indios huídos que havían peleado, bolvía a hazer nuevos escuadrones de a mil indios y les mandava dar de comer y de bever y que descansassen para bolver a pelear cuando les llegasse la vez. Los españoles, haviendo rompido cinco escuadrones, alçaron los ojos a ver los que les quedavan y vieron otros onze o doze delante de sí. Y aunque había más de tres horas que peleavan, se esforçaron de nuevo, y, apellidándosse unos a otros, arremetieron al sexto escuadrón, que iva en socorro del quinto, y lo rompieron, y también al seteno, octavo, noveno y décimo. Mas ellos ni sus cavallos no andavan ya con la pujança que a los principios, porque havía grandes siete horas que peleavan sin haver cessado un momento; que los indios no los dexavan descansar en común ni en particular, que apenas havían deshecho un escuadrón cuando entrava otro a pelear, y los desbaratados se salían de la batalla a descansar y ponerse en nuevos escuadrones. Aquella hora miraron los españoles por los enemigos y vieron que todavía tenían diez escuadrones en pie, mas con sus ánimos invencibles se esforçaron a pelear; empero, las fuerças estavan ya flacas y los cavallos desalentados, y con todo esso peleavan como mejor podían, por no mostrar flaqueza a los indios. Los cuales, de hora en hora, cobravan las fuerças que los españoles ivan perdiendo, porque sentían que ya no peleavan como al principio ni al medio de la batalla. Assí anduvieron los unos y los otros hasta las dos de la tarde.

Entonces el governador Pedro de Valdivia, viendo que todavía tenían ocho o nueve escuadrones que romper, y que, aunque rompiessen aquéllos, irían los indios haziendo otros de nuevo, considerando la nueva manera de pelear y que según lo passado del día tampoco les havía de dexar descansar la noche, como el día, le pareció será bien recogerse antes que los cavallos les faltassen del todo, y su intención era irse retirando hasta un passo estrecho que legua y media atrás havían dexado, donde, si llegassen, pensavan ser libres. Porque dos españoles a pie podían defender el passo a todo el exército contrario.

Con este acuerdo, aunque tarde, apellidó los suyos, como los iva topando en la batalla, y les dezía: "A recoger, cavalleros, y retirar poco a poco hasta el passo estrecho, y passe la palabra de unos a otros". Assí lo hizieron, y juntándose todos se fueron retirando, haziendo siempre rostro a los enemigos, más para defenderse que no para ofenderles.

CAPÍTULO XXIII

Vencen los indios por el aviso y traición de uno dellos.

A ESTA hora un indio, que desde muchacho se havía criado con el governador Pedro de Valdivia, llamado Felipe, y en nombre de indio Lautaru, hijo de uno de sus caciques (en quien pudo más la infidelidad y el amor de la patria que la fe que a Dios y a su amo devía), oyendo apellidarse los españoles para retirarse, cuyo lenguaje entendía por haverse criado entre ellos, temiendo no se contentassen sus parientes con verlos huir y los dexassen ir libres, salió a ellos dando vozes, diziendo: "No desmayéis, hermanos, que ya huyen estos ladrones y ponen su esperança en llegar hasta el passo estrecho. Por tanto, mirad lo que conviene a la libertad de nuestra patria y a la muerte y destruición destos traidores". Diziendo estas palabras, por animar los suyos con el exemplo, tomó una lança del suelo y se puso delante dellos a pelear contra los españoles.

El indio capitán viejo, cuyo fué aquel nuevo ardid de guerra, viendo el camino que los españoles tomavan y el aviso de Lautaru, entendió lo que pensavan hazer los enemigos, y luego mandó a dos escuadrones de los que no havían peleado, que, con buena orden y mucha diligencia, tomando atajos, fuessen a ocupar el passo estrecho que los españoles ivan a tomar y que se estuviessen quedos hasta que llegassen todos. Dada esta orden caminó, con los escuadrones que le havían quedado, en seguimiento de los españoles, y de cuando en cuando embiava compañías y gente de refresco que reforçassen la batalla y no dexassen descansar los enemigos, y también para que los indios que ivan cansados de pelear se saliessen de la pelea a tomar aliento para bolver de nuevo a la batalla. Desta manera los siguieron y fueron apretando y matando algunos, hasta el passo estrecho, sin dexar de pelear un momento. Y cuando llegaron al passo era ya cerca del sol puesto. Los españoles, viendo ocupado el passo que esperavan que les fuera defensa y guarida, desconfiaron del todo de escapar de la muerte; antes, certificados en ella para morir como cristianos, llamavan el nombre de Cristo, Nuestro Señor, y de la Virgen, su madre, y de los santos a quien más devoción tenían.

Los indios, viéndolos ya tan cansados que ni ellos ni sus cavallos no podían tenerse, arremetieron todos a una, assí los que les havían seguido como los que guardavan el passo, y asiendo cada cavallo quinze o veinte gandules, cuál por la cola, piernas, braços, crines, y otros, que acudían con las porras, herían los cavallos y cavalleros doquiera que les alcançavan, y los derribavan por tierra y los matavan con la mayor crueldad y ravia que podían mostrar. Al governador Pedro de Valdivia y a un clérigo que iva con él, tomaron vivos y los ataron a sendos palos hasta que se acabasse la pelea, para ver de espacio lo que harían dellos. Hasta aquí es la segunda nueva que, como he dicho, vino de Chili al Perú, del desbarate y pérdida de Vadivia, luego que sucedió, y embiáronla por relación de los indios amigos que en la batalla se hallaron; que fueron tres los que escaparon della, metidos en unas matas, con la escuridad de la noche. Y cuando los indios se huvieron recogido a celebrar su victoria, salieron de las matas, y como hombres que sabían bien el camino y eran leales a sus amos, más que Lautaru, fueron a dar a los españoles la nueva de la rota y destruición del famoso Pedro de Valdivia y de todos los que con él fueron.

***   ***   ***
***   ***   ***

la arena y nieblina que sobre la tierra caía, se escurecía de tal manera que en medio del día encendían lumbres para hazer lo que les convenía. Estas cosas y otras semejantes escrivieron que havían sucedido en aquella ciudad y su comarca, las cuales hemos dicho en suma, abreviando la relación que embiaron del Perú, que basta, porque los historiadores que escrivieren los sucessos destos tiempos están obligados a dezirlos más largamente cómo passaron.

Las desdichas de Chili diremos como vinieron escritas de allá, porque son a propósito de lo que se ha dicho de aquellos indios Araucos y sus hazañas, nascidas de aquel levantamiento del año de mil y quinientos y cincuenta y tres, que dura hasta hoy, que entra ya el año de mil y seiscientos y tres; y no sabemos cuándo tendrá fin; antes paresce que de año en año va tomando fuerças y ánimo para passar adelante, pues al fin de cuarenta y nueve años de su rebelión, y después de haver sustentado guerra perpetua a fuego y a sangre, todo este largo tiempo hizieron lo que veremos, que es sacado a la letra de una carta que escrivió un vezino de la ciudad de Sanctiago de Chili, la cual vino juntamente con la relación de las calamidades de Arequepa. Estas relaciones me dió un cavallero, señor y amigo mío, que estuvo en el Perú y fué capitán contra los amotinados que huvo en el reino de Quitu sobre la impusición de las alcavalas y sirvió mucho en ellas a la corona de España; dízese Martín Çuaço. El título de las desventuras de Chili dize: "Avisos de Chili". Y luego entra diziendo: "Cuando se acabavan de escrivir los avisos arriba dichos de Arequepa, llegaron de Chili otros, de grandíssimo dolor y sentimiento, que son los que se siguen, puestos de la misma manera que de allá vinieron.

"Relación de la pérdida y destruición de la ciudad de Valdivia, en Chili, que sucedió miércoles veinte y cuatro de noviembre de quinientos y noventa y nueve. Al amanecer de aquel día vino sobre aquella ciudad hasta cantidad de cinco mil indios de los comarcanos y de los distritos de la Imperial, Pica y Purem, los tres mil de a cavallo y los demás de a pie; dixeron traían más de setenta arcabuzeros y más de dozientas cotas. Los cuales llegaron al amanecer sin ser sentidos, por haverlos traído espías dobles de la dicha ciudad. Traxeron ordenadas cuadrillas, porque supieron que dormían los españoles en sus casas y que no tenían en el cuerpo de guardia más de cuatro hombres y dos que velavan de ronda; que los tenía la fortuna ciegos con dos *malocas* (que es lo mismo que correrías) que hizieron veinte días antes, y desbarataron un fuerte que tenían los indios hecho en la vega y ciénega de Paparlen, con muerte de muchos dellos; tantos, que se entendía que en ocho leguas a la redonda no podía venir indio porque havían recebido muy gran daño. Mas cohechando las espías dobles, salieron con el más bravo hecho que jamás bárbaros hizieron, que pusieron con gran secreto cerco a cada casa, con la gente que bastava para la que ya sabían los indios que havía dentro; y tomando las bocas de las calles, entraron en ellas, tomando arma a la ciudad desdichada, poniendo fuego a las casas y tomando las puertas para que no se escapasse nadie ni se pudiessen juntar unos con otros; y dentro de dos horas assolaron el pueblo a fuego y a sangre, ganaron los indios el fuerte y artillería, por no haver gente dentro. La gente rendida y muerta fué en número de cuatrocientos españoles, hombres y mujeres y criaturas. Saquearon trezientos mil pessos de despojos y no quedó cosa sin ser derribada y quemada. Los navíos de Vallano, Villarroel y otro de Diego de Rojas, se hizieron a lo largo por el río. Allí, con canoas, se escapó alguna gente, que si no fuera por esto no escapara quien truxera la nueva; huvo este rigor en los bárbaros por los muertos que en las dos correrías que arriba se dixo hizieron en ellos y por haver dado y vendido los más de sus mujeres y hijos que havían preso, a los mercaderes, para sacarlos fuera de su natural. Hizieron esto, haviendo tenido servidumbre de más de cincuenta años, siendo todos bautizados y haviendo tenido todo este tiempo sacerdotes que les administravan doctrina. Fué lo primero que quemaron los templos, haziendo gran destroço en las imágines y santos, haziéndolos pedaços con sacrílegas manos. Diez días después deste sucesso llegó al puerto de aquella ciudad el buen coronel Francisco del Campo con socorro de trezientos hombres que Su Excelencia embiava del Perú para el socorro de aquellas ciudades. Rescató allí un hijo y una hija suya, niños de poca edad, los cuales havía dexado en poder de una cuñada suya, y en este rebato los havían cautivado con los demás; luego, como vió la lastimosa pérdida de la ciudad, con grande ánimo y valor desembarcó su gente, para ir a socorro las ciudades de Osorno y Villarrica y la triste Imperial, de la cual no se sabía más de que havía un año que estava cercada de los enemigos; y entendían que eran todos muertos de hambre, porque no comían sino los cavallos muertos, y después perros y gatos y cueros de animales. Lo cual se supo por lo que avisaron los de aquella ciudad, que por el río abaxo vino un mensajero a suplicar y a pedir socorro, con lastimosos quexidos, de aquella miserable gente. Luego que el dicho coronel se desembarcó, determinó lo primero socorrer la ciudad de Osorno, porque supo que los enemigos, haviendo assolado la ciudad de Valdivia, victoriosos con este hecho, ivan a dar cabo a la dicha ciudad de Osorno, la cual socorrió el coronel y hizo otros buenos efetos. A la hora que escrivo ésta, ha venido nueva que los de la Imperial perescieron de hambre todos, después de un año de cerco. Sólo se escaparon veinte hombres, cuya suerte fué muy más trabajosa que la de los muertos, porque, necessitados de la hambre, se passaron al vando de los indios. En Angol mataron cuatro soldados; no se sabe quiénes son. Nuestro Señor se apiade de nosotros, amén. De Santiago de Chili y de março de mil y seiscientos años".

Todo esto, como se ha dicho, venía en las relaciones referidas del Perú y del reino de Chili, que ha sido gran plaga para toda aquella tierra, sin lo cual el Padre Diego de Alcobaça, ya otras vezes por mí nombrado, en una carta que me escrivió, año de mil y seiscientos y uno, entre otras cosas que me escrive de aquel Imperio, dize del reino de Chili estas palabras: "Chili está muy malo, y los indios tan diestros y resabiados en la guerra, que no hay indio que con una lança y a cavallo no salga a cualquiera soldado español, por valiente que sea, y cada año se haze gente en el Perú para ir allá, y van muchos y no buelve ninguno; han saqueado dos pueblos de españoles y muerto todos los que hallaron en ellos y llevádose las pobres hijas y mujeres, haviendo primero muerto los padres y hijos y todo género de servicio, y últimamente mataron en una emboscada al governador Loyola, casado con una hija de Don Diego Sairitúpac, el Inca, que salió de Uillcapampa antes que vuestra merced se fuera a essas partes. Dios haya misericordia de los muertos y ponga remedio en los vivos". Hasta aquí es del Padre Alcobaça, sin otras nuevas de mucha lástima que me escrive, que, por ser odiosas, no las digo, entre las cuales refiere las plagas de Arequepa, que una dellas fué que valió el trigo en ella aquel año a diez y a onze ducados, y el maíz a treze.

Con todo lo que se ha dicho de Arequepa, viven todavía sus trabajos con las inclemencias de todos los cuatro elementos que la persiguen, como consta por las relaciones que los Padres de la Sancta Compañía de Jesús embiaron a su Generalíssimo de los sucessos notables del Perú, del año de mil y seiscientos y dos. En las cuales dizen, aun no se han acabado las desventuras de aquella ciudad. Pero en las mismas relaciones dizen cuánto mayores son las del reino de Chili, que sucedieron a las que atrás hemos dicho, las cuales me dió el Padre Maestro Francisco de Castro, natural de Granada, que este año de seiscientos y cuatro es perfecto de las escuelas deste sancto colegio de Córdova y lee retórica en ellas; la relación del particular de Chili, sacado a la letra, con su título, dize assí:

"De la rebelión de los Araucos.

"De treze ciudades que havía en este reino de Chili, destruyeron los indios las seis que son: Valdivia, la Imperial, Angol, Sancta Cruz, Chillán y la Concepción. Derribaron, consumieron y talaron en ellas la habitación de sus casas, la honra de sus templos, la devoción y fe que resplandescía en ellos, la hermosura de sus campos, y el mayor que se padesció fué que con estas victorias crescieron los ánimos de los indios y tomaron avilantez para mayores robos e incendios, asolamientos, sacos y destruiciones de ciudades y monasterios. Hizieron estudio, en sus malas

143

mañas, artificiosos engaños; cercaron la ciudad de Osorno y, gastando las fuerças a los españoles, los fueron retirando a un fuerte, adonde los han tenido casi con un continuo cerco, sustentándose los assediados con unas semillas de yervas y con solas hojas de navos, y éstos no lo alcançavan todos, sino a muy buenas lançadas; en uno de los cercos que ha tenido esta ciudad quebraron las imágines de Nuestro Señor y Nuestra Señora y de los sanctos, con infinita paciencia de Dios por su invencible clemencia, pues no faltó poder para castigo, sino sobró bondad para tolerarlo y sufrirlo. En el último cerco que hizieron los indios a este fuerte, sin ser sentidos de los españoles mataron las centinelas, y a su salvo le entraron y apoderáronse dél con inhumanidad de bárbaros. Passavan a cuchillo todas las criaturas, maniatando todas las mujeres y monjas, queriéndolas llevar por sus cautivas. Pero estando codiciosos con sus despojos, ocupados en ellos y desordenados dándose priesa, y recogerlos y guardarlos, tuvieron lugar de reforçarse los ánimos de los españoles, y, rebolviendo sobre los enemigos, fué Dios servido de dar a los nuestros buena mano, que, quitándoles la presa de las mujeres y religiosas, aunque con pérdida de algunas pocas que llevaron consigo, los retiraron y ahuyentaron. La última victoria que los indios han tenido ha sido tomar a la Villarrica, assolándola, con mucha sangre de españoles derramada. Los enemigos le pegaron fuego por cuatro partes; mataron todos los religiosos de Sancto Domingo, San Francisco y Nuestra Señora de las Mercedes, y a los clérigos que allí estavan; llevaron cautivas todas las mujeres, que eran muchas y muy principales, con que se dió remate a una ciudad tan rica y un fin tal, con tan infelice suerte a un lugar, por su conoscida nobleza tan ilustre".

Hasta aquí es de la relación de Chili, que vino al principio deste año de seiscientos y cuatro. A todo lo cual no sé qué dezir, mas de que son secretos juizios de Dios, que sabe por qué lo permite. Y con esto bolveremos al buen Inca Yupanqui, y diremos lo poco que de su vida resta por dezir.

CAPÍTULO XXVI

Vida quieta y exercicios del Rey Inca Yupanqui hasta su muerte.

L REY Inca Yupanqui, haviendo dado orden y assiento en las provincias que sus capitanes conquistaron en el reino de Chili, assí en su idolatría como en el govierno de los vassallos y en la hazienda real y del Sol, determinó dexar del todo las conquistas de nuevas tierras, por parecerle que eran muchas las que por su persona y por sus capitanes havía ganado, que passava ya su Imperio de mil leguas de largo, por lo cual quiso atender lo que de la vida le quedava en ilustrar y ennoblescer sus reinos y señoríos, y assí mandó, para memoria de sus hazañas, labrar muchas fortalezas y nuevos y grandes edificios de templos para el Sol y casas para las escogidas, y para los Reyes hizo pósitos reales y comunes; mandó sacar grandes acequias y hazer muchos andenes. Añadió riquezas a las que havía en el templo del Sol, en el Cozco, que, aunque la casa no las havía menester, le paresció adornarla todo lo que pudiesse por mostrarse hijo del que tenía por padre. En suma, no dexó cosa, de las buenas que sus passados havían hecho para ennoblescer su Imperio, que él no hiziesse. Particularmente se ocupó en la obra de la fortaleza del Cozco, que su padre le dexó traçada y recogida grandíssima cantidad de piedras o peñas para aquel bravo edificio, que luego veremos. Visitó sus reinos por ver por sus ojos las necessidades de los vassallos, para que se remediassen. Las cuales socorría con tanto cuidado que mereció el renombre de pío. En estos exercicios vivió este Príncipe algunos años en suma paz y quietud, servido y amado de los suyos. Al cabo dellos enfermó, y, sintiéndose cercano a la muerte, llamó al príncipe heredero y a los demás sus hijos, y en lugar de testamento les encomendó la guarda de su idolatría, sus leyes y costumbres, la justicia y rectitud con los vassallos y el beneficio dellos; díxoles quedassen en paz, que su padre el Sol le llamava para que fuesse a descansar con él. Assí fallesció lleno de hazañas y trofeos, haviendo alargado su Imperio más de quinientas leguas de largo a la parte del sur, desde Atacama hasta el río Maulli. Y por la parte del norte más de ciento y cuarenta leguas por la costa, desde Chincha hasta Chimu. Fué llorado con gran sentimiento; celebraron sus obsequias un año, según la costumbre de los Incas; pusiéronle en el décimo número de sus dioses, hijos del Sol, porque fué el décimo Rey. Ofresciéronle muchos sacrificios. Dexó por successor y universal heredero a Túpac Inca Yupanqui, su hijo primogénito y de la Coya Chimpu Ocllo, su mujer y hermana. El nombre proprio desta Reina fué Chimpu; el nombre Ocllo era apellido sagrado entre ellos, y no proprio; dexó otros muchos hijos y hijas legítimos en sangre y no legítimos, que passaron de dozientos y cincuenta, que no son muchos, considerada la multitud de mujeres escogidas que en cada provincia tenían aquellos Reyes. Y porque este Inca dió principio a la obra de la fortaleza del Cozco, será bien la pongamos luego en pos de su autor, para que sea trofeo de sus trofeos, no solamente de los suyos, mas también de todos sus antepassados y successores; porque

la obra era tan grande que podía servir de
de dar fama a todos sus Reyes.

CAPÍTULO XXVII

La fortaleza del Cozco; el grandor de sus piedras.

ARAVILLOSOS edificios hizieron los Incas Reyes del Perú en fortalezas, en templos, en casas reales, en jardines, en pósitos y en caminos y otras fábricas de grande excelencia, como se muestran hoy por las ruinas que dellas han quedado, aunque mal se puede ver por los cimientos lo que fué todo el edificio.

La obra mayor y más sobervia que mandaron hazer para mostrar su poder y majestad fué la fortaleza del Cozco, cuyas grandezas son increíbles a quien no las ha visto, y al que las ha visto y mirado con atención le hazen imaginar y aun creer que son hechas por vía de encantamento y que las hizieron demonios y no hombres; porque la multitud de las piedras, tantas y tan grandes, como las que hay puestas en las tres cercas (que más son peñas que piedras), causa admiración imaginar cómo las pudieron cortar de las canteras de donde se sacaron; porque los indios no tuvieron hierro ni azero para las cortar ni labrar; pues pensar cómo las truxeron al edificio es dar en otra dificultad no menor, porque no tuvieron bueyes, ni supieron hazer carros ni hay carros que las puedan sufrir ni bueyes que basten a tirarlas; lleváremos arratrando a fuerça de braços con gruessas maromas; ni los caminos por do las llevavan eran llanos, sino sierras muy ásperas, con grandes cuestas, por do las subían y baxavan a pura fuerça de hombres. Muchas dellas llevaron de diez, doze, quinze leguas, particularmente la piedra, o, por dezir mejor, la peña que los indios llaman Saicusca, que quiere dezir cansada (porque no llegó al edificio); se sabe que la truxeron de quinze leguas de la ciudad y que passó el río de Yúcay, que es poco menor que Guadalquivir por Córdova. Las que llevaron de más cerca fueron de Muina, que está cinco leguas del Cozco. Pues passar adelante con la imaginación y pensar cómo pudieron ajustar tanto unas piedras tan grandes que apenas pueden meter la punta de un cuchillo por ellas, es nunca acabar. Muchas dellas están tan ajustadas que apenas se aparesce la juntura; para ajustarlas tanto era menester levantar y asentar la una piedra sobre la otra muy muchas vezes, porque no tuvieron escuadra ni supieron valerse siquiera de una regla para asentarla encima de una piedra y ver por ella si estava ajustada con la otra. Tampoco supieron hazer grúas ni garruchas ni otro ingenio alguno que les ayudara a subir y baxar las piedras, siendo ellas tan grandes que espantan, como lo dize el muy reverendo Padre Joseph de Acosta hablando desta misma fortaleza; que yo, por [no] tener la precisa medida del grandor de muchas de ellas, me quiero valer de la autoridad deste gran varón, que, aunque la he pedido a los condiscípulos y me le han embiado, no ha sido la relación tan clara y distinta como yo la pedía de los tamaños de las piedras mayores, que quisiera la medida por varas y ochavas, y no por braças como me la embiaron; quisiérala con testimonios de escrivanos, porque lo más maravilloso de aquel edificio es la increíble grandeza de las piedras, por el incomportable trabajo que era menester para las alçar y baxar hasta ajustarlas y ponerlas como están; porque no se alcança cómo se pudo hazer con no más ayuda de costa que la de los braços. Dice, pues, el Padre Acosta, libro seis, capítulo catorze: "Los edificios y fábricas que los Incas hizieron en fortalezas, en templos, en caminos, en casas de campo y otras, fueron muchos y de excessivo trabajo, como lo manifiestan el día de hoy las ruinas y pedaços que han quedado, como se veen en el Cozco y en Tiaguanaco y en Tambo y en otras partes, donde hay piedras de inmensa grandeza, que no se puede pensar cómo se cortaron y traxeron y assentaron donde están; para todos estos edificios y fortalezas que el Inca mandava hazer en el Cozco y en diversas partes de su reino, acudía grandíssimo número de todas las provincias; porque la labor es estraña y para espantar, y no usavan de mezcla ni tenían hierro ni azero para cortar y labrar las piedras, ni máquinas ni instrumentos para traerlas; y con todo esso están tan polidamente labradas que en muchas partes a pena se vee la juntura de unas con otras. Y son tan grandes muchas piedras destas como está dicho, que sería cosa increíble si no se viesse. En Tiaguanaco medí yo una piedra de treinta y ocho pies de largo y de diez y ocho de ancho, y el gruesso sería de seis pies; y en la muralla de la fortaleza del Cozco, que es de mampostería, hay muchas piedras de mucho mayor grandeza, y lo que más admira es que, no siendo cortadas éstas que digo de la muralla por regla, sino entre sí muy desiguales en el tamaño y en la fación, encaxan unas con otras con increíble juntura, sin mezcla. Todo esto se hazía a poder de mucha gente y con gran sufrimiento en el labrar, porque, para encaxar una piedra con otra, era forçoso provalla muchas vezes, no estando las más dellas iguales ni llanas", etc. Todas son palabras del Padre Maestro Acosta, sacadas a la letra, **147** por las cuales se verá la dificultad y el trabajo con que hizieron aquella fortaleza, porque no tuvieron instrumentos ni máquinas de qué ayudarse.

Los Incas, según lo manifiesta aquella su fábrica, parece que quisieron mostrar por ella la grandeza de su poder, como se vee en la inmensidad y majestad de la obra; la cual se hizo más para admirar que no para otro fin. También quisieron hazer muestra del ingenio de sus maestros y artífices, no sólo en la labor de la cantería pulida (que los españoles no acaban de encarecer), mas también en la obra de la cantería tosca, en la cual no mostraron menos primor que en la otra. Pretendieron assimesmo mostrarse hombres de guerra en la traça del edificio, dando a cada lugar lo necessario para defensa contra los enemigos.

La fortaleza edificaron en un cerro alto que está al setentrión de la ciudad, llamado Sacsahuaman, de cuyas faldas empieça la poblazón del Cozco y se tiende a todas partes por gran espacio. Aquel cerro (a la parte de la ciudad) está derecho, casi perpendicular, de manera que está segura la fortaleza de que por aquella vanda la acometan los enemigos en escuadrón formado ni de otra manera, ni hay sitio por allí donde puedan plantar artillería, aunque los indios no tuvieron noticia della hasta que fueron los españoles; por la seguridad que por aquella vanda tenía, les paresció que bastava cualquiera defensa, y assí echaron solamente un muro gruesso de cantería de piedra, ricamente labrada por todas cinco partes, si no era por el trasdós, como dizen los albañís; tenía aquel muro más de dozientas braças de largo: cada hilada de piedra era de diferente altor, y todas las piedras de cada hilada muy iguales y asentadas por hilo, con muy buena travazón; y tan ajustadas unas con otras por todas cuatro partes, que no admitían mezcla. Verdad es que no se la echavan de cal y arena, porque no supieron hazer cal; empero, echavan por mezcla una lechada de un barro colorado que hay, muy pegajoso, para que hinchesse y llenasse las picaduras que al labrar la piedra se hazían. En esta cerca mostraron fortaleza y pulicía, porque el muro era gruesso y la lavor muy pulida a ambas partes.

CAPÍTULO XXVIII

Tres muros de la cerca, lo más admirable de la obra.

EN CONTRA deste muro, por la otra parte, tiene el cerro un llano grande; por aquella vanda suben a lo alto del cerro con muy poca cuesta, por donde los enemigos podían arremeter en escuadrón formado. Allí hizieron tres muros, uno delante de otro, como va subiendo el cerro; tendrá cada muro más de dozientas braças de largo. Van hechos en forma de media luna, porque van a cerrar y juntarse con el otro muro pulido, que está a la parte de la ciudad. En el primer muro de aquellos tres quisieron mostrar la pujança de su poder, que, aunque todos tres son de una misma obra, aquél tiene la grandeza della, donde pusieron las piedras mayores, que hazen increíble el edificio a quien no lo ha visto y espantable a quien lo mira con atención, si considera bien la grandeza y la multitud de las piedras y el poco aliño que tenían para las cortar, labrar y assentar en la obra.

Tengo para mí que no son sacadas de canteras, porque no tienen muestra de haver sido cortadas, sino que llevavan las peñas sueltas y desasidas (que los canteros llaman *tormos*) que por aquellas sierras hallavan, acomodadas para la obra; y como las hallavan, assí las assentavan, porque unas son cóncavas de un cabo y convejas de otro y sesgas de otro. Unas con puntas a las esquinas y otras sin ellas, las cuales faltas o demasías no las procuravan quitar ni emparejar ni añadir, sino que el vazío y cóncavo de una peña grandíssima lo henchían con el lleno y convejo de otra peña tan grande y mayor, si mayor la podían hallar; y por el semejante el sesgo o derecho de una peña igualavan con el derecho o sesgo de otra; y la esquina que faltava a una peña la suplían sacándola de otra, no en pieça chica, que solamente hinchiesse aquella falta, sino arrimando otra peña con una punta sacada della, que cumpliesse la falta de la otra; de manera que la intención de aquellos indios parece que fué no poner en aquel muro piedras chicas, aunque fuesse para cumplir las faltas de las grandes, sino que todas fuessen de admirable grandeza, y que unas a otras se abraçassen, favoresciéndose todas, supliendo cada cual la falta de la otra, para mayor majestad del edificio, y esto es lo que el Padre Acosta quiso encarecer diziendo: "lo que más admira es que no siendo cortadas éstas de la muralla por regla, sino entre sí muy desiguales en el tamaño y en la fación, encaxan unas con otras con increíble juntura, sin mezcla". Con ir asentadas tan sin orden, regla ni compás, están las peñas por todas partes tan ajustadas unas con otras como la cantería pulida; la haz de aquellas peñas labraron toscamente; casi las dexaron como se estavan en su nascimiento; solamente para las junturas labraron de cada peña cuatro dedos, y aquello muy bien labrado; de manera que de lo tosco de la haz y de lo pulido de las junturas y del desorden del asiento de aquellas peñas y peñascos, vinieron a hazer una galana y vistosa labor.

Un sacerdote, natural de Montilla, que fué al Perú después que yo estoy en España y bolvió en breve tiempo, hablando desta fortaleza, particularmente de la monstruosidad de sus piedras, me dixo que antes de verlas nunca jamás imaginó creer que fuessen tan grandes como le havían dicho, y que después que las vió le parescieron mayores que la fama; y que entonces le nasció otra duda más dificultosa, que fué imaginar que no pudieron assentarlas en la obra sino por arte del demonio. Cierto tuvo razón de dificultar el cómo se assentaron en el edificio, aunque fuera con el ayuda de todas las máquinas que los ingenieros y maestros mayores de por acá tienen; cuanto más tan sin ellas, porque en esto eccede aquella obra a las siete que escriven por maravillas del mundo; porque hazer una muralla tan larga y ancha como la de Babilonia y un coloso de Rodas y las pirámides de Egipto y las demás obras, bien se vee cómo se pudieron hazer, que fué acudiendo gente innumerable y añadiendo de día en día y de año en año material a material y más material; esso me da que sea de ladrillo y betum, como la muralla de Babilonia, o de bronze y cobre, como el coloso de Rodas, o de piedra y mezcla, como las pirámides; en fin, se alcança el cómo las hizieron, que la pujança de la gente, mediante el largo tiempo, lo venció todo. Mas imaginar cómo pudieron aquellos indios tan sin máquinas, ingenios ni instrumentos, cortar, labrar, levantar y baxar peñas tan grandes (que más son pedaços de sierra que piedras de edificio), y ponerlas tan ajustadas como están, no se alcança; y por esto lo atribuyen a encantamento, por la familiaridad tan grande que con los demonios tenían.

En cada cerca, casi en medio della, havía una puerta, y cada puerta tenía una piedra levadiza del ancho y alto de la puerta con que la cerravan. A la primera llamaron Tiupuncu, que quiere dezir puerta del arenal, porque aquel llano es algo arenoso, de arena de hormigón: llaman *tiu* al arenal y a la arena, y *puncu* quiere dezir puerta. A la segunda llamaron Acahuana Puncu, porque el maestro mayor que la hizo se llamava Acahuana, pronunciada la sílaba *ca* en lo interior de la garganta. La tercera se llamó Viracocha Puncu, consagrada a su dios Viracocha, aquella fantasma de quien hablamos largo, que se aparesció al príncipe Viracocha Inca y le dió el aviso del levantamiento de los Chancas, por lo cual lo tuvieron por defensor y nuevo fundador de la ciudad del Cozco, y como a tal le dieron aquella puerta, pidiéndole fuesse guarda della y defensor de la fortaleza, como ya en tiempos passados lo havía sido de toda la ciudad y de todo su Imperio. Entre un muro y otro de aquellos tres, por todo el largo dellos, hay un espacio de veinte y cinco o treinta pies; está terraplenado hasta lo alto de cada muro; no sabré dezir si el

terrapleno es del mismo cerro que va subiendo o si es hecho a mano:
deve de ser de lo uno y de lo otro. Tenía cada cerca su antepecho de
más de una vara en alto, de donde podían pelear
con más defensa que al descubierto.

CAPÍTULO XXIX

Tres torreones, los maestros mayores y la piedra cansada.

PASSADAS aquellas tres cercas, hay una plaça larga y angosta, donde havía tres torreones fuertes, en triángulo prolongado, conforme al sitio. Al principal dellos, que estava en
medio, llamaron Móyoc Marca: quiere dezir fortaleza redonda, porque estava hecha en redondo. En ella havía una
fuente de mucha y muy buena agua, traída de lexos, por debaxo de
tierra. Los indios no saben dezir de dónde ni por dónde. Entre el Inca y
los del Supremo Concejo, andava secreta la tradición de semejantes
cosas. En aquel torreón se aposentavan los Reyes cuando subían a la
fortaleza a recrearse, donde todas las paredes estavan adornadas de oro
y plata, con animales y aves y plantas contrahechas al natural y enca-
xadas en ellas, que servían de tapicería. Havía assimismo mucha baxilla
y todo el demás servicio que hemos dicho que tenían las casas reales.

Al segundo torreón llamaron Páucar Marca, y al tercero Sácllac
Marca; ambos eran cuadrados; tenían muchos aposentos para los soldados que havía de guarda, los cuales se remudavan por su orden; havían
de ser de los Incas del previlegio, que los de otras naciones no podían entrar en aquella fortaleza; porque era casa del Sol, de armas y guerra,
como lo era el templo de oración y sacrificios. Tenía su capitán general como alcaide; havía de ser de la sangre real y de los legítimos; el
cual tenía sus tinientes y ministros, para cada ministerio el suyo: para la
milicia de los soldados, para la provisión de los bastimentos, para la lim-
pieza y pulicía de las armas, para el vestido y calçado que havía de depósito para la gente de guarnición que en la fortaleza havía.

Debaxo de los torreones havía labrado, debaxo de tierra, otro tanto
como encima; passavan las bóvedas de un torreón a otro, por las cuales
se comunicavan los torreones, también como por cima. En aquellos soterraños mostraron grande artificio; estavan labrados con tantas calles
y callejas, que cruzavan de una parte a otra con bueltas y rebueltas, y
tantas puertas, unas en contra de otras y todas de un tamaño que, a poco
trecho que entravan en el labirinto, perdían el tino y no acertavan a

salir; y aun los muy pláticos no osavan entrar sin guía; la cual havía de ser un ovillo de hilo gruesso que al entrar dexavan atado a la puerta, para salir guiándose por él. Bien muchacho, con otros de mi edad, subí muchas vezes a la fortaleza, y, con estar ya arruinado todo el edificio pulido —digo lo que estava sobre la tierra y aun mucho de lo que estava debaxo—, no osávamos entrar en algunos pedaços de aquellas bóvedas que havían quedado, sino hasta donde alcançava la luz del Sol, por no perdernos dentro, según el miedo que los indios nos ponían.

No supieron hazer bóveda de arco; yendo labrando las paredes, dexavan para los soterraños unos canezillos de piedra, sobre los cuales echavan, en lugar de vigas, piedras largas, labradas a todas seis hazes, muy ajustadas, que alcançavan de una pared a otra. Todo aquel gran edificio de la fortaleza fué de cantería pulida y cantería tosca, ricamente labrada, con mucho primor, donde mostraron los Incas lo que supieron y pudieron, con deseo que la obra se aventajasse en artificio y grandeza a todas las demás que hasta allí havían hecho, para que fuesse trofeo de sus trofeos, y assí fué el último dellos, porque pocos años después que se acabó entraron los españoles en aquel Imperio y atajaron otros tan grandes que se ivan haziendo.

Entendieron cuatro maestros mayores en la fábrica de aquella fortaleza. El primero y principal, a quien atribuyen la traça de la obra, fué Huallpa Rimachi Inca, y, para dezir que era el principal, le añidieron el nombre Apu, que es capitán o superior en cualquier ministerio, y assí le llaman Apu Huallpa Rimachi; al que le sucedió le llaman Inca Maricanchi. El tercero fué Acahuana Inca; a éste atribuyen mucha parte de los grandes edificios de Tiahuanacu, de los cuales hemos dicho atrás. El cuarto y último de los maestros se llamó Calla Cúnchuy; en tiempo déste truxeron la piedra cansada, a la cual puso el maestro mayor su nombre por que en ella se conservasse su memoria, cuya grandeza también, como de las demás sus iguales, es increíble. Holgara poner aquí la medida cierta del gruesso y alto della; no he merescido haverla precisa; remítome a los que la han visto. Está en el llano antes de la fortaleza; dizen los indios que del mucho trabajo que passó por el camino, hasta llegar allí, se cansó y lloró sangre, y que no pudo llegar al edificio. La piedra no está labrada sino tosca, como la arrancaron de donde estava escuadrada. Mucha parte della está debaxo de tierra; dízenme que ahora está más metida debaxo de tierra que yo la dexé, porque imaginaron que debaxo della havía gran tesoro y cavaron como pudieron para sacarlo; mas antes que llegassen al tesoro imaginado, se les hundió aquella gran peña y escondió la mayor parte de su grandor, y assí lo más della está debaxo de tierra. A una de sus esquinas altas tiene un agujero o dos, que, si no me acuerdo mal, passan la esquina de una parte a otra.

Dizen los indios que aquellos agujeros son los ojos de la piedra, por do lloró la sangre; del polvo que en los agujeros se recoge y del agua que llueve y corre por la piedra abaxo, se haze una mancha o señal algo bermeja, porque la tierra es vermeja en aquel sitio: dizen los indios que aquella señal quedó de la sangre que derramó cuando lloró. Tanto como esto afirmavan esta fábula, y yo se la oí muchas vezes.

La verdad historial, como la contavan los Incas amautas, que eran los sabios, filósofos y doctores en toda cosa de su gentilidad, es que traían la piedra más de veinte mil indios, arrastrándola con grandes maromas; ivan con gran tiento; el camino por do la llevavan es áspero, con muchas cuestas agras que subir y baxar; la mitad de la gente tirava de las maromas por delante, la otra mitad iva sosteniendo la peña con otras maromas que llevava asidas atrás, por que no rodasse por las cuestas abaxo y fuesse a parar donde no pudiessen sacarla.

En una de aquellas cuestas (por descuido que huvo entre los que ivan sosteniendo, que no tiraron todos a la par), venció el peso de la peña a la fuerça de los que la sostenían, y se soltó por la cuesta abaxo y mató tres o cuatro mil indios de los que la ivan guiando; mas con toda esta desgracia la subieron y pusieron en el llano donde ahora está. La sangre que derramó dizen que es la que lloró, porque la lloraron ellos y porque no llegó a ser puesta en el edificio. Dezían que se cansó y que no pudo llegar allá, porque ellos se cansaron de llevarla; de manera que lo que por ellos passó atribuyen a la peña; desta suerte tenían otras muchas fábulas que enseñavan por tradición a sus hijos y descendientes, para que quedasse memoria de los acaescimientos más notables que entre ellos passavan.

Los españoles, como embidiosos de sus admirables victorias, deviendo sustentar aquella fortaleza, aunque fuera reparándola a su costa, para que por ella vieran en siglos venideros cuán grandes havían sido las fuerças y el ánimo de los que la ganaron, y fuera eterna memoria de sus hazañas, no solamente no la sustentaron, mas ellos proprios la derribaron para edificar las casas particulares que hoy tienen en la ciudad del Cozco, que, por ahorrar la costa y la tardança y pesadumbre con que los indios labravan las piedras para los edificios, derribaron todo lo que de cantería pulida estava edificado dentro de las cercas, que no hay casa en la ciudad que no haya sido labrada con aquella piedra, a lo menos las que han labrado los españoles.

Las piedras mayores, que servían de vigas en los soterraños, sacaron para umbrales y portadas, y las piedras menores para los cimientos y paredes; y para las gradas de las escaleras buscavan las hiladas de piedra del altor que les convenía, y, haviéndola hallado, derribavan todas las hiladas que havía encima de la que havían menester, aunque fuessen diez o doze hiladas o muchas más. Desta manera echaron por tierra aquella gran majestad, indigna de tal estrago, que eternamente hará lástima a los que la miraren con atención de lo que fué; derribáronla con tanta priessa que aun yo no alcancé della sino las pocas reliquias que he dicho. Las tres murallas de peñas dexé en pie, porque no las pueden derribar por la grandeza dellas; y aun con todo esso, según me han dicho, han derribado parte dellas, buscando la cadena o maroma de oro que Huaina Cápac hizo; porque tuvieron conjecturas o rastros que la havían enterrado por allí.

Dió principio a la fábrica de aquella no bien encarescida y mal dibuxada fortaleza el buen Rey Inca Yupanqui, décimo de los Incas, aunque otros quieren dezir que fué su padre Pachacútec Inca; dízenlo porque dexó la traça y el modelo hecho y recogida grandíssima cantidad de piedra y peñas, que no huvo otro material en aquella obra. Tardó en acabarse más de cincuenta años, hasta los tiempos de Huaina Cápac, y aun dizen los indios que no estava acabada, porque la piedra cansada la havían traído para otra gran fábrica que pensavan hazer, la cual, con otras muchas que por todo aquel Imperio se hazían, atajaron las guerras civiles que poco después entre los dos hermanos Huáscar Inca y Atahuallpa se levantaron, en cuyo tiempo entraron los españoles, que las atajaron y derribaron del todo, como hoy están.

FIN DEL LIBRO SÉPTIMO

LIBRO OCTAVO
de los
COMENTARIOS REALES
DE LOS INCAS,

donde se verán las muchas conquistas que Túpac Inca Yupanqui, undécimo Rey, hizo, y tres casamientos que su hijo Huaina Cápac celebró; el testamento y muerte del dicho Túpac Inca; los animales mansos y bravos, miesses y legumbres, frutas y aves, y cuatro ríos famosos, piedras preciosas, oro y plata, y, en suma, todo lo que havía en aquel Imperio antes que los españoles fueran a él. Contiene veinte y cinco capítulos.

CAPÍTULO I

La conquista de la provincia Huacrachucu, y su nombre.

L GRAN Túpac Inca Yupanqui (cuyo apellido Túpac quiere dezir el que relumbra o resplandece, porque las grandezas deste Príncipe merescieron tal renombre), luego que murió su padre se puso la borla colorada, y, haviendo cumplido con sus obsequias y con las demás cerimonias y sacrificios que a los Reyes muertos les hazían, en que gastó el primer año de su reinado, salió a visitar sus reinos y provincias, que era lo primero que los Incas hazían heredando, para conocer y ser conoscidos y amados de sus vassallos, y para que assí los concejos y pueblos en común, como los vezinos en particular, le pidiessen de más cerca lo que bien les estuviesse; y también para que los governadores y juezes y los demás ministros de la justicia no se descuidassen o tiranizassen con el ausencia del Inca. En la visita gastó largos cuatro años, y, haviéndola acabado y dexado los vassallos muy satisfechos y contentos de sus grandezas y buena condición, mandó por el año venidero levantar cuarenta mil hombres de guerra para passar adelante en la conquista que sus passados le dexaron instruído, porque el principal blasón de que aquellos Incas se preciavan, y el velo con que cobrían su ambición por aumentar su Imperio, era dezir que les movía zelo de sacar los indios de las inhumanidades y bestialidades en que vivían y reduzirlos a vida moral y política y al conoscimiento y adoración de su padre el Sol, que ellos predicavan por Dios.

Levantada la gente, haviendo puesto orden quién quedasse en la ciudad por su lugarteniente, fué el Inca hasta Cassamarca, para de allí hazer su entrada a la provincia llamada Chachapuya, que, según el Padre Blas Valera, quiere dezir lugar de varones fuertes. Está al oriente de Cassamarca; era poblada de mucha gente muy valiente, los hombres muy bien dispuestos y las mujeres hermosas en estremo. Estos Chachapuyas adoravan culebras y tenían al ave cúntur por su principal Dios; desseava Túpac Inca Yupanqui reduzir aquella provincia a su Imperio, por ser muy famosa, la cual entonces tenía más de cuarenta mil vezinos; es asperíssima de sitio.

Traen estos indios Chachapuyas por tocado y divisa en la cabeça una honda, por la cual son conoscidos y se diferencian de las otras naciones; y la honda es de diferente hechura que lo que usan otros indios, y es la principal arma que en la guerra usavan, como los antiguos mallorquines.

Antes de la provincia Chachapuya hay otra que llaman Huacrachucu; es grande y asperíssima de sitio, y de gente en estremo feroz y belicosa. Traen por divisa en la cabeça, o traían (que ya todo está confundido), un cordón negro de lana con moscas blancas a trechos, y por plumaje una punta de cuerna de venado o de corço o de gamo, por do le llamaron Huacrachucu, que es tocado o sombrero de cuerno: llaman *chucu* al tocado de la cabeça, y *huacra* al cuerno. Los Huacrachucus adoravan culebras, antes que fuessen señoreados de los Incas, y las tenían pintadas por ídolos en sus templos y casas.

Al Inca le era necessario conquistar primero aquella provincia Huacrachucu para passar a la Chachapuya; y assí mandó endereçar su exército a ella. Los naturales se pusieron en defensa, atrevidos en la mucha aspereza de su tierra y aun confiados de la victoria, porque les parescía inexpugnable. Con esta confiança salieron a defender los passos, donde huvo grandes recuentros y muchas muertes de ambas partes. Lo cual visto por el Inca y por su Consejo, les paresció que si la guerra se llevava a fuego y sangre, sería con mucho daño de los suyos y total destruición de los enemigos. Por lo cual, haviendo ganado algunos passos fuertes, les embió a requerir con la paz y amistad, como lo havían de costumbre los Incas; díxoles que mirassen que más andava el Inca por hazerles bien (como lo havían hecho sus passados con todos los demás indios que havían reduzido a su Imperio) que no por señorearlos ni por el provecho que dellos podía esperar. Advirtiessen que no les quitavan nada de sus tierras y possessiones, antes se las aumentavan con nuevas acequias y otros beneficios; y que a los curacas los dexavan con el mismo señorío que antes se tenían, que no querían más de que adorassen al Sol y quitassen las inhumanidades que tuviessen. Sobre lo cual platicaron los Huacrachucus, y, aunque huvo muchos de parescer que recibiessen al Inca por señor, no se concertaron, porque la gente moça, como menos esperimentada y más en número, lo contradixeron, y salieron con su porfía y siguieron la guerra con mucho furor, paresciéndoles que estavan obligados a vencer o morir todos, pues havían contradicho a los viejos.

El Inca, por que los enemigos viessen que el haverles combidado con la paz no havía sido flaqueza de ánimo ni faltas de fuerças, sino piedad y mansedumbre tan acostumbrada por sus passados, mandó reforçar la guerra de veras, y que los acometiessen por muchas partes, repartiendo el exército por sus tercios para que los divirtiessen y enflaqueciessen las fuerças y el ánimo. Con el segundo acometimiento que los Incas hizieron, ganaron otras plaças y passos fuertes, apretaron a los enemigos de manera que les convino pedir misericordia. El Inca los recibió con mucha clemencia, por la común costumbre de aquellos Reyes, que siempre se preciaron della, y por combidar con ella a los comarcanos; y assí mandó a sus ministros que tratassen a los Huacrachucus como si fueran hermanos; mandó que a los curacas se les diesse mucha ropa de vestir de la fina, que llaman *compi*, y a la gente común de la que llaman *auasca;* mandó proveerles de mucho bastimento, porque con la guerra se les havía desperdiciado lo que tenían para su año, con lo cual quedaron muy contentos los nuevamente conquistados y perdieron el temor del castigo que por su rebeldía y pertinacia havían temido.

El Inca no quiso passar adelante en su conquista, por parescerle que se havía hecho harto en aquel verano en haver conquistado una provincia como aquélla, tan áspera de sitio y tan belicosa de gente; y también porque aquella tierra es muy lloviosa; mandó alojar su exército en la comarca de aquella frontera. Mandó assimismo que para el verano siguiente se aprestassen otros veinte mil hombres más; porque no pensava dilatar tanto sus conquistas como la passada.

A los nuevamente reduzidos mandó instruir en su vana religión y en sus leyes y costumbres morales, para que las supiessen guardar y cumplir. Mandó que se les diesse traça y orden para sacar acequias de agua y hazer andenes, allanando cerros y laderas que podían sembrarse y eran de tierra fértil, y por falta de aquella industria la tenían perdida, sin aprovecharse della. Todo lo cual reconoscieron aquellos indios que era en mucho beneficio dellos.

CAPÍTULO II

La conquista de los primeros pueblos de la provincia Chachapuya.

ENIDO el verano y la gente de socorro, mandó el gran Túpac Inca Yupanqui sacar su exército en campaña y caminar hazia la provincia Chachapuya. Embió un mensajero delante, según la costumbre antigua de los Incas, a protestarles la paz o la guerra. Los Chachapuyas respondieron resolutamente que ellos estavan apercebidos para las armas y para morir en la defensa de su libertad; que el Inca hiziesse lo que quisiesse, que ellos no querían ser sus vassallos.

Oída la respuesta, se empeçó la guerra cruel de ambas partes, con muchas muertes y heridas. Los Incas ivan determinados a no bolver atrás. Los Chachas (que también admite este nombre aquella nación) estavan resueltos de morir antes que dar la ventaja a sus enemigos; por esta obstinación de ambas partes huvo mucha mortandad en aquella conquista, y también porque los Chachas, viendo que el Imperio de los Incas se acercava a su provincia, la cual pudiéramos llamar reino porque tiene más de cincuenta leguas de largo y veinte de ancho, sin lo que entra hasta Muyupampa, que son otras treinta leguas de largo, se havían apercebido de algunos años atrás para defenderse, y havían hecho muchas fortalezas en sitios muy fuertes, como hoy se muestran, que todavía viven las reliquias; y havían cerrado muchos passos estrechos que hay, demás de la aspereza que aquella tierra tiene en sí, que es tan dificultosa de andar que por algunos caminos se desguindan los indios ocho y diez estados de alto; porque no hay otros passos para passar adelante.

Por estas dificultes ganaron los Incas, a mucha costa de su gente, algunos passos fortificados y algunas fortalezas que estimaron en mucho; y las primeras fueron en una cuesta que tiene dos leguas y media de subida, que llaman la cuesta de Pías, porque passada la cuesta está un pueblo que llaman assí. Es uno de los principales de aquella provincia; está diez y ocho leguas la tierra adentro, por la parte que entraron los Incas; todo aquel espacio ganaron con mucha dificultad. El pueblo hallaron desamparado, que, aunque el sitio era fuerte, tenían fortificados otros lugares más fuertes.

En Pías hallaron los Incas algunos viejos y viejas inútiles, que no pudieron subir a las sierras con los moços; tenían consigo muchos niños que sus padres no havían podido llevar a las fortalezas; a todos éstos mandó el gran Túpac Inca Yupanqui que los tratassen con mucha piedad y regalo.

Del pueblo Pías passó adelante con su exército, y en una abra o puerto de sierra nevada que ha por nombre Chírmac Cassa, que quiere dezir puerto dañoso, por ser de mucho daño a la gente que por él passa, se helaron trezientos soldados escogidos del Inca que ivan delante del exército descubriendo la tierra, que repentinamente les cogió un gran golpe de nieve que cayó y los ahogó y heló a todos, sin escapar alguno. Por esta desgracia no pudo el Inca passar el puerto por algunos días, y los Chachapuyas, entendiendo que lo hazía de temor, publicaron por toda su provincia que se havía retirado y huído dellos.

Passada la furia de la nieve, prosiguió el Inca en su conquista, y con grandes dificultades fué ganando palmo a palmo lo que hay hasta Cúntur Marca, que es otro pueblo principal, sin otros muchos menores que a una mano y a otra del camino real dexó ganados con gran trabajo, por la aspereza de los sitios y porque sus moradores los havían fortificado más de lo que de suyo lo eran. En el pueblo Cúntur Marca hizieron gran resistencia los naturales, que eran muchos; pelearon valerosamente y entretuvieron la guerra muchos días; mas como ya en aquellos tiempos la pujança de los Incas era tanta que no havía resistencia contra ella, ni los Chachas tenían otro socorro sino el de su valor y esfuerço, los ahogaron con la inundación de gente que sobre ellos cargaron; de tal manera que les fué forçoso rendirse a la voluntad del Inca. El cual los recibió con la clemencia acostumbrada y les hizo mercedes y regalos para aquietarles los ánimos y también para combidar a los no rendidos hiziessen lo mismo.

Haviendo dexado en Cúntur Marca ministros que assentassen lo ganado hasta allí, passó el Inca adelante y fué ganando los pueblos y fortalezas que halló por delante, aunque ya con menos trabajo y menos sangre; porque a exemplo de Cúntur Marca se rindieron los más; y los que peleavan no era con la obstinación que los passados. Desta manera llegó a otro pueblo de los principales, llamado Cassamarquilla, que está ocho leguas de Cúntur Marca, de camino muy áspero, de sierras y montañas bravas. En Cassamarquilla huvo mucha pelea por la mucha y muy belicosa gente que el pueblo tenía; mas passados algunos recuentros en que los Chachas conoscieron la pujança de los Incas, considerando que la mayor parte de su provincia estava ya sujeta al Inca, tuvieron por bien sujetarse ellos también.

CAPÍTULO III

La conquista de otros pueblos y de otras naciones bárbaras.

E CASSAMARQUILLA passó a otro pueblo principal, llamado Papamarca, que quiere dezir pueblo de papas, porque son muy grandes las que allí se dan. El Inca ganó aquel pueblo como los passados. De allí passó ocho leguas, conquistando todos los pueblos que halló, hasta un pueblo de los principales que llaman Raimipampa, que quiere dezir campo de la fiesta y pascua principal del Sol, llamada Raimi, de la cual hemos dado larga cuenta en su capítulo de por sí; y porque Túpac Inca Yupanqui, haviendo ganado aquel pueblo, que está en un hermosíssimo valle, celebró en el campo aquella fiesta del Sol, le llamaron assí, quitándole el nombre antiguo que tenía, porque es de saber, como se ha dicho, que era costumbre de los Incas celebrarla como quiera que pudiessen, dondequiera que les tomasse el tiempo de la fiesta, puesto que el sumo sacerdote y los demás Incas que en el Cozco se hallavan la celebravan allá con toda solenidad.

Ganado el pueblo Raimipampa, passó a otro llamado Suta, que está tres leguas adelante, y también lo ganó con facilidad, porque ya no hazían resistencia los naturales, viendo la mayor parte de la provincia en poder del Inca. De Suta fué el exército a otro pueblo grande que se dize Llauantu, que es el postrer pueblo principal de la provincia Chachapuya, el cual se dió como los demás de su nación, viendo que no se podían defender, y assí quedó el Inca por señor de toda aquella gran provincia, cuyos pueblos son los principales los que se han nombrado, sin los cuales tenía entonces una gran multitud de pueblos pequeños. Fué muy trabajosa de ganar esta gran provincia, y costó mucha gente al Inca, assí por el aspereza y dificultades de la tierra como por ser la gente animosa y valiente.

Desde Llauantu embió el gran Túpac Inca Yupanqui parte de su exército a la conquista y redución de una provincia llamada Muyupampa, por donde entró el valeroso Ancohualla cuando desamparó sus estados, por no reconoscer superioridad a los Incas, como se dixo en la vida del Inca Viracocha; la cual provincia está dentro en los Antis, y por confederación amigable o por sujeción de vassallaje, que no concuerdan en esto aquellos indios, reconoscía superioridad a los Chachas, y está casi treinta leguas de Llauantu, al levante.

Los naturales de Muyupampa, haviendo sabido que toda la provincia Chachapuya quedava sujeta al Inca, se rindieron con facilidad y protestaron de abraçar su idolatría y sus leyes y costumbres. Lo mismo hizieron los de la provincia llamada Cascayunca, y otras que hay en aquel distrito, de menor cuenta y nombre, todas las cuales se rindieron al Inca con poca o ninguna resistencia. El cual proveyó lo necessario para la vana creencia y adoración del Sol y para el beneficio de los vassallos; mandó sacar acequias y romper nuevas tierras, para que la provincia fuesse más abundante, y a los curacas dió mucha ropa, que ellos estimaron en mucho, y por entonces mandó parar la guerra hasta el verano venidero, y que alojassen el exército y truxessen de las provincias comarcanas mucho bastimento para la gente de guerra y para los vassallos nuevamente conquistados, que por la guerra passada padescían necesidad de comida. Venido el verano, fué Túpac Inca Yupanqui con exército de cuarenta mil hombres a la provincia Huancapampa, grande y poblada de mucha gente, empero de diversas naciones y lenguas; vivían divididas, cada nación de por sí, ajenos de paz y amistad unos con otros, sin señor ni república ni pueblos poblados; hazíanse guerra unos a otros bestialmente, porque ni reñían sobre el señorío, porque no lo havía, ni sabían qué era ser señor. Tampoco lo havían por quitarse las haziendas, porque no las tenían, que los más dellos andavan desnudos, que no supieron hazer de vestir. Tenían por premio de los vencedores las mujeres y hijas de los vencidos, que les quitavan todas las que podían haver, y los varones se comían unos a otros muy bestialmente.

En su religión fueron tan bestiales o más que en su vida moral; adoravan muchos dioses; cada nación, cada capitanía o cuadrilla y cada casa tenía el suyo. Unos adoravan animales, otros aves, otros yervas y plantas, otros cerros, fuentes y ríos, cada uno lo que se le antojava; sobre lo cual también havía grandes batallas y pendencias en común y particular, sobre cuál de sus dioses era el mejor. Por esta behetría en que vivían, sin conformidad alguna, fueron facilíssimos de conquistar, porque la defensa que hizieron fué huir como bestias a los montes y sierras ásperas, a las cuevas y resquicios de peñas, donde pudiessen esconderse; de donde a los más dellos sacó la hambre y reduxo a la obediencia y servicio del Inca; otros, que fueron más fieros y brutos, se dexaron morir de hambre en los disiertos.

El Rey Túpac Inca Yupanqui los hizo recoger con gran diligencia, y mandó darles maestros que les enseñassen a poblar pueblos, labrar las tierras y cubrir sus carnes, haziéndoles de vestir de lana y algodón; sacaron muchas y grandes acequias para regar los campos; cultivaron la provincia de manera que fué una de las mejores que huvo en el Perú. El tiempo adelante, para más la ilustrar, hizieron en ella templo para el Sol y casa de escogidas y otros muchos edificios; mandáronles echar por tierra sus dioses, y que adorassen al Sol por solo y universal Dios, y que no comiessen carne humana, so pena de la vida y de su total destruición; diéronles sacerdotes y hombres enseñados en sus leyes y costumbres, para que los industriassen en todo; y ellos se mostraron tan dóciles, que en

breve tiempo fueron muy políticos, y fueron aquellas dos provincias, Cascayunca y Huancapampa, de las mejores que huvo
en el Imperio de los Incas.

CAPÍTULO IV
La conquista de tres grandes provincias belicosas y muy pertinaces.

ECHA la conquista de la gran provincia Huancapampa, no saben dezir cuántos años después passaron los Incas adelante a conquistar otras tres provincias, que también contienen en sí muchas diversas naciones, empero al contrario de las passadas, que vivían como gente política, tenían sus pueblos y fortalezas y manera de govierno, juntávanse a sus tiempos para tratar del provecho de todos. No reconocían señor, pero de común consentimiento elegían governadores para la paz y capitanes para la guerra, a los cuales respectavan y obedecían con mucha veneración mientras exercitavan los oficios. Llámanse estas tres provincias, que eran las principales, Cassa, Ayahuaca y Callua. El Inca, luego que llegó a los términos dellas, embió a requerir los naturales le recibiessen por señor o se apercibiessen para la guerra. Respondieron que estavan apercebidos para morir en defensa de su libertad, que ellos nunca havían tenido señor ni lo desseavan. Con esto se encendió la guerra, cruelíssima de ambas partes, que no aprovechavan cosa alguna los ofrecimientos que el Inca les hazía con la paz y clemencia; a lo cual respondían los indios que no querían recebirla de quien pretendía hazerlos súbditos, quitándoles su antigua libertad; que le requerían los dexasse en ella y se fuesse en paz, que era la mayor merced que les podía hazer. Las provincias, unas a otras, se acudían con gran prontitud en todas sus necessidades; pelearon varonilmente, mataron mucha gente de los Incas, que passaron de ocho mil hombres, lo cual, visto por ellos, los apretaron malamente a fuego y a sangre con todas las persecuciones de la guerra; mas los contrarios las sufrían con grande ánimo por sustentar su libertad, y cuando les ganavan algunas plaças fuertes, los que escapavan se recogían a otras, y de allí a otras y a otras, desamparando sus proprias tierras y casas, sin atender a mujer ni hijos, que más querían morir peleando que verse súbditos de otro.

Los Incas les fueron ganando la tierra poco a poco, hasta arrinconarlos en lo último della, donde se fortalescieron para morir en su pertinacia. Allí estuvieron tan apretados que llegaron a lo último de la vida, pero siempre firmes en no sujetarse al Inca; lo cual visto por algunos capitanes que entre ellos huvo, más bien considerados, viendo que havían de perescer todos sin haver para qué, y que otras naciones tan libres como ellos se havían rendido al Inca y que antes se havían aumentado en bienes que menoscabado de los que tenían, tratándolo entre sí unos con otros acordaron todos los capitanes rendirse al Inca y entregar la gente, lo cual se hizo, aunque no sin alboroto de los soldados, que algunos se amotinaron; mas viendo el exemplo de los capitanes y los requirimientos que les hazían por la obediencia devida, se rindieron todos.

Túpac Inca Yupanqui los recibió con mucha afabilidad y lástima de que se huviessen dexado llegar a la estrema necesidad; mandó que los regalassen como a proprios hijos, y, porque faltavan muchos dellos, que havían perecido en la guerra, y quedavan las tierras muy despobladas, mandó que de otras provincias truxessen gente que las poblassen y cultivassen; y haviendo dexado todo lo necessario para el govierno y para su idolatría, se bolvió al Cozco, cansado y enfadado de aquella guerra, más por la obstinación y diminución de aquellos indios que no por las molestias della; y assí lo dezía muchas vezes, que si las provincias que havía adelante por conquistar no tomaran mal exemplo con la pertinacia de aquellas naciones, dexara de sujetarlas por entonces y aguardara tiempo que estuvieran más dispuestas para recebir el imperio de los Incas.

Algunos años se ocupó el gran Túpac Inca Yupanqui en visitar sus reinos y en ilustrarlos con edificios particulares en cada pueblo o provincia, como casas reales, fortalezas y pósitos y acequias y templos para el Sol y para las escogidas, y en otras obras generales para todo el reino, como fueron los caminos reales que mandó hazer, de los cuales hablaremos más largo en otra parte; particularmente tuvo gran cuidado de la obra de la fortaleza del Cozco, que su padre, Inca Yupanqui, dexó empeçada.

Passados algunos años en estos exercicios de paz, bolvió el Inca a la conquista de las provincias que havía al norte, que llaman Chinchasuyu, por reduzirla[s] a su Imperio; fué a la que llaman Huánucu, la cual contiene en sí muchas naciones desunidas y que se hazían guerra cruel unos a otros; vivían derramados por los campos, sin pueblos ni república; tenían algunas fortalezas en los altos, donde se acogían los vencidos; las cuales naciones el Inca conquistó con facilidad, por su acostumbrada clemencia, aunque al principio de la conquista, en algunos recuentros se mostraron los de Huánucu belicosos y desvergonçados; por lo cual los capitanes del Inca hizieron en ellos gran castigo, que los passavan a cuchillo con mucho rigor, mas el Inca los aplacó diziéndoles que no olvidassen la ley del primer Inca Manco Cápac, que mandava sujetassen los indios a su Imperio con halagos y regalos, y no con armas y sangre.

Los indios, escarmentados por una parte con el castigo y por otra movidos por los beneficios y promessas del Inca, se reduxeron con facilidad y poblaron pueblos y recibieron la idolatría y el govierno de los Incas, los cuales, en breve tiempo, enoblecieron mucho esta hermosa provincia de Huánucu por su fertilidad y buen temple; hiziénronla metrópoli y cabeça de otras muchas provincias que hay en su comarca. Edificaron en ella templo para el Sol, que no se hazía sino en las famosas provincias y por mucho favor; fundaron también casa de escogidas. Acudían al servicio destas dos casas veinte mil indios por año, por su rueda, y aun quieren dezir que treinta mil, según la muchedumbre de los que havía en su distrito. Pedro de Cieça, capítulo ochenta, dize de Huánucu lo que se sigue, sacado a la letra, sin otras cosas que hay que notar en aquel capítulo: "En lo que llaman Guánuco havía una casa real de admirable edificio, porque las piedras eran grandes y estavan muy pulidamente assentadas. Este palacio o aposento era cabeça de las provincias comarcanas a los Andes, y junto a él havía templo del Sol, con número de vírgines y ministros; y fué tan gran cosa en tiempo de los Incas, que havía a la contina, para solamente servicio dél, más de treinta mil indios. Los mayordomos de los Incas tenían cuidado de cobrar los tributos ordinarios, y las comarcas acudían con sus servicios a este palacio". Hasta aquí es de Cieça de León.

Hecha la conquista de Huánucu, que la hemos contado brevemente, y assí contaremos todo lo que se sigue si no se ofreciere cosa notable, que desseo llegar ya al fin de las conquistas que aquellos Reyes hizieron, por tratar de las guerras que Huáscar y Atahuallpa, nietos deste Inca Túpac Yupanqui, tuvieron. Dezimos que para el año venidero mandó el Inca apercebir un poderoso exército, porque propuso conquistar la gran provincia llamada Cañari, cabeça de otras muchas, poblada de mucha gente crescida, belicosa y valiente. Criavan por divisa los cavellos largos; recogíanlos todos en lo alto de la corona, donde los rebolvían y los dexavan hechos un ñudo; en la cabeça traían por tocado, los más nobles y curiosos, un aro de cedaço, de tres dedos en alto por medio del aro; echavan unas trenças de diversas colores; los plebeyos, y más aína los no curiosos y floxos, hazían en lugar del aro del cedaço otro semejante de una calabaça; y por esto a toda la nación Cañari llamavan los demás indios, para afrenta, *matiuma*, que quiere dezir cabeça de calabaça. Por estas divisas y otras semejantes que en tiempo de los Incas traían en las cabeças, era conoscido cada indio de qué provincia y nación era. En mi tiempo también andavan todos con sus divisas; ahora me dizen que está ya todo confundido. Andavan los Cañaris, antes de los Incas, mal vestidos o casi desnudos, ellos y sus mujeres, aunque todos procuravan traer cubiertas siquiera las vergüenças; havía muchos señores de vassallos, algunos dellos aliados entre sí. Estos eran los más pequeños, que se unían para defenderse de los mayores, que, como más poderosos, querían tiranizar y sujetar a los más flacos.

CAPÍTULO V
La conquista de la provincia Cañari, sus riquezas y templo.

TÚPAC Inca Yupanqui fué a la provincia Cañari, y de camino conquistó la que hay antes, que llaman Palta, de donde llevaron al Cozco o a sus valles calientes la fruta sabrosa y regalada que llaman *palta;* la cual provincia ganó el Inca con mucha facilidad, con regalos y caricias más que no con las armas, aunque es gente belicosa, pero puede mucho la mansedumbre de los Príncipes. Esta nación traía por divisa la cabeça tableada, que, en naciendo la criatura, le ponían una tablilla en la frente y otra en el colodrillo y las atavan ambas, y cada día las ivan apretando y juntando más y más, y siempre tenían la criatura echada de espaldas y no les quitavan las tablillas hasta los tres años; sacavan las cabeças feíssimas; y assí, por oprobrio, a cualquiera indio que tenía la frente más ancha que lo ordinario o el cogote llano le dezía[n] *Palta uma,* que es cabeça de Palta. Passó el Inca adelante, dexando ministros para el govierno espiritual y temporal de aquella provincia, y, llegando a los términos de los Cañaris, les embió los requirimientos acostumbrados, que se rindiessen o tomassen las armas. Los Cañaris estuvieron con alguna variedad en sus pareceres, mas al fin se conformaron en obedescer al Inca y recebirle por señor, porque vieron que por sus vandos y discordias no podían resistirle, y assí salieron con mucha fiesta a darle la obediencia. El exemplo de aquellos primeros imitaron todos los demás curacas, y se rindieron con facilidad. El Inca los recibió con mucho aplauso y les hizo mercedes; mandóles dar de vestir, que lo havían bien menester; ordenó que los dotrinassen en adorar al Sol y en la vida política que los Incas tenían. Antes de los Incas adoravan los Cañaris por principal Dios a la luna y segundariamente a los árboles grandes y las piedras que se diferenciavan de las comunes, particularmente si eran jaspeadas; con la dotrina de los Incas adoraron al Sol, al cual hizieron templo y casa de escogidas y muchos palacios para los Reyes.

Hizieron pósitos para la hazienda real y para los vassallos, aumentaron las tierras de lavor, sacaron acequias para regar; en suma, hizieron en aquella provincia todo lo que acostumbravan hazer en todas las que ganavan los Incas, y en aquélla se hizieron más aventajadamente, porque la dispusición de la tierra admitía muy bien cualquiera beneficio que se le hazía, de que los Cañaris holgaron mucho y fueron muy buenos vassallos, como lo mostraron en las guerras de Huáscar y Atahuallpa, aunque después, cuando los españoles entraron, uno de los Cañaris, que se les passó, bastó con su exemplo a que los suyos amassen a los españoles y aborreciessen a los Incas, como diremos lo uno y lo otro en sus lugares. Usança es del mundo dezir: "¡viva, que vence!". Hecha la conquista de los Cañaris, tuvo el gran Túpac Inca Yupanqui bien en qué entender y ordenar y dar assiento a las muchas y diversas naciones que se contienen debaxo del apellido Cañari; y, por favorescerlas más, quiso asistir personalmente a la doctrina y enseñança de su idolatría y leyes. En lo cual gastó mucho tiempo, por dexarlo bien assentado, pacífico y quieto; de manera que las demás provincias no sujetas se aficionassen al Imperio del Inca y holgassen recebirle por señor. Entre aquellas naciones hay una que llaman Quillacu; es gente vilíssima, tan mísera y apocada, que temen les ha de faltar la tierra y el agua y aun el aire; de donde nació un refrán entre los indios, y los españoles lo admitieron en su lenguaje: dezir *es un Quillacu,* para motejar a uno de avaro o de cualquiera otra baxeza. A los cuales particularmente mandó el Inca imponer el tributo que los tan desastrados pagavan de sus piojos, por obligarles a que se limpiassen y no se dexassen comer dellos.

Túpac Inca Yupanqui, y después su hijo Huaina Cápac, enoblescieron mucho estas provincias de los Cañaris, y la que llaman Tumipampa, con edificios y casas reales, entapiçados los aposentos con yervas, plantas y animales contrahechos al natural de oro y plata; las portadas estavan chapadas de oro con engastes de piedras finas, esmeraldas y turquesas; hizieron un famoso templo al Sol, assimismo chapado de oro y plata, porque aquellos indios se esforçavan en hazer grandes ostentaciones en el servicio de sus Reyes, y por lisonjearles empleavan en los templos y palacios reales cuanto tesoro podían hallar.

Pedro de Cieça, capítulo cuarenta y cuatro, dize largamente de la riqueza que havía en aquellos templos y aposentos reales de las provincias de los Cañaris hasta Tumipampa, que los españoles llaman Tome Bamba, sin necessidad de trocar las letras que truecan unas por otras; sin la cual riqueza dize que havía grandíssima suma de tesoro en cántaros y ollas y otras vasijas de servicio, y mucha ropa de vestir riquíssima, llena de argentería y chaquira. Toca en su historia muchos passos de las conquistas que hemos dicho. *Chaquira* llaman los españoles a unas cuentas de oro muy menudas, más que el aljófar muy menudo, que las hazen los indios con tanto primor y sutileza, que los mejores plateros que en Sevilla conocí me preguntavan cómo las hazían, porque, con ser tan menudas, son soldadas las junturas; yo truxe una poca a España y la miravan por gran maravilla. Haviendo hablado Pedro de Cieça muy largo del tesoro de las provincias de los Cañaris, dize estas palabras: "En fin, no puedo dezir tanto que no quede corto en querer engrandescer la riqueza que los Incas tenían en estos palacios reales". Y hablando en particular de los aposentos y templo de Tumipampa, dize: "Algunos indios quisieron dezir que la mayor parte de las piedras con que estavan hechos estos aposentos y templo del Sol las havían traído de la gran ciudad del Cozco por mandado del Rey Huaina Cápac y del gran Tupa Inca, su padre, con crescidas maromas, que no es pequeña admiración (si assí fué), por la grandeza y muy gran número de piedras y la gran longura del camino". Todas son, a la letra, palabras de aquel historiador, y aunque por ellas muestra poner duda en la relación de los indios, por la grandeza del hecho, yo, como indio, que conoscí la condición de los indios, osaré afirmar que passó assí; porque los Reyes Incas mandarían llevar las piedras del Cozco por hazer mayor favor y merced a aquella provincia, porque, como muchas vezes hemos dicho, las piedras y cualquiera otra cosa de aquella imperial ciudad tenían los indios por cosa sagrada. Pues como fuesse gran favor permitir y dar licencia para hazer templo del Sol en cualquiera principal provincia, porque era hazer a los naturales della ciudadanos del Cozco, y siendo tan estimada esta merced como los indios la estimavan, era mucho mayor favor y merced, sin encarecimiento alguno, mandar el Inca que llevassen las piedras del Cozco, porque aquel templo y palacios no solamente semejassen a los del Cozco, sino que fuessen los mismos, pues eran hechos de las mismas piedras y materiales. Y los indios, por gozar desta grandeza, que la tenían por cosa divina, se les haría descanso cualquiera trabajo que passassen en llevar las piedras por camino tan largo y tan fragoso como el que hay desde el Cozco a Tumipampa, que deven ser pocas menos de cuatrocientas leguas de largo, y la aspereza dellas no la creerán sino los que las huvieren caminado, por lo cual dexaré yo de dezirlo aquí. Y el dar cuenta los indios a Pedro de Cieça, diziendo que la mayor parte de las piedras con que estavan hechos aquellos palacios y aquel su templo del Sol las havían traído del Cozco, más fué por jatarse de la gran merced y favor que sus Reyes les havían hecho en mandárselas traer que por encarescer el trabajo de haverlas traído de tan lexos. Y véese esto claro, porque en ninguna otra parte de su historia

167

haze el autor mención de semejante relación en cosa de edificios; y esto
baste para ver la grandeza y riqueza de los palacios reales y templos
del Sol que huvo en Tumipampa y en todo el Perú.

CAPÍTULO VI

La conquista de otras muchas y grandes provincias, hasta los términos de Quitu.

DADA la orden para todo lo que se ha dicho acerca de las
provincias de los Cañaris, se bolvió el Inca al Cozco, donde
gastó algunos años en los exercicios del govierno de sus reinos, haziendo oficio de gran príncipe. Mas como los Incas,
por la natural costumbre de los poderosos, estuviessen tan
ambiciosos por aumentar su Imperio, hazíaseles de mal perder mucho
tiempo de sus conquistas, por lo cual mandó levantar un famoso exército,
y con él caminó hasta ponerse en los confines de Tumipampa, y de allí
empeçó su conquista y ganó muchas provincias que hay hasta los confines
del reino de Quitu, en espacio de pocas menos de cincuenta leguas, que
las más nombradas son: Chanchan Moca, Quesna, Pumallacta —que
quiere dezir tierra de leones, porque se crían en ella más que en sus comarcanas y los adoravan por dioses—, Ticçampi, Tiucassa, Cayampi, Urco-
llasu y Tincuracu, sin otras muchas que hay en aquella comarca, de menos
cuenta; las cuales fueron fáciles de ganar, que las más son mal pobladas y
de tierra estéril, de gente muy rústica, sin señores ni govierno ni otra policía alguna, sin ley ni religión; cada uno adorava por dios lo que se le
antojava; otros muchos no sabían qué era adorar, y assí vivían como bestias sueltas y derramadas por los campos; con los cuales se trabajó más en
dotrinarlos y reduzirlos a urbanidad y pulicía que en sujetarlos. Enseñá-
ronles a hazer de vestir y calçar, y a cultivar la tierra, sacando acequias y
haziendo andenes para fertilizarla. En todas aquellas provincias hizieron
los Incas, por los caminos reales, pósitos para la gente de guerra y aposentos
para los Reyes; mas no hizieron templos para el Sol ni casas para sus
vírgines escogidas, por la incapacidad y vileza de su moradores; impu-
siéronles el tributo de los piojos en particular.

Andando el Inca Túpac Yupanqui ocupado en la conquista y enseñança de las provincias arriba nombradas, otras naciones que están al
poniente de aquéllas, en los confines de la provincia que los españoles
llaman Puerto Viejo, le embiaron sus embaxadores con presentes, suplicándole quisiesse recebirlos por sus vassallos y súbditos, y les embiasse

capitanes y maestros que les enseñassen hazer pueblos y a cultivar los campos, para que viviessen como hombres, que ellos le prometían ser leales vassallos. Los principales autores desta embaxada fueron los de la nación llamada Huancauillca. El Inca los recibió con mucha afabilidad y les hizo mercedes, y mandó les diessen recaudo de todo lo que venían a pedir. Llevaron maestros para su idolatría y para las buenas costumbres, e ingenieros para sacar acequias, cultivar los campos y poblar sus pueblos; a los cuales todos mataron después con mucha ingratitud de los beneficios recebidos y menosprecio de las promesas que hizieron al Inca, como lo refiere también Pedro de Cieça de León en su demarcación, que, por ser a propósito de lo que en muchas partes de nuestra historia hemos repetido de la mansedumbre y afabilidad de los Reyes Incas y de las cosas que enseñaron a los indios que a su imperio reduzían, me paresció poner aquí sus mismas palabras sacadas a la letra, las que en este passo escrive, para que se vea que lo que dezimos de los Incas lo dizen también los historiadores españoles. En el capítulo cuarenta y siete, hablando de aquellas provincias, dize lo que se sigue:

"Bolviendo, pues a[l] propósito digo que (según yo tengo entendido de indios viejos, capitanes que fueron de Guaina Capa) que en tiempo del gran Topa Inga Yupangue vinieron ciertos capitanes suyos con alguna copia de gente, sacada de las guarniciones ordinarias que estavan en muchas provincias del reino; y con mañas y maneras que tuvieron los atraxeron a la amistad y servicio de Topa Inga Yupangue; y muchos de los principales fueron con presentes a la provincia de los Paltas, a le hazer reverencia, y él los recibió benignamente y con mucho amor, dando a algunos de los que le vinieron a ver pieças ricas de lana, hechas en el Cuzco. Y como le conviniesse bolver a las provincias de arriba, adonde por su gran valor era tan estimado que le llamavan padre y le honravan con nombres preminentes; y fué tanta su benevolencia y amor para con todos que adquirió entre ellos fama perpetua; y por dar assiento en cosas tocantes al buen govierno del reino, partió, sin poder por su persona visitar las provincias destos indios. En las cuales dexó algunos governadores y naturales del Cuzco, para que les hiziessen entender la manera con que havían de vivir para no ser tan rústicos y para otros efectos provechosos. Pero ellos no solamente no quisieron admitir el buen desseo destos que por mandado de Topa Inga quedaron en estas provincias para que los encaminassen en buen uso de vivir y en la policía y costumbres suyas; y les hiziessen entender lo tocante al agricultura y les diessen manera de vivir con más acertada orden de la que ellos usavan; mas antes, en pago del beneficio que recibieran (si no fueran tan mal conoscidos), los mataron todos, que no quedó ninguno en los términos desta comarca sin que les hiziessen mal ni les fuessen tiranos, para que lo mereciessen.

"Esta grande crueldad afirman que entendió Topa Inga, y por otras causas muy importantes la dissimuló, no pudiendo entender en castigar a los que tan malamente havían muerto estos sus capitanes y vassallos". Hasta aquí es de Pedro de Cieça, con que acaba el capítulo referido. El Inca, hecha la conquista de aquellas provincias, se bolvió al Cozco a descansar de los trabajos y pesadumbres de la guerra.

CAPÍTULO VII

Haze el Inca la conquista de Quitu; hállase en ella el príncipe Huaina Cápac.

AVIENDO gastado Túpac Inca Yupanqui algunos años en la quietud de la paz, determinó hazer la conquista del reino de Quitu, por ser famoso y grande, que tiene setenta leguas de largo y treinta de ancho, tierra fértil y abundante, dispuesta para cualquiera beneficio de los que se hazían para la agricultura y provecho de los naturales. Para la cual mandó apercebir cuarenta mil hombres de guerra, y con ellos se puso en Tumi Pampa, que está a los términos de aquel reino, de donde embió los requirimientos acostumbrados al rey Quitu, que havía el mismo nombre de su tierra. El cual, de su condición, era bárbaro, de mucha rusticidad, y, conforme a ella, era áspero y belicoso, temido de todos sus comarcanos por su mucho poder, por el gran señorío que tenía. El cual, confiado en sus fuerças, respondió con mucha sobervia diziendo que él era señor, y no quería reconoscer otro ni quería leyes ajenas, que él dava a sus vassallos las que se le antojavan, ni quería dexar sus dioses, que eran de sus passados y se hallava bien con ellos, que eran venados y árboles grandes que les davan leña y carne para el sustento de la vida. El Inca, oída la respuesta, fué contemporizando la guerra, sin romperla de hecho, por atraherlos con caricias y afabilidad, conforme a la costumbre de sus antepassados, mas los de Quitu se mostravan tanto más sobervios cuanto más afable sentían al Inca; de lo cual se causó durar la guerra muchos meses y años, con escaramuças, recuentros y batallas ligeras, en las cuales huvo muchos muertos y heridos de ambas partes.

Viendo Túpac Inca Yupanqui que la conquista iva muy a la larga, embió por su hijo primogénito, llamado Huaina Cápac, que era el príncipe heredero, para que se exercitasse en la milicia. Mandó que llevasse consigo doze mil hombres de guerra. Su madre, la reina, se llamó Mama Ocllo; era hermana de su padre, según la costumbre de aquellos Reyes. Llamaron a este príncipe Huaina Cápac, que, según la común interpretación de los historiadores españoles y según el sonido de la letra, quieren que diga Moço Rico, y paresce que es assí, según el lenguaje común. Mas aquellos indios, en la impusición de los nombres y renombres que davan a sus Reyes, tenían (como ya hemos dicho) otro intento, otro frasis y elegancia, diferente del común lenguaje, que era mirar con atención las muestras y señales que los príncipes, cuando moços, davan de las virtudes reales que prometían para delante; miravan también los beneficios y grandezas que hazían cuando hombres, para darles el nombre y renombre conforme a ellas; y porque este príncipe mostró desde muy moço las realezas y magnanimidad de su ánimo, le llamaron Huaina Cápac, que, en los nombres reales, quiere dezir: desde moço, rico de hazañas magnánimas; que por las que hizo el primer Inca Manco Cápac con sus primeros vassallos le dieron este nombre Cápac, que quiere dezir rico, no de bienes de fortuna, sino de excelencia y grandezas de ánimo; y de allí quedó aplicarse este nombre solamente a las casas reales, que dizen Cápac Aillu, que es la generación y parentela real; Cápac Raimi llamavan a la fiesta principal del Sol, y, baxando más abaxo, dezían Cápac Runa, que es vassallos del rico, que se entendía por el Inca y no por otro señor de vassallos, por muchos que tuviesse ni por muy rico que fuesse; y assí otras muchas cosas semejantes que querían engrandescer con este apellido Cápac.

Entre otras grandezas que este príncipe tuvo, con las cuales obligó a sus vassallos a que le diessen tan temprano el nombre Cápac, fué una que guardó siempre, assí cuando era príncipe como después, cuando fué monarca, la cual los indios estimaron sobre todas las que tuvo, y fué que jamás negó petición que mujer alguna le hiziesse, de cualquiera edad, calidad y condición que fuesse; y a cada una respondía conforme a la edad que tenía. A la que era mayor de días que el Inca, le dizía: "Madre, hágase lo que mandas"; y a la que era igual en edad, poco más o menos, le dizía: "Hermana, hazerse ha lo que quieres"; y a la que era menor dizía: "Hija, cumplirse ha lo que pides". Y a todas igualmente les ponía la mano derecha sobre el hombro izquierdo, en señal de favor y testimonio de la merced que les hazía. Y esta magnanimidad la tuvo tan constante, que aun en negocios de grandíssima importancia, contra su propria majestad, la sustentó, como adelante veremos.

Este príncipe, que era ya de cerca de veinte años, reforçó la guerra y fué ganando el reino poco a poco, ofreciendo siempre la paz y amistad que los Incas ofrescían en sus conquistas; mas los contrarios, que era gente rústica, mal vestida y nada política, nunca la quisieron admitir.

Túpac Inca Yupanqui, viendo la buena maña que el príncipe dava a la guerra, se bolvió al Cozco, para atender al govierno de su Imperio, dexando a Huaina Cápac absoluto poder para lo de la milicia. El cual, mediante sus buenos capitanes, ganó todo el reino en espacio de tres años, *171* aunque los de Quitu dizen que fueron cinco; deven de contar dos años o poco menos que Túpac Inca Yupanqui gastó en la conquista antes que llamasse al hijo; y assí dizen los indios que ambos ganaron aquel reino. Duró tanto la conquista de Quitu porque los Reyes Incas, padre y hijo, no quisieron hazer la guerra a fuego y a sangre, sino que ivan ganando la tierra como los naturales la ivan dexando y retirándose poco a poco. Y aun dizen que durara más si al cabo de los cinco años no muriera el Rey de Quitu. El cual murió de aflición, de ver perdida la mayor parte de su principado y que no podía defender lo que le quedava ni osava fiar de la clemencia del príncipe ni aceptar los partidos que le ofrescía, por parescerle que su rebeldía passada no merescía perdón ninguno. Metido en estas afliciones y fatigado dellas, murió aquel pobre Rey; sus capitanes se entregaron luego a merced del Inca Huaina Cápac, el cual los rescibió con mucha afabilidad y les hizo merced de mucha ropa de su vestir, que era lo más estimado de los indios, y otras dádivas muy favorables; y a la gente común mandó que tratassen con mucho regalo y amistad. En suma, hizo con los de aquel reino todas las generosidades que pudo, para mostrar su clemencia y mansedumbre; y a la misma tierra mostró también el amor que le tenía por ser la primera que ganava; que luego, como se aquietó la guerra, sin las acequias de agua y los demás beneficios ordinarios que se hazían para fertilizar el campo, mandó hazer templo para el Sol y casa de escogidas, con todo el ornamento y riqueza que las demás casas y templos tenían. En todo lo cual se aventajaron mucho aquellos indios, porque la tierra tenía mucho oro sacado para el servicio de su Rey y mucho más que después sacaron para servir al príncipe Huaina Cápac, porque le sintieron el afición que les havía cobrado; la cual cresció adelante en tanto grado, que le hizo hazer estremos nunca usados por los Reyes Incas, que fueron causa que su Imperio se perdiesse y su sangre real se apagasse y consumiesse.

Huaina Cápac passó adelante de Quitu y llegó a otra provincia llamada Quillacenca: quiere dezir nariz de hierro, porque se horadavan la ternilla que hay entre las ventanas de las narizes, y traían colgando sobre los labrios un joyelito de cobre o de oro o de plata, como un çarcillo; hallólos el Inca muy viles y suzios, mal vestidos y llenos de piojos, que no eran para quitárselos, sin idolatría alguna, que no sabían qué cosa era adorar, si ya no dixéssemos que adoravan la carne, porque son tan golosos por ella que hurtan cualquier ganado que hallan; y el cavallo o yegua o cualquiera otra res que hoy hallen muerta, por muy podrida que esté, se la comen con grandíssimo gusto; fueron fáciles de reduzir, como gente vil, poco menos que bestias. De allí passó el Inca a otra provincia, llamada Pastu, de gente no menos vil que la passada, y tan contraria en el comer de la carne que de ninguna manera la comían; y

apretándoles que la comiessen, dezían que no eran perros. Atraxéronlos al servicio del Inca con facilidad, diéronles maestros que les enseñassen a vivir, y entre los demás beneficios que les hizieron para la vida natural, fué imponerles el tributo de los piojos, por que no se dexassen morir comidos dellos. De Pastu fué a otra provincia llamada Otauallu, de gente más política y más belicosa que la passada; hizieron alguna resistencia al Inca, mas luego se rindieron, porque vieron que no podían defenderse de un príncipe tan poderoso. Dexando allí la orden que convenía, passó a otra gran provincia que ha por nombre Caranque, de gente barbaríssima en vida y costumbres: adoravan tigres y leones y culebras grandes, ofrescían en sus sacrificios coraçones y sangre humana, la que podían haver de sus comarcanos, que con todos ellos tenían guerra solamente por el gusto y codicia de tener enemigos que prender y matar, para comérselos. A los principios resistieron al Inca con gran ferocidad, mas en pocos días se desengañaron y se rindieron. Huaina Cápac les dió maestros para su idolatría y vida moral; mandóles quitar los ídolos y el sacrificar sangre y comer carne humana, que fué lo que ellos más sintieron, porque eran golosíssimos della. Ésta fué la última conquista de las provincias que por aquella vanda confinavan
con el reino de Quitu.

CAPÍTULO VIII

Tres casamientos de Huaina Cápac; la muerte de su padre y sus dichos.

TÚPAC Inca Yupanqui, del todo apartado de la guerra, entendía en governar su Imperio; visitávalo a sus tiempos, por regalar los vassallos, que sentían grandíssimo favor de ver al Inca en sus tierras; ocupóse muy de veras en la obra de la fortaleza del Cozco, que su padre dexó traçada y empeçada. Havía muchos años que durava esta obra, en la cual trabajavan más de veinte mil indios con tanta orden y concierto que cada nación, cada provincia, acudía al trabajo y al oficio que le estava señalado, que parecía una casa muy puesta en orden. Visitava por sus governadores el reino de Chili cada dos, tres años; embiava mucha ropa fina y preseas de su persona para los curacas y sus deudos, y otra mucha ropa de la común para los vassallos. De allá le embiavan los caciques mucho oro y mucha plumería y otros frutos de la tierra; y esto duró hasta que Don Diego de Almagro entró en aquel reino, como adelante veremos.

El príncipe Huaina Cápac, hecha la conquista del reino de Quitu y de las provincias Quillacenca, Pastu, Otauallu y Caranque, y dada orden de lo que convenía a toda aquella frontera, se bolvió al Cozco a dar cuenta a su padre de lo que en su servicio havía hecho; fué recebido con grandíssimo triunfo; desta venida casó segunda vez con la segunda hermana, llamada Raua Ocllo, porque de la primera mujer y hermana mayor, que havía por nombre Pillcu Huaco, no tuvo hijos; y por que el heredero del reino fuesse heredero legítimo por el padre y por la madre, como aquellos Reyes lo tenían de ley y costumbre, casó con la segunda hermana; también casó legítimamente, según sus leyes y fueros, con Mama Runtu, su prima hermana, hija de su tío Auqui Amaru Túpac Inca, hermano segundo de su padre. *Auqui* es nombre apelativo: quiere dezir infante; davan este apellido a los hijos segundos del Rey, y por participación a todos los de la sangre real, y no a la gente común, por grandes señores que fuessen. *Amaru* es nombre de las muy grandes culebras que hay en los Antis. Los Incas tomavan semejantes nombres de animales o flores o yervas, dando a entender que, como aquellas cosas se estremavan entre las de su especie, assí lo havían de hazer ellos entre los hombres.

El Rey Túpac Inca Yupanqui y todos los de su Consejo ordenaron que aquellas dos mujeres fuessen ligítimas mujeres, tenidas por reinas como la primera, y no por concubinas; cuyos hijos sucediessen por su orden en la herencia del reino; hizieron esta prevención por la esterilidad de la primera, que los escandalizó mucho; y el tercer casamiento fué con la prima hermana, porque no tuvo Huaina Cápac hermana tercera ligítima de padre y madre; y por falta della le dieron por mujer la prima hermana, que después de sus hermanas era la más propincua al árbol real. De Raua Ocllo, su hermana, huvo Huaina Cápac a Huáscar Inca. Huáscar es nombre apelativo; adelante, en su lugar, diremos cómo y por qué le pusieron este nombre, siendo el suyo proprio Inti Cusi Huallpa. De la tercera mujer, que fué su prima hermana, huvo a Manco Inca, que también sucedió en el reino, aunque no más de en el nombre, porque estava ya enajenado, como adelante veremos.

Passados algunos años de la quietud y sossiego en que Túpac Inca Yupanqui vivía, adolesció de manera que sintió morirse; llamó al príncipe Huaina Cápac y a los demás hijos que tenía, que fueron muchos, que entre varones y hembras passaron de dozientos. Hízoles el parlamento que los Reyes acostumbravan por vía de testamento; encomendóles la paz y justicia y el beneficio de los vassallos; encargóles que en todo se mostrassen verdaderos hijos del Sol. Al príncipe heredero le encomendó en particular la redución y conquista de los bárbaros, que los atraxesse a la adoración y servicio del Sol y a la vida política, y que en todo presumiesse parescer a sus antepassados. A lo último le encargó el castigo de la alevosía y traición que los de Puerto Viejo y su comarca, principalmente los Huancauillcas, hizieron en matar los capitanes y los demás ministros que a pedimiento dellos mismos les havían embiado para que los dotrinassen y sacassen de la vida ferina que tenían, que aun no sabían labrar los campos ni cubrir sus carnes; que no era lícito aquella ingratitud passasse sin castigo, por que los demás vassallos no imitassen el mal exemplo. Díxoles se quedassen en paz, que él se iva a la otra vida porque su padre el Sol le llamava para que descansasse con él. Assí murió el gran Túpac Inca Yupanqui, dexando perpetua memoria entre los suyos de su piedad, clemencia y mansedumbre y de los muchos beneficios que a todo su Imperio hizo; por los cuales, sin los demás renombres que a los demás Reyes havían puesto, le llamaron Túpac Yaya, que quiere dezir el padre que resplandesce. Dexó de su ligítima mujer Mama Ocllo, sin el príncipe heredero, otros cinco hijos varones; al segundo llamaron Auqui Amaru Túpac Inca, como a su padre, por tener delante siempre su nombre; el tercero se llamó Quéhuar Túpac; el cuarto fué Huallpa Túpac Inca Yupanqui: éste fué mi abuelo materno; el quinto, Titu Inca Rimachi; el sesto, Auqui Maita. Embalsamaron su cuerpo, como yo lo alcancé ver después, el año de mil y quinientos y cincuenta y nueve, que parescía que estava vivo.

El Padre Blas Valera dize deste Inca lo que se sigue, sacado a la letra, de su latín en romance: "Tópac Inca Yupanqui dixo: "Muchos dizen que el Sol vive y que es el hazedor de todas las cosas; conviene que el que haze alguna cosa assista a la cosa que haze, pero muchas cosas se haze estando el Sol ausente; luego, no es el hazedor de todas las cosas; y que no vive se colige de que dando siempre bueltas no se cansa: si fuera cosa viva se cansara como nosotros, o si fuera libre llegara a visitar otras partes del cielo, adonde nunca jamás allega. Es como una res atada, que siempre haze un mismo cerco; o es como la saeta que va donde la embían y no donde ella querría". Dize también que repetía muchas vezes un dicho de los de Inca Roca, sesto Rey, por parescerle muy importante por la república. Dezía: "No es lícito que enseñen a los hijos de los plebeyos las ciencias que pertenescen a los generosos y no más; porque como gente baxa no se eleven y ensobervezcan y menoscaben y apoquen la república; bástales que aprendan los oficios de sus padres, que el mandar y governar no es de plebeyos, que es hazer agravio al oficio y a la república encomendársela a gente común". También dixo: "La avaricia y la ambición hazen que el hombre no sepa moderarse a sí proprio ni a otros, porque la avaricia divierte el ánimo del bien público y común y de su familia; y la ambición acorta el entendimiento para que no pueda tomar los buenos consejos de los sabios y virtuosos, sino que siga su antojo". Hasta aquí es del Padre Blas Valera, de los dichos sentenciosos del gran Túpac Inca Yupanqui.

Y porque andamos ya cerca de los tiempos que los españoles fueron a ganar aquel Imperio, será bien dezir en el capítulo siguiente las cosas que havía en aquella tierra para el sustento humano; y adelante, después de la vida y hechos del gran Huaina Cápac, diremos las cosas que no havía, que después acá han llevado los españoles, para que no se confundan las unas con las otras.

CAPÍTULO IX

Del maíz y lo que llaman arroz, y de otras semillas.

OS FRUTOS que el Perú tenía, de que se mantenía antes de los españoles, eran de diversas maneras, unas que se crían sobre la tierra y otras debaxo della. De los frutos que se crían encima de la tierra tiene el primer lugar el grano que los mexicanos y los barloventanos llaman *maíz*, y los del Perú *çara*, porque es el pan que ellos tenían. Es de dos maneras: el uno es duro, que llaman *muruchu*, y el otro tierno y de mucho regalo, que llaman *capia*; cómenlo en lugar de pan, tostado o cocido en agua simple; la semilla del maíz duro es el que se ha traído a España; la del tierno no ha llegado acá. En unas provincias se cría más tierno y más delicado que en otras, particularmente en la que llaman Rucana. Para sus sacrificios solenes, como ya se ha dicho, hazían pan de maíz, que llaman *çancu*, y para su comer, no de ordinario, sino de cuando en cuando, por vía de regalo, hazían el mismo pan que llaman *huminta*; diferenciávase en los nombres, no porque el pan fuesse diferente, sino porque el uno era para sacrificios y el otro para su comer simple; la harina la molían las mujeres en unas losas anchas, donde echavan el grano, y encima dél traían otra losa, hecha a manera de media luna, no redonda, sino algo prolongada, de tres dedos de canto. En los cornejales de la piedra, hecha media luna, ponían las manos, y assí la traían de canto de una parte a otra, sobre el maíz; con esta dificultad molían su grano y cualquiera otra cosa que huviessen de moler; por la cual dexavan de comer pan de ordinario.

No molían en morteros, aunque los alcançaron, porque en ellos se muele a fuerça de braços por los golpes que dan, y la piedra como media luna, con el peso que tiene, muele lo que toma debaxo, y la india la trae con facilidad por la forma que tiene, subiéndola y baxándola de una parte a otra, y de cuando en cuando recoge en medio de la losa, con la una mano, lo que está moliendo para remolerlo, y con la otra tiene la piedra, la cual, con alguna semejança podríamos llamar batán, por los golpes que le hazen dar a una mano y a otra. Todavía se están con esta manera de moler para lo que han menester. También hazían gachas, que llaman *api,* y las comían con grandíssimo regozijo, diziéndoles mil donaires; porque era muy raras vezes. La harina, por que se diga todo, la apartavan del afrecho, echándola sobre una manta de algodón limpia, en la cual la traían con la mano, assentándola por toda ella; la flor de la harina, como cosa tan delicada, se pega a la manta; el afrecho, como más gruesso, se aparta della, y con facilidad lo quitan; y buelven a recoger en medio de la manta la harina que estava pegada a ella; y quitada aquélla, echavan otra tanta, y assí ivan cerniendo toda la que havían menester; y el cerner la harina más era para el pan que hazían para los españoles que no para el que los indios comían; porque no eran tan regalados que les ofendiesse el afrecho, ni el afrecho es tan áspero, principalmente el del maíz tierno, que sea menester quitarlo. Cernían de la manera que hemos dicho, por falta de cedaços, que no llegaron allá de España mientras no huvo trigo. Todo lo cual vi por mis ojos, y me sustenté hasta los nueve o diez años con la *çara,* que es el maíz, cuyo pan tiene tres nombres: *çancu* era el de los sacrificios; *huminta* el de sus fiestas y regalo; *tanta,* pronunciada la primera sílaba en el paladar, es el pan común; la çara tostada llaman *camcha:* quiere dezir maíz tostado; incluye en sí el nombre adjectivo y el sustantivo; hase de pronunciar con *m,* porque con la *n* significa barrio de vezindad o un gran cercado. A la çara cozida llaman *muti* (y los españoles *mote*): quiere dezir maíz cozido, incluyendo en sí ambos nombres. De la harina del maíz hazen las españolas los biscochillos y fruta de sartén y cualquiera otro regalo, assí para sanos como para enfermos, para cuyo medicamento, en cualquiera género de cura que sea, los médicos esperimentados han desterrado la harina del trigo y usan de la del maíz. De la misma harina y agua simple hazen el brevaje que beven, y del brevaje, azedándolo como los indios lo saben hazer, se haze muy lindo vinagre; de las cañas, antes que madure el grano, se haze muy linda miel, porque las cañas son dulces; las cañas secas y sus hojas son de mucho mantenimiento y muy agradables para las bestias; de las hojas de la maçorca y del mastelillo se sirven los que hazen estatuas, para que salgan muy livianas. Algunos indios más apassionados de la embriaguez que la demás comunidad echan la çara en remojo, y la tienen assí hasta que echa sus raízes; entonces la muelen toda como está y la cuezen en la misma agua con otras cosas, y, colada, la guardan hasta que se sazona; házese un brevaje fortíssimo, que embriaga repentinamente: llámanle *uiñapu,* y en otro lenguaje *sora.* Los Incas lo prohibieron, por ser tan violento para la embriaguez; después acá, me dizen, se ha buelto a usar por algunos viciosos. De manera que de la çara y de sus partes sacan los provechos que hemos dicho, sin otros muchos que han hallado para la salud por vía de medicina, assí en bevida como en emplastos, según que en otra parte diximos.

El segundo lugar de las miesses que se crían sobre la haz de la tierra dan a la que llaman *quinua*, y en español *mijo* o *arroz pequeño;* porque en el grano y en el color se le asemeja algo. La planta en que se cría se assemeja mucho al bledo, assí en el tallo como en la hoja y en la flor, que es donde se cría la *quinua;* las hojas tiernas comen los indios y los españoles en sus guisados, porque son sabrosas y muy sanas; también comen el grano en sus potajes, hechos de muchas maneras. De la *quinua* hazen lo indios brevaje para bever, como del maíz, pero es en tierras donde hay falta del maíz. Los indios hervolarios usan de la harina de la *quinua* para algunas enfermedades. El año de mil y quinientos y noventa me embiaron del Perú esta semilla, pero llegó muerta, que, aunque se sembró en diversos tiempos, no nació. Sin estas semillas, tienen los indios del Perú tres o cuatro maneras de frisoles, del talle de las havas, aunque menores; son de comer; en sus guisados usan dellos: llámanles *purutu;* tienen chochos como los de España, algo mayores y más blancos: llámanlos *tarui.* Sin los frisoles de comer, tienen otros frisoles que no son de comer; son redondos, como hechos con turquesa; son de muchas colores y del tamaño de los garvanços; en común les llaman *chuy,* y, diferenciándolos por las colores, les dan muchos nombres, dellos ridiculosos, dellos bien apropriados, que por escusar prolixidad los dexamos de dezir; usavan dellos en muchas maneras de juegos que havía, assí de muchachos como de hombres mayores; yo me acuerdo haver jugado los unos y los otros.

CAPÍTULO X
De las legumbres que se crían debaxo de tierra.

TRAS muchas legumbres se crían debaxo de la tierra, que los indios siembran y les sirven de mantenimiento, principalmente en las provincias estériles de çara. Tiene el primer lugar la que llaman *papa,* que les sirve de pan; cómenla cozida y assada, y también la echan en los guisados; passada al yelo y al sol para que se conserve, como en otra parte diximos, se llama *chuñu.* Hay otra que llaman *oca;* es de mucho regalo; es larga y gruessa, como el dedo mayor de la mano; cómenla cruda, porque es dulce, y cozida y en sus guisados, y la passan al sol para conservarla, y sin echarle miel ni açúcar paresce conserva, porque tiene mucho de dulce; entonces se llama *caui.* Otra hay semejante a ésta en el talle, mas no en el gusto; antes contraria, porque toca en amargo y no se puede comer sino cozida, llamada *añus;* dizen los indios que comida es contraria a la potencia generativa; para que no les hiziesse daño, los que se preciavan de galanes tomavan en la una mano una varilla o un palillo mientras la comían, y comida assí dezían que perdía su virtud y no dañava. Yo les oí la razón y algunas vezes vi el hecho, aunque davan a entender que lo hazían más por vía de donaire que no por dar crédito a la burlería de sus mayores.

Las que los españoles llaman *batatas,* y los indios del Perú *apichu,* las hay de cuatro o cinco colores, que unas son coloradas, otras blancas y otras amarillas y otras moradas, pero en el gusto difieren poco unas de otras; las menos buenas son las que han traído a España. También hay las calabaças o melones que acá llaman *calabaças romanas* y en el Perú *çapallu;* críanse como los melones; cómenlas cozidas o guisadas; crudas no se pueden comer. Calabaças de que hazen vasos, las hay muchas y muy buenas; llámanlas *mati;* de las de comer, como las de España, no las havían antes de los españoles. Hay otra fruta que nasce debaxo de la tierra, que los indios llaman *ínchic* y los españoles *maní* (todos los nombres que los españoles ponen a las frutas y legumbres del Perú son del lenguaje de las islas de Barlovento, que los han introduzido ya en su lengua española, y por esso damos cuenta dellos); el *ínchic* semeja mucho, en la medula y en el gusto, a las almendras; si se come crudo ofende a la cabeça, y si tostado, es sabroso y provechoso; con miel hazen dél muy buen turrón; también sacan del *ínchic* muy lindo azeite para muchas enfermedades. Demás destas frutas nasce otra de suyo debaxo de tierra, que los indios llaman *cuchuchu;* hasta ahora no sé que los españoles le hayan dado nombre, y es porque no hay desta fruta en las islas de Barlovento, que son tierras muy calientes, sino en el Collao, que es tierra muy fría; es sabrosa y dulce; cómese cruda y es provechosa para los estómagos de no buena digestión; son como raízes, mucho más largos que el anís. No echa hojas, sino que la haz de la tierra donde ella nasce verdeguea por cima, y en esto conoscen los indios que hay cuchuchu debaxo; y cuando se pierde aquel verdor, veen que está sazonado, y entonces lo sacan. Esta fruta y el ínchic más son regalos de la gente curiosa y regalada que no mantenimiento de la gente común y pobre, aunque ellos las cogen y las presentan a los ricos y poderosos.

CAPÍTULO XI

De las frutas de árboles mayores.

AY OTRA fruta muy buena, que los españoles llaman *pepino*, porque se le paresce algo en el talle, pero no en el gusto ni en lo saludable que son para los enfermos de calenturas, ni en la buena digestión que tienen; antes son contrarios a los de España; el nombre que los indios les dan se me ha ido de la memoria; aunque fatigándola yo en este passo muchas vezes y muchos días, y reprehendiéndola por la mala guarda que ha hecho y haze de muchos vocablos de nuestro lenguaje, me ofresció, por disculparse, este nombre *cácham*, por pepino; no sé si me engaña, confiada de que por la distancia del lugar y ausencia de los míos no podré averiguar tan aína el engaño; mis parientes, los indios y mestizos del Cozco y todo el Perú, serán juezes desta mi inorancia, y de otras muchas que hallarán en esta mi obra; perdónenmelas, pues soy suyo, y que sólo por servirles tomé un trabajo tan incomportable como esto lo es para mis pocas fuerças (sin ninguna esperança de galardón suyo ni ajeno); los pepinos son de tres tamaños, y los más pequeños, que tienen forma de coraçón, son los mejores; nascen en matas pequeñas. Otra fruta, que llaman *chili*, llegó al Cozco año de mil y quinientos y cincuenta y siete; es de muy buen gusto y de mucho regalo; nasce en unas plantas baxas, casi tendidas por el suelo; tienen un granujado por cima, como el madroño, y es del mismo tamaño, no redonda sino algún tanto prolongada en forma de coraçón.

Otras muchas frutas hay que nascen en árboles altos (que las dichas más parescen legumbres); unas se dan en tierras muy calientes, como las marítimas y los Antis; otras se crían en tierras más templadas, como son los valles calientes del Perú; mas porque las unas y las otras se alcançan todas y se gozan en todas partes, no será necessario hazer división entre ellas, sino que se digan como salieren; y haziendo principio de la que los españoles llaman *guayavas* y los indios *sauintu*, dezimos que son redondas, del tamaño de mançanas medianas, y como ellas con hollejo y sin corteza; dentro, en la medula, tiene muchas pepitas o granillos redondos, menores que los de la uva. Unas son amarillas por de fuera y coloradas por de dentro; éstas son de dos suertes: unas tan agras que no se pueden comer, otras son dulces, de muy buen gusto. Otras hay verdes por de fuera y blancas por de dentro; son mejores que las coloradas, con muchas ventajas; y al contrario, en muchas regiones marítimas tienen las coloradas por mejores que las blancas. Los españoles hazen conserva della y de otras frutas después que yo salí del Perú, que antes no se usava. En Sevilla vi la del sauintu, que la truxo del Nombre de Dios un passajero amigo mío, y por ser fruta de mi tierra me combidó a ella.

Otra fruta llaman los indios *pácay* y los españoles *guavas;* críase en unas vainas verdes de una cuarta, más y menos, de largo y dos dedos de ancho; abierta la vaina se hallan unas vedijitas blancas, ni más ni menos que algodón, tan parescidas a él, que ha havido españoles visoños, que, no conosciendo la fruta, han reñido con los indios que se la davan, entendiendo que por burlar dellos les davan a comer algodón. Son muy dulces; passados al sol, se guardan largo tiempo; dentro en las vedijitas o capullos tienen una pepita negra, como havas pequeñas; no son de comer.

La fruta que los españoles llaman *peras,* por parescerse a las de España en el color verde y en el talle, llaman los indios *palta;* porque de una provincia deste nombre se comunicó a las demás. Son dos y tres vezes mayores que las peras grandes de España; tiene una vaina tierna y delgada; debaxo della tiene la medula, que será de un dedo en gruesso; dentro della se cría un cuesco, o huesso, como quieren los muy mirlados; es de la misma forma de la pera, y tan gruesso como una pera de las comunes de acá; no se ha esperimentado que sea de provecho para cosa alguna; la fruta es muy sabrosa, muy saludable para los enfermos; comida con açúcar es comer de una conserva muy regalada.

Hay otra fruta grosera, que los indios llaman *rucma* y los españoles *lucma,* por que no quede sin la corrupción que a todos los nombres les dan. Es fruta basta, no nada delicada ni regalada, aunque toca antes en dulce que en agro ni amargo, ni se sabe que sea dañosa para la salud, mas de que es manjar bronco y grosero; son del talle y tamaño de las naranjas comunes; tienen dentro en la medula un cuesco muy semejante a la castaña en el color de la cáscara y en el gruesso della y en el color blanco de la medula, aunque es amarga y no de comer. Tuvieron una suerte de ciruelas, que los indios llaman *ussun;* son coloradas y dulces; comidas hoy, hazen echar otro día la urina tan colorada que paresce que tiene mezcla de sangre.

CAPÍTULO XII
Del árbol mulli y del pimiento.

NTRE estas frutas podemos poner la del árbol llamado *mulli*; nasce de suyo por los campos; da su fruto en razimos largos y angostos; el fruto son unos granillos redondos, del tamaño del culantro seco; las hojas son menudas y siempre verdes. El grano, estando sazonado, tiene en la superficie un poco de dulce muy sabroso y muy suave; passado de allí, lo demás es muy amargo. Hazen brevaje de aquel grano para bever; tráenlo blandamente entre las manos en agua caliente, hasta que ha dado todo el dulçor que tenía, y no han de llegar a lo amargo porque se pierde todo. Cuelan aquella agua y la guardan tres o cuatro días, hasta que llega a sazón; es muy linda de bever, muy sabrosa y muy sana para males de urina, hijada, riñones y bexiga; y mezclada con el brevaje del maíz lo mejora y lo haze más sabroso. La misma agua, cozida hasta que se espesse, se convierte en miel muy linda; la misma agua, puesta al Sol, con no sé qué que le añaden, se azeda y se haze muy lindo vinagre. De la leche y resina del *mulli* diximos en otra parte cuán provechosa era para heridas. El cozimiento de sus hojas en agua es saludable para lavarse las piernas y el cuerpo y para echar de sí la sarna y curar las llagas viejas; palillos hechos de las ramas tiernas son muy buenos para limpiar los dientes. Conoscí el valle del Cozco adornado de inumerables árboles destos tan provechosos, y en pocos años le vi casi sin ninguno; la causa fué que se haze dellos muy lindo carbón para los braseros, y aunque al encender chispea mucho, después de encendido guarda el fuego hasta convertirse en ceniza.

Con estas frutas, y aun por la principal dellas, conforme al gusto de los indios, pudiéramos poner el condimiento que echan en todo lo que comen —sea guisado, sea cozido o asado, no lo han de comer sin él—, que llaman *uchu* y los españoles *pimiento de las Indias,* aunque allá le llaman *axí,* que es nombre del lenguaje de las islas de Barlovento; los de mi tierra son tan amigos del uchu que no comerán sin él, aunque no sea sino unas yervas crudas. Por el gusto que con él reciben en lo que comen, prohibían el comerlo en su ayuno riguroso, por que lo fuesse más riguroso, como en otra parte diximos. Es el pimiento de tres o cuatro maneras. El común es gruesso, algo prolongado y sin punta: llámanle *rócot uchu;* quiere dezir pimiento gruesso, a diferencia del que se sigue; cómenlo sazonado o verde, antes que acabe de tomar su color perfecto, que es colorado. Otros hay amarillos y otros morados, aunque en España no he visto más de los colorados. Hay otros pimientos largos, de un geme, poco más, poco menos, delgados como el dedo menique o merguerite; éstos tenían por más hidalgos que los passados, y assí se gas-

tava en la casa real y en toda la parentela; la diferencia de su nombre se me ha ido de la memoria; también le llaman *uchu*, como al passado, pero el adjectivo es el que me falta; otro pimiento hay menudo y redondo, ni más ni menos que una guinda, con su peçón o palillo; llámanle *chinchi uchu;* quema mucho más que los otros, sin comparación; críase en poca cantidad, y por ende es más estimado. Las savandijas ponçoñosas huyen del pimiento y de su planta. A un español venido de México oí dezir que era muy bueno para la vista, y assí comía por postre a todas sus comidas dos pimientos assados. Generalmente todos los españoles que de Indias vienen a España lo comen de ordinario, y lo quieren más que las especias de la India Oriental. Los indios lo estiman tanto que lo tienen en más que todas las frutas
que hemos dicho.

CAPÍTULO XIII
Del árbol maguey y de sus provechos.

NTRE estas frutas podremos poner el árbol que los españoles llaman *maguey* y los indios *chuchau*, por los muchos provechos que dél se sacan, de los cuales hemos hecho mención en otra parte. Pero el Padre Blas Valera dize otras muchas más virtudes del *chuchau*, y no es razón que se callen, aunque las diremos más brevemente que Su Paternidad. Dize que es feo a la vista y que el madero es liviano; que tiene una corteza y que son largos de a veinte pies y gruessos como el braço y como la pierna, el meollo esponjoso y muy liviano, del cual usan los pintores y escultores de imágines. Las hojas son gruessas y largas de media braça; nascen todas al pie, como las del cardo hortense, y por ende lo llaman los españoles *cardón*, y las hojas con más propriedad podríamos llamar pencas; tienen espinas también como las hojas del cardo. El çumo dellas es muy amargo; sirve de quitar las manchas de la ropa y de curar las llagas canceradas o inflamadas y de estirpar los gusanos de las llagas. El mismo çumo, cozido con sus proprias raízes en agua llovediza, es muy bueno para quitar el cansancio al que se lavare con ella y para hazer diversos lavatorios medicinales. De las hojas que se sazonan y secan al pie del tronco, sacan cáñamo fortíssimo, de que hazen las suelas del calçado y las sogas, xáquimas y cabestros y otras cosas groseras; de las que cortan antes que se sequen (maxadas las ponen a las corrientes de los arroyos para que se laven y pierdan la vescosidad que tienen) sacan otro cáñamo menos grosero que el passado, de que hazían hondas que traían en la cabeça y hazían ropa de vestir donde havía falta de lana o de algodón; parescía al anjeo que traen de Flandes o a la estopa más basta que texen en España; otro cáñamo sacan más sutil que los que hemos dicho, de que hazen muy lindo hilo para redes, con que caçan los páxaros; pónenlas en algunas quebradas angostas, entre cerro y cerro, asidas de un árbol a otro, y ojean por la parte baxa los páxaros que hallan; los cuales, huyendo de la gente, caen en las redes, que son muy sutiles y teñidas de verde, para que con el verdor del campo y de los árboles no se parezcan las redes y caigan los páxaros en ellas con más facilidad; hazen las redes largas, de seis, ocho, doze, quinze y veinte braças y más de largo; las hojas del maguey son acanaladas y en ellas se recoge agua llovediza; es provechosa para diversas enfermedades; los indios la cogen y della hazen brevaje fortíssimo, mezclándola con el maíz o con la quinua o con la semilla del árbol mulli; también hazen della miel y vinagre; las raízes del *chuchau* muelen, y hazen dellas panezillos de xabón, con que las indias se lavan las cabeças, quitan el dolor dellas y las manchas de la cara, crían los cabellos y los ponen muy negros. Hasta aquí es del Padre Blas Valera; sólo añadí yo el largo de las redes, por ser cosa notable y porque él no lo dize. Ahora diremos cómo crían los cabellos y cómo los ennegrecen, que es cosa bárbara y espantable.

Las indias del Perú todas traen el cabello largo y suelto, sin tocado alguno; cuando mucho, traen una cinta ancha como el dedo pulgar, con que ciñen la cabeça; si no son las Collas, que, por el mucho frío que en la tierra dellas haze, la traen cubierta. Son las indias naturalmente amicíssimas del cabello muy negro y muy largo, porque lo traen al descubierto; cuando se les pone de color castaño o se les ahorquilla o se les cae al peinar, los cuezen al fuego en una caldera de agua con yervas dentro; la una de las yervas devía de ser la raíz del *chuchau* que el Padre Blas Valera dize, que, según yo lo vi hazer algunas vezes, más de una echavan; empero, como muchacho y niño, ni pedía cuenta de cuántas eran las yervas ni cuáles eran. Para meter los cabellos dentro en la caldera, que con los menjurges hervía al fuego, se echava la india de espaldas; al pescueço le ponían algún reparo por que el fuego no le ofendiesse. Tenían cuenta con que el agua que hervía no llegasse a la cabeça, por que no coziesse las carnes; para los cabellos que quedavan fuera del agua también los mojavan con ella, para que gozassen de la virtud de las yervas del cozimiento. Desta manera estavan en aquel tormento voluntario, estoy por dezir casi dos horas, aunque como muchacho no lo noté entonces con cuidado para poderlo dezir ahora ajustadamente; mas no dexé de admirarme del hecho, por parecerme rigoroso contra las mismas que lo hazían. Pero en España he perdido la admiración, viendo lo que muchas damas hazen para enruviar sus cabellos, que los perfuman con açufre y los mojan con agua fuerte de dorar y los ponen al sol en medio del día, por los caniculares, y hazen otros condumios que ellas se saben, que no sé cuál es peor y más dañoso para la salud, si esto o aquello. Las indias, haviendo hecho otros lavatorios para quitar las horruras del cozimiento, sacavan sus cabellos más negros y más lustrosos que las plumas del cuervo rezién mudado.

Tanto como esto y mucho más puede el deseo de la hermosura.

CAPÍTULO XIV

Del plátano, piña y otras frutas.

OLVIENDO a las frutas, diremos de algunas más notables que se crían en los Antis del Perú, que son tierras más calientes y más húmidas que no las provincias del Perú; no las diremos todas, por escusar prolixidad. El primer lugar se deve dar al árbol y a su fruto que los españoles llaman *plátano*; seméjase a la palma en el talle y en tener las hojas en lo alto, las cuales son muy anchas y muy verdes; estos árboles se crían de suyo; quieren tierra muy lloviosa, como son los Antis; dan su fruto en razimos tan grandes, que ha havido algunos, como dize el Padre Acosta, libro cuarto, capítulo veinte y uno, que le han contado trezientos plátanos; críase dentro de una cáscara, que ni es hollejo ni corteza, fácil de quitar; son de una cuarta, poco más o menos, en largo, y como tres dedos en gruesso.

El Padre Blas Valera, que también escrivía dellos, dize que les cortan los razimos cuando empieçan a madurar, por que con el peso no derriben el árbol, que es fofo y tierno, inútil para madera y aun para el fuego; maduran los razimos en tinajas; cúbrenlos con cierta yerva que les ayuda a madurar; la medula es tierna, suave y dulce; passada al Sol paresce conserva; cómenla cruda y assada, cozida y guisada en potajes, y de todas maneras sabe bien; con poca miel o açúcar (que ha menester poca), hazen del plátano diversas conservas; los razimos que maduran en el árbol son más dulces y más sabrosos; los árboles son de dos varas en alto, unos más y otros menos. Hay otros plátanos menores, que a diferencia de los mayores les llaman *dominicos*; porque aquella cáscara, cuando nasce el razimo, está blanca, y cuando la fruta está sazonada participa de blanco y negro a remiendos; son la mitad menores que los otros, y en todo les hazen mucha ventaja, y por ende no hay tanta cantidad déstos como de aquéllos.

Otra fruta, que los españoles llaman *piña*, por la semejança que en la vista y en la hechura tiene con las piñas de España, que llevan piño- nes, pero en lo demás no tienen que ver las unas con las otras; porque aquéllas, quitada la cáscara con un cuchillo, descubren una medula blanca, toda de comer, muy sabrosa; toca un poco, y muy poco, en agro, que la haze más apetitosa; en el tamaño son dos tanto mayores que las piñas de acá. También se da en los Antis otra fruta que los españoles llaman *manjar blanco,* porque, partida por medio, parescen dos escudillas de manjar blanco en el color y en el sabor: tiene dentro unas pepitas negras, como pequeñas almendras; no son de comer; esta fruta es del tamaño de un melón pequeño; tiene una corteza dura, como una calabaça seca, y casi de aquel gruesso; dentro della se cría la medula, tan estimada; es dulce y toca en tantito de agro, que la haze más golosa o golosina. Muchas otras frutas se crían de suyo en los Antis, como son las que los españoles llaman *almendras* y *nuezes,* por alguna semejança que tengan a las de acá, en quequiera que sea; que esta rotura tuvieron los primeros españoles que passaron a Indias, que con poca semejança y ninguna propriedad llamaron a las frutas de allá con los nombres de las de acá, que, cotejadas las unas con las otras, son muy diferentes, que es muy mucho más en lo que difieren que no en lo que se assemejan, y aun algunas son contrarias, no sólo en el gusto mas también en los efectos; y assí son estas nuezes y almendras, las cuales dexaremos con otras frutas y legumbres que en los Antis se crían, que son de poco momento, por dar cuenta de otras de más nombre y fama.

CAPÍTULO XV
De la preciada hoja llamada cuca y del tabaco.

NO SERÁ razón dexar en olvido la yerva que los indios llaman *cuca* y los españoles *coca,* que ha sido y es la principal ri- queza del Perú para los que la han manejado en tratos y contratos; antes será justo se haga larga mención della, según lo mucho que los indios la estiman, por las muchas y grandes virtudes que della conoscían antes y muchas más que después acá los españoles han esperimentado en cosas medicinales. El Padre Blas Valera, como más curioso y que residió muchos años en el Perú y salió dél más de treinta años después que yo, escrive de las unas y de las otras como quien vió la prueva dellas; diré llanamente lo que Su Paterni- dad dize, y adelante añadiré lo poco que dexó de dezir, por no escrivir largo, desmenuzando mucho cada cosa. Dize, pues: "La cuca es un cierto arbolillo del altor y grossor de la vid; tiene pocos ramos, y en ellos muchas hojas delicadas, del anchor del dedo pulgar y el largo como la mitad del mismo dedo, y de buen olor, pero poco suave; las cuales hojas llaman *cuca* indios y españoles. Es tan agradable la cuca a los indios, que por ella posponen el oro y la plata y las piedras preciosas; plántanla con gran cuidado y diligencia y cógenla con mayor; porque cogen las hojas de por sí, con la mano, y las secan al sol, y assí seca la comen los indios, pero no la tragan; solamente gustan del olor y passan el jugo. De cuánta utilidad y fuerça sea la cuca para los trabajadores, se colige de que los indios que la comen se muestran más fuertes y más dispuestos para el trabajo; y muchas vezes, contentos con ella, trabajan todo el día sin comer. La cuca preserva el cuerpo de muchas enfermedades, y nuestros médicos usan della hecha polvos, para atajar y placar la hinchazón de las llagas; para fortalescer los huessos quebrados; para sacar el frío del cuerpo o para impedirle que no entre; para sanar las llagas podridas, llenas de gusanos. Pues si a las enfermedades de afuera haze tantos beneficios, con virtud tan singular, en las entrañas de los que la comen ¿no tendrá más virtud y fuerça? Tiene también otro gran provecho, y es que la mayor parte de la renta del obispo y de los canónigos y de los demás ministros de la Iglesia Catredal del Cozco es de los diezmos de las hojas de la cuca; y muchos españoles han enriquescido y enriquecen con el trato y contrato desta yerva; empero algunos, iñorando todas estas cosas, han dicho y escrito mucho contra este arbolillo, movidos solamente de que en tiempos antiguos los gentiles, y agora algunos hechizeros y adevinos, ofrescen y ofrescieron la cuca a los ídolos; por lo cual, dizen, se devía quitar y prohibir del todo. Ciertamente fuera muy buen consejo si los indios huvieran acostumbrado a ofrescer al demonio solamente esta yerva. Pero si los antiguos gentiles y los modernos idólatras sacrificaron y sacrifican las miesses, las legumbres y frutos que encima y debaxo de la tierra se crían, y ofrescen su brevaje y el agua fría y la lana y los vestidos y el ganado y otras muchas cosas, en suma, todo cuanto tienen, y como todas no se les deven quitar, tampoco aquélla. Deven doctrinarles que, aborresciendo las supersticiones, sirvan de veras a un solo Dios y usen cristianamente de todas aquellas cosas". Hasta aquí es del Padre Blas Valera. Añadiendo lo que falta, para mayor abundancia, dezimos que aquellos arbolillos son del altor de un hombre; para plantarlos echan la semilla en almácigo, como las verduras; házenles hoyos, como para las vides; echan la planta acodada, como la vid; tienen gran cuenta con que ninguna raíz, por pequeña que sea, quede doblada, porque basta para que la planta se seque. Cogen la hoja, tomando cada rama de por sí entre los dedos de la

mano, la cual corren con tiento hasta llegar al pimpollo: no han de
llegar a él porque se seca toda la rama; la hoja de la haz y del envés,
en verdor y hechura, es ni más ni menos que la del madroño, salvo
que tres o cuatro hojas de aquéllas, por ser muy delicadas, hazen tanto
gruesso como una de las del madroño. Huelgo mucho de hallar en
España cosas tan apropriadas a que comparar las de mi tierra, y que
no las haya en ella, para que allá y acá se entiendan y conozcan las
unas por las otras. Cogida la hoja, la secan al sol; no ha de quedar
del todo seca porque pierde mucho del verdor, que es muy estimado,
y se convierte en polvo, por ser tan delicada, ni ha de quedar con
mucha humidad, porque en los cestos donde la echan para llevarla
de unas partes a otras, se enmohece y se pudre; han de dexarla en un
cierto punto, que participe de uno y de otro; los cestos hazen de cañas
hendidas, que las hay muchas y muy buenas, gruessas y delgadas, en
aquellas provincias de los Antis; y con las hojas de las cañas gruessas,
que son anchas de más de una tercia y largas de más de media vara,
cubren por de fuera los cestos, por que no se moje la cuca, que la
ofende mucho el agua; y con un cierto género de cáñamo, que también lo hay en aquel distrito, enredan los cestos. Considerar la cantidad que de cada cosa destas se gasta para el beneficio de la cuca es
más para dar gracias a Dios, que assí lo provee todo, dondequiera que
es menester, que para lo escrevir, por ser increíble. Si todas estas
cosas o cualquiera dellas se huviera de llevar de otra parte, fuera más
el trabajo y la costa que el provecho. Cógese aquella yerva de cuatro
en cuatro meses, tres vezes al año, y si escardan bien y a menudo la
mucha yerva que con ella se cría de contino, porque la tierra en
aquella región es muy húmida y muy caliente, se anticipa más de
quinze días cada cosecha; de manera que viene a ser casi cuatro cosechas al año; por lo cual, un dezmero codicioso, de los de mi tiempo,
cohechó a los capatazes de las heredades más ricas y principales que
havía en el término del Cozco por que tuviessen cuidado de mandar
que las escardassen a menudo; con esta diligencia quitó al dezmero del
año siguiente las dos tercias partes del diezmo de la primera cosecha;
por lo cual nasció entre ellos un pleito muy reñido, que yo, como
muchacho, no supe en qué paró. Entre otras virtudes de la cuca se
dize que es buena para los dientes. De la fuerça que pone al que la
trae en la boca, se me acuerda un cuento que oí en mi tierra a un
cavallero, en sangre y virtud, que se dezía Rodrigo Pantoja, y fué que
caminando del Cozco a Rímac topó a un pobre español (que tamb

bién
los hay allá pobres como acá), que iva a pie y llevava a cuestas una
hijuela suya de dos años; era conoscido del Pantoja, y assí se hablaron
ambos. Díxole el cavallero: "¿Cómo vais assí cargado?" Respondió
el peón: "No tengo possibilidad para alquilar un indio que me lleve

esta muchacha, y por esso la llevo yo". Al hablar del soldado, le miró Pantoja la boca y se la vió llena de cuca; y como entonces abominavan los españoles todo cuanto los indios comían y bevían, como si fueran idolatrías, particularmente el comer la cuca, por parescerles cosa vil y baxa, le dixo: "Puesto que sea assí lo que dezís de vuestra necessidad ¿por qué coméis *cuca*, como hazen los indios, cosa tan asquerosa y aborrescida de los españoles?" Respondió el soldado: "En verdad, señor, que no la abominava yo menos que todos ellos, mas la necessidad me forçó a imitar los indios y traerla en la boca; porque os hago saber que si no la llevara, no pudiera llevar la carga; que mediante ella siento tanta fuerça y vigor que puedo vencer este trabajo que llevo". Pantoja se admiró de oírle, y contó el cuento en muchas partes, y de allí adelante davan algún crédito a los indios, que la comían por necessidad y no por golosina; y assí es de creer, porque la yerva no es de buen gusto. Adelante diremos cómo la llevan a Potocsi y tratan y contratan con ella.

Del arbolillo que los españoles llaman *tabaco* y los indios *sairi*, diximos en otra parte. El doctor Monardes escrive maravillas dél. La çarçaparrilla no tiene necessidad que nadie la loe, pues bastan para su loor las hazañas que en el mundo nuevo y viejo ha hecho y haze contra las buvas y otras graves enfermedades. Otras muchas yervas hay en el Perú de tanta virtud para cosas medicinales, que, como dize el Padre Blas Valera, si las conocieran todas no huvieran necessidad de llevarlas de España ni de otras partes; mas los médicos españoles se dan tan poco por ellas, que aun de las que antes conoscían los indios se ha perdido la noticia de la mayor parte dellas. De las yervas, por su multitud y menudencia, será dificultoso dar cuenta; baste dezir que los indios las comen todas, las dulces y las amargas, dellas crudas, como acá las lechugas y los rávanos, dellas en sus guisados y potajes, porque son el caudal de la gente común, que no tenían abundancia de carne y pescado como los poderosos; las yervas amargas, como son las hojas de las matas que llaman *sunchu* y de otras semejantes, las cuezen en dos, tres aguas y las secan al sol y guardan para el invierno, cuando no las hay; y es tanta la diligencia que ponen en buscar y guardar las yervas para comer, que no perdonan ninguna, que hasta las ovas y los gusarapillos que se crían en los ríos y arroyos sacan
y aliñan para su comida.

CAPÍTULO XVI

Del ganado manso y las recuas que dél havía.

OS ANIMALES domésticos que Dios dió a los indios del Perú, dize el Padre Blas Valera que fueron conforme a la condición blanda de los mismos indios; porque son mansos, que cualquiera niño los lleva donde quiere, principalmente a los que sirven de llevar cargas. Son de dos maneras, unos mayores que otros. En común les nombran los indios con este nombre, *llama*, que es ganado; al pastor dizen *llama míchec*: quiere dezir el que apacienta el ganado. Para diferenciarlo llaman al ganado mayor *huanacullama*, por la semejança que en todo tiene con el animal bravo que llaman *huanacu*, que no difieren en nada sino en las colores; que el manso es de todas colores, como los cavallos de España, según se ha dicho en otras partes, y el *huanacu* bravo no tiene más de un color, que es castaño deslavado, bragado de castaño más claro. Este ganado es del altor de los ciervos de España; a ningún animal semeja tanto como al camello, quitado la corcoba y la tercia parte de la corpulencia; tiene el pescueço largo y parejo, cuyo pellejo desollavan los indios cerrado, y lo sovavan con sevo hasta ablandarlo y ponerlo como curtido, y dello hazían las suelas del calçado que traían; y porque no era curtido, se descalçavan al passar de los arroyos y en tiempos de muchas aguas, porque se les haze como tripa en mojándose. Los españoles hazían dello riendas muy lindas para sus caballos, que parescen mucho a las que traen de Bervería; hazían assimismo correones y guruperas para las sillas de camino, y látigos y aciones para las cinchas y sillas jinetas. Demás desto sirve aquel ganado a indios y a españoles de llevarles sus mercaderías dondequiera que las quieren llevar, pero donde más comúnmente andan y mejor se hallan, por ser la tierra llana, es desde el Cozco a Potocchi, que son cerca de dozientas leguas, y de otras muchas partes van y vienen a aquellas minas con todo el bastimento, ropa de indios, mercaderías de España, vino y azeite, conservas y todo lo demás que en ellas se gastan; principalmente llevan del Cozco la yerva llamada cuca. En mis tiempos havía en aquella ciudad, para este acarreto, recuas de a seiscientas, de a ochocientas, de a mil y más cabeças de aquel ganado. Las recuas de a quinientas cabeças abaxo no se estimavan. El peso que lleva es de tres a cuatro arrobas; las jornadas que caminan son de a tres leguas, porque no es ganado de mucho trabajo; no le han de sacar de su passo porque se cansa, y luego se echa en el suelo y no hay levantarlo, por cosas que le hagan, ni que le quiten la carga; pueden luego desollarlo, que no hay otro remedio. Cuando porfían a levantarlos y llegan a ellos para alçarles, entonces se defienden con el estiércol que tienen en el buche, que lo traen a la boca y lo escupen al que más cerca hallan, y procuran echárselo en el rostro antes que en otra parte. No tienen otras armas con que defenderse, ni cuernos como los ciervos; con todo esto les llaman los españoles *carneros* y *ovejas*, haviendo tanta diferencia del un ganado a otro como la que hemos dicho. Para que no lleguen a cansarse, llevan en las recuas cuarenta o cincuenta carneros vazíos, y en sintiendo enflaquecer alguno con la carga, se la quitan luego y la passan a otro, antes que se eche; porque, en echándose, no hay otro remedio sino matarlo. La carne deste ganado mayor es la mejor de cuantas hoy se comen en el mundo; es tierna, sana y sabrosa; la de sus corderos de cuatro, cinco meses mandan los médicos dar a los enfermos, antes que gallinas ni pollos.

En tiempo del vissorrey Blasco Núñez Vela, año de mil y quinientos y cuarenta y cuatro y cuarenta y cinco, entre otras plagas que entonces huvo en el Perú, remanesció en este ganado la que los indios llaman *carache*, que es sarna; fué cruelíssima enfermedad, hasta entonces nunca vista; dávales en la bragada y en el vientre; de allí cundía por todo el cuerpo, haziendo costras de dos, tres dedos en alto; particularmente en la barriga, donde siempre cargava más el mal, haziánsele grietas de dos y tres dedos en hondo, como era el gruesso de las costras hasta llegar a las carnes; corría dellas sangre y materia, de tal manera que en muy pocos días se secava y consumía la res. Fué mal muy contagioso; despachó, con grandíssimo asombro y horror de indios y españoles, las dos tercias partes del ganado mayor y menor, *paco* y *huanacu*. Dellas se les pegó al ganado bravo, llamado *huanacu* y *vicuña*, pero no se mostró tan cruel con ellos por la región más fría en que andan, y porque no andan tan juntos como el ganado manso. No perdonó las zorras; antes las trató cruelíssimamente, que yo vi el año de mil y quinientos y cuarenta y ocho, estando Gonçalo Piçarro en el Cozco, victorioso de la batalla de Huarina, muchas zorras, que, heridas de aquella peste, entravan de noche en la ciudad, y las hallavan en las calles y en las plaças, vivas y muertas, los cuerpos con dos, tres y más horados, que les passavan de un cabo a otro, que la sarna les havía hecho, y me acuerdo que los indios, como tan agoreros, pronosticavan por las zorras la destruición y muerte de Gonçalo Piçarro, que sucedió poco después. A los principios desta plaga, entre otros remedios desesperados que le hazían, era matar o enterrar viva la res que la tenía, como también lo dize el Padre Acosta, libro cuarto, capítulo cuarenta y uno, mas, como luego condió tanto, no sabiendo los indios ni los españoles qué hazer para atajarla, dieron en curarla con fuego artificial; hazían cozimientos de solimán y piedra çufre y de otras cosas violentas, que imaginavan serían a propósito, y tanto más aína moría la res; echávanles manteca de puerco hirviendo: también las matavan muy aína. Hazían otras muchas cosas de que no me acuerdo, mas todas les salían a mal, hasta que poco a poco, provando una cosa y otra, hallaron por esperiencia que el mejor remedio era untar las partes donde havía sarna con manteca de puerco tibia y tener ciudado de mirar si se rascan en la bragada, que es donde primero les da el mal, para curarlo antes que cunda más; con esto se remedió mucho aquella plaga, y con que la mala influencia se devió de ir aplacando; porque después acá no se ha mostrado tan cruel como a los principios. Por este beneficio que hallan en la manteca tienen precio los puercos, que, según lo mucho que multiplican, valdrían de balde; es de notar que, con ser la plaga tan general, no dió en los venados, corços ni gamos; deven de ser de otra complexión. Acuérdome también que en el Cozco tomaron por abogado y defensor contra esta plaga a Santo Antonino, que les cupo en suerte, y cada año le hazían gran fiesta; lo mismo será ahora.

Con ser las recuas tan grandes como se ha dicho y los caminos tan largos, no hazen costa alguna a sus dueños, ni en la comida ni en la posada ni en herraje ni aparejos de albarda, xalma ni albardoncillo, pretal, cincha ni gurupera, ni otra cosa alguna de tantas como los harrieros han menester para sus bestias. En llegando a la dormida, los descargan y los echan al campo, donde pascen la yerva que hallan; y desta manera los mantienen todo el camino, sin darles grano ni paja; bien comen la çara si se la dan; mas el ganado es tan noble, que, aun trabajando, se passa sin grano; herraje no lo gastan, porque, demás de ser patihendido, tienen pulpejo en pies y manos, y no casco. Albarda ni otro aparejo alguno no lo han menester, porque tienen lana gruessa bastante para sufrir la carga que les echan, y los trajineros tienen cuidado de acomodar y juntar los tercios de un lado y de otro, de manera que la sobrecarga no toque en el espinazo, que es donde le podría matar. Los tercios no van asidos con el cordel que los harrieros llaman lazo; porque, no llevando el carnero xalma ni albarda, podría entrársele el cordel en las carnes, con el peso de la carga. Los tercios van cosidos uno con otro por las harpilleras, y aunque la costura asiente sobre el espinazo, no les haze mal, como no llegue la sobrecarga. Entre los indios llevan a cargo veinte y cinco carneros para cargar y descargar, por ayudarse el uno al otro, que uno solo no podría valerse, yendo los tercios juntos, como se ha dicho. Los mercaderes llevan sus toldos y los arman en los campos, dondequiera que quieren parar a dormir, y echan dentro dellos la mercaduría; no entran en los pueblos a dormir, porque sería cosa muy prolixa llevar y traer el ganado del campo. Tardan en el viaje del Cozco a Potocchi cuatro meses, dos en ir y dos en bolver, sin lo que se detienen para el despacho de la mercaduría. Valía en el Cozco un carnero escogido diez y ocho ducados, y los desechados a doze y a treze. La principal mercancía que de aquella ciudad llevavan era la yerva cuca y ropa de vestir de los indios. Todo lo que hemos dicho passava en mi tiempo, que yo lo vi por mis ojos; no sé ahora cómo passa; traté con muchos de los que ivan y venían; huvo algunos caminos que vendieron a más de treinta pesos ensayados el cesto de la cuca. Con llevar mercancías de tanto valor y bolver cargados de plata con treinta, cuarenta, cincuenta y cien mil pesos, no recelavan los españoles, ni los indios que las llevavan, dormir en el campo, sin otra compañía ni más seguridad que la de su cuadrilla; porque no tenían ladrones ni salteadores. La misma seguridad havía en los tratos y contratos de mercadurías fiadas, o las cosechas que los vezinos tenían de sus rentas o empréstidos de dineros, que, por grandes que fuessen las partidas de la venta o del préstamo, no havía más escritura ni más conocimiento ni cédula por escrito que sus palabras, y éstas se guardavan inviolablemente. Acaesció muchas vezes jugar un español la deuda que otro, que estava ausente y lexos, le devía, y dezir al que se la ganava: "Diréis a fulano que la deuda que me deve, que os la pague a vos, que me la ganasteis". Y bastava esto para que el ganador fuesse creído y cobrasse la deuda, por grande que fuesse; tanto como esto se estimava entonces la palabra de cada uno para creer y ser creído, fuesse mercader, fuesse vezino señor de indios, fuesse soldado, que en todos havía este crédito y fidelidad y la seguridad de los caminos, que podía llamarse el siglo dorado; lo mismo entiendo que havrá ahora.

En tiempo de paz, que no havía guerra, muchos soldados, muy cavalleros y nobles, por no estar ociosos, entendían en este contrato de ir y venir a Potocchi con la yerva cuca y ropa de indios, y la vendían en junto y no por menudo; desta manera era permitido a los hombres, por nobles que fuessen, el tratar y contratar con su hazienda; no havía de ser en ropa de España, que se vende por varas y en tienda de asiento. Muchos dellos holgavan de ir con su hazienda, y, por no caminar al passo de los carneros, llevavan un par de halcones y perros perdigueros y galgos y su arcabuz, y mientras caminava la recua a su passo corto, se apartavan ellos a una mano o a otra del camino e ivan caçando; cuando llegavan a la dormida, llevavan muertas una dozena de perdizes o un huanacu o vicuña o venado; que la tierra es ancha y larga y tiene de todo. Desta manera se ivan holgando y entreteniendo a ida y a buelta, y assí era más tomar ocasión de caçar y holgarse que de mercadear; y los vezinos poderosos y ricos se lo tenían a mucho a los soldados nobles que tal hazían. El Padre Joseph de Acosta, libro cuarto, capítulo cuarenta y uno, dize mucho en loor deste ganado mayor y de sus provechos.

Del ganado menor, que llaman *pacollama,* no hay tanto que dezir, porque no son para carga ni para otro servicio alguno, sino para carne, que es poco menos buena que la del ganado mayor, y para lana, que es boníssima y muy larga, de que hazen su ropa de vestir, de las tres estofas que hemos dicho, con colores finíssimos, que los indios las saben dar muy bien, que nunca desdizen. De la leche del un ganado ni del otro no se aprovechavan los indios, ni para hazer queso ni para comerla fresca; verdad es que la leche que tienen es poca, no más de la que han menester para criar sus hijos. En mis tiempos llevavan quesos de Mallorca al Perú, y no otros; y eran muy estimados. A la leche llaman *ñuñu,* y a la teta llaman *ñuñu* y al mamar dizen *ñuñu,* assí al mamar de la criatura como al dar a mamar de la madre. De los perros que los indios tenían, dezimos que no tuvieron las diferencias de perros castizos que hay en Europa; solamente tuvieron de los que acá llaman gozques; havíalos grandes y chicos: en común les llaman *alco,* que quiere dezir perro.

CAPÍTULO XVII
Del ganado bravo y de otras savandijas.

NO TUVIERON los indios del Perú, antes de los españoles, más diferencias de doméstico ganado que las dos que hemos dicho, *paco* y *huanacu;* de ganado bravo tuvieron más, pero usavan dél como del manso, según diximos en las cacerías que hazían a sus tiempos. A una especie de las bravas llaman *huanacu,* por cuya semejança llamaron al ganado mayor manso con el mismo nombre; porque es de su tamaño y de la misma forma y lana. La carne es buena, aunque no tan buena como la del manso; en fin, en todo se assemejan; los machos están siempre atalayando en los collados altos, mientras las hembras pacen en lo baxo, y cuando veen gente dan relinchos a semejança de los cavallos, para advertirlas; y cuando la gente va hazia ellos, huyen antecogiendo las hembras por delante; la lana destos huanacus es corta y áspera; pero también la aprovechavan los indios para su vestir; con galgos los corrían en mis tiempos y matavan muchos.

A semejança del ganado menor, que llaman *paco,* hay otro ganado bravo que llaman *vicuña;* es animal delicado, de pocas carnes; tienen mucha lana y muy fina; de cuyas virtudes medicinales escrive el Padre Acosta muchas y muy buenas; lo mismo haze de otros muchos animales y aves que se hallan en las Indias; mas como Su Paternidad escrive de todo el Nuevo Orbe, es menester mirar con advertencia lo que en particular dize de las cosas del Perú, a quien me remito en muchas de las que vamos diziendo. La vicuña es más alta de cuerpo que una cabra, por grande que sea; el color de su lana tira a castaño muy claro, que por otro nombre llaman leonado; son ligeríssimas, no hay galgo que las alcance; mátanlas con arcabuzes y con atajarlas, como hazían en tiempo de los Incas; apaciéntanse en los desiertos más altos, cerca de la nieve; la carne es de comer, aunque no tan buena como la del huanacu; los indios la estimavan porque eran pobres de carne.

Venados o ciervos huvo en el Perú, aunque mucho menores que los de España; los indios les llaman *taruca;* en tiempo de los Reyes Incas havía tanta cantidad dellos, que se les entravan por los pueblos. También hay corços y gamos. De todos estos animales bravos sacan la piedra bezar en estos tiempos; en los míos no se imaginavan tal. Hay gatos cervales que llaman *ozcollo;* son de dos o tres diferencias. Hay zorras mucho menores de las de España: llámanles *átoc.* Otros animalejos hay pequeños, menores que gatos caseros; los indios les llaman *añas* y los españoles *zorrina;* son tan hediondos, que, si como hieden, olieran, fueran más estimados que el ámbar y el almisque; andan de noche por los pueblos, y no basta que estén las puertas y ventanas cerradas para que dexe de sentirse su hedor, aunque estén lexos cien pasos y más; hay muy pocos, que si huviera muchos, atosigaran al mundo. Hay conejos caseros y campestres, diferentes los unos de los otros en color y sabor. Llámanles *coy;* también se diferencian de los de España. De los caseros han traído a España, pero danse poco por ellos; los indios, como gente pobre de carne, los tienen en mucho y los comen por gran fiesta. Otra diferencia de conejos hay, que llaman *vizcacha;* tienen cola larga, como gato; críanse en los desiertos donde haya nieve, y no les vale, que allá van a matarlos. En tiempo de los Reyes Incas y muchos años después (que aun yo lo alcancé), aprovechavan el pelo de la vizcacha y lo hilavan de por sí, para variar de colores la ropa fina que texían. El color que tiene es pardo claro, color de ceniza, y él es de suyo blando y suave; era cosa muy estimada entre los indios; no se echava sino en la ropa de los nobles.

CAPÍTULO XVIII

Leones, ossos, tigres, micos y monas.

EONES se hallan, aunque pocos; no son tan grandes ni tan fieros como los de África; llámanles *puma*. También se hallan ossos y muy pocos; porque como toda la tierra del Perú es limpia de montañas bravas, no se crían estos animales fieros en ella; y también porque los Incas, como diximos, en sus cacerías reales mandavan que los matassen. Al osso llaman *ucumari*. Tigres no los hay sino en los Antis, donde son las montañas bravas, donde también se crían las culebras grandes que llaman *amaru*, que son de a veinticinco y de a treinta pies de largo y más gruessas que el muslo; donde también hay gran multitud de otras culebras menores que llaman *machác-huay*, y vívoras ponçoñosas y otras muchas savandijas malas; de todas las cuales está libre el Perú. Un español que yo conoscí mató en los Antis, término del Cozco, una leona grande que se encaramó en un árbol muy alto; de allí la derribó de cuatro jarazos que le tiró; hallánronle en el vientre dos cachorrillos, hijos de tigre, porque tenían las manchas del padre. Cómo se llame el tigre en la lengua general del Perú, se me ha olvidado, con ser nombre del animal más fiero que hay en mi tierra. Reprehendiendo yo mi memoria por estos descuidos, me responde que por qué le riño de lo que yo mismo tengo la culpa; que advierta yo que ha cuarenta y dos años que no hablo ni leo en aquella lengua. Válgame este descargo para el que quisiere culparme de haver olvidado mi lenguaje. Creo que el tigre se llama *uturuncu*, aunque el Padre Maestro Acosta da este nombre al osso, diziendo *otoroncos*, conforme a la corrutela española; no sé cuál de los dos se engaña; creo que Su Paternidad. Hay otros animales en los Antis, que semejan a las vacas; son del tamaño de una vaca muy pequeña; no tienen cuernos. El pellejo es muy estremado para cueras fuertes, por la fortaleza que tiene, que algunos, encareciéndola, dizen que resiste más que una cota. Hay javalís que en parte semejan a los puercos caseros; de todos estos animales y de otros se hallan pocos en aquellos Antis que confinan con el Perú; que yo no me alexo a tratar de otros Antis que hay más lexos. Monas y micos hay muchos, grandes y chicos; unos tienen cola, otros hay sin ella.

De la naturaleza dellas pudiéramos dezir mucho; empero, porque el Padre Maestro Acosta lo escrive largamente, libro cuatro, capítulo treinta y nueve, que es lo mismo que yo oí a indios y españoles y parte dello vi, me paresció ponerlo aquí como Su Paternidad lo dice, que es lo que se sigue: "Micos hay innumerables por todas essas montañas de islas y tierra firme y Andes. Son de la casta de monas, pero diferentes en tener cola y muy larga y haver entre ellas algunos linajes de tres tanto y cuatro tanto más cuerpo que monas ordinarias; unos son negros del todo, otros vayos, otros pardos, otros manchados y varios. La ligereza y maña déstos admira porque paresce que tienen discurso y razón; y el andar por árboles paresce que quieren casi imitar las aves. En Capira, passando de Nombre de Dios a Panamá, vi saltar un mico destos de un árbol a otro que estava a la otra vanda del río, que me admiró. Ásense con la cola a un ramo, y arrójanse donde quieren, y cuando el espacio es muy grande, que no pueden con un salto alcançarle, usan una maña graciosa, de asirse uno a la cola del otro, y hazer desta suerte una como cadena de muchos; después, ondeándose todos o columpiándose, el primero, ayudado por la fuerça de los otros, salta y alcança y se ase al ramo, y sustenta a los demás hasta que llegan asidos, como dixe, a la cola de otro. Las burlas y embustes y travessuras que éstos hazen es negocio de mucho espacio; las habilidades que alcançan cuando los imponen, no parescen de animales brutos, sino de entendimiento humano. Uno vi en Cartagena en casa del governador, que las cosas que dél me referían apenas parecían creíbles, como embiarle a la taverna por vino, y poniendo en la una mano el dinero y en la otra el pichel, no haver orden de sacalle el dinero hasta que le davan el pichel con vino. Si los muchachos en el camino le davan grita o le tiravan, poner el pichel a un lado y apañar piedras y tirallas a los muchachos hasta que dexava el camino seguro, y assí bolvía a llevar su pichel. Y lo que es más, con ser muy buen bevedor de vino (como yo se lo vi bever echándoselo su amo de alto), sin dárselo o dalle licencia no havía tocar al jarro. Dixéronme también que si veía mujeres afeitadas iva y les tirava del tocado y las descomponía y tratava mal. Podrá ser algo desto encarecimiento, que yo no lo vi, mas en efecto no pienso que hay animal que assí perciba y se acomode a la conversación humana como esta casta de micos. Cuentan tantas cosas que yo, por no parescer que doy crédito a fábulas, o por que otros no las tengan por tales, tengo por mejor dexar esta materia con sólo bendezir al autor de toda criatura, pues para sola recreación de los hombres y entretenimiento donoso, parece haver hecho un género de animal que todo es de reír o para mover a risa. Algunos han escrito que a Salomón se le llevavan estos micos de Indias Occidentales; yo tengo para mí que ivan de la India Oriental". Hasta aquí es del Padre Maestro Acosta, donde pudiera añadir que las monas y micos traen los hijuelos a cuestas, hasta que son para soltarse y vivir por sí; andan abraçados, con los braços a los pescueços de las madres, y con las piernas las abraçan por el cuerpo. El encadenarse unos con otros, que el Padre Maestro dize, lo hazen para passar ríos o arroyos grandes que no pueden passar de un salto. Ásense, como se ha dicho, de un árbol que esté en frente de otro, y colúmpianse hasta que el último, que anda abaxo, alcança a asir alguna rama del otro árbol, y por ella se sube hasta ponerse a nivel en derecho del que está asido de la otra parte; y entonces da vozes y manda que suelte; luego es obedescido, y assí dan todos del otro cabo y passan el río, aprovechándose de sus fuerças y maña en sus necessidades, a fuer de soldados pláticos; y porque se entienden con sus gritos (como tengo para mí que lo hazen todos los animales y aves con los de su especie), dizen los indios que saben hablar y que encubren la habla a los españoles, por que no les hagan sacar oro y plata; también dizen que por remedar a las indias traen sus hijos a cuestas; otras muchas burlerías dizen dellos, pero de micos y monas baste.

CAPÍTULO XIX

De las aves mansas y bravas de tierra y de agua.

OS INDIOS del Perú no tuvieron aves caseras, sino sola una casta de patos, que, por semejar mucho a los de acá, les llaman assí los españoles; son medianos, no tan grandes ni tan altos como los gansos de España, ni tan baxos ni tan chicos como los patos de por acá. Los indios les llaman *ñuñuma*, deduziendo el nombre de *ñuñu*, que es mamar, porque comen mamullando, como si mamassen; no huvo otras aves domésticas en aquella mi tierra. Aves del aire, y del agua dulce y marina, diremos las que se nos ofrescieren, aunque por la multitud y variedad dellas no será possible dezir la mitad ni la cuarta parte dellas. Águilas hay de todas suertes, reales y no reales, aunque no son tan grandes como las de España. Hay halcones de muchas raleas; algunos se asemejan a los de acá y otros no; en común les llaman los indios *huaman*; de los pequeños he visto por acá algunos, que los han traído y los estiman en mucho; los que en mi tierra llaman *ñeblíes* son bravíssimos de buelo y de garras; son casi prietos de color. En el Cozco, el año de mil y quinientos y cincuenta y siete, un cavallero de Sevilla, que se preciava de su cetrería, hizo todas las que supo y pudo en un ñeblí. Venía a la mano y al señuelo de muy lexos; mas nunca pudo con él hazer que se cevasse en prisión alguna, y assí desesperó de su trabajo. Hay otras aves que también se pueden poner con las de rapiña; son grandíssimas; llámanles *cúntur* y los españoles *cóndor*; muchas han muerto los españoles y las han medido, por hablar con certificación del tamaño dellas, y les han hallado quinze y diez y seis pies de una punta a otra de las alas, que, reducidas a varas de medir, son cinco varas y tercia; no tienen garras, como las águilas, que no se las dió naturaleza, por templarles la ferocidad; tienen los pies como las gallinas, pero bástales el pico, que es tan fuerte que rompe el pellejo de una vaca; dos dellos acometen a una vaca y a un toro y se lo comen; ha acaescido uno solo acometer muchachos de diez, doze años, y comérselos; son blancos y negros, a remiendos, como las urracas; hay pocas, que si huviera muchas destruyeran los ganados; en la frente tienen una cresta pareja, a manera de navaja, no con puntas, como la del gallo; cuando baxan cayendo de lo alto hazen tan gran zumbido que asombra.

El Padre Maestro Acosta, hablando de las aves del Nuevo Orbe, particularmente del cúntur, libro cuatro, capítulo treinta y siete, donde remito al que quisiere leer cosas maravillosas, dize estas palabras: "Los que llaman *cóndores* son de inmensa grandeza y de tanta fuerça que no sólo abren un carnero y se lo comen, sino a un ternero".

En contra del cúntur dize Su Paternidad de otras avezillas que hay en el Perú, que los españoles llaman *tominejos* y los indios *quenti*, que son de color azul dorado, como lo más fino del cuello del pavo real; susténtanse como las abejas, chupando, con un piquillo largo que tienen, el xugo o miel que hallan en las flores; son tan pequeñitas que muy bien dize Su Paternidad dellas lo que se sigue: "En el Perú hay los que llaman *tominejos*, tan pequeñitos, que muchas vezes dudé, viéndolas volar, si eran abejas o mariposillas, mas son realmente páxaros", etc. Quien oyere estos dos estremos de aves que hay en aquella tierra, no se admirará de las que dixéremos que hay en medio. Hay otras aves grandes, negras, que los indios llaman *suyuntu* y los españoles *gallinaza*; son muy tragonas de carne y tan golosas, que si hallan alguna bestia muerta en el campo, comen tanto della que, aunque son muy ligeras, no pueden levantarse al buelo, por el peso de lo que han comido. Entonces, cuando sienten que va gente a ellas, van huyendo a buela pie, vomitando la comida, por descargarse para tomar buelo; es cosa donosa ver el ansia y la priessa con que echan lo que con la misma comieron. Si les dan priessa las alcançan y matan; mas ellas no son de comer ni de otro provecho alguno, sino de limpiar las calles de las inmundicias que en ellas echan; por lo cual dexan de matarlas, aunque puedan; no son de rapiña. El Padre Acosta dize que tiene para sí que son de género de cuervos.

A semejança destas hay otras aves marinas, que los españoles llaman *alcatrazes*; son poco menores que las abutardas; mantiénense de pescado; es cosa de mucho gusto ver cómo pescan. A ciertas horas del día, por la mañana y por la tarde —deve de ser a las horas que el pescado se levanta a sobreaguarse o cuando las aves tienen más hambre—, ellas se ponen muchas juntas, como dos torres en alto, y de allí, como halcones de altanería, las alas cerradas, se dexan caer a coger el pescado, y se çabullen y entran debaxo del agua hasta que lo pescan; algunas vezes se detienen tanto debaxo del agua, que parece que se han ahogado; deve ser por huirles mucho el pescado; y cuando más se certifica la sospecha, las veen salir con el pece atravessado en la boca, y bolando en el aire lo engullen. *199*

Es gusto ver caer unas y oír los golpazos que dan en el agua; y al mismo tiempo ver salir otras con la presa hecha, y ver otras que, a medio caer, se buelven a levantar y subir en alto, por desconfiar del lance. En suma, es ver dozientos halcones juntos en altanería que baxan y suban a vezes, como los martillos del herrero; sin estas aves andan muchas vandas de páxaros marinos, en tanta multitud que es increíble lo que dellas se dixere a quien no las ha visto; son de todos tamaños, grandes, medianos y chicos; navegando por la Mar del Sur los miré muchas vezes con atención; havía vandas tan grandes que de los primeros páxaros a los postreros me paresce que havía más de dos leguas de largo; ivan bolando tantos y tan cerrados que no dexavan penetrar la vista de la otra parte. En su buelo van cayendo unos en el agua a descansar y otros se levantan della, que han ya descansado; cierto es cosa maravillosa ver la multitud dellas y que levanta el entendimiento a dar gracias a la Eterna Majestad, que crió tanta infinidad de aves y que las sustente con otra infinidad de peces; y esto baste de los páxaros marinos.

Bolviendo a las aves de tierra, sin salir de las del agua, dezimos que hay otra infinidad dellas en los ríos y lagos del Perú; garças y garçotas, patos y fojas, y las que por acá llaman *flamencos,* sin otras muchas diferencias de que no sé dar cuenta, por no haverlas mirado con atención. Hay aves grandes, mayores que cigüeñas, que se mantienen de pescado; son muy blancas, sin mezcla de otro color, muy altas de piernas; andan apareadas de dos en dos; son muy hermosas a la vista; parescen pocas.

CAPÍTULO XX
De las perdizes, palomas y otras aves menores.

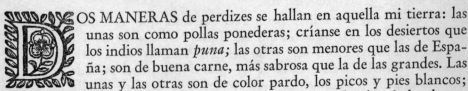

OS MANERAS de perdizes se hallan en aquella mi tierra: las unas son como pollas ponederas; críanse en los desiertos que los indios llaman *puna;* las otras son menores que las de España; son de buena carne, más sabrosa que la de las grandes. Las unas y las otras son de color pardo, los picos y pies blancos; las chicas propriamente parescen a las codornizes en el color de la pluma, salvo las pecas blancas, que no las tienen; llámanles *yutu:* pusiéronles el nombre del sonido del canto que tienen, que dizen *yútyut.* Y no solamente a las perdizes, pero a otras muchas aves les ponen el nombre del canto dellas, como diremos de algunas en este discurso; lo mismo hazen en muchas otras cosas, que declararemos donde se ofrescieren. De las perdizes de España no sé que hayan llevado a mi tierra. Hay palomas torcazas como las de acá, en tamaño, pluma y carne; llámanles *urpi:* quiere dezir paloma; a las palomas caseras que han llevado de España dizen los indios *Castilla urpi,* que es paloma de Castilla, por dezir que fueron llevadas de acá. Hay tórtolas, ni más ni menos que las de España, si ya en el tamaño no son algo mayores; llámanles *cocohuay,* tomadas las dos primeras sílabas del canto dellas y pronunciadas en lo interior de la garganta, por que se assemeje más el nombre con el canto.

Hay otras tortolillas pequeñas, del tamaño de las calandrias o coguxadas y del color dellas; crían por los texados, como acá los gorriones, y también crían en el campo; hállanse pocas. Hay unos paxarillos pardos, que los españoles llaman *gorriones,* por la semejança del color y del tamaño, aunque diferentes en el canto, que aquéllos cantan muy suavemente; los indios les llaman *paria pichiu;* crían por los vardales de las casas, dondequiera que hay matas, en las paredes, y también crían en el campo. Otros paxarillos bermejuelos llaman *ruiseñor* los españoles, por la semejança del color; pero en el canto difieren, como lo prieto de lo blanco; porque aquellos cantan malíssimamente, tanto que los indios, en su antigüedad, lo tenían por mal agüero. Hay unos paxarillos prietos que los españoles llaman *golondrinas,* y más son aviones que golondrinas; vienen a sus tiempos, aposéntanse en los agujeros de los texados, diez, doze juntos. Estas avezillas son las que andan por los pueblos, más cerca de la gente que otras; golondrinas ni vencejos no los vi por allá, a lo menos en lo que es la serranía del Perú. Las aves de los llanos son las mismas, sin las marinas, que son diferentes. Sisones, gangas ni ortegas ni zorzales, no las hay en aquella tierra, ni grullas ni abutardas; otras havrá en lugar dellas de que yo no me acuerde. En el reino de Chili, que también fué del Imperio de los Incas del Cozco, hay abestruzes que los indios llaman *suri;* no son de pluma tan fina ni tan galana como las de África; tienen el color entre pardo y blanco; no buelan por alto, mas a buela pie son muy ligeras; corren más que un cavallo; algunas tomaron los españoles, poniéndose en paradas en sus cavallos, que el aliento de un cavallo ni de dos solos no basta a cansar aquellas aves. En el Perú hay *sirgueros,* que los españoles llaman assí porque son de dos colores, amarillo y negro; andan en vandas. Los indios les llaman *chaina,* tomando el nombre de su mismo canto. Otras muchas maneras de páxaros hay, chicos y grandes, de que no acertaré a dar cuenta por la multitud dellos y poquedad de la memoria; acuérdome que hay cernícalos, como los de acá, pero más animosos, que algunos se cevan en paxarillos. En el llano de Yúcay vi bolar dos cernícalos a un paxarillo; traíanlo de lexos; encerróseles en un árbol grande y espesso que hay en aquel llano; yo lo dexé en pie, que los indios en su gentilidad tenían por sagrado, porque sus Reyes se ponían debaxo dél a ver las fiestas que en aquel hermoso llano se hazían;

el uno de los cernícalos, usando de su natural industria, entró por el árbol a echar fuera al paxarillo; el otro se subió en el aire, encima del árbol, para ver por dónde salía, y, en saliendo el páxaro, forçado del que le perseguía, cayó a él como un ñeblí; el paxarillo bolvió a socorrerse en el árbol; el cernícalo que cayó a él entró a echarle fuera, y el que le havía sacado del árbol se subió en el aire, como hizo el primero, para ver por dónde salía; desta manera los cernícalos, trocándose ya el uno, ya el otro, entraron y salieron del árbol cuatro vezes, y otras tantas se les encerró el paxarillo con grande ánimo, defendiendo su vida, hasta que la quinta vez se les fué al río, y, en unos paredones de edificios antiguos que por aquella vanda havía, se les escapó con gran contento y gusto de cuatro o cinco españoles que havían estado mirando la volatería, admirados de lo que la naturaleza enseña a todas sus criaturas, hasta las aves tan pequeñas, para sustentar sus vidas, unas acometiendo y otras huyendo con tanta industria y maña, como se vee a cada passo. Abejas silvestres hay de diversas maneras; de las domésticas, criadas en colmenas, ni los indios las tuvieron antes ni los españoles se han dado nada hasta ahora por criarlas; las silvestres crían en resquicios y concavidades de peñas y en chuecos de árboles; las que son de tierras frías, por las malas yervas de que sustentan, hazen poca miel, y éssa dessabrida y amarga, y la cera negra de ningún provecho; las de tierras templadas o calientes, por las buenas yervas de que gozan, hazen muy linda miel, blanca, limpia, olorosa y muy dulce; llevada a tierras frías se cuaja y paresce açúcar; tiénenla en mucha estima, no sólo para comer, mas también para el uso de diversas medicinas, que la hallan muy provechosa.

CAPÍTULO XXI

Diferencias de papagayos, y su mucho hablar.

EN LOS Antis se crían los papagayos. Son de muchas maneras: grandes, medianos, menores, chicos y chiquillos; los chiquillos son menores que calandrias y los mayores son como grandes ñeblís; unos son de solo un color, otros de dos colores, verde y amarillo o verde y colorado; otros son de muchas y diversas colores, particularmente los grandes, que los españoles llaman *guacamayas*, que son de todas colores y todas finíssimas; las plumas de la cola, que son muy largas y muy galanas, las estiman en mucho los indios, para engalanarse en sus fiestas. De las cuales plumas, por ser tan hermosas,

tomó el famoso Juan Bocacio el argumento para la graciosa novela de frate Cipolla. Los españoles llaman a los papagayos con diferentes nombres, por diferenciar los tamaños. A los muy chiquillos llaman *periquillos*; a otros algo mayores llaman *catalnillas*; a otros más mayores y que hablan más y mejor que los demás llaman *loro*. A los muy grandes llaman *guacamayas*; son torpíssimas para hablar, mas nunca hablan; solamente son buenas para mirarlas, por la hermosura de sus colores y plumas. Estas diferencias de papagayos han traído a España para tener en xaulas y gozar de su parlería; y aunque hay otras más, no las han traído; deve de ser porque son más torpes. En Potocsi, por los años de mil y quinientos y cincuenta y cuatro y cincuenta y cinco, huvo un papagayo de los que llaman *loro*, tan hablador, que a los indios e indias que passavan por la calle les llamava por sus provincias, a cada uno de la nasción que era, sin errar alguna, diziendo Colla, Yunca, Huairu, Quechua, etc., como que tuviera noticia de las diferencias de tocados que los indios, en tiempo de los Incas, traían en las cabeças para ser conocidos. Un día de aquellos passó una india hermosa por la calle do el papagayo estava; iva con tres o cuatro criadas, haziendo mucho de la señora Palla, que son las de la sangre real. En viéndola el papagayo, dió grandes gritos de risa, diziendo "¡Huairu, Huairu, Huairu!", que es una nasción de gente más vil y tenida en menos que otras. La india passó avergonçada por los que estavan delante, que siempre havía una gran cuadrilla de indios escuchando el páxaro; y cuando llegó cerca, escupió hazia el papagayo y le llamó *çúpay*, que es diablo. Los indios dixeron lo mismo, porque conosció la india, con ir disfraçada en hábito de Palla. En Sevilla, en Caldefrancos, pocos años ha havía otro papagayo que, en viendo passar un cierto médico indigno del nombre, le dizía tantas palabras afrentosas que le forçó a dar quexa dél. La justicia mandó a su dueño que no lo tuviesse en la calle, so pena que se lo entregarían al ofendido. Los indios en común les llaman *uritu*; quiere dezir papagayo, y por el grandíssimo ruido enfadoso que hazen con sus gritos cuando van bolando, porque andan en grandes vandas, tomaron por refrán llamar *uritu* a un parlador fastidioso, que, como el divino Ariosto dize en el canto veinte y cinco, sepa poco y hable mucho; a los cuales, con mucha propriedad, les dizen los indios: "¡Calla, papagayo!". Salen los papagayos de los Antis al tiempo que por todo lo raso del Perú está en sazón la çara, de la cual son amicíssimos; hazen gran estrago en ella; buelan muy rezio y muy alto; las guacamayas, porque son torpes y pesadas, no salen de los Antis. Andan en vandas, como se ha dicho, mas no se mezclan los de una especie con los de otra, sino que cada
diferencia anda por sí.

***   ***   ***

CAPÍTULO XXII

De cuatro ríos famosos y del pescado que en los del Perú se cría.

LVIDADO se me havía hazer relación del pescado que los indios del Perú tienen de agua dulce en los ríos que posseen, que, como es notorio, son muchos y muy grandes, de los cuales nombraremos cuatro, los mayores y no más, por no causar hastío al que lo oyere. El que llaman Río Grande, y por otro nombre el de la Madalena, que entra en la mar entre Cartagena y Sancta Marta, tiene de boca, según la carta de marear, ocho leguas; nasce en las sierras y cordilleras del Perú. Por la furia con que corre, entra diez o doze leguas la mar adentro, rompiendo sus aguas, que no basta la inmensidad dellas a resistir la ferocidad del río. El de Orellana, que le llamamos assí a diferencia del río Marañón, tiene, según la misma carta, cincuenta y cuatro leguas de boca, antes más que menos; y aunque algunos autores le dan treinta leguas de boca, y otros menos y otros cuarenta y otros setenta, me paresció poner la opinión de los mareantes, que no es opinión sino esperiencia, porque a aquella república que anda sobre aguas de la mar le conviene no fiarse de opiniones, sino traer en las manos la verdad sacada en limpio; los que le dan las setenta leguas de boca la miden al sesgo, de la una punta de tierra a la otra, que están desiguales; porque la punta de la mano izquierda del río entra en la mar mucho más que la punta de la mano derecha; y assí, midiendo de punta a punta, porque están al sesgo, hay las setenta leguas que algunos dizen con verdad; mas por derecho de cuadrado no hay más de cincuenta y cuatro leguas, como lo saben los pilotos. Las primeras fuentes de aquel famoso río nascen en el distrito llamado Cuntisuyu, entre el poniente y el mediodía del Cozco, que los marineros llaman sudueste; passa onze leguas al poniente de aquella ciudad. Dende muy cerca de su nacimiento no se dexa vadear, porque lleva mucha agua y es muy raudo y va muy recogido entre altíssimas sierras, que tienen, desde lo baxo hasta lo alto de sus nieves, treze, catorze y quinze leguas y más de altura, casi a plomo. Es el mayor río que hay en el Perú; los indios le llaman Apurímac; quiere dezir el principal, o el capitán que habla, que el nombre *apu* tiene ambas significaciones, que comprehende los principales de la paz y los de la guerra. También le dan otro nombre, por ensalçarle más, que es Cápac Mayu: *mayu* quiere dezir río; Cápac es renombre que davan a sus Reyes; diéronselo a este río, por dezir que era el príncipe de todos los ríos del mundo. Retiene estos nombres hasta salir de los términos del Perú; si los sustenta hasta entrar en la mar, o si las naciones que viven en las montañas por do passa le dan otro nombre, no lo sé. El año de mil y quinientos y cincuenta y cinco, por las muchas aguas del invierno, cayó sobre aquel río un pedaço de sierra tan grande, y con tanta cantidad de riscos, piedra y tierra, que le atravessó de una parte a otra y le atajó de manera que en tres días naturales no corrió gota de agua; hasta que la represa della sobrepujó la montaña que le cayó encima. Los que habitavan de allí abaxo, viendo que un río tan caudaloso se havía secado tan súbitamente, entendieron que se acabava el mundo. La represa subió catorze leguas el río arriba, hasta la puente que está en el camino real que va del Cozco a la Ciudad de los Reyes. Este río Apurímac corre del mediodía al norte más de quinientas leguas que hay por tierra, desde su nascimiento hasta la equinocial; de allí rebuelve al oriente y corre casi debaxo de la equinocial otras seiscientas y cincuenta leguas, medidas por derecho, hasta que entra en la mar, que con sus bueltas y rebueltas más son de mil y quinientas leguas las que corre al oriente, según lo dixo Francisco de Orellana, que fué el que las navegó por aquel río abaxo, cuando fué con Gonçalo Piçarro al descobrimiento que llamaron de la Canela, como en su lugar diremos; las seiscientas y cincuenta leguas de poniente a oriente, sin las bueltas y rebueltas del río, se las da la carta de marear, que, aunque no suelen los mareantes entremeterse en pintar las cosas de la tierra adentro, sino las del mar y sus riberas, quisieron salir de sus términos con este río, por ser el mayor que hay en el mundo y por dezir que no sin causa entra en la mar con la grandeza de setenta leguas de boca, y haze que con más de cien leguas en contorno sea mar dulce aquel golfo donde va a parar; de manera que conforme a la relación de Orellana (como lo atestigua Gómara, capítulo ochenta y seis), con las quinientas leguas que nosotros dezimos, corre dos mil leguas con las bueltas que va haziendo a una mano y a otra; entra en la mar debaxo de la equinocial a plomo. Llámase Río de Orellana, por este cavallero que lo navegó, año de mil y quinientos y cuarenta y tres, aunque los que se llamaron Pinçones, naturales de Sevilla, lo descubrieron año de mil y quinientos. El nombre que le pusieron, Río de las Amazonas, fué porque Orellana y los suyos vieron que las mujeres por aquellas riberas peleavan con ellos tan varonilmente como los hombres— que lo mismo vimos en algunos passos de nuestra historia de la Florida—, mas no porque haya amazonas en aquel río, que por la valentía de las mujeres dixeron que las havía. Hay muchas islas en aquel río, grandes y chicas; la marea de la mar sube por él más de cien leguas, y esto baste de aquel famoso emperador de los ríos. El que llaman Marañón entra en la mar poco más de setenta leguas al mediodía del río de Orellana; está en tres grados al sur; tiene más de veinte leguas de boca; nasce de los grandes lagos que hay a las espaldas del Perú, que es al oriente, y los lagos se hazen de las muchas aguas que salen de la gran cordillera de sierra nevada que hay en el Perú. Pues como estos dos ríos tan caudalosos entren en la mar tan cerca el uno del otro, se juntan las aguas dellos, que no las divide el mar, y hazen que sea mayor al Mar Dulce y el Río de Orellana quede más famoso, porque se las atribuyen a él todas; por esta junta de aguas sospecho yo que llaman Marañón al de Orellana, aplicándole el nombre, también como las aguas; y de ambos ríos hazen uno solo. Resta dezir del río que los españoles llaman el Río de la Plata y los indios Parahuay. En otra parte diximos cómo se impuso el nombre castellano y lo que significa el nombre indiano; sus primeras aguas nascen, como las del Marañón, en la increíble cordillera de sierra nevada que corre todo el Perú a la larga; tiene grandíssimas crescientes, con que anega los campos y los pueblos y fuerça a sus moradores que por tres meses del año vivan en balsas y canoas atadas a los pimpollos de los árboles, hasta que las crescientes se hayan acabado; porque no hay dónde parar. Entra en la mar en treinta [y] cinco grados con más de treinta leguas de boca; aunque la tierra se la estrecha a la entrada de la mar, porque ochenta leguas arriba tiene el río cincuenta leguas de ancho. De manera que juntando el espacio y anchura destos cuatro ríos, se puede dezir que entran en la mar con ciento y treinta leguas de ancho, que no dexa de ser una de las muchas grandezas que el Perú tiene. Son estos cuatro ríos tan grandes; hay otra multitud dellos, que por todas partes entran en la mar a cada passo, como se podrán ver en las cartas de marear, a que me remito, que, si juntassen, harían otros ríos mayores que los dichos.

Con haver tantas aguas en aquella tierra, que eran argumento de que huviera mucho pescado, se cría muy poco, a lo menos en lo que es el Perú, de quien pretendo dar cuenta en todo lo que voy hablando, y no de otras partes. Créese que se cría tan poco por la furia con que aquellos ríos corren y por los pocos charcos que hazen. Pues ahora es de saber que esso poco que se cría es muy diferente del pescado que se cría en los ríos de España; paresce todo de una especie; no tiene escama, sino hollejo; la cabeça es ancha y llana como la del sapo, y por tanto tiene la boca muy ancha. Es muy sabroso de comer; cómenlo con su hollejo, que es tan delicado que no hay que quitarle. Llámanle *challua*, que quiere dezir pescado. En los ríos que por la costa del Perú entran en la mar, entra muy poco pescado della, porque los más dellos son medianos y muy raudos, aunque de invierno no se dexan vadear y corren con mayor furia.

En la gran laguna Titicaca se cría mucho pescado, que, aunque paresce que es de la mesma forma del pescado de los ríos, le llaman los indios *suchi*, por diferenciarle del otro. Es muy gordo, que para freírle no es menester otro graso que el suyo; también se cría en aquel lago otro pescadillo que los castellanos llaman *bogas*; el nombre de los indios se me ha olvidado; es muy chico y ruin, de mal gusto y peor talle, y, si no me acuerdo mal, tiene escama; mejor se llamara *harrihuelas*, según es menudo. Del un pescado y del otro se cría en abundancia en aquel gran lago, porque hay dónde estenderse y mucho que comer en las horruras que llevan cinco ríos caudalosos que entran en él, sin otros de menos cuenta y muchos arroyos. Y esto baste de los ríos y pescados que en aquella tierra se crían.

CAPÍTULO XXIII
De las esmeraldas, turquesas y perlas.

AS PIEDRAS preciosas que en tiempo de los Reyes Incas havía en el Perú eran turquesas y esmeraldas y mucho cristal muy lindo, aunque no supieron labrarlo. Las esmeraldas se crían en las montañas de la provincia llamada Manta, juridición de Puerto Viejo. No ha sido possible a los españoles, por mucho que lo han procurado, haver dado con el mineral donde se crían; y assí casi ya no se hallan esmeraldas de aquella provincia, y eran las mejores de todo aquel Imperio. Del Nuevo Reino han traído tantas a España, que se han hecho ya despreciables, y no sin causa, porque demás de la multitud (que en todas las cosas suele causar menosprecio), no tienen que ver, con muchos quilates, con las de Puerto Viejo. La esmeralda se perficiona en su mineral, tomando poco a poco el color verde que después tiene, como toma la fruta su sazón en el árbol. Al principio es blanca pardusca, entre pardo y verde; empieza a tomar sazón o perfeción por una de sus cuatro partes —deve de ser por la parte que mira al oriente, como haze la fruta, que con ella la tengo comparada—, y de allí va aquel buen color que tiene por el un lado y por el otro de la piedra, hasta rodearla toda. De la manera que la sacan de su mina, perfecta o imperfecta, assí se queda. Yo vi en el Cozco dos esmeraldas, entre otras muchas que vi en aquella tierra; eran del tamaño de nuezes medianas, redondas en toda perfección, horadadas por medio. La una dellas era en estremo perfecta de todas partes. La otra tenía de todo: por la una cuarta parte estava hermosíssima, porque tenía toda la perfección possible; las otras dos cuartas partes de los lados no estavan tan perfectas, pero ivan tomando su perfección y hermosura; estavan poco menos hermosas que la primera parte; la última, que estava en opósito de la primera, estava fea, porque havía recebido muy poco del color verde, y las otras partes le afeavan más con su hermosura; parecía un pedaço de vidro verde pegado a la esmeralda; por lo cual su dueño acordó quitar aquella parte, porque afeava las otras, y assí lo hizo, aunque después le culparon algunos curiosos, diziendo que para prueva y testimonio de que la esmeralda va madurando por sus partes en su mineral, se havía de guardar aquella joya, que era de mucha estima. A mí me dieron entonces la parte desechada, como a muchacho, y hoy la tengo en mi poder, que por no ser de precio ha durado tanto. La piedra turquesa es azul; unas son de más lindo azul que otras; no las tuvieron los indios en tanta estima como a las esmeraldas. Las perlas no usaron los del Perú, aunque las conoscieron, porque los Incas (que siempre atendieron y pretendieron más la salud de los vassallos que aumentar las que llamamos riquezas, porque nunca las tuvieron por tales), viendo el trabajo y peligro con que las perlas se sacan de la mar, lo prohibieron, y assí no las tenían en uso. Después acá se han hallado tantas que se han hecho tan comunes, como lo dize el Padre Acosta, capítulo quinze del libro cuarto, que es lo que se sigue, sacado a la letra: "Ya que tratamos de la principal riqueza que se trae de Indias, no es justo olvidar las perlas, que los antiguos llamavan margaritas; cuya estima en los primeros fué tanta, que eran tenidas por cosa que sólo a personas reales pertenecían. Hoy día es tanta la copia dellas, que hasta las negras traen sartas de perlas", etc. Al postrer tercio del capítulo, haviendo dicho antes cosas muy notables de historias antiguas acerca de perlas famosas que ha havido en el mundo, dize Su Paternidad: "Sácanse las perlas en diversas partes de Indias; donde con más abundancia es en el Mar de el Sur, cerca de Panamá, donde están las islas que por esta causa llaman de las Perlas. Pero en más cantidad y mejores se sacan en la Mar del Norte, cerca del río que llaman de la Hacha; allí supe cómo se hazía esta granjería, que es con harta costa y trabajo de los pobres buzos, los cuales baxan seis, nueve y aun doze braças de hondo, a buscar los ostiones, que de ordinario están asidos a las peñas y escollos de la mar. De allí los arrancan y se cargan dellos, y se suben y los echan en las canoas, donde los abren y sacan aquel tesoro que tienen dentro. El frío del agua, allá dentro de el mar, es grande, y mucho mayor el trabajo de tener el aliento, estando un cuarto de hora a las vezes, y aun media, en hazer su pesca. Para que puedan tener el aliento, házenles a los pobres buzos que coman poco y manjar muy seco, y que sean continentes. De manera que también la codicia tiene sus abstinentes, aunque sea a su pesar; lábranse (es yerro del molde por dezir sácanse) de diversas maneras las perlas, y horádanlas para sartas. Hay ya gran demasía dondequiera. El año de ochenta y siete vi, en la memoria de lo que venía de Indias para el Rey, diez y ocho marcos de perlas, y otros tres caxones dellas; y para particulares mil y dozientos y sesenta y cuatro marcos de perlas, y sin esto otras siete talegas por pesar, que en otro tiempo se tuviera por fabuloso". Hasta aquí es del Padre Acosta, con que acaba aquel capítulo. A lo que Su Paternidad dize que se tuviera por fabuloso, añadiré dos cuentos que se me ofrecen acerca de las perlas. El uno es que cerca del año de mil y quinientos y sesenta y cuatro, un año más o menos, truxeron tantas perlas para Su Majestad, que se vendieron en la contratación de Sevilla, puestas en un montón, como si fuera alguna semilla. Andando las perlas en pregón, cerca de rematarse, dixo uno de los ministros reales: "Al que las pusiere en tanto precio, se le darán seis mil ducados de prometido". Luego, en oyendo el prometido, las puso un mercader próspero, que sabía bien de la mercancía, porque tratava en perlas. Pero por grande que fué el prometido, le sacaron de la puja, mas él se contentó por entonces con seis mil ducados de ganancia por sola una palabra que habló; y el que las compró quedó mucho más contento, porque esperava mucha mayor ganancia, según la gran cantidad de las perlas, que por el prometido se puede imaginar cuán grande sería. El otro cuento es que yo conoscí en España un moço de gente humilde y que vivía con necessidad, que, aunque era buen platero de oro, no tenía caudal y trabajava a jornal; este moço estuvo en Madrid año de mil y quinientos y sesenta y dos y sesenta y tres; posava en mi posada, y porque perdía al ajedrez (que era apassionado dél) lo que ganava a su oficio, y yo se lo reñía muchas vezes, amenazando que se havía de ver en grandes miserias por su juego, me dixo un día: "No pueden ser mayores que las que he passado, que a pie, y con solos catorze maravedís, entré en esta corte". Este moço tan pobre, por ver si podía salir de miseria, dió en ir y venir a Indias y tratar en perlas, porque sabía algo dellas; fuéle tan bien en los viajes y en la granjería, que alcançó a tener más de treinta mil ducados; para el día de su velación (que también conoscí a su mujer) le hizo una saya grande de terciopelo negro, con una bordadura de perlas finas, de una sesma en ancho, que corría por la delantera y por todo el ruedo, que fué una cosa sobervia y muy nueva. Apreciose la bordadura en más de cuatro mil ducados. Hase dicho esto por que se vea la cantidad increíble de perlas que de Indias han traído, sin las que diximos en nuestra historia de la Florida, libro tercero, capítulo quinze y diez y seis, que se hallaron en muchas partes de aquel gran reino, particularmente en el rico templo de la provincia llamada Cofachiqui; los diez y ocho marcos de perlas que el Padre Acosta dize que truxeron para Su Majestad (sin otros tres caxones dellas) eran las escogidas por muy finas, que a sus tiempos se tiene cuenta en Indias de apartar las mejores de todas las perlas, que dan a Su Majestad de quinto, porque vienen a parar a su cámara real, y de allí salen para el culto divino, donde las emplea, como las vi en un manto y saya para la imagen de Nuestra Señora de Guadalupe, y en un terno entero, con capa, casulla, almáticas, frontal y frontalera, estolas, manípulos y faldones de alvas y bocamangas, todo bordado de perlas finíssimas y grandes, y el manto y saya toda cubierta, hecha a manera de axedrez; las casas que havían de ser blancas estavan   *209* cubiertas de perlas, de tal manera puestas en cuadrado, que se ivan relevando y saliendo afuera, que parecían montoncillos de perlas; las casas que havían de ser negras tenían rubíes y esmeraldas engastados en oro esmaltado, una casa de uno y otra de otro, todo tan bien hecho, que bien mostravan los artífices para quién hazían la obra y el Rey Católico en quién empleava aquel tesoro; que cierto es tan grande, que si no es el Emperador de las Indias, otro no podía hazer cosa tan magnífica, grandiosa y heroica.

Para ver la gran riqueza deste monarca, es bien leer aquel cuarto libro y todos los demás del Padre Acosta, donde se verán tantas cosas y tan grandes como las que se han descubierto en el Nuevo Mundo. Entre las cuales, sin salir del propósito, contaré una que vi en Sevilla, año de mil y quinientos y setenta y nueve, que fué una perla que truxo de Panamá un cavallero, que se dezía Don Diego de Temez, dedicada para el Rey Don Philipe Segundo. Era la perla del tamaño y talle y manera de una buena cermeña; tenía su cuello levantado hazia el peçón, como lo tiene la cermeña o la pera; también tenía el huequezito de debaxo en el assiento. El redondo, por lo más gruesso, sería como un huevo de paloma de los grandes. Venía de Indias apreciada en doze mil pesos, que son catorze mil y cuatrocientos ducados. Jácomo de Treço, milanés, insigne artífice y lapidario de la Majestad Católica, dixo que valía catorze mil y treinta mil y cincuenta mil y cien mil ducados, y que no tenía precio, porque era una sola en el mundo, y assí la llamaron la Peregrina. En Sevilla la ivan a ver por cosa miracolosa. Un cavallero italiano andava entonces por aquella ciudad, comparando perlas escogidas, las mayores que se hallavan, para un gran señor de Italia. Traía una gran sarta dellas; cotejadas con la Peregrina, y puestas cabe ella, parescían piedrizitas del río. Dezían los que sabían de perlas y piedras preciosas, que hazía veinte y cuatro quilates de ventaja a todas cuantas se hallassen; no sé qué cuenta sea ésta, para poderla declarar. Sacóla un negrillo en la pesquería, que según dezía su amo no valía cien reales, y que la concha era tan pequeña, que, por ser tan ruin, estuvieron por arrojarla en la mar; porque no prometía nada de sí. Al esclavo, por su buen lance, dieron libertad. La merced que a su amo hizieron por la joya fué la vara de alguazil mayor de Panamá. La perla no se labra, porque no consiente que la toquen sino para horadarlas; sírvense dellas como las sacan de las conchas; unas salen muy redondas y otras no tanto; otras salen prolongadas y otras abolladas, que de la una mitad son redondas y de la otra mitad llanas. Otras salen de forma de cermeñas, y éstas son las más estimadas, porque son muy raras. Cuando un mercader tiene una destas acermeñadas o de las redondas, que sea grande y buena, y halla otra igual en poder ajeno, procura comprarla de cualquier manera que sea, porque hermanadas, siendo iguales en todo, cada una dellas dobla el valor a la otra; que si cualquiera dellas, cuando era sola, valía cien ducados, hermanada vale cada una dellas dozientos, y ambas cuatrocientos, porque pueden servir de çarcillos, que es para lo que más se estima. No se consienten labrar, porque su naturaleza es ser hecha de cascos o hojas, como la cebolla, que no es maciça. La perla se envejesce por tiempo, como cualquiera otra cosa corruptible, y pierde aquel color claro y hermoso que tiene en su mocedad, y cobra otro pardusco, ahumado. Entonces le quitan la hoja encima, y descubren la segunda con el mesmo color que antes se tenía; pero es con gran daño de la joya, porque por lo menos le quitan la tercia parte de su grandor; las que llaman netas, por muy finas, salen desta regla general.

CAPÍTULO XXIV
Del oro y plata.

DE LA riqueza de oro y plata que en el Perú se saca, es buen testigo España, pues de más de veinticinco años, sin los de atrás, le traen cada año doze, treze millones de plata y oro, sin otras cosas que no entran en esta cuenta; cada millón monta diez vezes cien mill ducados. El oro se coge en todo el Perú; en unas provincias es en más abundancia que en otras, pero generalmente lo hay en todo el reino. Hállase en la superficie de la tierra y en los arroyos y ríos, donde lo llevan las avenidas de las lluvias; de allí lo sacan, lavando la tierra o la arena, como lavan acá los plateros la escubilla de sus tiendas, que son las barreduras dellas. Llaman los españoles lo que assí sacan *oro en polvo*, porque sale como limalla; algunos granos se hallan gruesos, de dos, tres pesos y más; yo vi granos de a más de veinte pesos; llámanles *pepitas*; algunas son llanas, como pepitas de melón o calabaça; otras redondas, otras largas como huevos. Todo el oro del Perú es de diez y ocho a veinte quilates de ley, poco más, poco menos. Sólo el que se saca en las minas de Callauaya o Callahuaya es finíssimo, de a veinticuatro quilates, y aun pretende passar dellos, según me lo han dicho algunos plateros en España. El año de mil y quinientos y cincuenta y seis, se halló en un resquicio de una mina, de las de Callahuaya, una piedra de las que se crían con el metal, del tamaño de la cabeça de un hombre; el color, propriamente, era color de bofes, y aun la hechura lo parecía, porque toda ella estava agujerada de unos agujeros chicos y grandes, que la pasavan de un cabo a otro. Por todos ellos asomavan puntas de oro, como si le huvieran echado oro derretido por cima: unas puntas salían fuera de la piedra, otras emparejavan con ella, otras quedavan más adentro. Dezían los que entendían de minas que si no la sacaran de donde estava, que por tiempo viniera a convertirse toda la piedra en oro. En el Cozco la miravan los españoles por cosa maravillosa; los indios la llamavan *huaca*, que, como en otra parte diximos, entre otras muchas significaciones que este nombre tiene, una es dezir admirable cosa, digna de admiración por ser linda, como también sinifica cosa abominable por ser fea; yo la mirava con los unos y con los otros. El dueño de la piedra, que era hombre rico, determinó venirse a España y traerla como estava, para presentarla al Rey Don Felipe Segundo, que la joya por su estrañeza era mucho de estimar. De los que vinieron en el armada en que él vino, supe en España que la nao se havía perdido, con otra mucha riqueza que traía.

La plata se saca con más trabajo que el oro, y se beneficia y purifica con más costa. En muchas partes del Perú se han hallado y hallan minas de plata, pero ningunas como las de Potocsi, las cuales se descubrieron y registraron año de mil y quinientos y cuarenta y cinco, catorze años después que los españoles entraron en aquella tierra. El cerro donde están se dize Potocsi, porque aquel sitio se llamava assí; no sé qué signifique en el lenguaje particular de aquella provincia, que en la general del Perú no significa nada. Está en un llano, es de forma de un pilón de açúcar; tiene de circuito, por lo más baxo, una legua, y de alto más de un cuarto de legua; lo alto del cerro es redondo; es hermoso a la vista, porque es solo; hermoseólo la naturaleza para que fuesse tan famoso en el mundo como hoy lo es. Algunas mañanas amanesce lo alto cubierto de nieve, porque aquel sitio es frío. Era entonces aquel sitio del repartimiento de Gonçalo Piçarro, que después fué de Pedro de Hinojosa; cómo lo huvo, diremos adelante, si es lícito ahondar y declarar tanto los hechos secretos que passan en las guerras, sin caer en odio, que muchas cosas dexan de dezir los historiadores por este miedo. El Padre Acosta, libro cuatro, escrive largo del oro y plata y azogue que en aquel Imperio se ha hallado, sin lo que cada día va descubriendo el tiempo; por esto dexaré yo de escrivirlo; diré brevemente algunas cosas notables de aquellos tiempos, y cómo beneficiavan y fundían los indios el metal antes que los españoles hallaran el azogue; en lo demás remito a aquella historia al que lo quisiere ver más largo, donde hallará cosas muy curiosas, particularmente del azogue. Es de saber que las minas del cerro de Potocsi las descubrieron ciertos indios criados de españoles, que en su lenguaje llaman *yanacuna*, que en toda su significación quiere dezir hombre que tiene obligación de hazer oficio de criado; los cuales, debaxo de secreto, en amistad y buena compañía, gozaron algunos días de la primera veta que hallaron; mas como era tanta la riqueza y ella sea mala de encubrir, no pudieron o no quisieron encubrirla de sus amos, y assí las descubrieron a ellos y registraron la veta primera, por la cual se descubrieron las demás. Entre los españoles que se hallaron en aquel buen lance fué uno que se llamó Gonçalo Bernal, mayordomo que después fué de Pedro de Hinojosa; el cual, poco después del registro, hablando un día delante de Diego Centeno (famoso cavallero) y de otra mucha gente noble, dixo: "Las minas prometen tanta riqueza, que, a pocos años que se labren, valdrá más el hierro que la plata". Este pronóstico vi yo cumplido los años de mil y quinientos y cincuenta y cuatro y cincuenta y cinco, que en la guerra de Francisco Hernández Girón valió una herradura de cavallo cinco pesos, que son seis ducados, y una de mula cuatro pesos; dos clavos de herrar, un tomín, que son cincuenta y seis maravedís; vi comprar un par de borzeguís en treinta y seis ducados; una mano de papel en cuatro ducados; la vara de grana fina de Valencia a sesenta ducados; y a este respecto los paños finos de Segovia y las sedas y lienços y las demás mercaderías de España. Causó esta carestía aquella guerra, porque en dos años que duró no passaron armadas al Perú, que llevan las cosas de España. También la causó la mucha plata que davan las minas, que tres y cuatro años antes de los que hemos nombrado, llegó a valer un cesto de la yerva que llaman cuca treinta y seis ducados, y una hanega de trigo veinte y cuatro y veinte y cinco ducados; lo mismo valió el maíz, y al respecto el vestir y calçar, y el vino, que las primeras botijas, hasta que huvo abundancia, se vendían a dozientos y a más ducados. Y con ser la tierra tan rica y abundante de oro y plata y piedras preciosas, como todo el mundo sabe, los naturales della son la gente más pobre y mísera que hay en el universo.

CAPÍTULO XXV

Del azogue, y cómo fundían el metal antes dél.

COMO en otra parte apuntamos, los Reyes Incas alcançaron el azogue y se admiraron de su viveza y movimiento, mas no supieron qué hazer dél ni con él; porque para el servicio dellos no le hallaron de provecho para cosa alguna; antes sintieron que era dañoso para la vida de los que lo sacan y tratan, porque vieron que les causava el temblar y perder los sentidos. Por lo cual, como Reyes que tanto cuidavan de la salud de sus vassallos, conforme al apellido Amador de Pobres, vedaron por ley que no lo sacassen ni se acordassen dél; y assí lo aborrescieron los indios de tal manera, que aun el nombre borraron de la memoria y de su lenguaje, que no lo tienen para nombrar el azogue, si no lo han inventado después que los españoles lo descubrieron, año de mil y quinientos y sesenta y siete, que, como aquellas gentes no tuvieron letras, olvidavan muy aína cualquiera vocablo que no traían en uso; lo que usaron los Incas, y permitieron que usassen los vassallos, fué del color carmesí, finíssimo sobre todo encarecimiento, que en los minerales del azogue se cría en polvo, que los indios llaman *ichma,* que el nombre *llimpi,* que el Padre Acosta dize, es de otro color purpúreo, menos fino, que sacan de otros mineros, que en aquella tierra los hay de todas las colores. Y porque los indios, aficionados de la hermosura del color *ichma* (que cierto es para aficionar apassionadamente), se desmandavan en sacarlo, temiendo los Incas no les dañasse el andar por aquellas cavernas, vedaron a la gente común el uso dél, sino que fuesse solamente para las mujeres de la sangre real, que los varones no se lo ponían, como yo lo vi; y las mujeres que usavan dél eran moças y hermosas, y no las mayores de edad, que más era gala de gente moça que ornamento de gente madura, y aun las moças no lo ponían por las mexillas, como acá el arrebol, sino dende las puntas de los ojos hasta las sienes, con un palillo, a semejança del alcohol; la raya que hazían era del ancho de una paxa de trigo, y estávales bien; no usaron de otro afeite las Pallas, sino del *ichma* en polvo, como se ha dicho; y aun no era cada día, sino de cuando en cuando, por vía de fiesta. Sus caras traían limpias, y lo mismo era de todo el mujeriego de la gente común. Verdad es que las que presumían de su hermosura y buena tez de rostro, por que no se les estragasse, se ponían una lechezilla blanca, que hazían no sé de qué, en lugar de mudas, y la dexavan estar nueve días; al cabo dellos se alçava la leche y se despegava del rostro y se dexava quitar del un cabo al otro, como un hollejo, y dexava la tez de la cara mejorada. Con la escaseza que hemos dicho gastavan el color *ichma,* tan estimado entre los indios, por escusar a los vassallos el sacarlo. El pintarse o teñirse los rostros con diversos colores en la guerra o en las fiestas, que un autor dize, nunca lo hizieron los Incas ni todos los indios en común, sino algunas naciones particulares que se tenían por más feroces y eran más brutos. Resta dezir cómo fundían el metal de la plata antes que se hallara el azogue. Es assí que cerca del cerro Potocchi hay otro cerro pequeño, de la misma forma que el grande, a quien los indios llaman Huaina Potocchi, que quiere dezir Potocchi el Moço, a diferencia del otro grande, al cual, después que hallaron el pequeño, llamaron Hatun Potocsi o Potocchi, que todo es uno, y dixeron que eran padre y hijo. El metal de la plata se saca del cerro grande, como atrás se ha dicho; en el cual hallaron, a los principios, mucha dificultad en fundirlo, porque no corría, sino que se quemava y consumía en humo; y no sabían los indios la causa, aunque havían trazado otros metales. Mas como la necessidad o la codicia sea tan gran maestra, principalmente en lances de oro y plata, puso tanta diligencia, buscando y provando remedios, que dió en uno, y fué que en el cerro pequeño halló metal baxo, que casi todo o del todo era de plomo, el cual, mezclado con el metal de plata, le hazía correr, por lo cual le llamaron *çurúchec,* que quiere decir el que haze deslizar. Mezclavan estos dos metales por su cuenta y razón, que a tantas libras del metal de plata echavan tantas onças del metal de plomo, más y menos, según que el uso y la esperiencia les enseñava, de día en día; porque no todo metal de plata es de una misma suerte, que unos metales son de más plata que otros, aunque sean de una misma veta; porque unos días lo sacan de más plata que otros, y otros de menos, y conforme a la calidad y riqueza de cada metal le echavan el çurúchec. Templado assí el metal, lo fundían en unos hornillos portátiles, a manera de alnafes de barro; no fundían con fuelles ni a soplos, con los cañutos de cobre, como en otra parte diximos que fundían la plata y el oro para labrarlo; que aunque lo provaron muchas vezes, nunca corrió el metal ni pudieron los indios alcançar la causa; por lo cual dieron en fundirlo al viento natural. Mas también era necessario templar el viento, como los metales, porque si el viento era muy rezio gastava el carbón y enfriava el metal, y si era blando, no tenía fuerça para fundirlo. Por esto se ivan de noche a los cerros y collados y se ponían en las laderas altas o baxas, conforme al viento que corría, poco o mucho, para templarlo con el sitio más o menos abrigado. Era cosa hermosa ver en aquellos tiempos ocho, diez, doze, quince mil hornillos arder por aquellos cerros y alturas. En ellas hazían sus primeras fundiciones; después, en sus casas, hazían las segundas y terceras, con los cañutos de cobre, para apurar la plata y gastar el plomo; porque no hallando los indios los ingenios que por acá tienen los españoles de agua fuerte y otras cosas, para apartar el oro de la plata y del cobre, y la plata del cobre y del plomo, la afinavan a poder de fundirla muchas vezes. De la manera que se ha dicho havían los indios la fundición de la plata en Potocsi, antes que se hallara el azogue, y todavía hay algo desto entre ellos, aunque no en la muchedumbre y grandeza passada.

Los señores de las minas, viendo que por esta vía de fundir con viento natural se derramavan sus riquezas por muchas manos, y participavan dellas otros muchos, quisieron remediarlo, por gozar de su metal a solas, sacándolo a jornal y haziendo ellos sus fundiciones y no los indios, porque hasta entonces lo sacavan los indios, con condición de acudir al señor de la mina con un tanto de plata por cada quintal de metal que sacasse. Con esta avaricia hizieron fuelles muy grandes, que soplassen los hornillos dende lexos, como viento natural. Mas no aprovechando este artificio, hizieron máquinas y ruedas con velas, a semejança de las que hazen para los molinos de viento, que las truxessen cavallos. Empero, tampoco aprovechó cosa alguna; por lo cual, desconfiados de sus invenciones, se dexaron ir con lo que los indios havían inventado; y assí passaron veinte y dos años, hasta el año de 1567, que se halló el azogue por ingenio y sutileza de un lusitano, llamado Enrique Garcés, que lo descubrió en la provincia Huanca, que no sé por qué le añadieron el sobrenombre Uillca, que significa grandeza y eminencia, si no es por dezir el abundancia del azogue que allí se saca, que, sin lo que se desperdicia, son cada año ocho mil quintales para Su Majestad, que son treinta y dos mil arrobas. Mas con haverse hallado en tanta abundancia, no se usó del azogue para sacar la plata con él; porque en aquellos cuatro años no huvo quien supiesse hazer el ensaye de aquel menester, hasta el año de 1571, que fué al Perú un español que se dezía Pedro Fernández de Velasco, que havía estado en México y visto sacar la plata con azogue, como larga y curiosamente lo dize todo el Padre Maestro Acosta, a quien buelvo a remitir al que quisiere ver y oír cosas galanas y dignas de ser sabidas.

FIN DEL LIBRO OCTAVO

LIBRO NONO
de los
COMENTARIOS REALES
DE LOS INCAS.

Contiene las grandezas y magnanimidades de Huaina Cápac; las conquistas que hizo; los castigos en diversos. rebelados; el perdón de los Chachapuyas; el hazer Rey de Quitu a su hijo Atahuallpa; la nueva que tuvo de los españoles; la declaración del pronóstico que dellos tenían; las cosas que los castellanos han llevado al Perú, que no havía antes dellos, y las guerras de los dos hermanos Reyes, Huáscar y Atahuallpa; las desdichas del uno y las crueldades del otro. Contiene cuarenta capítulos.

CAPÍTULO I

Huaina Cápac manda hazer una maroma de oro;
por qué y para qué.

L PODEROSO Huaina Cápac, quedando absoluto señor de su Imperio, se ocupó el primer año en cumplir las obsequias de su padre; luego salió a visitar sus reinos, con grandíssimo aplauso de los vassallos, que por doquiera que passava salían los curacas e indios a cubrir los caminos de flores y juncia, con arcos triunfales que de las mismas cosas hazían. Recebíanle con grandes aclamaciones de los renombres reales, y el que más vezes repetían era el nombre del mismo Inca, diziendo: "¡Huaina Cápac, Huaina Cápac!", como que era el nombre que más lo engrandecía, por haverlo merecido desde su niñez, con el cual le dieron también la adoración (como a Dios) en vida. El Padre Joseph de Acosta, hablando deste Príncipe, entre otras grandezas que en su loa escrive, dize estas palabras, libro sesto, capítulo veintidós: "Este Huaina Cápac fué adorado de los suyos por Dios en vida, cosa que afirman los viejos que con ninguno de sus antecessores se hizo", etc. Andando en esta visita, a los principios della, tuvo el Inca Huaina Cápac nueva que era nascido el príncipe heredero, que después llamaron Huáscar Inca. Por haver sido este príncipe tan desseado, quiso su padre hallarse a las fiestas de su nacimiento, y assí se bolvió al Cozco con toda la priessa que le fué possible, donde fué recebido con las ostentaciones de regozijo y plazer que el caso requería. Passada la solenidad de la fiesta, que duró más de veinte días, quedando Huaina Cápac muy alegre con el nuevo hijo, dió en imaginar cosas grandes y nunca vistas, que se inventassen para el día que le destetassen y tresquilassen el primer cabello y pusiessen el nombre proprio, que, como en otra parte diximos, era fiesta de las más solenes que aquellos Reyes celebravan, y al respecto de allí abaxo, hasta los más pobres, porque tuvieron en mucho los primogénitos. Entre otras grandezas que para aquella fiesta se inventaron, fué una la cadena de oro tan famosa en todo el mundo, y hasta ahora aún no vista por los estraños, aunque bien desseada. Para mandarla hazer tuvo el Inca la ocasión que diremos. Es de saber que todas las provincias del Perú, cada una de por sí, tenía manera de bailar diferente de las otras, en la cual se conocía cada nación, también como en los diferentes tocados que traían en las cabeças. Y estos bailes eran perpetuos, que nunca los trocavan por otros. Los Incas tenían un bailar grave y honesto, sin brincos ni saltos ni otras mudanças, como los demás hazían. Eran varones los que bailavan, sin consentir que bailassen mujeres entre ellos; asíanse de las manos, dando cada uno las suyas por delante, no a los primeros que tenía a sus lados, sino a los segundos, y assí las ivan dando de mano en mano, hasta los últimos, de manera que ivan encadenados. Bailavan dozientos y trezientos hombres juntos, y más, según la solenidad de la fiesta. Empeçavan el baile apartados del Príncipe ante quien se hazía. Salían todos juntos; davan tres passos en compás, el primero hazia tras y los otros dos hazia delante, que eran como los passos que en las danças españolas llaman *dobles* y *represas;* con estos passos, yendo y viniendo, ivan ganando tierra siempre para delante, hasta llegar en medio cerco adonde el Inca estava. Ivan cantando a vezes, ya unos, ya otros, por no cansarse si cantassen todos juntos; dezían cantares a compás del baile, compuestos en loor del Inca presente y de sus antepassados y de otros de la misma sangre que por sus hazañas, hechas en paz o en guerra, eran famosos. Los Incas circunstantes ayudavan al canto, por que la fiesta fuesse de todos. El mismo Rey bailava algunas vezes en las fiestas solenes, por solenizarlas más.

Del tomarse las manos para ir encadenados, tomó el Inca Huaina Cápac ocasión para mandar hazer la cadena de oro; porque le pareció que era más descente, más solene y de mayor majestad, que fuessen bailando asidos a ella y no a las manos. Este hecho en particular, sin la fama común, lo oí al Inca viejo, tío de mi madre, de quien al principio desta historia hezimos mención que contava las antiguallas de sus passados. Preguntándole yo qué largo tenía la cadena, me dixo que tomava los dos lienços de la Plaça Mayor del Cozco, que es el ancho y el largo della, donde se hazían las fiestas principales, y que (aunque para el bailar no era menester que fuera tan larga) mandó hazerla assí el Inca para mayor grandeza suya y mayor ornato y solenidad de la fiesta del hijo, cuyo nacimiento quiso solenizar en estremo. Para los que han visto aquella plaça, que los indios llaman Haucaipata, no hay necessidad de dezir el grandor della; para los que no la han visto, me paresce que tendrá de largo, norte sur, dozientos passos de los comunes, que son de a dos pies, y de ancho, leste hueste, tendrá ciento y cincuenta passos, hasta el mismo arroyo, con lo que toman las casas que por el largo del arroyo hizieron los españoles, año de mil y quinientos y cincuenta y seis, siendo Garcilasso de la Vega, mi señor, corregidor de aquella gran ciudad. De manera que a esta cuenta tenía la cadena trezientos y cincuenta passos de largo, que son setecientos pies; preguntando yo al mismo indio por el gruesso della, alçó la mano derecha, y, señalando la muñeca, dixo que cada eslavón era tan gruesso como ella. El contador general Agustín de Çárate, libro primero, capítulo catorze, ya por mí otra vez alegado cuando hablamos de las increíbles riquezas de las casas reales de los Incas, dize cosas muy grandes de aquellos tesoros. Parescióme repetir aquí lo que dize en particular de aquella cadena, que es lo que se sigue, sacado a la letra: "Al tiempo que le nasció un hijo, mandó hazer Guainacava una maroma de oro, tan gruessa (según hay muchos indios vivos que lo dizen), que, asidos a ella dozientos indios orejones, no la levantavan muy fácilmente, y en memoria desta tan señalada joya llamaron al hijo Guasca, que en su lengua quiere dezir soga, con el sobrenombre de Inga, que era de todos los Reyes, como los Emperadores romanos se llamavan Augustos", etc. Hasta aquí es de aquel cavallero, historiador del Perú. Esta pieça, tan rica y sobervia, escondieron los indios con el demás tesoro que desaparecieron, luego que los españoles entraron en la tierra, y fué de tal suerte que no hay rastro della. Pues como aquella joya tan grande, rica y sobervia, se estrenasse al tresquilar y poner nombre al niño príncipe heredero del Imperio, demás del nombre proprio que le pusieron, que fué Inti Cusi Huallpa, le añadieron por renombre el nombre Huáscar, por dar más ser y calidad a la joya. *Huasca* quiere dezir soga, y porque los indios del Perú no supieron dezir cadena, la llamavan soga, añadiendo el nombre del metal de que era la soga, como acá dezimos cadena de oro o de plata o de hierro; y por que en el príncipe no sonasse mal el nombre Huasca, por su significación, para quitársela le disfreçaron con la *r*, añadida en la última sílaba, porque con ella no significa nada, y quisieron que retuviesse la denominación de Huasca, pero no la significación de soga; de esta suerte fué impuesto el nombre Huáscar a aquel príncipe, y de tal manera se le aproprió, que sus mismos vassallos le nombravan por el nombre impuesto y no por el proprio, que era Inti Cusi Huallpa; quiere dezir Huallpa Sol de alegría; que ya como en aquellos tiempos se veían los Incas tan poderosos, y como la potencia, por la mayor parte, incite a los hombres a vanidad y sobervia, no se preciaron de poner a su príncipe algún nombre de los que hasta entonces tenían por nombres de grandeza y majestad, sino que se levantaron hasta el cielo y tomaron el nombre del que honravan y adoravan por Dios y se lo dieron a un hombre llamándole Inti, que en su lengua quiere dezir Sol; *Cusi* quiere dezir alegría, plazer, contento y regozijo, y esto baste de los nombres y renombres del príncipe Huáscar Inca. Y bolviendo a su padre Huaina Cápac, es de saber que, haviendo dexado el orden y traça de la cadena y de las demás grandezas que para la solenidad del tresquilar y poner nombre a su hijo se havían de hazer, bolvió a la visita de su reino, que dexó empeçada, y anduvo en ella más de dos años, hasta que fué tiempo de destetar el niño; entonces bolvió al Cozco, donde se hizieron las fiestas y regozijos que se pueden imaginar, poniéndole el nombre proprio y el renombre Huáscar.

CAPÍTULO II

Redúzense de su grado diez valles de la costa, y Túmpiz se rinde.

N AÑO después de aquella solenidad, mandó Huaina Cápac levantar cuarenta mil hombres de guerra, y con ellos fué al reino de Quitu, y de aquel viaje tomó por concubina la hija primogénita del Rey que perdió aquel reino, la cual estava días havía en la casa de las escogidas; huvo en ella [a] Atahuallpa y a otros hermanos suyos que en la historia veremos. De Quitu baxó el Inca a los llanos, que es la costa de la mar, con desseo de hazer su conquista; llegó al valle llamado Chimu, que es ahora Trujillo, hasta donde su abuelo, el buen Inca Yupanqui, dexó ganado y conquistado a su Imperio, como queda dicho. De allí embió los requirimientos acostumbrados de paz o de guerra a los moradores del valle de Chacma y Pacasmayu, que está más adelante; los cuales, como havía años que eran vezinos de los vassallos del Inca y sabían la suavidad del govierno de aquellos Reyes, havía muchos días que desseavan el señorío dellos, y assí respondieron que holgavan mucho ser vassallos del Inca y obedecer sus leyes y guardar su religión. Con el exemplo de aquellos valles, hizieron lo mismo otros ocho que hay entre Pacasmayu y Túmpiz, que son Çaña, Collque, Cintu, Tucmi, Sayanca, Mutupi, Puchiu, Sullana; en la conquista de los cuales gastaron dos años, más en cultivarles las tierras y sacar acequias para el riego, que no en sujetarlos, porque los más se dieron de muy buena gana. En este tiempo mandó el Inca renovar su exército tres o cuatro vezes, que como unos veniessen se fuessen otros, por el riesgo que de su salud los mediterráneos tienen andando en la costa, por ser esta tierra caliente y aquélla fría.

Acabada la conquista de aquellos valles, se bolvió el Inca a Quitu, donde gastó dos años ennobleciendo aquel reino con suntuosos edificios, con grandes acequias para los riegos y con muchos beneficios que hizo a los naturales. Passado aquel espacio de tiempo, mandó apercebir un exército de cincuenta mil hombres de guerra, y con ellos baxó a la costa de la mar, hasta ponerse en el valle de Sullana, que es el mar cercano a Túmpiz, de donde embió los requerimientos acostumbrados de paz o de guerra. Los de Túmpiz era gente más regalada y viciosa que toda la demás que por la costa de la mar hasta allí havían conquistado los Incas; traía esta nación por divisa, en la cabeça, un tocado como guirnalda, que llaman *pillu*. Los caciques tenían truhanes, chocarreros, cantores y bailadores, que les davan solaz y contento. Usavan el nefando, adoravan tigres y leones, sacrificávanles coraçones de hombres y sangre humana; eran muy servidos de los suyos y temidos de los ajenos; mas con todo eso no osaron resistir al Inca, temiendo su gran poder. Respondieron que de buena gana le obedecían y recebían por señor. Lo mismo respondieron otros valles de la costa y otras naciones de la tierra adentro, que se llaman Chumana, Chíntuy, Collonche, Yácuall, y otras muchas que hay por aquella comarca.

CAPÍTULO III

El castigo de los que mataron los ministros de Túpac Inca Yupanqui.

L INCA entró en Túmpiz, y entre otras obras reales mandó hazer una hermosa fortaleza, donde puso guarnición de gente de guerra; hizieron templo para el Sol y casa de sus vírgines escogidas; lo cual concluído, entró en la tierra adentro a las provincias que mataron los capitanes y los maestros de su ley y los ingeniosos y maestros que su padre, Túpac Inca Yupanqui, les havía embiado para la dotrina y enseñança de aquellas gentes, como atrás queda dicho; las cuales provincias estavan atemorizadas con la memoria de su delicto. Huaina Cápac les embió mensajeros mandándoles viniessen luego a dar razón de su malhecho y a recebir el castigo merecido. No osaron resistir aquellas naciones porque su ingratitud y traición les acusava y el gran poder del Inca les amedrentava; y assí vinieron, rendidos, a pedir misericordia de su delicto.

El Inca mandó que se juntassen todos los curacas y los embaxadores y consejeros, capitanes y hombres nobles, que se hallaron en consultar y llevar la embaxada que a su padre hizieron cuando le pidieron los ministros que le mataron, porque quería hablar con todos ellos juntos. Y haviéndose juntado, un maesse de campo, por orden del Inca, les hizo una plática vituperando su traición, alevosía y crueldad; que haviendo de adorar al Inca y a sus ministros por los beneficios que les hazían en sacarlos de ser brutos y hazerlos hombres, los huviessen muerto tan cruelmente y con tanto desacato del Inca, hijo del Sol; por lo cual eran dignos de castigo digno de su maldad; y que haviendo de ser castigados como ellos lo merecían, no havía de quedar de todas sus nasciones sexo ni edad. Empero, el Inca Huaina Cápac, usando de su natural clemencia y preciándose del nombre Huacchacúyac, que es amador de pobres, perdonava toda la gente común, y que a los presentes, que havían sido auctores y executores de la traición, los cuales merescían la muerte por todos los suyos, también se la perdonava, con que para memoria y castigo de su delicto degollassen solamente la décima parte dellos. Para lo cual, de diez en diez, echassen suertes entre ellos, y que muriessen los más desdichados por que no tuviessen ocasión de dezir que con enojo y rancor havían elegido los más odiosos. Assimismo mandó el Inca que a los curacas y a la gente principal de la nación Huancauillca, que havían sido los principales auctores de la embaxada y de la traición, sacassen a cada uno dellos y a sus descendientes, para siempre, dos dientes de los altos y otros dos de los baxos, en memoria y testimonio de que havían mentido en las promessas que al gran Túpac Inca Yupanqui, su padre, havían hecho, de fidelidad y vassallaje.

La justicia y castigo se executó, y con mucha humildad lo recibieron todas aquellas nasciones, y se dieron por dichosos, porque havían temido los passaran todos a cuchillo por la traición que havían hecho; porque ningún delicto se castigava con tanta severidad como la rebelión después de haverse sujetado al Imperio de los Incas; porque aquellos Reyes se davan por muy ofendidos de que en lugar de agradescer los muchos beneficios que les hazían, fuessen tan ingratos que, haviéndolos esperimentado, se rebelassen y matassen los ministros del Inca. Toda la nación Huancauillca (de por sí) rescibió con más humildad y sumissión el castigo que todos los demás, porque, como auctores de la rebelión passada, temían su total destruición; mas cuando vieron el castigo tan piadoso y executado en tan pocos, y que el sacar los dientes era en particular a los curacas y capitanes, lo tomó toda la nasción por favor, y no por castigo, y assí todos los de aquella provincia, hombres y mujeres, de común consentimiento, tomaron por blasón e insignia la pena que a sus capitanes dieron, sólo porque lo havía mandado el Inca, y se sacaron los dientes, y de allí adelante los sacavan a sus hijos y hijas, luego que los havían mudado. De manera que, como gente bárbara y rústica, fueron más agradescidos a la falta del castigo que a la sobra de los beneficios.

Una india desta nasción conoscí en el Cozco en casa de mi padre, que contava largamente esta historia. Los Huancauillcas, hombres y mujeres, se horadavan la ternilla de las narices para traer un joyelito de oro o de plata colgado della. Acuérdome haver conoscido en mi niñez un cavallo castaño, que fué de un vezino de mi pueblo que tuvo indios, llamado fulano de Coca; el cavallo era muy bueno, y porque le faltava aliento, le horadaron las narizes por cima de las ventanas. Los indios se espantaron de ver la novedad, y por exelencia llamavan al cavallo Huancauillca, por dezir que tenía horadadas las narizes.

CAPÍTULO IV

Visita el Inca su Imperio, consulta los oráculos, gana la isla Puna.

L INCA Huaina Cápac, haviendo castigado y reduzido a su servicio aquellas provincias y dexado en ellas la gente de guarnición necessaria, subió a visitar el reino de Quitu, y de allí rebolvió al mediodía y fué visitando su Imperio hasta la ciudad del Cozco, y passó hasta las Charcas, que son más de setecientas leguas de largo. Embió a visitar el reino de Chile, de donde a él y a su padre truxeron mucho oro, en la cual visita gastó casi cuatro años; reposó otros dos en el Cozco. Passado este tiempo, mandó levantar cincuenta mil hombres de guerra de las provincias del distrito Chinchasuyu, que son al norte del Cozco; mandó que se juntassen en los términos de Túmpiz, y él baxó a los llanos, visitando los templos del Sol que havía en las provincias principales de aquel paraje. Visitó el rico templo de Pachacámac, que ellos adoravan por Dios no conoscido; mandó a los sacerdotes consultassen al demonio, que allí hablava, la conquista que pensava hazer; fuéle respondido que hiziesse aquélla y más las que quisiesse, que de todas saldría victorioso, porque lo havía elegido para señor de las cuatro partes del mundo. Con esto passó al valle de Rímac, do estava el famoso ídolo hablador. Mandó consultarle su jornada, por cumplir lo que su bisabuelo capituló con los yuncas, que los Incas tendrían en veneración aquel ídolo; y haviendo recebido su respuesta, que fué de muchas bachillerías y grandes lisonjas, passó adelante, visitando los valles que hay hasta Túmpiz; llegado allí, embió los apercibimientos acostumbrados de paz o de guerra a los naturales de la isla llamada Puna, que está no lexos de tierra firme, fértil y abundante de toda cosa; tiene la isla de contorno doze leguas, cuyo señor havía por nombre Tumpalla, el cual estava sobervio porque nunca él ni sus passados havían reconoscido superior, antes lo presumían ser de todos sus comarcanos, los de tierra firme; y assí tenían guerra unos con otros, la cual discordia fué causa que no pudiessen resistir al Inca, que, estando todos conformes, pudieran defenderse largo tiempo. Tumpalla (que demás de su sobervia era vicioso, regalado, tenía muchas mujeres y bardajes, sacrificava coraçones y sangre humana a sus dioses, que eran tigres y leones, sin el dios común que los indios de la costa tenían, que era la mar y los peces que en más abundancia matavan para su comer) recibió con mucho pesar y sentimiento el recaudo del Inca, y para responder a él llamó los más principales de su isla, y con gran dolor les dixo: "La tiranía ajena tenemos a las puertas de nuestras casas, que ya nos amenaza quitárnoslas y passarnos a cuchillo si no le recebimos de grado;

y si le admitimos por señor, nos ha de quitar nuestra antigua libertad, mando y señorío, que tan de atrás nuestros antepassados nos dexaron; y no fiando de nuestra fidelidad, nos han de mandar labrar torres y fortalezas en que tenga su presidio y gente de guarnición mantenida a nuestra costa, para que nunca aspiremos a la libertad. Hannos de quitar las mejores possessiones que tenemos, y las mujeres y hijas más hermosas que tuviéremos, y lo que es más de sentir, que nos han de quitar nuestras antiguas costumbres y darnos leyes nuevas, mandarnos adorar dioses ajenos y echar por tierra los nuestros proprios y familiares; y, en suma, ha de hazernos vivir en perpetua servidumbre y vassallaje, lo cual no sé si es peor que morir de una vez; y pues esto va por todos, os encargo miréis lo que nos conviene, y me aconsejéis lo que os pareciere más acertado". Los indios platicaron gran espacio unos con otros entre sí; lloraron las pocas fuerças que tenían para resistir las de un tirano tan poderoso, y que los comarcanos de la tierra firme antes estavan ofendidos que obligados a socorrerles, por las guerrillas que unos a otros se hazían. Viéndose desamparados de toda esperança de poder sustentar su libertad, y que havían de perescer todos si pretendían defenderla por armas, acordaron elegir lo que les paresció menos malo, y sujetarse al Inca con obediencia y amor fingido y disimulado, aguardando tiempo y ocasión para librarse de su Imperio cuando pudiessen. Con este acuerdo el curaca Tumpalla, no solamente respondió a los mensajeros del Inca con toda paz y sumisión, mas embió embaxadores proprios, con grandes presentes, que en su nombre y de todo su estado le diessen la obediencia y vassallaje que el Inca pedía, y le suplicassen tuviesse por bien de favorescer sus nuevos vassallos y toda aquella isla con su real presencia, que para ellos sería toda la felicidad que podían desear.

El Inca se dió por bien servido del curaca Tumpalla; mandó tomar la possessión de su tierra y que adereçassen lo necessario para passar el exército a la isla. Todo lo cual proveído con la puntualidad que ser pudo, conforme a la brevedad del tiempo, mas no con el aparato y ostentación que Tumpalla y los suyos quisieran, passó el Inca a la isla, donde fué recebido con mucha solenidad de fiestas y bailes, cantares compuestos de nuevo, en loor de las grandezas de Huaina Cápac. Aposentáronlo en unos palacios nuevamente labrados, a lo menos lo que fué menester para la persona del Inca, porque no era decente a la persona real dormir en aposento en que otro huviesse dormido. Huaina Cápac estuvo algunos días en la isla, dando orden en el govierno della conforme a sus leyes y ordenanças. Mandó a los naturales della y a sus comarcanos, los que vivían en tierra firme, que era una gran behetría de varias naciones y diversas lenguas (que también se havían rendido y sujetado al Inca), que dexassen sus dioses, no sacrificassen sangre ni carne humana ni la comiessen, no usassen el nefando, adorassen al Sol por universal Dios, viviessen como hombres, en ley de razón y justicia. Todo lo cual les mandava como Inca, hijo del Sol, legislador de aquel grande Imperio, que no lo quebrantassen en todo ni en parte, so pena de la vida. Tumpalla y sus vezinos dixeron que assí lo cumplirían como el Inca lo mandava.

Passada la solenidad y fiesta del dar la ley y preceptos del Inca, considerando los curacas más de espacio el rigor de las leyes y cuán en contra eran de las suyas y de todos sus regalos y passatiempos, haziéndoseles grave y riguroso el imperio ajeno, desseando bolverse a sus torpezas, se conjuraron los de la isla con todos sus comarcanos, los de la tierra firme, para matar al Inca y a todos los suyos, debaxo de traición, a la primera ocasión que se les ofreciesse. Lo cual consultaron con sus dioses desechados, bolviéndolos de secreto a poner en lugares decentes para bolver a la amistad dellos y pedir su favor; hiziéronles muchos sacrificios y grandes promessas, pidiéndoles orden y consejo para emprender aquel hecho y la respuesta del sucesso, si sería próspero o adverso. Fuéles dicho por el demonio que lo acometiessen, que saldrían con su empresa, porque tendrían el favor y amparo de sus dioses naturales; con lo cual quedaron aquellos bárbaros tan ensobervecidos que estuvieron por acometer el hecho, sin más dilatarlo, si los hechizeros y adevinos no lo estorvaran con dezirles que se aguardasse alguna ocasión para hazerlo con menos peligro y más seguridad, que esto era consejo y aviso de sus dioses.

CAPÍTULO V
Matan los de Puna a los capitanes de Huaina Cápac.

ENTRE tanto que los curacas maquinavan su traición, el Inca Huaina Cápac y su Consejo entendía[n] en el govierno y vida política de aquellas naciones, que por la mayor parte se gastava más tiempo en esto que en sujetarlos. Para lo cual fué menester embiar ciertos capitanes de la sangre real a las naciones que vivían en tierra firme, para que, como a todas las demás de su Imperio, las doctrinassen en su vana religión, leyes y costumbres; mandóles llevassen gente de guarnición para presidios y para lo que se ofreciesse en negocios de guerra. Mandó a los naturales llevassen aquellos capitanes por la mar en sus balsas, hasta la boca de un río, donde convenía se desembarcassen para lo que ivan a hazer. Dada esta orden, el Inca se bolvió a Túmpiz, a otras cosas importantes al mismo govierno, que no era otro el estudio de aquellos Príncipes, sino cómo hazer bien a sus vassallos, que muy propriamente les llama el Padre Maestro Blas Valera padre de familias y tutor solícito de pupilos; quiçá les puso estos nombres interpretando uno de los que nosotros hemos dicho que aquellos indios davan a sus Incas, que era llamarles amador y bienhechor de pobres.

Los capitanes, luego que el Rey salió de la isla, ordenaron de ir donde les era mandado; mandaron traer balsas para passar aquel braço de mar; los curacas, que estavan confederados, viendo la ocasión que se les ofrecía para executar su traición, no quisieron traer todas las balsas que pudieran, para llevar los capitanes Incas en dos viajes, para hazer dellos más a su salvo lo que havían acordado, que era matarlos en la mar. Embarcóse la mitad de la gente con parte de los capitanes; los unos y los otros eran escogidos en toda la milicia que entonces havía; llevavan muchas galas y arreos, como gente que andava más cerca de la persona real, y todos eran Incas, o por sangre o por el previlegio del primer Inca; llegando a cierta parte de la mar, donde los naturales havían determinado executar su traición, desataron y cortaron las sogas con que ivan atados los palos de las balsas, y en un punto echaron en la mar los capitanes y toda su gente, que iva descuidada y confiada en los mareantes; los cuales, con los remos y con las mismas armas de los Incas, convirtiéndolas contra sus dueños, los mataron todos, sin tomar ninguno a vida, y aunque los Incas querían valerse de su nadar para salvar las vidas, porque los indios comúnmente saben nadar, no les aprovechava, porque los de la costa, como tan exercitados en la mar, hazen a los mediterráneos, encima del agua y debaxo della, la misma ventaja que los animales marinos a los terrestres. Assí quedaron con la victoria los de la isla, y gozaron de los despojos, que fueron muchos y muy buenos, y con gran fiesta y regozijo, saludándose de unas balsas a otras, se davan el parabién de su hazaña, entendiendo, como gente rústica y bárbara, que no solamente estavan libres del poder del Inca, pero que eran poderosos para quitarle el Imperio. Con esta vana presunción bolvieron, con toda la dissimulación possible, por los capitanes y soldados que havían quedado en la isla, y los llevaron donde havían de ir; y en el mismo puesto y de la misma forma que a los primeros, mataron a los segundos. Lo mismo hizieron en la isla, y en las demás provincias confederadas, a los que en ellas havían quedado por governadores y ministros de la justicia y de la hazienda del Sol y del Inca; matáronlos con gran crueldad y mucho menosprecio de la persona real; pusieron las cabeças a las puertas de sus templos; sacrificaron los coraçones y la sangre a sus

ídolos, cumpliendo en esto la promessa que al principio de su rebelión les havían hecho si los demonios les diessen su favor
y ayuda para la traición.

CAPÍTULO VI
El castigo que se hizo en los rebelados.

ABIDO por el Inca Huaina Cápac todo el mal suceso, mostró mucho sentimiento de la muerte de tantos varones de su sangre real, tan esperimentados en paz y en guerra, y que huviessen quedado sin sepultura, para manjar de peces; cubriósse de luto por mostrar su dolor. El luto de aquellos Reyes era el color pardo que acá llaman vellorí. Passado el llanto, mostró su ira; hizo llamamiento de gente, y teniendo la necessaria, fué con gran presteza a las provincias rebeladas que estavan en tierra firme; fuélas sujetando con mucha facilidad, porque ni tuvieron ánimo militar ni consejo ciudadano para defenderse, ni fuerças para resistir las del Inca.

Sujetadas aquellas nasciones, passó a la isla; los naturales della hizieron alguna resistencia por la mar, mas fué tan poca que luego se dieron por vencidos. El Inca mandó prender todos los principales auctores y consejeros de la rebelión, y a los capitanes y soldados de más nombre que se havían hallado en la execución y muerte de los governadores y ministros de la justicia y de la guerra, a los cuales hizo una plática un maesse de campo de los del Inca, en que les afeó su maldad y traición y la crueldad que usaron con los que andavan estudiando en el beneficio dellos y procurando sacarlos de su vida ferina y passarlos a la humana; por lo cual, no pudiendo el Inca usar de su natural clemencia y piedad, porque su justicia no lo permetía ni la maldad del hecho era capaz de remissión alguna, mandava el Inca fuessen castigados con pena de muerte, digna de su traición y alevosía. Hecha la notificación de la sentencia, la executaron con diversas muertes (como ellos las dieron a los ministros del Inca), que a unos echaron en la mar con grandes pesgas; a otros passaron por las picas, en castigo de haver puesto las cabeças de los Incas a las puertas de sus templos en lanças y picas; a otros degollaron y hizieron cuartos; a otros mataron con sus proprias armas, como ellos havían hecho a los capitanes y soldados; a otros ahorcaron. Pedro de Cieça de León, haviendo contado esta rebelión y su castigo más largamente que otro hecho alguno de los Incas, sumando lo que atrás a la larga ha dicho, dize estas palabras, que son del capítulo cincuenta y tres: "Y assí fueron muertos, con diferentes especies de muertes, muchos millares de indios, y empalados y ahogados no pocos de los principales que fueron en el consejo. Después de haver hecho el castigo, bien grande y temeroso, Guaina Cápac mandó que en sus cantares, en tiempos tristes y calamitosos, se refiriesse la maldad que allí se cometió. Lo cual, con otras cosas, recitan ellos en sus lenguas como a manera de endechas; y luego intentó de mandar hazer por el río de Guayaquile, que es muy grande, una calçada que, cierto, según paresce por algunos pedaços que della se veen, era cosa sobervia; mas no se acabó ni se hizo por entero lo que él quería, y llámase, esto que digo, el Passo de Guaina Capa; y hecho este castigo y mandado que todos obedeciessen a su governador, que estava en la fortaleza de Túmbez, y ordenadas otras cosas, el Inca salió de aquella comarca". Hasta aquí es de Pedro de Cieça.

CAPÍTULO VII

Motín de los Chachapuyas y la magnanimidad de Huaina Cápac.

ANDANDO el Rey Huaina Cápac dando orden en bolverse al Cozco y visitar sus reinos, vinieron muchos caciques de aquellas provincias de la costa que havía reduzido a su Imperio, con grandes presentes de todo lo mejor que en sus tierras tenían, y entre otras cosas le truxeron un león y un tigre fieríssimos, los cuales el Inca estimó en mucho y mandó que se los guardassen y mantuviessen con mucho cuidado. Adelante contaremos una maravilla que Dios, Nuestro Señor, obró con aquellos animales en favor de los cristianos, por la cual los indios los adoraron, diziendo que eran hijos del Sol. El Inca Huaina Cápac salió de Túmpiz, dexando lo necessario para el govierno de la paz y de la guerra; fué visitando a la ida la mitad de su reino a la larga, hasta los Chichas, que es lo último del Perú, con intención de bolver visitando la otra mitad, que está más al oriente; desde los Chichas embió visitadores al reino de Tucma, que los españoles llaman Tucumán; también los embió al reino de Chile; mandó que los unos y los otros llevassen mucha ropa de vestir de la del Inca, con otras muchas preseas de su persona, para los governadores, capitanes y ministros regios de aquellos reinos, y para los curacas naturales dellos, para que en nombre del

Inca les hiziessen merced de aquellas dádivas, que tan estimadas eran entre aquellos indios. En el Cozco, a ida y buelta, visitó la fortaleza, que ya el edificio della andava en acabanças; puso las manos en algunas cosas de la obra, por dar ánimo y favor a los maestros mayores y a los demás trabajadores que en ella andavan. Hecha la visita, en que se ocupó más de cuatro años, mandó levantar gente para hazer la conquista adelante de Túmpiz, la costa de la mar hazia el norte; hallándose el Inca en la provincia de los Cañaris, que pensava ir a Quitu para de allí baxar a la conquista de la costa, le truxeron nuevas que la gran provincia de los Chachapuyas, viéndole ocupado en guerras y conquistas de tanta importancia, se havía rebelado, confiada en la aspereza de su sitio y en la mucha y muy belicosa gente que tenía; y que debaxo de amistad havían muerto los governadores y capitanes del Inca, y que de los soldados havían muerto muchos y preso otros muchos, con intención de servirse dellos como de esclavos. De lo cual recebió Huaina Cápac grandíssimo pesar y enojo, y mandó que la gente de guerra que por muchas partes caminava a la costa rebolviesse hazia la provincia Chachapuya, donde pensava hazer un riguroso castigo; y él se fué al paraje donde se havían de juntar los soldados. Entre tanto que la gente se recogía, embió el Inca mensajeros a los Chachapuyas que les requiriessen con el perdón si se reduzían a su servicio. Los cuales, en lugar de dar buena respuesta, maltrataron a los mensajeros con palabras desacatadas y los amenazaron de muerte; con lo cual se indignó el Inca del todo; dió más priessa a recoger la gente, caminó con ella hasta un río grande, donde tenían apercebidas muchas balsas de una madera muy ligera que en la lengua general del Perú llaman *chuchau.*

El Inca, pareciéndole que a su persona y exército era indecente passar el río en cuadrillas de seis en seis y de siete en siete en las balsas, mandó que dellas hiziessen una puente, juntándolas todas como un çarço echado sobre el agua. Los indios de guerra y los de servicio pusieron tanta diligencia que en un día natural hizieron la puente. El Inca passó con su exército en escuadrón formado, y a mucha priessa caminó hazia Cassamarquilla, que es uno de los pueblos principales de aquella provincia; iva con propósito de los destruir y asolar, porque este Príncipe se preció siempre de ser tan severo y riguroso con los rebeldes y pertinaces como piadoso y manso con los humildes y sujetos.

Los amotinados, haviendo sabido el enojo del Inca y la pujança de su exército, conoscieron tarde su delito y temieron el castigo, que estava ya muy cerca. Y no sabiendo qué remedio tomar, porque les parescía que, demás del delicto principal, la pertinacia y el término que en el responder a los requirimientos del Inca havían usado tendrían cerradas

las puertas de su misericordia y clemencia, acordaron desamparar sus pueblos y casas y huir a los montes, y assí lo hizieron todos los que pudieron. Los viejos que quedaron con la demás gente inútil, como más esperimentados, trayendo a la memoria la generosidad de Huaina Cápac, que no negava petición que mujer alguna le hiziesse, acudieron a una matrona Chachapuya, natural de aquel pueblo Cassamarquilla, que havía sido mujer del gran Túpac Inca Yupanqui, una de sus muchas concubinas, y con el encarescimiento y lágrimas que el peligro presente requería, le dixeron que no hallavan otro remedio ni esperança para que ellos y sus mujeres y hijos y todos sus pueblos y provincia no fuessen asolados, sino que ella fuesse a suplicar al Inca, su hijo, los perdonasse.

La matrona, viendo que también ella y toda su parentela, sin excepción alguna, corrían el mismo riesgo, salió a toda diligencia, acompañada de otras muchas mujeres de todas edades, sin consentir que hombre alguno fuesse con ellas, y fué al encuentro del Inca; al cual halló casi dos leguas de Casamarquilla. Y prostrada a sus pies, con grande ánimo y valor, le dixo: "Solo Señor ¿dónde vas? ¿No ves que vas con ira y enojo a destruir una provincia que tu padre ganó y reduxo a tu Imperio? ¿No adviertes que vas contra tu misma clemencia y piedad? ¿No consideras que mañana te ha de pesar de haver executado hoy tu ira y saña y quisieras no haverlo hecho? ¿Por qué no te acuerdas del renombre Huacchacúyac, que es amador de pobres, del cual te precias tanto? ¿Por qué no has lástima destos pobres de juizio, pues sabes que es la mayor pobreza y miseria de todas las humanas? Y aunque ellos no lo merezcan, acuérdate de tu padre, que los conquistó para que fuessen tuyos. Acuérdate de ti mesmo, que eres hijo del Sol; no permitas que un accidente de la ira manche tus grandes loores passados, presentes y por venir, por executar un castigo inútil, derramando sangre de gente que ya se te ha rendido. Mira que cuanto mayor huviere sido el delicto y la culpa destos miserables, tanto más resplandecerá tu piedad y clemencia. Acuérdate de la que todos tus antecessores han tenido, y cuánto se preciaron della; mira que eres la suma de todos ellos. Suplícote, por quien eres, perdones estos pobres, y si no te dignas de concederme esta petición, a lo menos concédeme, que, pues soy natural desta provincia que te ha enojado, sea yo la primera en quien descargue la espada de tu justicia, por que no vea la total destruición de los míos".

Dichas estas palabras, calló la matrona. Las demás indias que con ella havían venido levantaron un alarido y llanto lastimero, repitiendo muchas vezes los renombres del Inca, diziéndole: "Solo Señor, hijo del Sol, amador de pobres, Huaina Cápac, tén misericordia de nosotras y de nuestros padres, maridos, hermanos y hijos".

El Inca estuvo mucho rato suspenso, considerando las razones de la mamacuna, y como a ellas se añadiesse el clamor y lágrimas que con la misma petición las otras indias derramavan, doliéndose dellas y apagando con su natural piedad y clemencia los fuegos de su justa ira, fué a la madrastra, y levantándola del suelo, le dixo: "Bien paresce que eres Mamánchic" —que es madre común (quiso dezir madre mía y de los tuyos)— "pues de tan lexos miras y previenes lo que a mi honra y a la memoria de la majestad de mi padre conviene; yo te lo agradezco muy mucho, que no hay duda sino que, como has dicho, mañana me pesará de haver executado hoy mi saña. También heziste oficio de madre con los tuyos, pues con tanta eficacia has redimido sus vidas y pueblos, y pues a todos nos has sido tan buena madre, hágase lo que mandas y mira si tienes más que mandarme. Buélvete en hora buena a los tuyos y perdónales en mi nombre y hazles cualquiera otra merced y gracia que a ti te parezca, y diles que sepan agradecértela, y para mayor certificación de que quedan perdonados, llevarás contigo cuatro Incas, hermanos míos y hijos tuyos, que vayan sin gente de guerra, no más de con los ministros necessarios, para ponerlos en toda paz y buen govierno". Dicho esto, se bolvió el Inca con todo su exército; mandó encaminarlo hazia la costa, como havía sido su primer intento.

Los Chachapuyas quedaron tan convencidos de su delito y de la clemencia del Inca, que de allí adelante fueron muy leales vassallos, y en memoria y veneración de aquella magnanimidad que con ellos se usó, cercaron el sitio donde passó el coloquio de la madrastra con su alnado Huaina Cápac, para que, como lugar sagrado (por haverse obrado en él una hazaña tan grande), quedasse guardado, para que ni hombres ni animales, ni aun las aves, si fuesse possible, no pusiessen los pies en él. Echáronle tres cercas al derredor: la primera fué de cantería muy pulida, con su cornija por lo alto; la segunda, de una cantería tosca, para que fuesse guarda de la primera cerca; la tercera cerca fué de adobes, para que guardasse las otras dos. Todavía se veen hoy algunas reliquias dellas; pudieran durar muchos siglos, según su lavor, mas no lo consintió la cudicia, que, buscando tesoros en semejantes puestos, las echó todas por tierra.

CAPÍTULO VIII

Dioses y costumbres de la nasción Manta, y su redución y la de otras muy bárbaras.

HUAINA Cápac endereçó su viaje a la costa de la mar para la conquista que allí desseava hazer; llegó a los confines de la provincia que ha por nombre Manta, en cuyo distrito está el puerto que los españoles llaman Puerto Viejo; por qué lo llamaron assí, diximos al principio desta historia. Los naturales de aquella comarca, en muchas leguas de la costa hazia el norte, tenían unas mismas costumbres y una misma idolatría: adoravan la mar y los peces que más en abundancia matavan para comer; adoravan tigres y leones, y las culebras grandes y otras savandijas, como se les antojava. Entre las cuales adoravan, en el valle de Manta, que era como metrópoli de toda aquella comarca, una gran esmeralda, que dizen era poco menor que un huevo de abestruz. En sus fiestas mayores la mostravan, poniéndola en público; los indios venían de muy lexos a le adorar y sacrificar y traer presentes de otras esmeraldas menores; porque los sacerdotes y el cacique de Manta les hazían entender que era sacrificio y ofrenda muy agradable para la diosa esmeralda mayor que le presentassen las otras menores, porque eran sus hijas; con esta avarienta doctrina juntaron en aquel pueblo mucha cantidad de esmeraldas, donde las hallaron Don Pedro de Alvarado y sus compañeros, que uno dellos fué Garcilasso de la Vega, mi señor, cuando fueron a la conquista del Perú, y quebraron en una vigornia la mayor parte dellas, diziendo (como no buenos lapidarios) que si eran piedras finas no se havían de quebrar por grandes golpes que les diessen, y si se quebravan eran vidrios y no piedras finas; la que adoravan por diosa desaparecieron los indios luego que los españoles entraron en aquel reino; y de tal manera la escondieron, que por muchas diligencias y amenazas que después acá por ellas se han hecho, jamás ha parescido, como ha sido de otro infinito tesoro que en aquella tierra se ha perdido.

Los naturales de Manta y su comarca, en particular los de la costa (pero no los de la tierra adentro, que llaman serranos), usavan la sodomía más al descubierto y más desvergonçadamente que todas las demás naciones que hasta ahora hemos notado deste vicio. Casávanse debaxo de condición que los parientes y amigos del novio gozavan primero de la novia que no el marido. Dessollavan los que cautivavan en sus guerras y henchían de ceniza los pellejos, de manera que parecían lo que eran; y en señal de victoria los colgavan a las puertas de sus templos y en las plaças donde hazían sus fiestas y bailes.

El Inca les embió los requerimientos acostumbrados, que se apercibiessen para la guerra o se rindiessen a su Imperio. Los de Manta, de mucho atrás, tenían visto que no podían resistir al poder del Inca, y aunque havían procurado aliarse a defensa común con las muchas nasciones de su comarca, no havían podido reduzirlos a unión y conformidad, porque las más eran behetrías sin ley ni govierno; por lo cual los unos y los otros se rindieron con mucha facilidad a Huaina Cápac. El Inca los recibió con afabilidad, haziéndoles mercedes y regalos; y dexando governadores y ministros que les enseñassen su idolatría, leyes y costumbres, passó adelante en su conquista a otra gran provincia llamada Caranque; en su comarca hay muchas nasciones; todas eran behetrías, sin ley ni govierno. Sujetáronse fácilmente, porque no aspiraron a defenderse, ni pudieran aunque quisieran, porque ya no havía resistencia para la pujança del Inca, según era grande; con estos hizieron lo mismo que con los passados, que, dexándoles maestros y governadores, prosiguieron en su conquista, y llegaron a otras provincias de gente más bárbara y bestial que toda la demás que por la costa, hasta allí, havían conquistado: hombres y mujeres se labravan las caras con puntas de pedernal; deformavan las cabeças a los niños en nasciendo: poníanles una tablilla en la frente y otra en el colodrillo, y se las apretavan de día en día, hasta que eran de cuatro o cinco años, para que la cabeça quedasse ancha del un lado al otro y angosta de la frente al colodrillo; y no contentos de darles el anchura que havían podido, tresquilavan el cabello que hay en la mollera, corona y colodrillo, y dexavan los de los lados; y aquellos cabellos tampoco havían de andar peinados ni asentados, sino crespos y levantados, por aumentar la monstruosidad de sus rostros. Manteníanse de su pesquería, que son grandíssimos pescadores, y de yervas y raízes y fruta silvestre; andavan desnudos; adoravan por dioses las cosas que hemos dicho de sus comarcanos. Estas naciones se llamavan Apichiqui, Pichunsi, Saua, Pecllansimiqui, Pampahuaci y otras que hay por aquella comarca. Haviéndolas reduzido el Inca a su Imperio, passó adelante a otra llamada Saramissu, y de allí a otra que llaman Passau, que está debaxo de la línea equinocial, perpendicularmente; los de aquella provincia son barbaríssimos sobre cuantas nasciones sujetaron los Incas; no tuvieron dioses ni supieron qué cosa era adorar; no tenían pueblo ni casa; vivían en huecos de árboles de las montañas, que las hay por allí bravíssimas; no tenían mujeres conoscidas ni conocían hijos; eran sodomitas muy al descubierto; no sabían labrar la tierra ni hazer otra cosa alguna en beneficio suyo; andavan desnudos; demás de traer labrados los labios por de fuera y de dentro, traían las caras embixadas a cuarteles de diversos colores, un cuarto de amarillo, otro de azul, otro de colorado y otro de negro, variando cada uno las colores como más gusto le davan; jamás peinaron sus cabeças; traían los cabellos largos y crespos, llenos de paja y polvo y de cuanto sobre ellos caía; en suma, eran peores que bestias. Yo los vi por mis ojos cuando vine a España, el año de mil y quinientos y sesenta, que paró allí nuestro navío tres días a tomar agua y leña; entonces salieron muchos dellos en sus balsas de enea a contratar con los del navío, y la contratación era venderles los peces grandes que delante dellos matavan con sus fisgas, que para gente tan rústica lo hazían con destreza y sutileza tanta, que los españoles, por el gusto de verlos matar, se los compravan antes que los matassen; y lo que pedían por el pescado era biscocho y carne, y no querían plata; traían cubiertas sus vergüenças con pañetes hechos de cortezas o hojas de árboles; y esto más por respeto de los españoles que no por honestidad propria; verdaderamente eran selvajes, de los más selváticos que se pueden imaginar.

Huaina Cápac Inca, después que vió y reconosció la mala dispusición de la tierra, tan triste y montuosa, y la bestialidad de la gente, tan suzia y bruta, y que sería perdido el trabajo que en ellos se empleasse para reduzirlos a pulicía y urbanidad, dizen los suyos que dixo: "Bolvámonos, que éstos no merecen tenernos por señor". Y que dicho esto, mandó bolver su exército, dexando los naturales de Passau tan torpes y brutos como antes se estavan.

CAPÍTULO IX

De los gigantes que huvo en aquella región, y la muerte dellos.

ANTES que salgamos desta región, será bien demos cuenta de una historia notable y de grande admiración, que los naturales della tienen por tradición de sus antepassados, de muchos siglos atrás, de unos gigantes que dizen fueron por la mar a aquella tierra y desembarcaron en la punta que llaman de Sancta Elena: llamáronla assí porque los primeros españoles la vieron en su día. Y porque de los historiadores españoles que hablan de los gigantes Pedro de Cieça de León es el que más largamente lo escrive, como hombre que tomó la relación en la misma provincia donde los gigantes estuvieron, me paresció dezir aquí lo mismo que él dize, sacado a la letra; que aunque el Padre Maestro Joseph de Acosta y el contador general Agustín de Çárate dizen lo mismo, lo dizen muy breve y sumariamente. Pedro de Cieça, alargándose más, dize lo que se sigue, capítulo cincuenta y dos:

"Porque en el Perú hay fama de los gigantes que vinieron a desembarcar a la costa, en la punta de Sancta Elena, que es en los términos desta ciudad de Puerto Viejo, me paresció dar noticia de lo que oí dellos, según que yo lo entendí, sin mirar las opiniones del vulgo y sus dichos varios, que siempre engrandesce las cosas más de lo que fueron. Cuentan los naturales, por relación que oyeron de sus padres, la cual ellos tuvieron y tenían de muy atrás, que vinieron por la mar en unas balsas de juncos, a manera de grandes barcas, unos hombres tan grandes, que tenía tanto uno dellos de la rodilla abaxo como un hombre de los comunes en todo el cuerpo, aunque fuesse de buena estatura, y que sus miembros conformavan con la grandeza de sus cuerpos tan disformes, que era cosa monstruosa ver las cabeças, según eran grandes, y los cabellos, que les allegavan a las espaldas. Los ojos señalavan que eran tan grandes como pequeños platos; afirman que no tenían barvas y que venían vestidos algunos dellos con pieles de animales, y otros con la ropa que les dió natura, y que no traxeron mujeres consigo; los cuales, como llegassen a esta punta, después de haver en ella hecho su assiento a manera de pueblo (que aun en estos tiempos hay memoria de los sitios destas cosas que tuvieron), como no hallassen agua, para remediar la falta que della sentían hizieron unos pozos hondíssimos, obra por cierto digna de memoria, hecha por tan fortíssimos hombres como se presume que serían aquéllos, pues era tanta su grandeza. Y cavaron estos pozos en peña viva, hasta que hallaron el agua, y después los labraron desde ella hasta arriba de piedra, de tal manera que durara muchos tiempos y edades; en los cuales hay muy buena y sabrosa agua, y siempre tan fría que es gran contento beverla.

"Haviendo, pues, hecho sus assientos estos crecidos hombres o gigantes, y teniendo estos pozos o cisternas de donde bevían, todo el mantenimiento que hallavan en la comarca de la tierra que ellos podían hollar lo destruían y comían, tanto que dizen que uno dellos comía más vianda que cincuenta hombres de los naturales de aquella tierra; y como no bastasse la comida que hallavan para sustentarse, matavan mucho pescado en la mar, con sus redes y aparejos, que según razón tenían. Bivieron en grande aborrecimiento de los naturales, porque por usar con sus mujeres las matavan, y a ellos hazían lo mismo por otras causas. Y los indios no se hallavan bastantes para matar a esta nueva gente que havía venido a ocuparles su tierra y señorío; aunque se hizieron grandes juntas para platicar sobre ello, pero no los osaron acometer. Passados algunos años, estando todavía estos gigantes en esta parte, como les faltassen mujeres, y las naturales no les cuadrassen por su grandeza, o porque sería vicio usado entre ellos por consejo e induzimiento del maldito demonio, usavan unos con otros el pecado nefando de la sodomía, tan grandíssimo y horrendo, el cual usavan y cometían pública y descubiertamente, sin temor de Dios y poca vergüença de sí mismos; y afirman todos los naturales que Dios, Nuestro Señor, no siendo servido de dissimular pecado tan malo, les embió el castigo conforme a la fealdad del pecado; y assí dizen que, estando todos juntos, embueltos en su maldita sodomía, vino fuego del cielo, temeroso y muy espantable, haziendo gran ruido, del medio del cual salió un ángel resplandeciente con una espada tajante y muy refulgente, con la cual, de un solo golpe, los mató a todos, y el fuego los consumió, que no quedó sino algunos huessos y calavernas, que por memoria del castigo quiso Dios que quedassen sin ser consumidas del fuego. Esto dizen de los gigantes, lo cual creemos que passó, porque en esta parte que dizen se han hallado y se hallan huessos grandíssimos, e yo he oído a españoles que han visto pedaço de muela que juzgavan que, a estar entera, pesara más de media libra carnicera; y también que havían visto otro pedaço de huesso de una canilla, que es cosa admirable contar cuán grande era, lo cual haze testigo haver passado; porque sin esto se vee adónde tuvieron los sitios de los pueblos y los poços o cisternas que hizieron. Querer afirmar o dezir de qué parte o por qué camino vinieron éstos, no lo puedo afirmar porque no lo sé.

"Este año de mil y quinientos y cincuenta oí yo contar, estando en la Ciudad de los Reyes, que siendo el Ilustríssimo Don Antonio de Mendoça vissorrey y governador de la Nueva España, se hallaron ciertos huessos en ella de hombres tan grandes como los de estos gigantes, y aun mayores; y sin esto también he oído, antes de agora, que en un antiquíssimo sepulcro se hallaron en la ciudad de México, o en otra parte de aquel reino, ciertos huessos de gigantes. Por donde se puede tener, pues tantos lo vieron y lo afirman, que huvo estos gigantes, y aun podrían ser todos unos.

"En esta punta de Sancta Elena (que como tengo dicho está en la costa del Perú, en los términos de la ciudad de Puerto Viejo) se vee una cosa muy de notar, y es que hay ciertos ojos y mineros de alquitrán tan perfecto, que podrían calafetear con ello a todos los navíos que quisiessen, porque mana. Y este alquitrán deve ser algún minero que passa por aquel lugar, el cual sale muy caliente", etc. Hasta aquí es de Pedro de Cieça, que lo sacamos de su historia, porque se verá la tradición que aquellos indios tenían de los gigantes y la fuente manantial de alquitrán que hay en aquel mismo puesto, que
también es cosa notable.

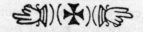

CAPÍTULO X

Lo que Huaina Cápac dixo acerca del Sol.

EL REY Huaina Cápac, como se ha dicho, mandó bolver su exército de la provincia llamada Passau, la cual señaló por término y límite de su Imperio por aquella vanda, que es al norte; y haviéndolo despedido, se bolvió hacia el Cozco, visitando sus reinos y provincias, haziendo mercedes y administrando justicia a cuantos se la pedían. Deste viaje, en uno de los años que duró la visita, llegó al Cozco a tiempo que pudo celebrar la fiesta principal del Sol, que llamavan Raimi. Cuentan los indios que un día, de los nueve que la fiesta durava, con nueva libertad de la que solían tener de mirar al Sol (que les era prohibido, por parecerles desacato), puso los ojos en él o cerca, donde el Sol lo permite; y estuvo assí algún espacio de tiempo mirándole. El sumo sacerdote, que era uno de sus tíos y estava a su lado, le dixo: "¿Qué hazes, Inca? ¿No sabes que no es lícito hazer esso?".

El Rey por entonces baxó los ojos, mas dende a poco bolvió a alçarlos con la misma libertad y los puso en el Sol. El sumo sacerdote replicó diziendo: "Mira, Solo Señor, lo que hazes, que demás de sernos prohibido el mirar con libertad a Nuestro Padre el Sol, por ser desacato, das mal exemplo a toda tu corte y a todo tu Imperio, que está aquí cifrado para celebrar la veneración y adoración que a tu padre deven hazer, como a solo y supremo señor". Huaina Cápac, bolviéndose al sacerdote, le dixo: "Quiero hazerte dos preguntas para responder a lo que me has dicho. Yo soy vuestro Rey y señor universal, ¿havría alguno de vosotros tan atrevido que por su gusto me mandasse levantar de mi assiento y hazer un largo camino?". Respondió el sacerdote: "¿Quién havría tan desatinado como esso?". Replicó el Inca: "¿Y havría algún curaca de mis vassallos, por más rico y poderoso que fuesse, que no me obedeciesse si yo le mandasse ir por la posta de aquí a Chili?". Dixo el sacerdote: "No, Inca, no havría alguno que no lo obedeciesse hasta la muerte _o_ lo que le mandasses".

_E_l Rey dixo entonces: "Pues yo te digo que este Nuestro Padre el _Sol de_ de tener otro mayor señor y más poderoso que no él. El cual _le manda_ hazer este camino que cada día haze sin parar, porque si él _fuera s_upremo señor, una vez que otra dexara de caminar, y descan_sara a s_u gusto, aunque no tuviera necessidad alguna". Por este dicho _y otros se_mejantes que los españoles oyeron contar a los indios deste _Inca de_zían que si alcançara a oír la doctrina cristiana, rescibiera _con gran_ facilidad la fe católica, por su buen entendimiento y deli_cadeza._ Un capitán español, que entre otros muchos devió de oír _este de_ Huaina Cápac, que fué público en todo el Perú, lo ahijó para sí y lo contó por suyo al Padre Maestro Acosta, y pudo ser que también lo fuesse. Su Paternidad lo escrive en el libro quinto de la historia del Nuevo Orbe, capítulo quinto, y luego, en pos deste cuento, escrive el dicho de Huaina Cápac, sin nombrarle, que también llegó a su noticia, y dize estas palabras: "Refiérese de uno de los Reyes Ingas, hombre de muy delicado ingenio, que, viendo cómo todos sus antepassados adoravan al Sol, dixo que no le parecía a él que el Sol era Dios ni lo podía ser. Porque Dios es gran señor, y con gran sossiego y señorío haze sus cosas, y que el Sol nunca para de andar, y que cosa tan inquieta no le parescía ser Dios. Dixo muy bien, y si con razones suaves y que se dexen percebir les declaran a los indios sus engaños y cegueras, admirablemente se convencen y rinden a la verdad". Hasta aquí es del Padre Acosta, con que acaba aquel capítulo. Los indios, como tan agoreros y tímidos en su idolatría, tomaron por mal pronóstico la novedad que su Rey havía hecho en mirar al Sol con aquella libertad. Huaina Cápac la tomó por lo que oyó dezir del Sol a su padre Túpac Inca Yupanqui, que es casi lo mismo, según se refirió en su vida.

CAPÍTULO XI
Rebelión de los Caranques y su castigo.

ANDANDO el Inca Huaina Cápac visitando sus reinos, que fué la última visita que hizo, le truxeron nuevas que la provincia de Caranque, que diximos havía conquistado a los últimos fines del reino de Quitu, de gente bárbara y cruel, que comía carne humana y ofrescía en sacrificio la sangre, cabeças y coraçones de los que matavan, no pudiendo llevar el yugo del Inca, particularmente la ley que les prohibía el comer carne humana, se alçaron, con otras provincias de su comarca, que eran de las mismas costumbres y temían el Imperio del Inca, que lo tenían ya a sus puertas, que les havía de prohibir lo mismo que a sus vezinos, que era lo que ellos más estimavan para su regalo y vida bestial; por estas causas se conjuraron con facilidad, y en mucho secreto apercibieron gran número de gente para matar los governadores y ministros del Inca y la gente de guarnición que consigo tenían; y entretanto que llegava el tiempo señalado para executar su traición, les servían con la mayor sumissión y ostentación de amor que fingir podían, para cogerlos más descuidados y degollarlos más a su salvo; llegado el día, los mataron con grandíssima crueldad, y ofrescieron las cabeças, coraçones y la sangre

to[...]
Sol de[...]
le mand[...]
fuera el s[...]
sara por s[...]
y otros ser[...]
Príncipe d[...]
con mucha [...]
cado ingenio.[...]
este cuento d[...]

a sus dioses, en servicio y agradescimiento de que les huviessen libertado del dominio de los Incas y restituídoles sus antiguas costumbres; comieron la carne dellos con mucho gusto y gran voracidad, tragándosela sin mascar, en vengança de que se la huviessen prohibido tanto tiempo havía y castigado a los que havían delinquido en comerla; hizieron todas las desvergüenças y desacatos que pudieron; lo cual, sabido por Huaina Cápac, le causó mucha pena y enojo; mandó apercebir gente y capitanes que fuessen a castigar el delicto y la maldad de aquellas fieras, y él fué en pos dellos, para estar a la mira de lo que sucediesse. Los capitanes fueron a los Caranques, y antes que empeçassen a hazer la guerra embiaron mensajeros en nombre del Inca, ofreciéndoles el perdón de su delicto si pedían misericordia y se rendían a la voluntad del Rey. Los rebelados, como bárbaros, no solamente no quisieron rendirse, mas antes respondieron muy desvergonçadamente y maltrataron los mensajeros, de manera que no faltó sino matarlos. Sabiendo Huaina Cápac el nuevo desacato de aquellos brutos, fué a su exército por hazer la guerra por su persona. Mandó que la hiziessen a fuego y a sangre, en la cual murieron muchos millares de hombres de ambas partes, porque los enemigos, como gente rebelada, peleavan obstinadamente, y los del Inca, por castigar el desacato hecho a su Rey, se havían como buenos soldados; y como a la potencia del Inca no huviesse resistencia, enflaquescieron los enemigos en breve tiempo; dieron en pelear, no en batallas descubiertas, sino en rebatos y asechanças, defendiendo los malos passos, sierras y lugares fuertes; mas la pujança del Inca lo venció todo y rindió los enemigos; prendieron muchos millares dellos; y de los más culpados, que fueron auctores de la rebelión, huvieron dos mil personas; partes dellos fueron los Caranques, que se rebelaron, y partes de los aliados que aún no eran conquistados por el Inca. En todos ellos se hizo un castigo riguroso y memorable; mandó que los degollassen todos dentro de una gran laguna que está entre los términos de los unos y de los otros; para que el nombre que entonces le pusieron guardasse la memoria del delicto y del castigo, llamáronla Yahuarcocha: quiere dezir lago o mar de sangre, porque la laguna quedó hecha sangre, con tanta como en ella se derramó. Pedro de Cieça, tocando brevemente este passo, capítulo treinta y siete, dize que fueron veinte mil los degollados; deviólo de dezir por todos los que de una parte y de otra murieron en aquella guerra, que fué muy reñida y porfiada.

Hecho el castigo, el Inca Huaina Cápac se fué a Quitu, bien lastimado y quexoso de que en su reinado acaeciessen delitos tan atroces e inhumanos, que forçosamente requiriessen castigos severos y crueles contra su natural condición y la de todos su antecessores, que se preciaron de piedad y clemencia; dolíase que los motines acaeciessen en sus tiempos para hazerlos infelices, y no en los passados, porque no se acordavan que huviesse havido otro alguno, sino el de los Chancas en tiempo del Inca Viracocha. Mas, bien mirado, paresce que eran agüeros y pronósticos que amenazavan havría muy aína otra rebelión mayor, que sería causa de la enajenación y pérdida de su Imperio y de la total destruición de su real sangre, como veremos presto.

CAPÍTULO XII

Huaina Cápac haze Rey de Quitu a su hijo Atahuallpa.

L INCA Huaina Cápac, como atrás dexamos apuntado, huvo en la hija del Rey de Quitu (successora que havía de ser de aquel reino) a su hijo Atahuallpa. El cual salió de buen entendimiento y de agudo ingenio, astuto, sagaz, mañoso y cauteloso, y para la guerra belicoso y animoso, gentilhombre de cuerpo y hermoso de rostro, como lo eran comúnmente todos los Incas y Pallas; por estos dotes del cuerpo y del ánimo lo amó su padre tiernamente, y siempre lo traía consigo; quisiera dexarle en herencia todo su Imperio, mas no pudiendo quitar el derecho al primogénito y heredero legítimo, que era Huáscar Inca, procuró, contra el fuero y estatuto de todos sus antepassados, quitarle siquiera el reino de Quitu, con algunas colores y aparencias de justicia y restitución. Para lo cual embió a llamar al príncipe Huáscar Inca, que estava en el Cozco; venido que fué, hizo una gran junta de los hijos y de muchos capitanes y curacas que consigo tenía, y en presencia de todos ellos habló al hijo legítimo y le dixo: "Notorio es, príncipe, que conforme a la antigua costumbre que nuestro primer padre, el Inca Manco Cápac, nos dexó que guardássemos, este reino de Quitu es de vuestra corona, que assí se ha hecho siempre hasta ahora, que todos los reinos y provincias que se han conquistado se han vinculado y anexado a vuestro imperio y sometido a la jurisdición y dominio de nuestra imperial ciudad del Cozco. Mas porque yo quiero mucho a vuestro hermano Atahuallpa y me pesa de verle pobre, holgaría tuviéssedes por bien que, de todo lo que yo he ganado para vuestra corona, se le quedasse en herencia y sucessión el reino de Quitu (que fué de sus abuelos maternos y lo fuera hoy de su madre), para que pueda vivir en estado real, como lo merescen sus virtudes, que, siendo tan buen hermano como lo es y teniendo con qué, podrá serviros mejor en todo lo que le mandáredes, que no siendo pobre; y para recompensa y satisfación desto poco que ahora os pido, os quedan otras muchas provincias y reinos muy largos y anchos, en contorno de los vuestros, que podréis ganar, en cuya conquista os servirá vuestro hermano de soldado y capitán, y yo iré contento deste mundo cuando vaya a descansar con Nuestro Padre el Sol".

El Príncipe Huáscar Inca respondió con mucha facilidad holgava en estremo de obedecer al Inca, su padre, en aquello y en cualquiera otra cosa que fuesse servido mandarle, y que si para su mayor gusto era necessario hazer dexación de otras provincias, para que tuviesse más que dar a su hijo Atahuallpa, también lo haría, a trueque de darle contento. Con esta respuesta quedó Huaina Cápac muy satisfecho; ordenó que Huáscar se bolviesse al Cozco; trató de meter en la possessión del reino a su hijo Atahuallpa; añadióle otras provincias, sin las de Quitu; dióle capitanes esperimentados y parte de su exército, que le sirviessen y acompañassen; en suma, hizo en su favor todas las ventajas que pudo, aunque fuessen en perjuizio del príncipe heredero; húvose en todo como padre apassionado y rendido del amor de un hijo; quiso asistir en el reino de Quitu y en su comarca los años que le quedavan de vida; tomó este acuerdo, tanto por favorescer y dar calor al reinado de su hijo Atahuallpa como por sosegar y apaziguar aquellas provincias marítimas y mediterráneas nuevamente ganadas, que, como gente belicosa, aunque bárbara y bestial, no se aquietavan debaxo del imperio y govierno de los Incas; por lo cual tuvo necessidad de trasplantar muchas naciones de aquellas en otras provincias, y en lugar dellas traer otras de las quietas y pacíficas, que era el remedio que aquellos Reyes tenían para asegurarse de rebeliones, como largamente diximos cuando hablamos de los trasplantados, que llaman *mítmac*.

CAPÍTULO XIII

Dos caminos famosos que huvo en el Perú.

ERÁ justo que en la vida de Huaina Cápac hagamos mención de los dos caminos reales que huvo en el Perú a la larga, norte sur, porque se los atribuyen a él: el uno que va por los llanos, que es la costa de la mar, y el otro por la sierra, que es la tierra adentro, de los cuales hablan los historiadores con todo buen encarecimiento, pero la obra fué tan grande que eccede a toda pintura que della se puede hazer; y porque yo no puedo pintarlos tan bien como ellos los pintaron, diré lo que cada uno dellos dize, sacado a la letra. Agustín de Çárate, libro primero, capítulo treze, hablando del origen de los Incas, dize lo que se sigue: "Por la sucessión destos

Ingas vino el señorío a uno dellos, que se llamó Guainacava (quiere dezir Mancebo Rico), que fué el que más tierras ganó y acrescentó a su señorío y el que más justicia y razón tuvo en la tierra, y la reduxo a policía y cultura, tanto que parecía cosa impossible una gente bárbara y sin letras regirse con tanto concierto y orden y tenerle tanta obediencia y amor sus vassallos, que en servicio suyo hizieron dos caminos en el Perú, tan señalados que no es justo que se queden en olvido; porque ninguna de aquellas que los autores antiguos contaron por las siete obras más señaladas del mundo, se hizo con tanta dificultad y trabajo y costa como éstas. Cuando este Guainacava fué desde la ciudad del Cozco con su exército a conquistar la provincia de Quito, que hay cerca de quinientas leguas de distancia, como iva por la sierra tuvo grande dificultad en el passaje, por causa de los malos caminos y grandes quebradas y despeñaderos que havía en la sierra por do iva. Y assí, paresciéndoles a los indios que era justo hazerle camino nuevo por donde bolviesse victorioso de la conquista, porque havía sujetado la provincia, hizieron un camino por toda la cordillera, muy ancho y llano, rompiendo e igualando las peñas donde era menester, e igualando y subiendo las quebradas de mampostería; tanto, que algunas vezes subían la lavor desde quinze y veinte estados de hondo, y assí dura este camino por espacio de las quinientas leguas. Y dizen que era tan llano cuando se acabó que podía ir una carreta por él, aunque después acá, con las guerras de los indios y de los cristianos, en muchas partes se han quebrado las mamposterías destos passos, por detener a los que vienen por ellos, que no puedan passar. Y verá la dificultad desta obra quien considerare el trabajo y costa que se ha empleado en España en allanar dos leguas de sierra que hay entre el Espinar de Segovia y Guadarrama, y cómo nunca se ha acabado perfectamente, con ser passo ordinario por donde tan continuamente los Reyes de Castilla passan con sus casas y corte todas las vezes que van o vienen del Andaluzía o del reino de Toledo a esta parte de los puertos. Y no contentos con haver hecho tan insigne obra, cuando otra vez el mismo Guainacava quiso bolver a visitar la provincia de Quitu, a que era muy aficionado por haverla él conquistado, tornó por los llanos, y los indios le hizieron en ellos otros caminos, de tanta dificultad como el de la sierra, porque en todos los valles donde alcança la frescura de los ríos y arboledas, que, como arriba está dicho, comúnmente ocupava una legua, hizieron un camino que casi tiene cuarenta pies de ancho, con muy gruessas tapias del un cabo y del otro y cuatro o cinco tapias en alto; y en saliendo de los valles continuavan el mismo camino por los arenales, hincando palos y estacas por cordel, para que no se pudiesse perder el camino ni torcer a un cabo ni a otro, el cual dura las mismas quinientas leguas que el de la sierra; y aunque los palos de los arenales están rompidos en muchas partes, porque los españoles, 243 en tiempo de guerra y de paz, hazían con ellos lumbre, pero las paredes de los valles se están el día de hoy en las más partes enteras, por donde se puede juzgar la grandeza del edificio; y assí fué por el uno y vino por el otro Guainacava, teniéndosele siempre, por donde havía de passar, cubierto y sembrado con ramos y flores de muy suave olor". Hasta aquí es de Agustín de Çárate. Pedro de Cieça de León, hablando en el mismo propósito, dize del camino que va por la sierra lo que se sigue, capítulo treinta y siete: "De Ipiales se camina hasta llegar a una provincia pequeña, que ha por nombre Guaca, y antes de llegar a ella se vee el camino de los Ingas, tan famoso en estas partes como el que Aníbal hizo por los Alpes, cuando baxó a la Italia, y puede ser tenido éste en más estimación, assí por los grandes aposentos y depósitos que havía en todo él, como por ser hecho con mucha dificultad, por tan ásperas y fragosas sierras, que pone admiración verlo". No dize más Pedro de Cieça del camino de sierra. Pero adelante, en el capítulo sesenta, dize del camino de los llanos lo que se sigue: "Por llevar con toda orden mi escritura, quise, antes de bolver a concluir con lo tocante a las provincias de las sierras, declarar lo que se me ofrece de los llanos, pues, como se ha dicho en otras partes, es cosa tan importante. Y en este lugar daré noticia del gran camino que los Ingas mandaron hazer por mitad dellos, el cual, aunque por muchos lugares está ya desbaratado y deshecho, da muestra de la grande cosa que fué y del poder de los que lo mandaron hazer. Guainacapa y Topainga Yupangue, su padre, fueron, a lo que los indios dizen, los que abaxaron por toda la costa, visitando los valles y provincias de los yungas, aunque también cuentan algunos dellos que Inga Yupangue, agüelo de Guainacapa y padre de Topa Inca, que fué el primero que vió la costa y anduvo por los llanos della. Y en estos valles y en la costa, los caciques y principales, por su mandado, hizieron un camino tan ancho como quinze pies. Por una parte y por otra dél iva una pared mayor que un estado bien fuerte, y todo el espacio deste camino iva limpio y echado por debaxo de arboledas, y destos árboles, por muchas partes, caían sobre el camino ramos dellos llenos de fruta. Y por todas las florestas andavan en las arboledas muchos géneros de páxaros y papagayos y otras aves", etc. Poco más abaxo, haviendo dicho de los pósitos y de la provisión que en ellos havía para la gente de guerra, que lo alegamos en otra parte, dize: "Por este camino duravan las paredes que ivan por una y otra parte dél, hasta que los indios, con la muchedumbre de arena, no podían armar cimiento. Desde donde, para que no se errasse y se conosciesse la grandeza del que aquello mandava, hincavan largos y cumplidos palos, a manera de vigas, de trecho en trecho. Y assí como se tenía cuidado de limpiar por los valles el camino y renovar las paredes si se ruinavan y gastavan, lo tenían en mirar si algún horcón o palo largo, de los que estavan en los arenales, se caía con el viento, de tornarlo a poner. De manera que este camino, cierto, fué gran cosa, aunque no tan trabajoso como el de la sierra. Algunas fortalezas y templos del Sol havía en estos valles, como iré declarando en su lugar", etc. Hasta aquí es de Pedro de Cieça de León, sacado a la letra. Juan Botero Benes también haze mención destos caminos y los pone en sus relaciones por cosa maravillosa, y aunque en breves palabras, los pinta muy bien, diziendo: "Desde la ciudad del Cuzco hay dos caminos o calçadas reales de dos mil millas de largo, que la una va guiada por los llanos y la otra por las cumbres de los montes, de manera que para hazerlas como están fué necessario alçar los valles, tajar las piedras y peñascos vivos y humillar la alteza de los montes. Tenían de ancho veinte y cinco pies. Obra que sin comparación haze ventaja a las fábricas de Egipto y a los romanos edificios", etc. Todo esto dizen estos tres autores de aquellos dos famosos caminos, que merescieron ser celebrados con los encarescimientos que a cada uno de los historiadores les paresció mayores; aunque todos ellos no igualan a la grandeza de la obra, porque basta la continuación de quinientas leguas, donde hay cuestas de dos, tres y cuatro leguas y más de subida, para que ningún encarescimiento le iguale. Demás de lo que della dizen, es de saber que hizieron en el camino de la sierra, en las cumbres más altas, de donde más tierra se descubría, unas placetas altas, a un lado o a otro del camino, con sus gradas de cantería para subir a ellas, donde los que llevavan las andas descansassen y el Inca gozasse de tender la vista a todas partes, por aquellas sierras altas y baxas, nevadas y por nevar, que cierto es una hermosíssima vista, porque de algunas partes, según la altura de las sierras por do va el camino, se descubren cincuenta, sesenta, ochenta y cien leguas de tierra, donde se veen puntas de sierras tan altas que parece que llegan al cielo, y, por el contrario, valles y quebradas tan hondas, que parece que van a parar al centro de la tierra. De toda aquella gran fábrica no ha quedado sino lo que el tiempo y las guerras no han podido consumir. Solamente en el camino de los llanos, en los desiertos de los arenales, que los hay muy grandes, donde también hay cerros altos y baxos de arena, tienen hincados a trechos maderos altos, que del uno se vea el otro y sirvan de guías para que no se pierdan los caminantes, porque el rastro del camino se pierde con el movimiento que la arena haze con el viento, porque lo cubre y lo ciega; y no es seguro guiarse por los cerros de arena, porque también ellos se passan y mudan de una parte a otra, si el viento es rezio; de manera que son muy necessarias las vigas hincadas por el camino, para norte de los viandantes; y por esto se han sustentado, porque no podrían passar sin ellas.

***　　***　　***

CAPÍTULO XIV

Tuvo nuevas Huaina Cápac de los españoles que andavan en la costa.

HUAINA Cápac, ocupado en las cosas dichas, estando en los reales palacios de Tumipampa, que fueron de los más sobervios que huvo en el Perú, le llegaron nuevas que gentes estrañas y nunca jamás vistas en aquella tierra andavan en un navío por la costa de su Imperio, procurando saber qué tierra era aquélla; la cual novedad despertó a Huaina Cápac a nuevos cuidados, para inquirir y saber qué gente era aquélla y de dónde podía venir. Es de saber que aquel navío era de Basco Núñez de Balboa, primer descubridor de la Mar del Sur, y aquellos españoles fueron los que (como al principio diximos) impusieron el nombre Perú a aquel Imperio, que fué el año mil y quinientos y quinze, y el descubrimiento de la Mar del Sur fué dos años antes. Un historiador dize que aquel navío y aquellos españoles eran Don Francisco Piçarro y sus treze compañeros, que dize fueron los primeros descubridores del Perú. En lo cual se engañó, que por dezir primeros ganadores dixo primeros descubridores; y también se engañó en el tiempo, porque de lo uno a lo otro passaron diez y seis años, si no fueron más; porque el primer descubrimiento del Perú y la impusición deste nombre fué año de mil y quinientos y quinze, y Don Francisco Piçarro y sus cuatro hermanos y Don Diego de Almagro entraron en el Perú, para le ganar, año de mil y quinientos y treinta y uno, y Huaina Cápac murió ocho años antes, que fué el año de mil y quinientos y veinte y tres, haviendo reinado cuarenta y dos años, según lo testifica el Padre Blas Valera en sus rotos y destroçados papeles, donde escrivía grandes antiguallas de aquellos Reyes, que fué muy gran inquiridor dellas.

Aquellos ocho años que Huaina Cápac vivió después de la nueva de los primeros descubridores los gastó en governar su Imperio en toda paz y quietud; no quiso hazer nuevas conquistas, por estar a la mira de lo que por la mar viniesse; porque la nueva de aquel navío le dió mucho cuidado, imaginando en un antiguo oráculo que aquellos Incas tenían, que, passados tantos Reyes, havían de ir gentes estrañas y nunca vistas y quitarles el reino y destruir su república y su idolatría; cumplíase el plaço en este Inca, como adelante veremos. Assimesmo es de saber que tres años antes que aquel navío fuesse a la costa del Perú, acaesció en el Cozco un portento y mal agüero que escandalizó mucho a Huaina Cápac y atemorizó en estremo a todo su Imperio; y fué que, celebrándose la fiesta solene que cada año hazían a su Dios el Sol, vieron venir por el aire un águila real, que ellos llaman *anca*, que la ivan persiguiendo cinco o seis cernícalos y otros tantos halconcillos, de los que, por ser tan lindos, han traído muchos a España, y en ella les llaman *aletos* y en el Perú *huaman*. Los cuales, trocándose ya los unos, ya los otros, caían sobre el águila, que no la dexavan bolar, sino que la matavan a golpes. Ella, no pudiendo defenderse, se dexó caer en medio de la plaça mayor de aquella ciudad, entre los Incas, para que le socorriessen. Ellos la tomaron y vieron que estava enferma, cubierta de caspa, como sarna, y casi pelada de las plumas menores. Diéronle de comer y procuraron regalarla, mas nada le aprovechó, que dentro de pocos días se murió, sin poderse levantar del suelo. El Inca y los suyos lo tomaron por mal agüero, en cuya interpretación dixeron muchas cosas los adivinos que para semejantes casos tenían elegidos; y todas eran amenazas de la pérdida de su Imperio, de la destruición de su república y de su idolatría; sin esto, huvo grandes terremotos y temblores de tierra, que, aunque el Perú es apassionado desta plaga, notaron que los temblores eran mayores que los ordinarios y que caían muchos cerros altos. De los indios de la costa supieron que la mar, con sus crescientes y menguantes, salía muchas vezes de sus términos comunes; vieron que en el aire se aparescían muchas cometas muy espantosas y temerosas. Entre estos miedos y asombros, vieron que una noche muy clara y serena tenía la luna tres cercos muy grandes: el primero era de color de sangre; el segundo, que estava más afuera, era de un color negro que tirava a verde; el tercero parescía que era de humo. Un adivino o mágico, que los indios llaman *llaica*, haviendo visto y contemplado los cercos que la luna tenía, entró donde Huaina Cápac estava, y, con un semblante muy triste y lloroso, que casi no podía hablar, le dixo: "Solo Señor, sabrás que tu madre la Luna, como madre piadosa, te avisa que el Pachacámac, criador y sustentador del mundo, amenaza a tu sangre real y a tu Imperio con grandes plagas que ha de embiar sobre los tuyos; porque aquel primer cerco que tu madre tiene, de color de sangre, significa que después que tú hayas ido a descansar con tu padre el Sol, havrá cruel guerra entre tus descendientes y mucho derramamiento de tu real sangre, de manera que en pocos años se acabará toda, de lo cual quisiera rebentar llorando; el segundo cerco negro nos amenaza que de las guerras y mortandad de los tuyos se causará la destruición de nuestra religión y república y la enajenación de tu Imperio, y todo se convertirá en humo, como lo significa el cerco tercero, que paresce de humo". El Inca recibió mucha alteración, mas, por no mostrar flaqueza, dixo al mágico: "Anda, que tú debes de haver soñado esta noche essas burlerías, y dizes que son revelaciones de mi madre". Respondió el mágico: "Para que me creas, Inca, podrás salir a ver las señales de tu madre por tus proprios ojos, y mandarás que vengan los demás adivinos y sabrás lo que dizen destos agüeros". El Inca salió de su aposento, y, haviendo visto las señales, mandó llamar todos los mágicos que en su corte havía, y uno dellos, que era de la nación Yauyu, a quien los demás reconoscían ventaja, que también havía mirado y considerado los cercos, le dixo lo mismo que el primero. Huaina Cápac, por que los suyos no perdiessen el ánimo con tan tristes pronósticos, aunque conformavan con el que él tenía en su pecho, hizo muestra de no creerlos, y dixo a sus adivinos: "Si no me lo dize el mismo Pachacámac, yo no pienso dar crédito a vuestros dichos, porque no es de imaginar que el Sol, mi padre, aborrezca tanto su propria sangre que permita la total destruición de sus hijos". Con esto despidió los adivinos; empero, considerando lo que le havían dicho, que era tan al proprio del oráculo antiguo que de sus antecessores tenía, y juntando lo uno y lo otro con las novedades y prodigios que cada día aparescían en los cuatro elementos, y que sobre todo lo dicho se aumentava la ida del navío con la gente nunca vista ni oída, vivía Huaina Cápac con recelo, temor y congoxa; estava apercebido siempre de un buen exército escogido, de la gente más veterana y plática que en las guarniciones de aquellas provincias havía. Mandó hazer muchos sacrificios al Sol; y que los agoreros y hechizeros, cada cual en sus provincias, consultassen a sus familiares demonios, particularmente al gran Pachacámac y al diablo Rímac, que dava respuestas a lo que le preguntavan, que supiessen de él lo que de bien o de mal pronosticavan aquellas cosas tan nuevas que en la mar y en los demás elementos se havían visto. De Rímac y de las otras partes le truxeron respuestas escuras y confusas, que ni dexavan de prometer algún bien ni dexavan de amenazar mucho mal; y los más de los hechizeros davan malos agüeros, con que todo el Imperio estava temeroso de alguna grande adversidad; mas como en los primeros tres o cuatro años no huviesse novedad alguna de las que temían, bolvieron a su antigua quietud, y en ella vivieron algunos años, hasta la muerte de Huaina Cápac. La relación de los pronósticos que hemos dicho, demás de la fama común que hay dellos por todo aquel Imperio, la dieron en particular dos capitanes de la guarda de Huaina Cápac, que cada uno dellos llegó a tener más de ochenta años; ambos se bautizaron; el más antiguo se llamó Don Juan Pechuta; tomó por sobrenombre el nombre que tenía antes del bautismo, como lo han hecho todos los indios generalmente; el otro se llamava Chauca Rimachi; el nombre cristiano ha borrado de la memoria el olvido. Estos capitanes, cuando contavan estos pronósticos y los successos de aquellos tiempos, se derretían en lágrimas llorando, que era menester divertirles de la plática, para que dexassen de llorar; el testamento y la muerte de Huaina Cápac, y todo lo demás que después della sucedió, diremos de relación de aquel Inca viejo que havía nombre Cusi Huallpa, y mucha parte dello, particularmente las crueldades que Atahuallpa en los de la sangre real hizo, diré de relación de mi madre y de un hermano suyo, que se llamó Don Fernando Huallpa Túpac Inca Yupanqui, que entonces eran niños de menos de diez años y se hallaron en la furia dellas dos años y medio que duraron, hasta que los españoles entraron en la tierra; y en su lugar diremos cómo se escaparon ellos y los pocos que de aquella sangre escaparon de la muerte que Atahuallpa les dava, que fué por beneficio de los mismos enemigos.

CAPÍTULO XV

Testamento y muerte de Huaina Cápac, y el pronóstico de la ida de los españoles

ESTANDO Huaina Cápac en el reino de Quitu, un día de los últimos de su vida, se entró en un lago a bañar, por su recreación y deleite; de donde salió con frío, que los indios llaman *chucchu*, que es temblar, y como sobreviniesse la calentura, la cual llaman *rupa* (r blanda), que es quemarse, y otro día y los siguientes se sintiesse peor y peor, sintió que su mal era de muerte, porque de años atrás tenía pronósticos della, sacados de las hechizerías y agüeros y de las interpretaciones que largamente tuvieron aquellos gentiles; los cuales pronósticos, particularmente los que hablavan de la persona real, dezían los Incas que eran revelaciones de su padre el Sol, por dar autoridad y crédito a su idolatría.

Sin los pronósticos que de sus hechizerías havían sacado y los demonios les havían dicho, aparecieron en el aire cometas temerosas, y entre ellas una muy grande, de color verde, muy espantosa, y el rayo que diximos que cayó en casa deste mismo Inca, y otras señales prodigiosas que escandalizaron mucho a los amautas, que eran los sabios de aquella república, y a los hechizeros y sacerdotes de su gentilidad; los cuales, como tan familiares del demonio, pronosticaron, no solamente la muerte de su Inca Huaina Cápac, mas también la destruición de su real sangre, la pérdida de su reino y otras grandes calamidades y desventuras que dixeron havían de padescer todos ellos en general y cada uno en particular; las cuales cosas no osaron publicar por no escandalizar la tierra en tanto estremo que la gente se dexasse morir de temor, según era tímida y facilíssima a creer novedades y malos prodigios.

Huaina Cápac, sintiéndose mal, hizo llamamiento de los hijos y parientes que tenía cerca de sí y de los governadores y capitanes de la milicia de las provincias comarcanas que pudieron llegar a tiempo, y les dixo: "Yo me voy a descansar al cielo con Nuestro Padre el Sol, que días ha me reveló que de lago o de río me llamaría, y pues yo salí del agua con la indispusición que tengo, es cierta señal que Nuestro Padre me llama. Muerto yo, abriréis mi cuerpo, como se acostumbra hazer con los cuerpos reales; mi coraçón y entrañas, con todo lo interior, mando se entierre en Quitu, en señal del amor que le tengo, y el cuerpo llevaréis al Cozco, para ponerlo con mis padres y abuelos. Encomiéndoos a mi hijo Atahuallpa, que yo tanto quiero, el cual queda por Inca en mi lugar en este reino de Quitu y en todo lo demás que por su persona y armas ganare y aumentare a su Imperio, y a vosotros, los capitanes de mi exército, os mando en particular le sirváis con la fidelidad y amor que a vuestro Rey devéis, que por tal os lo dexo, para que en todo y por todo le obedezcáis y hagáis lo que él os mandare, que será lo que yo le revelaré por orden de Nuestro Padre el Sol. También os encomiendo la justicia y clemencia para con los vasallos, por que no se pierda el renombre que nos han puesto, de amador de pobres, y en todo os encargo hagáis como Incas, hijos del Sol". Hecha esta plática a sus hijos y parientes, mandó llamar los demás capitanes y curacas que no eran de la sangre real, y les encomendó la fidelidad y buen servicio que devían hazer a su Rey, y a lo último les dixo: "Muchos años ha que por revelación de Nuestro Padre el Sol tenemos que, passados doze Reyes de sus hijos, vendrá gente nueva y no conoscida en estas partes, y ganará y sujetará a su imperio todos nuestros reinos y otros muchos; yo me sospecho que serán de los que sabemos que han andado por la costa de nuestro mar; será gente valerosa, que en todo os hará ventaja. También sabemos que se cumple en mí el número de los doze Incas. Certifícoos que pocos años después que yo me haya ido de vosotros, vendrá aquella gente nueva y cumplirá lo que Nuestro Padre el Sol nos ha dicho y ganará nuestro Imperio y serán señores dél. Yo os mando que les obedezcáis y sirváis como a hombres que en todo os harán ventaja; que su ley será mejor que la nuestra y sus armas poderosas e invencibles más que las vuestras. Quedaos en paz, que yo me voy a descansar con mi padre el Sol, que me llama".

Pedro de Cieça de León, capítulo cuarenta y cuatro, toca este pronóstico que Huaina Cápac dixo de los españoles, que después de sus días havía de mandar el reino gente estraña y semejante a la que venía en el navío. Dize aquel autor que dixo esto el Inca a los suyos en Tumipampa, que es cerca de Quitu, donde dize que tuvo nueva de los primeros españoles descubridores del Perú.

Francisco López de Gómara, capítulo ciento y quinze, contando la plática que Huáscar Inca tuvo con Hernando de Soto (governador que después fué de la Florida) y con Pedro del Barco, cuando fueron los dos solos dende Cassamarca hasta el Cozco, como se dirá en su lugar, entre otras palabras que refiere de Huáscar, que iva preso, dize éstas, que son sacadas a la letra: "Y finalmente le dixo cómo él era derecho señor de todos aquellos reinos, y Atabáliba tirano; que por tanto quería informar y ver al capitán de cristianos, que deshazía los agravios y le restituiría su libertad y reinos; ca su padre Guaina Cápac le mandara, al tiempo de su muerte, fuesse amigo de las gentes blancas y barbudas que viniessen, porque havían de ser señores de la tierra", etc. De manera que este pronóstico de aquel Rey fué público en todo el Perú, y assí lo escriven estos historiadores.

Todo lo que arriba se ha dicho dexó Huaina Cápac mandado en lugar de testamento, y assí lo tuvieron los indios en suma veneración y lo cumplieron al pie de la letra. Acuérdome que un día, hablando aquel Inca viejo en presencia de mi madre, dando cuenta destas cosas y de la entrada de los españoles y de cómo ganaron la tierra, le dixe: "Inca ¿cómo siendo esta tierra de suyo tan áspera y fragosa, y siendo vosotros tantos y tan belicosos y poderosos para ganar y conquistar tantas provincias y reinos ajenos, dexasteis perder tan presto vuestro Imperio y os rendisteis a tan pocos españoles?". Para responderme bolvió a repetir el pronóstico acerca de los españoles, que días antes lo havía contado, y dixo cómo su Inca les havía mandado que los obedeciessen y sirviessen, porque en todo se les aventajarían. Haviendo dicho esto, se bolvió a mí con algún enojo de que les huviesse motejado de covardes y pusilánimos, y respondió a mi pregunta diziendo: "Estas palabras que nuestro Inca nos dixo, que fueron las últimas que nos habló, fueron más poderosas para nos sujetar y quitar nuestro Imperio que no las armas que tu padre y sus compañeros truxeron a esta tierra". Dixo esto aquel Inca por dar a entender cuánto estimavan lo que sus Reyes les mandavan, cuanto más lo que Huaina Cápac les mandó a lo último de su vida, que fué el más querido de todos ellos.

Huaina Cápac murió de aquella enfermedad; los suyos, en cumplimiento de lo que les dexó mandado, abrieron su cuerpo y lo embalsamaron y llevaron al Cozco, y el coraçón dexaron enterrado en Quitu. Por los caminos, dondequiera que llegavan, celebravan sus obsequias con grandíssimo sentimiento de llanto, clamor y alaridos, por el amor que le tenían; llegando a la imperial ciudad, hizieron las obsequias por entero, que, según la costumbre de aquellos Reyes, duraron un año; dexó más de dozientos hijos y hijas, y más de trecientos, según afirmavan algunos Incas por encarescer la crueldad de Atahuallpa, que los mató casi todos. Y porque se propuso dezir aquí las cosas que no havía en el Perú, que después acá se han llevado, las diremos en el capítulo siguiente.

CAPÍTULO XVI

De las yeguas y cavallos, y cómo los criavan a los principios y lo mucho que valían.

ORQUE a los presentes y venideros será agradable saber las cosas que no havía en el Perú antes que los españoles lo ganaran, me paresció hazer capítulo dellas aparte, para que se vea y considere con cuántas cosas menos y, al parecer, cuán necessarias a la vida humana, se passavan aquellas gentes, y vivían muy contentos sin ellas. Primeramente es de saber que no tuvieron cavallos ni yeguas para sus guerras o fiestas, ni vacas ni bueyes para romper la tierra y hazer sus sementeras, ni camellos ni asnos ni mulos para sus acarretos, ni ovejas de las de España burdas, ni merinas para lana y carne, ni cabras ni puercos para cecina y corambre, ni aun perros de los castizos para sus cacerías, como galgos, podencos, perdigueros, perros de agua ni de muestra, ni sabuessos de traílla o monteros, ni lebreles ni aun mastines para guardar sus ganados, ni gozquillos de los muy bonicos que llaman perrillos de falda; de los perros que en España llaman gozques havía muchos, grandes y chicos.

Tampoco tuvieron trigo ni cevada ni vino ni azeite ni frutas ni legumbres de las de España. De cada cosa iremos haziendo distinción de cómo y cuándo passaron a aquellas partes. Cuanto a lo primero, las yeguas y cavallos llevaron consigo los españoles, y mediante ellos han hecho las conquistas del Nuevo Mundo; que para huir y alcançar y subir y baxar y andar a pie por la aspereza de aquella tierra, más ágiles son los indios, como nascidos y criados en ella; la raça de los cavallos y yeguas que hay en todos los reinos y provincias de las Indias que los españoles han descubierto y ganado, desde el año de mil y cuatrocientos y noventa y dos hasta ahora, es de la raça de las yeguas y cavallos de España, particularmente del Andaluzía. Los primeros llevaron a la isla de Cuba y de Sancto Domingo, y luego a las demás islas de Barlovento, como las ivan descubriendo y ganando; criáronse en ellas en gran abundancia, y de allí los llevaron a la conquista de México y a la del Perú, etc. A los principios, parte por descuido de los dueños y parte por la mucha aspereza de las montañas de aquellas islas, que son increíbles, se quedavan algunas yeguas metidas por los montes, que no podían recogerlas y se perdían; desta manera, de poco en poco se perdieron muchas; y aun sus dueños, viendo que se criavan bien en los montes y que no havía animales fieros que les hiziessen daño, dexavan ir con las otras las que tenían recogidas; desta manera se hizieron bravas y montarazes las yeguas y cavallos en aquellas islas, que huían de la gente como venados; empero, por la fertilidad de la tierra, caliente y húmida, que nunca falta en ella yerva verde, multiplicaron en gran número.

Pues como los españoles que en aquellas islas vivían viessen que para las conquistas que adelante se hazían eran menester cavallos, y que los de allí eran muy buenos, dieron en criarlos por granjería, porque se los pagavan muy bien. Havía hombres que tenían en sus cavallerizas a treinta, cuarenta, cincuenta cavallos, como diximos en nuestra historia de la Florida, hablando dellas. Para prender los potros hazían corrales de madera en los montes en algunos callejones, por donde entravan y salían a pacer en los navazos limpios de monte, que los hay en aquellas islas de dos, tres leguas, más y menos de largo y ancho, que llaman *çavanas*, donde el ganado sale a sus horas del monte a recrearse; las atalayas que tienen puestas por los árboles hazen señal; entonces salen quinze o veinte de a cavallo y corren el ganado y lo aprietan hazia donde tienen los corrales. En ellos se encierran yeguas y potros, como aciertan a caer; luego echan lazos a los potros de tres años y los atan a los árboles, y sueltan las yeguas; los potros quedan atados tres o cuatro días, dando saltos y brincos, hasta que, de cansados y de hambre, no pueden tenerse, y algunos se ahogan; viéndolos ya quebrantados, les echan las sillas y frenos y suben en ellos sendos moços, y otros los llevan guiando por el cabresto; desta manera los traen tarde y mañana quinze o veinte días, hasta que los amansan; los potros, como animales que fueron criados para que sirviessen de tan cerca al hombre, acuden con mucha nobleza y lealtad a lo que quieren hazer dellos; tanto, que a pocos días después de domados, juegan cañas en ellos; salen muy buenos cavallos. Después acá, como han faltado las conquistas, faltó el criarlos como antes hazían; passóse la granjería a los cueros de vacas, como adelante diremos. Muchas vezes, imaginando lo mucho que valen los buenos cavallos en España, y cuán buenos son los de aquellas islas, de talle, obra y colores, me admiro de que no los traigan de allí, siquiera en reconoscimiento del beneficio que España les hizo en embiárselos; pues para traerlos de la isla de Cuba tienen lo más del camino andado, y los navíos, por la mayor parte, vienen vazíos; los cavallos del Perú se hazen más temprano que los de España, que la primera vez que jugué cañas en el Cozco fué en un cavallo tan nuevo que aún no havía cumplido tres años.

A los principios, cuando se hazía la conquista del Perú, no se vendían los cavallos; y si alguno se vendía por muerte de su dueño o porque se venía a España, era por precio eccessivo, de cuatro o cinco o seis mil pesos. El año de mil y quinientos y cincuenta y cuatro, yendo el mariscal Don Alonso de Alvarado en busca de Francisco Hernández Girón, antes de la batalla que llamaron de Chuquinca, un negro llevava de diestro un hermoso cavallo, muy bien adereçado a la brida, **253** para que su amo subiera en él; un cavallero rico, aficionado al cavallo, dixo al dueño, que estava con él: "Por el cavallo y por el esclavo, assí como vienen, os doy diez mil pesos", que son doze mil ducados. No los quiso el dueño, diziendo que quería el cavallo para entrar en él en la batalla que esperavan dar al enemigo, y assí se lo mataron en ella, y él salió muy mal herido. Lo que más se deve notar es que el que lo comprava era rico; tenía en los Charcas un buen repartimiento de indios; mas el dueño del cavallo no tenía indios; era un famoso soldado, y como tal por mostrarse el día de la batalla, no quiso vender su cavallo, aunque se lo pagavan tan eccessivamente; yo los conosci ambos; eran hombres nobles, hijosdalgo. Después acá se han moderado los precios en el Perú, porque han multiplicado mucho, que un buen cavallo vale trezientos y cuatrocientos pesos y los rocines valen veinte y a treinta pesos. Comúnmente los indios tienen grandíssimo miedo a los cavallos; en viéndolos correr, se desatinan de tal manera que, por ancha que sea la calle, no saben arrimarse a una de las paredes y dexarle passar, sino que les paresce que dondequiera que estén (como sea en el suelo) los han de trompillar, y assí, viendo venir el cavallo corriendo, cruzan la calle dos y tres vezes de una parte a otra, huyendo dél, y tan presto como llegan a la una pared, tan presto les parece que estavan más seguros a la otra y buelven corriendo a ella. Andan tan ciegos y desatinados del temor, que muchas vezes acaesció (como yo los vi) irse a encontrar con el cavallo, por huir dél. En ninguna manera les parescía que estavan seguros, si no era teniendo algún español delante, y aun no se davan por asegurados del todo; cierto no se puede encarecer lo que en esto havía en mis tiempos; ya ahora, por la mucha comunicación, es menos el miedo, pero no tanto que indio alguno se haya atrevido a ser herrador, y aunque en los demás oficios que de los españoles han aprendido hay muy grandes oficiales, no han querido enseñarse a herrar, por no tratar los cavallos de tan cerca; y aunque es verdad que en aquellos tiempos havía muchos indios criados de españoles que almohaçavan y curavan los cavallos, mas no osavan subir en ellos; digo verdad, que yo no vi indio alguno a cavallo; y aun el llevarlos de rienda no se atrevían, si no era algún cavallo tan manso que fuesse como una mula; y esto era por ir el cavallo retoçando, por no llevar antojos, que tampoco se usavan entonces, que aún no havían llegado allá, ni el cabeçón para domarlos y sujetarlos; todo se hazía a más costa y trabajo del domador y de sus dueños; mas también se puede dezir que por allá son los cavallos tan nobles que fácilmente, tratándolos con buena maña, sin hazerles violencia, acuden a lo que les quieren. Demás de lo dicho a los principios, de las conquistas en todo el Nuevo Mundo, tuvieron los indios que el cavallo y el cavallero era todo de una pieça, como los centauros de los poetas; dízenme que ya

ahora hay algunos indios que se atreven a herrar cavallos, mas que son
muy pocos; y con esto passemos adelante a dar cuenta de otras
cosas que no havía en aquella mi tierra.

CAPÍTULO XVII

De las vacas y bueyes, y sus precios altos y baxos.

AS VACAS se cree que las llevaron luego después de la conquista, y que fueron muchos los que las llevaron, y assí se derramaron presto por todo el reino. Lo mismo devía de ser de los puercos y cabras; porque muy niño me acuerdo yo haverlas visto en el Cozco.

Las vacas tampoco se vendían a los principios, cuando havía pocas,
porque el español que las llevava (por criar y ver el fruto dellas) no
las quería vender, y assí no pongo el precio de aquel tiempo hasta más
adelante, cuando huvieron ya multiplicado. El primero que tuvo vacas
en el Cozco fué Antonio de Altamirano, natural de Estremadura, padre de Pedro y Francisco Altamirano, mestizos condiscípulos míos; los
cuales fallescieron temprano, con mucha lástima de toda aquella ciudad, por la buena espectación que dellos se tenía de habilidad y virtud.

Los primeros bueyes que vi arar fué en el valle del Cozco, año de
mil y quinientos y cincuenta, uno más o menos, y eran de un cavallero llamado Juan Rodríguez de Villalobos, natural de Cáceres; no
eran más de tres juntas; llamavan a uno de los bueyes Chaparro y a
otro Naranjo y a otro Castillo; llevóme a verlos un exército de indios
que de todas partes ivan a lo mismo, atónitos y asombrados de una
cosa tan monstruosa y nueva para ellos y para mí. Dezían que los españoles, de haraganes, por no trabajar, forçavan a aquellos grandes animales a que hiziessen lo que ellos havían de hazer. Acuérdome bien
de todo esto, porque la fiesta de los bueyes me costó dos dozenas de
açotes: los unos me dió mi padre, porque no fuí al escuela; los otros
me dió el maestro, porque falté della. La tierra que aravan era un
andén hermosíssimo, que está encima de otro, donde ahora está fundado el convento del Señor San Francisco; la cual casa digo lo que es;
el cuerpo de la iglesia labró a su costa el dicho Juan Rodríguez de Villalobos, a devoción del Señor San Lázaro, cuyo devotíssimo fué; los frailes franciscos compraron la iglesia y los dos andenes de tierra años
después; que entonces, cuando los bueyes, no havía casa ninguna en
ellos, ni de españoles ni de indios. Ya en otra parte hablamos largo de

la cómpreda de aquel sitio; los gañanes que aravan eran indios; los bueyes domaron fuera de la ciudad, en un cortijo, y cuando los tuvieron diestros, los truxeron al Cozco, y creo que los más solenes triunfos de la grandeza de Roma no fueron más mirados que los bueyes aquel día. Cuando las vacas empeçaron a venderse, valían a dozientos pesos; fueron baxando poco a poco, como ivan multiplicando, y después baxaron de golpe a lo que hoy valen. Al principio del año de mil y quinientos y cincuenta y cuatro, un cavallero que yo conoscí, llamado Rodrigo de Esquivel, vezino del Cozco, natural de Sevilla, compró en la Ciudad de los Reyes diez vacas por mil pesos, que son mil y dozientos ducados. El año de mil y quinientos y cincuenta y nueve, las vi comprar en el Cozco a diez y siete pesos, que son veinte ducados y medio, antes menos que más; y lo mismo acaesció en las cabras, ovejas y puercos, como luego diremos para que se vea la fertilidad de aquella tierra. Del año de quinientos y noventa acá, me escriven del Perú que valen las vacas en el Cozco a seis y a siete ducados, compradas una o dos; pero compradas en junto valen a menos.

Las vacas se hizieron montarazes en las islas de Barlovento, también como las yeguas, y casi por el mismo término; aunque también tienen algunas recogidas en sus hatos, sólo por gozar de la leche, queso y manteca dellas; que por lo demás, en los montes las tienen en más abundancia. Han mutiplicado tanto que fuera increíble si los cueros que dellas cada año traen a España no lo testificaran, que según el Padre Maestro Acosta dize, libro cuarto, capítulo treinta y tres: "En la flota del año de mil y quinientos y ochenta y siete, truxeron de Santo Domingo treinta y cinco mil y cuatrocientos y cuarenta y cuatro cueros, y de la Nueva España truxeron aquel mismo año sesenta y cuatro mil y trezientos y cincuenta cueros vacunos, que por todos son noventa y nueve mil y setecientos y noventa y cuatro. En Santo Domingo y en Cuba y en las demás islas multiplicaran mucho más, si no recibieran tanto daño de los perros lebreles, alanos y mastines que a los principios llevaron, que también se han hecho montarazes y multiplicado tanto, que no osan caminar los hombres si no van diez, doze juntos; tiene premio el que los mata, como si fueran lobos. Para matar las vacas aguardan a que salgan a las çavanas a pacer; córrenlas a cavallo con lanças, que en lugar de hierros llevan unas medias lunas que llaman desjaretaderas; tienen el filo adentro; con las cuales, alcançando la res, le dan el corvejón y la dexarietan. Tiene el jinete que las corre necessidad de ir con advertencia, que si la res que lleva por delante va a su mano derecha, le hiera en el corvejón derecho, y si va a su mano izquierda, le hiera en el corvejón izquierdo; porque la res buelve la cabeça a la parte que le hieren; y si el de a cavallo no va con la advertencia dicha, su mismo cavallo se enclava en los cuernos de la vaca o del toro, porque no hay tiempo para huir dellos. Hay hombres tan diestros en este oficio, que en una carrera de dos tiros de arcabuz derriban veinte, treinta, cuarenta reses. De tanta carne de vacas como en aquellas islas se desperdicia, pudieran traer carnaje para las armadas de España; mas temo que no se pueden hazer los tasajos por la mucha humidad y calor de aquella región, que es causa de corrupción. Dízenme que en estos tiempos andan ya en el Perú algunas vacas desmandadas por los despoblados, y que los toros son tan bravos que salen a la gente a los caminos. A poco más havrá montarazes como en las islas; las cuales, en el particular de las vacas, paresce que reconoscen el beneficio que España les hizo en embiárselas, y que en trueque y cambio le sirven con la corambre que cada año le embían en tanta abundancia.

CAPÍTULO XVIII

De los camellos, asnos y cabras, y sus precios y mucha cría.

TAMPOCO huvo camellos en el Perú, y ahora los hay, aunque pocos. El primero que los llevó (y creo que después acá no se han llevado) fué Juan de Reinaga, hombre noble, natural de Bilbao, que yo conoscí, capitán de infantería contra Francisco Hernández Girón y sus secuaces; y sirvió bien a Su Majestad en aquella jornada. Por seis hembras y un macho que llevó, le dió Don Pedro Portocarrero, natural de Truxillo, siete mil pesos, que son ocho mil y cuatrocientos ducados; los camellos han multiplicado poco o nada.

El primer borrico que vi fué en la juridición del Cozco, año de mil y quinientos y cincuenta y siete; compróse en la ciudad de Huamanca; costó cuatrocientos y ochenta ducados de a trezientos y setenta y cinco maravedís; mandólo comprar Garcilasso de la Vega, mi señor, para criar muletos de sus yeguas. En España no valía seis ducados, porque era chiquillo y ruinejo; otro compró después Gaspar de Sotelo, hombre noble, natural de Çamora, que yo conoscí, en ochocientos y cuarenta ducados. Mulas y mulos se han criado después acá muchos para las recuas, y gástanse mucho, por la aspereza de los caminos.

Las cabras, a los principios, cuando las llevaron, no supe a cómo valieron; años después las vi vender a ciento y a ciento y diez ducados; pocas se vendían, y era por mucha amistad y ruegos, una o dos

257

a cual y cual; y entre diez o doze juntavan una manadita, para traellas
juntas. Esto que he dicho fué en el Cozco, año de mil y quinientos y
cuarenta y cuatro y cuarenta y cinco. Después acá han multiplicado
tanto, que no hazen caso dellas, sino para la corambre. El parir ordinario de las cabras era a tres y cuatro cabritos, como yo las vi. Un
cavallero me certificó que en Huánucu, donde él residía,
vió parir muchas a cinco cabritos.

CAPÍTULO XIX
De las puercas, y su mucha fertilidad.

EL PRECIO de las puercas, a los principios, cuando las llevaron, fué mucho mayor que el de las cabras, aunque no supe
certificadamente qué tan grande fué. El coronista Pedro
de Cieça de León, natural de Sevilla, en la demarcación que
haze de las provincias del Perú, capítulo veinte y seis, dize
que el mariscal Don Jorge Robledo compró de los bienes de Cristóval
de Ayala, que los indios mataron, una puerca y un cochino en mil y
seiscientos pesos, que son mil y novecientos y veinte ducados; y dize
más, que aquella misma puerca se comió pocos días después en la
ciudad de Cali, en un vanquete en que él se halló; y que en los vientres
de las madres compravan los lechones a cien pesos (que son ciento y
veinte ducados) y a más. Quien quisiere ver precios eccessivos de
cosas que se vendían entre los españoles, lea aquel capítulo y verá en
cuán poco tenían entonces el oro y la plata por las cosas de España.
Estos excessos y otros semejantes han hecho los españoles con el amor
de su patria en el Nuevo Mundo, en sus principios, que, como fuessen
cosas llevadas de España, no paravan en el precio para las comprar y
criar, que les parescía que no podían vivir sin ellas.

El año de mil y quinientos y sesenta valía un buen cevón en el
Cozco diez pesos; por este tiempo valen a seis y a siete, y valieran menos si no fuera por la manteca, que la estiman para curar la sarna del
ganado natural de aquella tierra, y también porque los españoles, a
falta de azeite (por no poderlo sacar), guisan de comer con ella los
viernes y la cuaresma; las puercas han sido muy fecundas en el Perú.
El año de mil y quinientos y cincuenta y ocho, vi dos en la plaça menor
del Cozco, con treinta y dos lechones, que havían parido a diez y seis
cada una; los hijuelos serían de poco más de treinta días cuando los vi.
Estavan tan gordos y luzios que causavan admiración cómo pudiessen

las madres criar tantos juntos y tenerlos tan bien mantenidos. A los
puercos llaman los indios *cuchi*, y han introduzido esta palabra en su
lenguaje para dezir puerco, porque oyeron dezir a los
españoles "¡*coche, coche!*", cuando les hablavan.

CAPÍTULO XX

De las ovejas y gatos caseros.

AS OVEJAS de Castilla, que las llamamos assí a diferencia de
las del Perú, pues los españoles, con tanta impropriedad, las
quisieron llamar ovejas, no asemejándoles en cosa alguna,
como diximos en su lugar, no sé en qué tiempo passaron
las primeras, ni qué precio tuvieron, ni quién fué el primero que las llevó. Las primeras que vi fué en el término del Cozco,
el año de mil y quinientos y cincuenta y seis; vendíanse en junto a
cuarenta pesos cada cabeça, y las escogidas a cincuenta, que son setenta
ducados. También las alcançavan por ruegos, como las cabras. El año
de mil y quinientos y sesenta, cuando yo salí del Cozco, aún no se
pesavan carneros de Castilla en la carnicería. Por cartas del año de
mil y quinientos y noventa a esta parte, tengo relación que en aquella
gran ciudad vale un carnero en el rastro ocho reales, y diez cuando
muchos. Las ovejas, dentro de ocho años, baxaron a cuatro ducados y
a menos. Ahora, por este tiempo, hay tantas, que valen muy poco. El
parir ordinario dellas ha sido a dos corderos, y muchas a tres. La lana
también es tanta que casi no tiene precio, que vale a tres y cuatro
reales la arroba; ovejas burdas no sé que hasta ahora hayan llegado allá.
Lobos no los havía, ni al presente los hay, que, como no son de venta
ni provecho, no han passado allá.

Tampoco havía gatos de los caseros antes de los españoles; ahora
los hay, y los indios los llaman *micitu* porque oyeron dezir a los españoles "¡*miz, miz!*" cuando los llamavan. Y tienen ya los indios introduzido en su lenguaje este nombre *micitu*, para dezir gato. Digo esto
porque no entienda el español que por darles los indios nombre diferente de *gato*, los tenían antes, como han querido imaginar de las
gallinas, que porque los indios les llaman *atahuallpa*, piensan que las
havía antes de la conquista, como lo dize un historiador, haziendo argumento que los indios tuvieron puestos nombres en su lenguaje a todas
las cosas que tenían antes de los españoles, y que a la gallina llaman
gualpa; luego, havíalas antes que los españoles passaran al Perú. El 259

argumento parece que convence a quien no sabe la dedución del nombre *gualpa*, que no les llaman *gualpa*, sino *atahuallpa*. Es un cuento gracioso; dezirlo hemos cuando tratemos de las aves domésticas que no havía en el Perú antes de los españoles.

CAPÍTULO XXI
Conejos y perros castizos.

TAMPOCO havía conejos de los campesinos que hay en España, ni de los que llaman caseros; después que yo salí del Perú los han llevado. El primero que los llevó a la jurisdición del Cozco fué un clérigo llamado Andrés López, natural de Estremadura; no pude saber de qué ciudad o villa. Este sacerdote llevava en una jaula dos conejos, macho y hembra; al passar de un arroyo que está diez y seis leguas del Cozco, que passa por una heredad llamada Chinchapucyu, que fué de Garcilasso de la Vega, mi señor, el indio que llevava la jaula se descargó para descansar y comer un bocado; cuando bolvió a tomarla para caminar, halló menos uno de los conejos, que se havía salido por una verguilla rota de la jaula y entrádose en un monte bravo que hay de alisos o álamos por todo aquel arroyo arriba; y acertó a ser la hembra, la cual iva preñada y parió en el monte; y con el cuidado que los indios tuvieron, después que vieron los primeros conejos, de que no los matassen, han multiplicado tanto que cubren la tierra; de allí los han llevado a otras muchas partes; críanse muy grandes, con el vicio de la tierra, como ha hecho todo lo demás que han llevado de España.

Acertó aquella coneja a caer en buena región, de tierra templada, ni fría ni caliente; subiendo el arroyo arriba, van participando de tierra más y más fría, hasta llegar donde hay nieve perpetua; y baxando el mismo arroyo, van sintiendo más y más calor, hasta llegar al río llamado Apurímac, que es la región más caliente del Perú. Este cuento de los conejos me contó un indiano de mi tierra, sabiendo que yo escrivía estas cosas; cuya verdad remito al arroyo, que dirá si es assí o no, si los tiene o le faltan. En el reino de Quitu hay conejos casi como los de España, salvo que son mucho menores de cuerpo y más escuros de color, que todo el cerro del lomo es prieto, y en todo lo demás son semejantes a los de España. Liebres no las huvo, ni sé que hasta ahora las hayan llevado.

Perros castizos, de los que atrás quedan nombrados, no los havía en el Perú; los españoles los han llevado. Los mastines fueron los postreros que llevaron, que en aquella tierra, por no haver lobos ni otras salvajinas dañosas, no eran menester; mas viéndolos allá, los estimaron mucho los señores de ganado, no por la necessidad, pues no la havía, sino por que los rebaños de los ganados remedassen en todo a los de España; y era esta ansia y sus semejantes tan ansiosa en aquellos principios, que con no haver para qué, no más de por el bien parecer, truxo un español, desde el Cozco hasta los Reyes, que son ciento y veinte leguas de camino asperíssimo, un cachorrillo mastín, que apenas tenía mes y medio; llevávalo metido en una alforja que iva colgada en el arzón delantero; y a cada jornada tenía nuevo trabajo, buscando leche que comiesse el perrillo; todo esto vi, porque venimos juntos aquel español y yo. Dezía que lo llevava para presentarlo por joya muy estimada a su suegro, que era señor de ganado, y vivía cincuenta o sesenta leguas más acá de la Ciudad de los Reyes. Estos trabajos y otros mayores costaron a los principios las cosas de España a los españoles, para aborrecerlas después, como han aborrecido muchas dellas.

CAPÍTULO XXII
De las ratas y la multitud dellas.

RESTA dezir de las ratas, que también passaron con los españoles, que antes dellos no las havía. Francisco López de Gómara, en su *Historia General de las Indias*, entre otras cosas (que escrivió con falta o sobra de relación verdadera que le dieron) dize que no havía ratones en el Perú hasta en tiempo de Blasco Núñez Vela. Si dixera ratas (y quiçá lo quiso dezir), de las muy grandes que hay en España, havía dicho bien, que no las huvo en el Perú. Ahora las hay por la costa en gran cantidad, y tan grandes que no hay gato que ose mirarlas, cuanto más acometerlas. No han subido a los pueblos de la sierra ni se teme que suban, por las nieves y mucho frío que hay en medio, si ya no hallan cómo ir abrigados.

Ratones de los chicos huvo muchos; llámanles *ucucha*. En Nombre de Dios y Panamá y otras ciudades de la costa del Perú, se valen del tósigo contra la infinidad de las ratas que en ella se crían. Apregonan a ciertos tiempos del año que cada uno en su casa eche rejalgar a las ratas. Para lo cual guardan muy bien todo lo que es de comer y bever, principalmente el agua, por que las ratas no la atosiguen; y en una noche todos los vezinos a una echan rejalgar en las frutas y otras cosas que ellas apetecen a comer. Otro día hallan muertas tantas que son inumerables.

Cuando llegué a Panamá, viniendo a España, devía de haver poco que se havía hecho el castigo, que, saliendo a pasearme una tarde por la ribera del mar, hallé a la lengua del agua tantas muertas, que en más de cien passos de largo y tres o cuatro de ancho no havía dónde poner los pies; que con el fuego del tósigo van a buscar el agua, y la del mar les ayuda a morir más presto.

De la multitud dellas se me ofrece un cuento estraño, por el cual se verá las que andan en los navíos, mayormente si son navíos viejos; atrévome a contarlo en la bondad y crédito de un hombre noble, llamado Hernán Bravo de Laguna, de quien se haze mención en las historias del Perú, que tuvo indios en el Cozco, a quien yo se lo oí, que lo havía visto; y fué que un navío que iva de Panamá a los Reyes tomó un puerto de los de aquella costa, y fué el de Trujillo. La gente que en él venía saltó en tierra a tomar refresco y a holgarse aquel día y otro que el navío havía de parar allí; en el cual no quedó hombre alguno, si no fué un enfermo, que, por no estar para caminar dos leguas que hay del puerto a la ciudad, se quiso quedar en el navío, el cual quedava seguro, assí de la tempestad de la mar, que es mansa en aquella costa, como de los cosarios, que aún no havía passado Francisco Drac, que enseñó a navegar por aquel mar y a que se recatassen de los cosarios. Pues como las ratas sintiessen el navío desembaraçado de gente, salieron a campear, y hallando al enfermo sobre cubierta, le acometieron para comérselo; porque es assí verdad, que muchas vezes ha acaescido en aquella navegación dexar los enfermos vivos a prima noche y morirse sin que lo sientan, por no tener quien les duela, y hallarles por la mañana comidas las caras y parte del cuerpo, de braços y piernas, que por todas partes los acometen. Assí quisieron hazer con aquel enfermo, el cual, temiendo el exército que contra él venía, se levantó como pudo, y tomando un asador del fogón, se bolvió a su cama, no para dormir, que no le convenía, sino para velar y defenderse de los enemigos que le acometían; y assí veló el resto de aquel día y la noche siguiente, y otro día hasta bien tarde, que vinieron los compañeros. Los cuales, al derredor de la cama y sobre la cubierta y por los rincones que pudieron buscar, hallaron trezientas y ochenta y tantas ratas que con el asador havía muerto, sin otras muchas que se le fueron lastimadas.

El enfermo, o por el miedo que havía passado o con el regozijo de la victoria alcançada, sanó de su mal, quedándole bien que contar de la gran batalla que con las ratas havía tenido. Por la costa del Perú, en diversas partes y en diversos años, hasta el año de mil y quinientos y setenta y dos, por tres vezes huvo grandes plagas, causadas por las ratas y ratones, que, criándose innumerables dellos, corrían mucha tierra y destruían los campos, asssí las sementeras como las heredades, con todos los árboles frutales, que desde el suelo hasta los pimpollos les roían las cortezas; de manera que los árboles se secaron, que fué menester plantarlos de nuevo, y las gentes temieron desamparar sus pueblos; y sucediera el hecho según la plaga se encendía, sino que Dios, por su misericordia, la apagava cuando más encendida andava la peste. Daños increíbles hizieron, que dexamos de contar en particular por huir de la prolixidad.

CAPÍTULO XXIII
De las gallinas y palomas.

ERÁ razón hagamos mención de las aves, aunque han sido pocas, que no se han llevado sino gallinas y palomas caseras, de las que llaman *duendas.* Palomas de palomar, que llaman *çuritas* o *çuranas,* no sé yo que hasta [a]hora las hayan llevado. De las gallinas escrive un autor que las havía en el Perú antes de su conquista, y házenle fuerça para certificarlo ciertos indicios que dize que hay para ello, como son que los indios, en su mismo lenguaje, llaman a la gallina *gualpa* y al huevo *ronto,* y que hay entre los indios el mismo refrán que los españoles tienen, de llamar a un hombre *gallina* para notarle de covarde. A los cuales indicios satisfaremos con la propriedad del hecho.

Dexando el nombre *gualpa* para el fin del cuento, y tomando el nombre *ronto,* que se ha de escrevir *runtu,* pronunciando *ere* senzilla, porque en aquel lenguaje, como ya diximos, ni en principio de parte ni en medio della no hay *rr* duplicada, dezimos que es nombre común; significa huevo; no en particular de gallina, sino en general de cualquier ave brava o doméstica, y los indios en su lenguaje, cuando quieren dezir de qué ave es el huevo, nombran juntamente el ave y el huevo, también como el español que dize huevo de gallina, de perdiz o paloma, etc.; y esto baste para deshazer el indicio del nombre *runtu.*

El refrán de llamar a un hombre *gallina,* por motejarle de covarde, es que los indios lo han tomado de los españoles, por la ordinaria familiaridad y conversación que con ellos tienen; y también por remedarles en el lenguaje, como acaesce de ordinario a los mismos españoles que passando a Italia, Francia, Flandes y Alemañia, bueltos a su tierra quieren luego entremeter en su lenguaje castellano las palabras o refranes que de los estranjeros traen aprendidos; y assí lo han hecho los indios, porque los Incas, para dezir covarde, tienen un refrán más apropiado que el de los españoles; dizen *huarmi,* que quiere dezir mujer, y lo dizen por vía de refrán; que para dezir covarde, en propria significación de su lenguaje, dizen *campa,* y para dezir pusilánimo y flaco de coraçón dizen *llanclla.* De manera que el refrán *gallina* para dezir covarde es hurtado del lenguaje español, que en el de los indios no lo hay, y yo como indio doy fe desto.

El nombre *gualpa,* que dizen que los indios dan a las gallinas, está corrupto en las letras y sincopado o cercenado en las sílabas, que han de dezir *atahuallpa,* y no es nombre de gallina, sino del postrer Inca que huvo en el Perú, que, como diremos en su vida, fué con los de su sangre cruelíssimo sobre todas las fieras y basiliscos del mundo. El cual, siendo bastardo, con astucia y cautelas prendió y mató al hermano mayor, legítimo heredero, llamado Huáscar Inca, y tiranizó el reino; y con tormentos y crueldades nunca jamás vistas ni oídas, destruyó toda la sangre real, assí hombres como niños y mujeres, en las cuales, por ser más tiernas y flacas, executó el tirano los tormentos más crueles que pudo imaginar; y no hartándose con su propria carne y sangre, passó su ravia, inhumanidad y fiereza a destruir los criados más allegados de la casa real, que, como en su lugar diximos, no eran personas particulares, sino pueblos enteros, que cada uno servía de su particular oficio como porteros, barrenderos, leñadores, aguadores, jardineros, cozineros de la mesa de estado, y otros oficios semejantes. A todos aquellos pueblos, que estavan al derredor del Cozco, en espacio de cuatro, cinco, seis y siete leguas, los destruyó, y asoló por tierra los edificios, no contentándose con haverles muerto los moradores; y passaran adelante sus crueldades si no las atajaran los españoles, que acertaron a entrar en la tierra en el mayor hervor dellas.

Pues como los españoles, luego que entraron, prendieron al tirano Atahuallpa y lo mataron en breve tiempo con muerte tan afrentosa, como fué darle garrote en pública plaça, dixeron los indios que su Dios, el Sol, para vengarse del traidor y castigar al tirano, matador de sus hijos y destruidor de su sangre, havía embiado los españoles para que hiziessen justicia dél. Por la cual muerte los indios obedescieron a los españoles, como a hombres embiados de su Dios, el Sol, y se les rindieron de todo punto, y no les resistieron en la conquista como pudieran. Antes los adoraron por hijos y descendientes de aquel su Dios Viracocha, hijo del Sol, que se aparesció en sueños a uno de sus Reyes, por quien llamaron al mismo Rey, Inca Viracocha; y assí dieron su nombre a los españoles.

A esta falsa creencia que tuvieron de los españoles, se añadió otra burlería mayor, y fué que como los españoles llevaron gallos y gallinas, que de las cosas de España fué la primera que entró en el Perú, y como oyeron cantar los gallos, dixeron los indios que aquellas aves, para perpetua infamia del tirano y abominación de su nombre, lo pronunciavan en su canto diziendo "¡Atahuallpa!", y lo pronunciavan ellos, contrahaziendo el canto del gallo.

Y como los indios contassen a sus hijos estas ficciones, como hizieron todas las que tuvieron, para conservarlas en su tradición, los indios muchachos de aquella edad, en oyendo cantar un gallo, respondían cantando al mismo tono, y dezían "¡Atahuallpa!". Confiesso verdad que muchos condiscípulos míos, y yo con ellos, hijos de españoles y de indias, lo cantamos en nuestra niñez por las calles, juntamente con los indiezuelos.

Y para que se entienda mejor cuál era nuestro canto, se pueden imaginar cuatro figuras o puntos de canto de órgano en dos compases, por los cuales se cantava la letra *atahuallpa;* que quien las oyere verá que se remeda con ellos el canto ordinario del gallo; y son dos semínimas y una mínima y un semibreve, todas cuatro figuras en un signo. Y no sólo nombravan en el canto al tirano, mas también a sus capitanes más principales, como tuviessen cuatro sílabas en el nombre, como Challcuchima, Quilliscacha y Rumiñaui, que quiere dezir ojo de piedra, porque tuvo un berrueco de nuve en un ojo. Esta fué la imposición del nombre *atahuallpa* que los indios pusieron a los gallos y gallinas de España. El Padre Blas Valera, haviendo dicho, en sus destroçados y no merescidos papeles, la muerte tan repentina de Atahuallpa, y haviendo contado largamente sus excelencias, que para con sus vassallos las tuvo muy grandes, como cualquiera de los demás Incas, aunque para con sus parientes tuvo crueldades nunca oídas, y haviendo encarescido el amor que los suyos le tenían, dize en su elegante latín estas palabras: "De aquí nasció que cuando su muerte fué divulgada entre sus indios, por que el nombre de tan gran varón no viniesse en olvido, tomaron por remedio y consuelo dezir, cuando cantavan los gallos que los españoles llevaron consigo, que aquellas aves lloravan la muerte de Atahuallpa, y que por su memoria nombravan su nombre en su canto; por lo cual llamaron al gallo y a su canto *atahuallpa;* y de tal manera ha sido recebido este nombre en todas naciones y lenguas de los indios, que no solamente ellos, mas también los españoles y los predicadores, usan siempre dél", etc. Hasta aquí es del Padre Blas Valera, el cual recibió esta relación en el reino de Quitu de los mismos vassallos de Atahuallpa, que, como aficionados de su Rey natural, dixeron que por su honra y fama le nombravan los gallos en su canto, y yo la recebí en el Cozco, donde hizo grandes crueldades y tiranías; y los que las padecieron, como lastimados y ofendidos, dezían que para eterna infamia y abominación de su nombre lo pronunciavan los gallos cantando: cada uno dize de la feria como le va en ella. Con lo cual creo se anulan los tres indicios propuestos, y se prueva largamente cómo antes de la conquista de los españoles no havía gallinas en el Perú. Y como se ha satisfecho esta parte, quisiera poder satisfazer otras muchas que en las historias de aquella tierra hay que quitar y que añadir, por flaca relación que dieron a los historiadores. Con las gallinas y palomas que los españoles llevaron de España al Perú podemos dezir que también llevaron los pavos de tierra de México, que antes dellos tampoco los havía en mi tierra. Y por ser cosa notable, es de saber que las gallinas no sacavan pollos en la ciudad del Cozco ni en todo su valle, aunque les hazían todos los regalos possibles; porque el temple de aquella ciudad es frío. Dezían los que hablavan desto, que la causa era ser las gallinas estranjeras en aquella tierra, y no haverse connaturalizado con la región de aquel valle; porque en otras más calientes, como Yúcay y Muina, que están a cuatro leguas de la ciudad, sacavan muchos pollos. Duró la esterilidad del Cozco más de treinta años, que el año de mil y quinientos y sesenta, cuando yo salí de aquella ciudad, aún no los sacavan. Algunos años después, entre otras nuevas, me escrivió un cavallero, que se dezía Garci Sánchez de Figueroa, que las gallinas sacavan ya pollos en el Cozco, en gran abundancia.

El año de mil y quinientos y cincuenta y seis, un cavallero natural de Salamanca, que se dezía Don Martín de Guzmán, que havía estado en el Perú, bolvió allá; llevó muy lindos jaezes y otras cosas curiosas, entre las cuales llevó en una jaula un paxarillo de los que acá llaman canarios, porque se crían en las islas de Canaria; fué muy estimado, porque cantava mucho y muy bien; causó admiración que una avezilla tan pequeña passasse dos mares tan grandes y tantas leguas por tierra como hay de España al Cozco. Damos cuenta de cosas tan menudas por que a semejança dellas se esfuercen a llevar otras aves de más estima y provecho, como serían las perdizes de España y otras caseras que no han passado allá, que se darían como todas las demás cosas.

CAPÍTULO XXIV
Del trigo

YA QUE se ha dado relación de las aves, será justo la demos de las mieses, plantas y legumbres de que carescía el Perú. Es de saber que el primero que llevó trigo a mi patria (yo llamo assí a todo el Imperio que fué de los Incas) fué una señora noble, llamada María de Escobar, casada con un cavallero que se dezía Diego de Chaves, ambos naturales de Truxillo. A ella conoscí en mi pueblo, que muchos años después que fué al Perú se fué a vivir a aquella ciudad; a él no conoscí, porque falleció en los Reyes.

Esta señora, digna de un gran estado, llevó el trigo al Perú, a la ciudad de Rímac; por otro tanto adoraron los gentiles a Ceres por diosa y desta matrona no hizieron cuenta los de mi tierra; qué año fuesse no lo sé, mas de que la semilla fué tan poca que la anduvieron conservando y multiplicando tres años, sin hazer pan de trigo, porque no llegó a medio almud lo que llevó, y otros lo hazen de menor cantidad; es verdad que repartían la semilla aquellos primeros tres años a veinte y a treinta granos por vezino, y aun havían de ser los más amigos, para que gozassen todos de la nueva mies.

Por este beneficio que esta valerosa mujer hizo al Perú, y por los servicios de su marido, que fué de los primeros conquistadores, le dieron en la ciudad de los Reyes un buen repartimiento de indios, que peresció con la muerte dellos. El año de mil y quinientos y cuarenta y siete aún no havía pan de trigo en el Cozco (aunque ya havía trigo), porque me acuerdo que el obispo de aquella ciudad, Don Fray Juan Solano, dominico, natural de Antequera, viniendo huyendo de la batalla de Huarina, se hospedó en casa de mi padre, con otros catorze o quinze de su camarada, y mi madre los regaló con pan de maíz; y los españoles venían tan muertos de hambre que, mientras les adereçaron de cenar, tomavan puñados de maíz crudo que echavan a sus cavalgaduras y se lo comían como si fueran almendras confitadas. La cevada no se sabe quién la llevó; créese que algún grano della fué entre el trigo, porque por mucho que aparten estas dos semillas nunca se apartan del todo.

✳✳✳   ✳✳✳   ✳✳✳

✳✳✳   ✳✳✳   ✳✳✳

CAPÍTULO XXV
De la vid, y el primero que metió uvas en el Cozco.

E LA planta de Noé dan la honra a Francisco de Caravantes, antiguo conquistador, de los primeros del Perú, natural de Toledo, hombre noble. Este cavallero, viendo la tierra con algún assiento y quietud, embió a España por planta, y el que vino por ella, por llevarla más fresca, la llevó de las islas de Canaria, de uva prieta, y assí salió casi toda la uva tinta, y el vino es todo haloque, no del todo tinto; y aunque han llevado ya otras muchas plantas, hasta la moscatel, mas con todo esso aún no hay vino blanco.

Por otro tanto como este cavallero hizo en el Perú, adoraron los gentiles por dios al famoso Baco, y a él se lo han agradecido poco o nada; los indios, aunque ya por este tiempo vale barato el vino, lo apetecen poco, porque se contentan con su antiguo brevaje, hecho de çara y agua. Juntamente con lo dicho oí en el Perú, a un cavallero fidedigno, que un español curioso havía hecho almácigo de passas llevadas de España, y que, prevalesciendo algunos granillos de las passas, nacieron sarmientos; empero tan delicados, que fué menester conservarlos en el almácigo tres o cuatro años, hasta que tuvieron vigor para ser plantados, y que las passas acertaron a ser de uvas prietas, y que por esso salía todo el vino del Perú tinto o haloque, porque no es del todo prieto, como el tinto de España. Pudo ser que huviesse sido lo uno y lo otro; porque las ansias que los españoles tuvieron por ver cosas de su tierra en las Indias han sido tan vascosas y eficaces, que ningún trabajo ni peligro se les ha hecho grande para dexar de intentar el efecto de su desseo.

El primero que metió uvas de su cosecha en la ciudad del Cozco fué el capitán Bartolomé de Terrazas, de los primeros conquistadores del Perú y uno de los que passaron a Chili con el Adelantado Don Diego de Almagro. Este cavallero conoscí yo: fué nobilíssimo de condición, magnífico, liberal, con las demás virtudes naturales de cavallero. Plantó una viña en su repartimiento de indios, llamado Achanquillo, en la provincia de Cuntisuyu, de donde año de mil y quinientos y cincuenta y cinco, por mostrar el fruto de sus manos y la liberalidad de su ánimo, embió treinta indios cargados de muy hermosas uvas a Garcilasso de la Vega, mi señor, su íntimo amigo, con orden que diesse su parte a cada uno de los cavalleros de aquella ciudad, para que todos gozassen del fruto de su trabajo. Fué gran regalo, por ser fruta nueva de España, y la magnificencia no menor, porque si se huvieran de vender las uvas, se hizieran dellas más de cuatro o cinco mil ducados. Yo gozé buena parte de las uvas, porque mi padre me eligió por embaxador del capitán Bartolomé de Terrazas, y con dos pajezillos indios llevé a cada casa principal dos fuentes dellas.

CAPÍTULO XXVI

Del vino y del primero que hizo vino en el Cozco, y de sus precios.

EL AÑO de mil y quinientos y sesenta, viniéndome a España, passé por una heredad de Pedro López de Caçalla, natural de Llerena, vezino del Cozco, secretario que fué del Presidente Gasca, la cual se dize Marcahuaci, nueve leguas de la ciudad, y fué a 21 de enero, donde hallé un capataz portugués, llamado Alfonso Váez, que sabía mucho de agricultura y era muy buen hombre. El cual me passeó por toda la heredad, que estava cargada de muy hermosas uvas, sin darme un gajo dellas, que fuera gran regalo para un huésped caminante y tan amigo como yo lo era suyo y dellas; mas no lo hizo; y viendo que yo havría notado su cortedad, me dixo que le perdonasse, que su señor le havía mandado que no tocasse ni un grano de las uvas, porque quería hazer vino dellas, aunque fuesse pissándolas en una artesa, como se hizo (según me lo dixo después en España un condiscípulo mío, porque no havía lagar ni los demás adherentes, y vió la artesa en que se pisaron), porque quería Pedro López de Caçalla ganar la joya que los Reyes Católicos y el Emperador Carlos Quinto havía mandado se diesse de su real hazienda al primero que en cualquiera pueblo de españoles sacasse fruto nuevo de España, como trigo, cevada, vino y azeite en cierta cantidad. Y esto mandaron aquellos Príncipes de gloriosa memoria por que los españoles se diessen a cultivar aquella tierra y llevassen a ella las cosas de España que en ella no havía.

La joya eran dos barras de plata de a trezientos ducados cada una, y la cantidad del trigo o cevada havía de ser medio cahiz, y la del vino o azeite havían de ser cuatro arrobas. No quería Pedro López de Caçalla hazer el vino por la codicia de los dineros de la joya, que mucho más pudiera sacar de las uvas, sino por la honra y fama de haver sido el primero que en el Cozco huviesse hecho vino de sus viñas. Esto es lo que passa acerca del primer vino que se hizo en mi pueblo. Otras ciudades del Perú, como fué Huamanca y Arequepa, lo tuvieron mucho antes, y todo era haloquillo. Hablando en Córdova con un canónigo de Quitu destas cosas que vamos escriviendo, me dixo que conosció en aquel reino de Quitu un español curioso en cosas de agricultura, particularmente en viñas, que fué el primero que de Rímac llevó la planta a Quitu, que tenía una buena viña, riberas del río que llaman de Mira, que está debaxo de la línea equinocial y es tierra caliente; díxome que le mostró toda la viña, y por que viesse la curiosidad que en ella tenía, le enseñó doze apartados que en un pedazo della havía, que podava cada mes el suyo, y assí tenía uvas frescas todo el año; y que la demás viña la podava una vez al año, como todos los demás españoles, sus comarca-

nos. Las viñas se riegan en todo el Perú, y en aquel río es la tierra caliente, siempre de un temple, como las hay en otras muchas partes de aquel
Imperio; y assí no es mucho que los temporales hagan por todos los
meses del año sus efectos en las plantas y mieses, según que les fueren
dando y quitando el riego; que casi lo mismo vi yo en algunos valles en el
maíz, que en una haça lo sembravan y en otra estava ya nascido a media
pierna y en otra para espigar y en otra ya espigado. Y esto, no hecho
por curiosidad, sino por necessidad, como tenían los indios el lugar y la
possibilidad para beneficiar sus tierras.

Hasta el año de mil y quinientos y sesenta, que yo salí del Cozco, y
años después, no se usava dar vino a la mesa de los vezinos (que son los
que tienen indios) a los huéspedes ordinarios (si no era alguno que lo
havía menester para su salud), porque el beverlo entonces más parescía
vicio que necessidad; que haviendo ganado los españoles aquel Imperio,
tan sin favor del vino ni de otros regalos semejantes, paresce que querían
sustentar aquellos buenos principios en no beverlo. También se come-
dían los huéspedes a no tomarlo, aunque se lo davan, por la carestía dél,
porque, cuando más barato, valía a treinta ducados el arrova: yo lo vi
assí después de la guerra de Francisco Hernández Girón. En los tiempos
de Gonçalo Piçarro y antes, llegó a valer muchas vezes trezientos y cuatrocientos y quinientos ducados una arrova de vino; los años de mil y
quinientos y cincuenta y cuatro y cinco huvo mucha falta dél en todo el
reino. En la Ciudad de los Reyes llegó a tanto estremo, que no se hallava
para dezir missa. El Arçobispo Don Gerónimo de Loaysa, natural de Trujillo, hizo cala y cata, y en una casa hallaron media botija de vino y se
guardó para las missas. Con esta necessidad estuvieron algunos días y
meses, hasta que entró en el puerto un navío de dos mercaderes que yo
conoscí, que por buenos respectos a la descendencia dellos no los nombro, que llevava dos mil botijas de vino, y hallando la falta dél, vendió
las primeras a trezientos y sesenta ducados y las postreras no menos de
a dozientos. Este cuento supe del piloto que llevó el navío, porque en el
mismo me truxo de los Reyes a Panamá; por los cuales excessos no se
permitía dar vino de ordinario. Un día de aquellos tiempos combidó a
comer un cavallero que tenía indios a otro que no los tenía; comiendo
media dozena de españoles en buena conversación, el combidado pidió
un jarro de agua para bever; el señor de la casa mandó le diessen vino,
y como el otro le dixesse que no lo bevía, le dixo: "Pues si no bevéis
vino, veníos acá a comer y a cenar cada día". Dixo esto porque de toda
la demás costa, sacado el vino, no se hazía cuenta; y aun la del vino
no se mirava tanto por la costa como por la total falta que muchas
vezes havía dél, por llevarse de tan lexos como España y passar dos
mares tan grandes, por lo cual en aquellos principios se
estimó en tanto como se ha dicho.

CAPÍTULO XXVII

Del olivo y quién lo llevó al Perú.

EL MISMO año mil y quinientos y sesenta, Don Antonio de Ribera, vezino que fué de los Reyes, haviendo años antes venido a España por Procurador General del Perú, bolviéndose a él llevó plantas de olivos de los de Sevilla, y por mucho cuidado y diligencia que puso en la que llevó en dos tinajones en que ivan más de cien posturas, no llegaron a la Ciudad de los Reyes más de tres estacas vivas; las cuales puso en una muy hermosa heredad cercada que en aquel valle tenía, de cuyos frutos de uvas y higos, granadas, melones, naranjas y limas y otras frutas y legumbres de España, vendidas en la plaça de aquella ciudad por fruta nueva, hizo gran suma de dinero, que se cree por cosa cierta que passó de dozientos mil pesos. En esta heredad plantó los olivos Don Antonio de Ribera, y por que nadie pudiesse haver ni tan sola una hoja dellos para plantar en otra parte, puso un gran exército que tenía de más de cien negros y treinta perros, que de día y de noche velassen en guarda de sus nuevas y preciadas posturas. Acaesció que otros, que velavan más que los perros, o por consentimiento de alguno de los negros, que estaría cohechado (según se sospechó), le hurtaron una noche una planta de las tres, la cual en pocos días amanesció en Chili, seiscientas leguas de la Ciudad de los Reyes, donde estuvo tres años criando hijos con tan próspero successo de aquel reino, que no ponían renuevo, por delgado que fuesse, que no prendiesse y que en muy breve tiempo no se hiziesse muy hermoso olivo.

Al cabo de los tres años, por las muchas cartas de descomunión que contra los ladrones de su planta Don Antonio de Ribera havía hecho leer, le bolvieron la misma que le havían llevado y la pusieron en el mismo lugar de donde la havían sacado, con tan buena maña y secreto, que ni el hurto ni la restitución supo su dueño jamás quién la huviesse hecho. En Chili se han dado mejor los olivos que en el Perú; deve de ser por no haver estrañado tanto la constelación de la tierra, que está en treinta grados hasta los cuarenta, casi como la de España. En el Perú se dan mejor en la sierra que en los llanos. A los principios se davan por mucho regalo y magnificencia tres azeitunas a cualquier combidado, y no más. De Chili se ha traído ya por este tiempo azeite al Perú. Esto es lo que ha passado acerca de los olivos que se han llevado a mi tierra, y con esto passaremos a tratar de las demás plantas y legumbres que no havía en el Perú.

CAPÍTULO XXVIII

De las frutas de España y cañas de açúcar.

 S ASSÍ que no havía higos ni granadas, ni cidras, naranjas, ni limas dulces ni agras, ni mançanas, peros ni camuesas, membrillos, duraznos, melocotón, alvérchigo, alvarcoque, ni suerte alguna de ciruelas de las muchas que hay en España; sola una manera de ciruelas havía, diferentes de las de acá, aunque los españoles la llaman *ciruelas* y los indios *ussun;* y esto digo por que no la metan entre las ciruelas de España. No huvo melones ni pepinos de los de España, ni calabaças de las que se comen guisadas. Todas estas frutas nombradas, y otras muchas que havrá, que no me vienen a la memoria, las hay por este tiempo en tanta abundancia, que ya son despreciables como los ganados, y en tanta grandeza, mayor que la de España, que pone admiración a los españoles que han visto la una y la otra.

En la Ciudad de los Reyes, luego que se dieron las granadas, llevaron una en las andas del Santíssimo Sacramento, en la processión de su fiesta, tan grande que causó admiración a cuantos la vieron; yo no oso dezir qué tamaña me la pintaron, por no escandalizar los iñorantes, que no creen que haya mayores cosas en el mundo que las de su aldea; y por otra parte es lástima que por temer a los simples se dexen de escrevir las maravillas que en aquella tierra ha havido de las obras de naturaleza; y bolviendo a ellas, dezimos que han sido de estraña grandeza, principalmente las primeras; que la granada era mayor que una botija de las que hazen en Sevilla para llevar azeite a Indias, y muchos razimos de uvas se han visto de ocho y diez libras, y membrillos como la cabeça de un hombre, y cidras como medios cántaros; y baste esto acerca del grandor de las frutas de España, que adelante diremos de las legumbres, que no causarán menos admiración.

Quiénes fueron los curiosos que llevaron estas plantas y en qué tiempo y años, holgara mucho saber, para poner aquí sus nombres y tierras, por que a cada uno dellos se les dieran los loores y bendiciones que tales beneficios merecen. El año de mil y quinientos y ochenta, llevó al Perú planta de guindas y cerezas un español llamado Gaspar de Alcocer, caudaloso mercader de la Ciudad de los Reyes, donde tenía una muy hermosa heredad; después acá me han dicho que se perdieron, por demasiadas diligencias que con ellos hizieron para que prevalescieran. Almendras han llevado; nogales no sé hasta ahora que los hayan llevado. Tampoco havía cañas de açúcar en el Perú; ahora, en estos tiempos, por la buena diligencia de los españoles y por la mucha fertilidad de la tierra, hay tanta abundancia de todas estas cosas, que ya dan hastío, y, donde a los principios fueron tan estimadas, son ahora menospreciadas y tenidas en poco o nada.

El primer ingenio de açúcar que en el Perú se hizo fué en tierras de Huánucu; fué de un cavallero que yo conoscí. Un criado suyo, hombre prudente y astuto, viendo que llevavan al Perú mucho açúcar del reino de México y que el de su amo, por la multitud de lo que llevavan, no subía de precio, le aconsejó que cargasse un navío de açúcar y lo embiasse a la Nueva España, para que, viendo allá que lo embiava del Perú, entendiessen que havía sobra dél, y no lo llevassen más. Assí se hizo, y el concierto salió cierto y provechoso; de cuya causa se han hecho después acá los ingenios que hay, que son muchos.

Ha havido españoles tan curiosos en agricultura (según me han dicho), que han hecho enxertos de árboles frutales de España con los frutales del Perú, y que sacan frutas maravillosas con grandíssima admiración de los indios, de ver que a un árbol hagan llevar al año dos, tres, cuatro frutas diferentes; admíranse destas curiosidades y de cualquiera otra menor, porque ellos no trataron de cosas semejantes. Podrían también los agricultores (si no lo han hecho ya) enxerir olivos en los árboles que los indios llaman *quíshuar,* cuya madera y hoja es muy semejante al olivo, que yo me acuerdo que en mis niñezes me dezían los españoles (viendo un quíshuar): "El azeite y azeitunas que traen de España se cogen de unos árboles como estos". Verdad es que aquel árbol no es frutuoso; llega a echar la flor como la del olivo, y luego se le cae; con sus renuevos jugávamos cañas en el Cozco, por falta dellas, porque no se crían en aquella región, por ser tierra fría.

CAPÍTULO XXIX

De la hortaliza y yervas, y de la grandeza dellas.

E LAS legumbres que en España se comen no havía ninguna en el Perú, conviene a saber: lechugas, escarolas, rávanos, coles, nabos, ajos, cebollas, berenjenas, espinacas, acelgas, yervabuena, culantro, perejil, ni cardos hortenses ni campestres, ni espárragos (verdolagas havía y poleo); tampoco havía visnagas ni otra yerva alguna de las que hay en España de provecho. De las semillas, tampoco havía garvanços ni havas, lantexas, anís, mostaza, oruga, alcaravea, ajonxolí, arroz, alhuzema, cominos, orégano, axenuz y avenate, ni adormideras, trébol, ni mançanilla hortense ni campestre. Tampoco havía rosas ni clavellinas de todas las suertes que hay en España, ni jazmines ni açucenas ni mosquetes.

De todas estas flores y yervas que hemos nombrado, y otras que no he podido traer a la memoria, hay ahora tanta abundancia que muchas dellas son ya muy dañosas, como nabos, mostaza, yervabuena y mançanilla, que han cundido tanto en algunos valles que han vencido las fuerças y la diligencia humana toda cuanta se ha hecho para arrancallas, y han prevalescido de tal manera que han borrado el nombre antiguo de los valles y forçádolos que se llamen de su nombre, como el Valle de la Yervabuena, en la costa de la mar, que solía llamarse Rucma, y otros semejantes. En la Ciudad de los Reyes crescieron tanto las primeras escarolas y espinacas que sembraron, que apenas alcançava un hombre con la mano los pimpollos dellas; y se cerraron tanto que no podía hender un cavallo por ellas; la monstruosidad en grandeza y abundancia que algunas legumbres y mieses a los principios sacaron fué increíble. El trigo en muchas partes acudió a los principios a trezientas hanegas, y a más, por hanega de sembradura.

En el valle del Huarcu, en un pueblo que nuevamente mandó poblar allí el visorrey Don Andrés Hurtado de Mendoça, Marqués de Cañete, passando yo por el año de mil y quinientos y sesenta, viniéndome a España, me llevó a su casa un vezino de aquel pueblo, que se dezía Garci Vázquez, que havía sido criado de mi padre, y dándome de cenar me dixo: "Comed de esse pan, que acudió a más de trezientas hanegas, por que llevéis qué contar a España". Yo me hize admirado de la abundancia, porque la ordinaria, que yo antes havía visto, no era tanta ni con mucho, y me dixo el Garci Vázquez: "No se os haga duro de creerlo, porque os digo verdad, como cristiano, que sembré dos hanegas y media de trigo y tengo encerradas seiscientas y ochenta, y se me perdieron otras tantas, por no tener con quién las coger".

Contando yo este mismo cuento a Gonçalo Silvestre, de quien hezimos larga mención en nuestra historia de la Florida, y la haremos en ésta si llegamos a sus tiempos, me dixo que no era mucho, porque en la provincia de Chuquisaca, cerca del río Pillcumayu, en unas tierras que allí tuvo, los primeros años que las sembró le havían acudido a cuatrocientas y a quinientas hanegas por una. El año de mil y quinientos y cincuenta y seis, yendo por governador a Chili Don García de Mendoça, hijo del visorrey ya nombrado, haviendo tomado el puerto de Arica, le dixeron que cerca de allí, en un valle llamado Cuçapa, havía un rávano de tan estraña grandeza, que a la sombra de sus hojas estavan atados cinco cavallos; que lo querían traer para que lo viesse. Respondió el Don García que no lo arrancassen, que lo quería ver por proprios ojos para tener qué contar; y assí fué, con otros muchos que le acompañaron, y vieron ser verdad lo que les havían dicho. El rávano era tan gruesso que apenas lo ceñía un hombre con los braços, y tan tierno, que después se llevó a la posada de Don García y comieron muchos dél. En el valle que llaman de la Yervabuena han medido muchos tallos della de a dos varas y media en largo. Quien las ha medido tengo hoy en mi posada, de cuya relación escrivo esto.

En la Sancta Iglesia Catredal de Córdova, el año de mil y quinientos y noventa y cinco, por el mes de mayo, hablando con un cavallero que se dize Don Martín de Contreras, sobrino del famoso governador de Nicaragua Francisco de Contreras, diziéndole yo cómo iva en este passo de nuestra historia, y que temía poner el grandor de las cosas nuevas de mieses y legumbres que se davan en mi tierra, porque eran increíbles para los que no havían salido de las suyas, me dixo: "No dexéis por esso de escrevir lo que passa; crean lo que quisieren, basta dezirles verdad. Yo soy testigo de vista de la grandeza del rávano del valle de Cuçapa, porque soy uno de los que hizieron aquella jornada con Don García de Mendoça, y doy fe, como cavallero hijodalgo, que vi los cinco cavallos atados a sus ramas, y después comí del rávano con los demás. Y podéis añadir que en essa misma jornada vi en el valle de Ica un melón que pesó cuatro arrobas y tres libras, y se tomó por fe y testimonio ante escrivano, por que se diesse crédito a cosa tan monstruosa. Y en el valle de Yúcay comí de una lechuga que pesó siete libras y media. Otras muchas cosas semejantes, de mieses, frutas y legumbres, me dixo este cavallero, que las dexo de escrevir por no hastiar con ellas a los que las leyeren.

El Padre Maestro Acosta, en el libro cuarto, capítulo diez y nueve, donde trata de las verduras, legumbres y frutas del Perú, dize lo que se sigue, sacado a la letra: "Yo no he hallado que los indios tuviessen huertos diversos de hortaliza, sino que cultivavan la tierra a pedaços, para legumbres que ellos usan, como los que llaman *frisoles* y *pallares*, que le[s] sirven como acá garvanços y havas y lantejas; y no he alcançado que estos ni otros géneros de legumbres de Europa los huviesse antes de entrar los españoles, los cuales han llevado hortalizas y legumbres de España, y se dan allá estremadamente; y aun en partes hay que excede mucho la fertilidad a la de acá, como si dixéssemos de los melones que se dan en el valle de Ica, en el Perú; de suerte que se haze cepa la raíz y dura años, y da cada uno melones, y la podan como si fuesse árbol, cosa que no sé que en parte ninguna de España acaezca". etc. Hasta aquí es del Padre Acosta, cuya autoridad esfuerça mi ánimo para que sin temor diga la gran fertilidad que aquella tierra mostró a los principios con las frutas de España, que salieron espantables e increíbles; y no es la menor de sus maravillas ésta que el Padre Maestro escrive, a la cual se puede añadir que los melones tuvieron otra excelencia entonces, que ninguno salía malo, como lo dexassen madurar; en lo cual también mostrava la tierra su fertilidad, y lo mismo será ahora si se nota; y porque los primeros melones que en la comarca de los Reyes se dieron causaron un cuento gracioso, será bien lo pongamos aquí, donde se verá la simplicidad que los indios en su antigüedad tenían; y es que un vezino de aquella ciudad, conquistador de los primeros, llamado Antonio Solar, hombre noble, tenía una heredad en Pachacámac, cuatro leguas de los Reyes, con un capataz español que mirava por su hazienda, el cual embió a su amo diez melones, que llevaron dos indios a cuestas, según la costumbre dellos, con una carta. A la partida les dixo el capataz: "No comáis ningún melón déstos, porque si lo coméis lo ha de dezir esta carta". Ellos fueron su camino, y a media jornada se descargaron para descansar. El uno dellos, movido de la golosina, dixo al otro: "¿No sabríamos a qué sabe esta fruta de la tierra de nuestro amo?" El otro dixo: "No, porque si comemos alguno, lo dirá esta carta, que assí nos lo dixo el capataz". Replicó el primero: "Buen remedio; echemos la carta detrás de aquel paredón, y como no nos vea comer, no podrá dezir nada". El compañero se satisfizo del consejo, y, poniéndolo por obra, comieron un melón. Los indios, en aquellos principios, como no sabían qué eran letras, entendían que las cartas que los españoles se escrivían unos a otros eran como mensajeros que dezían de palabra lo que el español les mandava, y que eran como espías que también dezían lo que veían por el camino; y por esto dixo el otro: "Echémosla tras el paredón, para que no nos vea comer". Queriendo los indios proseguir su camino, el que llevava los cinco melones en su carga dixo al otro: "No vamos acertados; conviene que emparejemos las cargas, porque si vos lleváis cuatro y yo cinco, sospecharán que nos hemos comido el que falta". Dixo el compañero: "Muy bien dezís". Y assí, por encubrir un delito, hizieron otro mayor, que se comieron otro melón. Los ocho que llevavan presentaron a su amo; el cual, haviendo leído la carta, les dixo: "¿Qué son de dos melones que faltan aquí?" Ellos a una respondieron: "Señor, no nos dieron más de ocho". Dixo Antonio Solar: "¿Por qué mentís vosotros, que esta carta dize que os dieron diez y que os comisteis los dos?". Los indios se hallaron perdidos de ver que tan al descubierto les huviesse dicho su amo lo que ellos havían hecho en secreto; y assí, confusos y convencidos, no supieron contradezir a la verdad. Salieron diziendo que con mucha razón llamavan dioses a los españoles con el nombre Viracocha, pues alcançavan tan grandes secretos. Otro cuento semejante refiere Gómara que passó en la isla de Cuba a los principios, cuando ella se ganó. Y no es maravilla que una misma iñorancia passasse en diversas partes y en diferentes nasciones, porque la simplicidad de los indios del Nuevo Mundo, en lo que ellos no alcançaron, toda fué una. Por cualquiera ventaja que los españoles hazían a los indios, como correr cavallos, domar novillos y romper la tierra con ellos, hazer molinos y arcos de puente en ríos grandes, tirar con un arcabuz y matar con él a ciento y a dozientos passos, y otras cosas semejantes, todas las atribuían a divinidad; y por ende les llamaron dioses, como lo causó la carta.

CAPÍTULO XXX
Del lino, espárragos, visnagas y anís.

AMPOCO havía lino en el Perú. Doña Catalina de Retes, natural de la villa de San Lúcar de Barrameda, suegra que fué de Francisco de Villafuerte, conquistador de los primeros y vezino del Cozco, mujer noble y muy religiosa, que fué de las primeras pobladoras del Convento de Santa Clara del Cozco, el año de mil y quinientos y sesenta esperava en aquella ciudad linaza, que la havía embiado a pedir a España para sembrar, y un telar para texer lienços caseros; y como yo salí aquel año del Perú, no supe si se lo llevaron o no. Después acá he sabido que se coge mucho lino, mas no sé cuán grandes hilanderas hayan sido las españolas ni las mestizas, mis parientas, porque nunca las vi hilar, sino labrar y coser, que entonces no tenían lino, aunque tenían muy lindo algodón y lana riquíssima, que las indias hilavan a las mil maravillas; la lana y el algodón carmenan con los dedos, que los indios no alcançaron cardas ni las indias torno para hilar a él. De que no sean grandes hilanderas de lino, tienen descargo, pues no pueden labrarlo.

Bolviendo a la mucha estima que en el Perú se ha hecho de las cosas de España, por viles que sean, no siempre, sino a los principios, luego que allá se llevaron, me acuerdo que el año de mil y quinientos y cincuenta y cinco, o el de cincuenta y seis, García de Melo, natural de Trujillo, tesorero que entonces era en el Cozco de la hazienda de Su Majestad, embió a Garcilasso de la Vega, mi señor, tres espárragos de los de España, que allá no los huvo —no supe dónde huviessen nascido—, y le embió a dezir que comiesse de aquella fruta de España, nueva en el Cozco, que, por ser la primera, se la embiava; los espárragos eran hermosíssimos; los dos eran gruessos, como los dedos de la mano, y largos de más de una tercia; el tercero era más gruesso y más corto, y todos tres tan tiernos que se quebravan de suyo. Mi padre, para mayor solenidad de la yerva de España, mandó que se coziessen dentro en su aposento, al brasero que en él havía, delante de siete o ocho cavalleros que a su mesa cenavan. Cozidos los espárragos, truxeron azeite y vinagre, y Garcilasso, mi señor, repartió por su mano los dos más largos, dando a cada uno de los de la mesa un bocado, y tomó para sí el tercero, diziendo que le perdonassen, que, por ser cosa de España, quería ser aventajado por aquella vez. Desta manera se comieron los espárragos con más regozijo y fiesta que si fuera el ave fénix, y aunque yo serví a la mesa y hize traer todos los adherentes, no me cupo cosa alguna.

En aquellos mismos días embió el capitán Bartolomé de Terrazas a mi padre (por gran presente) tres visnagas llevadas de España; las cuales se sacavan a la mesa cuando havía algún nuevo combidado, y por gran magnificencia se le dava una paxuela dellas.

También salió por este tiempo el anís en el Cozco, el cual se echava en el pan por cosa de mucha estima, como si fuera el néctar o la ambrosía de los poetas. Desta manera se estimaron todas las cosas de España, a los principios, cuando se empeçaron a dar en el Perú, y escrívense, aunque son de poca importancia, porque en los tiempos venideros, que es cuando más sirven las historias, quiçá holgarán saber estos principios. Los espárragos no sé que hayan prevalecido ni que las visnagas hayan nacido en aquella tierra. Empero, las demás plantas, miesses y legumbres y ganados, han multiplicado en la abundancia que se ha dicho. También han plantado morales y llevado semilla de gusanos de seda, que tampoco la havía en el Perú; mas no se puede labrar la seda, por un inconviniente muy grande que tiene.

CAPÍTULO XXXI
Nombres nuevos para nombrar diversas generaciones.

O MEJOR de lo que ha passado a Indias se nos olvidava, que son los españoles y los negros que después acá han llevado por esclavos para servirse dellos, que tampoco los havía antes en aquella mi tierra. Destas dos naciones se han hecho allá otras, mezcladas de todas maneras, y para las diferenciar les llaman por diversos nombres, para entenderse por ellos. Y aunque en nuestra historia de la Florida diximos algo desto, me paresció repetirlo aquí, por ser éste su proprio lugar. Es assí que al español o española que va de acá llaman *español* o *castellano,* que ambos nombres se tienen allá por uno mismo, y assí he usado yo dellos en esta historia y en la Florida. A los hijos de español y de española nascidos allá dizen *criollo* o *criolla,* por dezir que son nascidos en Indias. Es nombre que lo inventaron los negros, y assí lo muestra la obra. Quiere dezir entre ellos negro nascido

en Indias; inventáronlo para diferenciar los que van de acá, nascidos en
Guinea, de los que nascen allá, porque se tienen por más honrados y de
más calidad, por haver nascido en la patria, que no sus hijos, porque
nascieron en la ajena, y los padres se ofenden si les llaman criollos. Los
españoles, por la semejança, han introduzido este nombre en su lenguaje
para nombrar los nascidos allá. De manera que al español y al guineo
nascidos allá les llaman *criollos* y *criollas*. Al negro que va de acá, llanamente le llaman *negro o guineo*. Al hijo de negro y de india o de indio
y de negra dizen *mulato* y *mulata*. A los hijos destos llaman *cholo*; es
vocablo de las islas de Barlovento; quiere dezir perro, no de los castizos, sino de los muy vellacos goçcones; y los españoles usan dél por
infamia y vituperio. A los hijos de español y de india o de indio y española, nos llaman *mestizos*, por dezir que somos mezclados de ambas nasciones; fué impuesto por los primeros españoles que tuvieron hijos en
Indias, y por ser nombre impuesto por nuestros padres y por su significación, me lo llamo yo a boca llena, y me honro con él. Aunque en
Indias, si a uno dellos le dizen "sois un mestizo" o "es un mestizo", lo
toman por menosprecio. De donde nasció que hayan abraçado con grandíssimo gusto el nombre *montañés*, que, entre otras afrentas y menos-
precios que dellos hizo un poderoso, les impuso en lugar del nombre
mestizo. Y no consideran que aunque en España el nombre *montañés*
sea apellido honroso, por los previlegios que se dieron a los naturales de
las montañas de Asturias y Vizcaya, llamándoselo a otro cualquiera, que
no sea natural de aquellas provincias, es nombre vituperoso, porque en
propria significación quiere dezir cosa de montaña, como lo dize en su
vocabulario el gran maestro Antonio de Lebrixa, acreedor de toda la
buena latinidad que hoy tiene España; y en la lengua general del Perú,
para dezir montañés dizen *sacharuna*, que en propria significación quiere dezir salvaje, y por llamarles aquel buen hombre dissimuladamente
salvajes, les llamó montañés; y mis parientes, no entendiendo la malicia
del imponedor, se precian de su afrenta, haviéndola de huir y abominar,
y llamarse como nuestros padres nos llamavan y no recebir nuevos
nombres afrentosos, etc. A los hijos de español y de mestiza, o de mestizo y española llaman *cuatralvos*, por dezir que tienen cuarta parte de
indio y tres de español. A los hijos de mestizo y de india o de indio
y de mestiza llaman *tresalvos*, por dezir que tienen tres partes de indio y una de español. Todos estos nombres y otros, que por escusar hastío
dexamos de dezir, se han inventado en mi tierra para nombrar las gene-
raciones que ha havido después que los españoles fueron a ella; y podemos dezir que ellos los llevaron con las demás cosas que no havía antes.
Y con esto bolveremos a los Reyes Incas, hijos del gran Huaina Cápac,
que nos están llamando, para darnos cosas
muy grandes que dezir.

CAPÍTULO XXXII

Huáscar Inca pide reconoscimiento de vassallaje a su hermano Atahuallpa.

MUERTO Huaina Cápac, reinaron sus dos hijos cuatro o cinco años en pacífica possessión y quietud entre sí el uno con el otro, sin hazer nuevas conquistas ni aun pretenderlas, porque el Rey Huáscar quedó atajado por la parte setentrional con el reino de Quitu, que era de su hermano, por donde havía nuevas tierras que conquistar; que por las otras tres partes estavan ya todas ganadas, desde las bravas montañas de los Antis hasta la mar, que es de oriente a poniente, y al mediodía tenían sujetado hasta el reino de Chili. El Inca Atahuallpa tampoco procuró nuevas conquistas, por atender al beneficio de sus vassallos y al suyo proprio. Haviendo vivido aquellos pocos años en esta paz y quietud, como el reinar no sepa sufrir igual ni segundo dió Huáscar Inca en imaginar que havía hecho mal en consentir lo que su padre le mandó acerca del reino de Quitu, que fuesse de su hermano Atahuallpa; porque demás de quitar y enajenar de su Imperio un reino tan principal, vió que con él quedava atajado para no poder passar adelante en sus conquistas; las cuales quedavan abiertas y dispuestas para que su hermano las hiziesse y aumentasse su reino, de manera que podía venir a ser mayor que el suyo, y que él, haviendo de ser monarca, como lo significa el nombre Çapa Inca, que es Solo Señor, vendría por tiempo a tener otro igual y quiçá superior, y que, según su hermano era ambicioso e inquieto de ánimo, podría, viéndose poderoso, aspirar a quitarle el Imperio.

Estas imaginaciones fueron creciendo de día en día más y más, y causaron en el pecho de Huáscar Inca tanta congoxa, que, no pudiéndola sufrir, embió un pariente suyo por mensajero a su hermano Atahuallpa, diziendo que bien sabía que por antigua constitución del primer Inca Manco Cápac, guardada por todos sus descendientes, el reino de Quitu y todas las demás provincias que con él posseía eran de la corona e Imperio del Cozco; y que haver concedido lo que su padre le mandó, más havía sido forçosa obediencia del padre que rectitud de justicia, porque era en daño de la corona y perjuizio de los successores della; por lo cual, ni su padre lo devía mandar ni él estava obligado a lo cumplir. Empero, que ya que su padre lo havía mandado y él lo havía consentido, holgava passar por ello con dos condiciones: la una, que no havía de aumentar un palmo de tierra a su reino, porque todo lo que estava por ganar era del Imperio, y la otra que, antes todas cosas, le havía de reconoscer vassallaje y ser su feudatario.

Este recaudo recibió Atahuallpa con toda la sumissión y humildad que pudo fingir, y dende a tres días, haviendo mirado lo que le convenía, respondió con mucha sagacidad, astucia y cautela, diziendo que siempre en su coraçón havía reconoscido y reconoscía vassallaje al Çapa Inca, su señor, y que no solamente no aumentaría cosa alguna en el reino de Quitu, mas que si Su Majestad gustava dello, se desposseería dél y se lo renunciaría y viviría privadamente en su corte, como cualquiera de sus deudos, sirviéndole en paz y en guerra, como devía a su Príncipe y señor en todo lo que le mandasse. La respuesta de Atahuallpa embió el mensajero del Inca por la posta, como le fué ordenado, por que no se detuviesse tanto por el camino si lo llevasse él proprio, y él se quedó en la corte de Atahuallpa, para replicar y responder lo que el Inça embiasse a mandar. El cual recibió con mucho contento la respuesta, y replicó diziendo que holgava grandemente que su hermano posseyesse lo que su padre le havía dexado, y que de nuevo se lo confirmava, con que dentro de tal término fuesse al Cozco a darle la obediencia y hazer el pleito homenaje que devía de fidelidad y lealtad. Atahuallpa respondió que era mucha felicidad para él saber la voluntad del Inca para cumplirla; que él iría dentro del plazo señalado a dar su obediencia, y que para que la jura se hiziesse con más solenidad y más cumplidamente, suplicava a Su Majestad le diesse licencia para que todas las provincias de su estado fuessen juntamente con él a celebrar en la ciudad del Cozco las obsequias del Inca Huaina Cápac, su padre, conforme a la usança del reino de Quitu y de las otras provincias; y que cumplida aquella solenidad harían la jura, y sus vassallos juntamente. Huáscar Inca concedió todo lo que su hermano le pidió, y dixo que a su voluntad ordenasse todo lo que para las obsequias de su padre quisiesse, que él holgava mucho se hiziessen en su tierra, conforme a la costumbre ajena, y que fuesse al Cozco cuando bien le estuviesse; con esto quedaron ambos hermanos muy contentos, el uno muy ajeno de imaginar la máquina y traición que contra él se armava para quitarle la vida y el Imperio; y el otro muy diligente y cauteloso, metido en el mayor golfo della para no dexarle gozar de lo uno ni de lo otro.

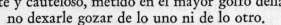

CAPÍTULO XXXIII

Astucias de Atahuallpa para descuidar al hermano.

L REY Atahuallpa mandó echar vando público por todo su reino y por las demás provincias que posseía, que toda la gente útil se apercibiesse para ir al Cozco, dentro de tantos días, a celebrar las obsequias del gran Huaina Cápac, su padre, conforme a las costumbres antiguas de cada nación, y hazer la jura y homenaje que al monarca Huáscar Inca se havía de hazer, y que para lo uno y para lo otro llevassen todos los arreos, galas y ornamentos que tuviessen, porque desseava que la fiesta fuesse soleníssima. Por otra parte mandó en secreto a sus capitanes que cada uno en su distrito escogiesse la gente más útil para la guerra, y les mandasse que llevassen sus armas secretamente, porque más los quería para batallas que no para obsequias. Mandó que caminassen en cuadrillas de a quinientos y a seiscientos indios, más y menos; que se dissimulassen de manera que pareçiessen gente de servicio y no de guerra; que fuesse cada cuadrilla dos, tres leguas una de otra. Mandó que los primeros capitanes, cuando llegassen diez o doze jornadas del Cozco, las acortassen, para que los que fuessen en pos dellos los alcançassen más aína, y a los de las últimas cuadrillas mandó que, llegando a tal paraje, doblassen las jornadas, para juntarse en breve con los primeros. Con esta orden fué embiando el Rey Atahuallpa más de treinta mil hombres de guerra, que los más dellos eran de la gente veterana y escogida que su padre le dexó, con capitanes esperimentados y famosos que siempre traía consigo; fueron por caudillos y cabeças principales dos maesses de campo: el uno llamado Challcuchima y el otro Quízquiz, y el Inca echó fama que iría con los últimos.

Huáscar Inca, fiado en las palabras de su hermano, y mucho más en la esperiencia tan larga que entre aquellos indios havía del respecto y lealtad que al Inca tenían sus vassallos, cuanto más sus parientes y hermanos, como lo dize por estas palabras el Padre Maestro Acosta, libro sexto, capítulo doze: "Sin duda era grande la reverencia y afición que esta gente tenía a sus Incas, sin que se halle jamás haverles hecho ninguno de los suyos traición", etc. Por lo cual, no solamente no sospechó Huáscar Inca cosa alguna de la traición, mas antes, con gran liberalidad, mandó que les diessen bastimentos y les hiziessen toda buena acogida, como a proprios hermanos que ivan a las obsequias de su padre y a hazer la jura que le devían. Assí se huvieron los unos con los otros: los de Huáscar, con toda la simplicidad y bondad que naturalmente tenían; y los de Atahuallpa, con toda la malicia y cautela que en su escuela havían aprendido.

Atahuallpa Inca usó de aquella astucia y cautela de ir disfreçado y dissimulado contra su hermano porque no era poderoso para hazerle guerra al descubierto; pretendió y esperó más en el engaño que no en sus fuerças, porque hallando descuidado al Rey Huáscar, como le halló, ganava el juego; y dándole lugar que se apercibiesse, lo perdía.

CAPÍTULO XXXIV

Avisan a Huáscar, el cual haze llamamiento de gente.

CON LA orden que se ha dicho, caminaron los de Quitu casi cuatrocientas leguas, hasta llegar cerca de cien leguas del Cozco. Algunos Incas viejos, governadores de las provincias por do passavan, que havían sido capitanes y eran hombres esperimentados en paz y en guerra, viendo passar tanta gente, no sintieron bien dello; porque les parescía que para las solenidades de las obsequias bastavan cinco o seis mil hombres, y cuando mucho diez mil; y para la jura no era menester la gente común, que bastavan los curacas, que eran los señores de vassallos, y los governadores y capitanes de guerra y el Rey Atahuallpa, que era el principal, de cuyo ánimo inquieto, astuto y belicoso, no se podía esperar paz ni buena hermandad; con esta sospecha y temores embiaron avisos secretos a su Rey Huáscar Inca, suplicándole se recatasse de su hermano Atahuallpa, que no les parescía bien que llevasse tanta gente por delante.

Con estos recaudos despertó Huáscar Inca del sueño de la confiança y descuido en que dormía; embió a toda diligencia mensajeros a los governadores de las provincias de Antisuyu, Collasuyu y Cuntisuyu; mandóles que con la brevedad necessaria acudiessen al Cozco con toda la más gente de guerra que pudiessen levantar. Al districto Chinchasuyu, que era el mayor y de gente más belicosa, no embió mensajeros, porque estava atajado con el exército contrario que por él iva caminando; los de Atahuallpa, sintiendo el descuido de Huáscar y de los suyos, ivan de día en día cobrando más ánimo y cresciendo en su malicia, con la cual llegaron los primeros a cuarenta leguas del Cozco, y de allí fueron acortando las jornadas, y los segundos y últimos las fueron alargando; de manera que en espacio de pocos días se hallaron más de veinte mil hombres de guerra al passo del río Apurímac, y lo passaron sin contradición alguna, y de allí fueron, como enemigos declarados, con las armas y vanderas e insignias militares descubiertas; caminaron poco a poco, en dos tercios de escuadrón, que eran la vanguardia y la batalla, hasta que se les juntó la retroguardia, que era de más de otros diez mil hombres; llegaron a lo alto de la cuesta de Uillacunca, que está seis leguas de la ciudad. Atahuallpa se quedó en los confines de su reino, que no osó acercarse tanto hasta ver el successo de la primera batalla, en la cual tenía puesta toda su esperança, por la confiança y descuido de sus enemigos y por el ánimo y valor de sus capitanes y soldados veteranos.

El Rey Huáscar Inca, entre tanto que sus enemigos se acercavan, hizo llamamiento de gente, con toda la priessa possible; mas los suyos, por la mucha distancia del distrito Collasuyu, que tiene más de dozientas leguas de largo, no pudieron venir a tiempo que fuessen de provecho; y los de Antisuyu fueron pocos, porque de suyo es la tierra mal poblada, por las grandes montañas que tiene; de Contisuyu, por ser el districto más recogido y de mucha gente, acudieron todos los curacas, con más de treinta mil hombres; pero mal usados en las armas, porque con la paz tan larga que havían tenido no las havían exercitado. Eran visoños, gente descuidada de guerra. El Inca Huáscar, con todos sus parientes y la gente que tenía recogida, que eran casi diez mil hombres, salió a recibir los suyos al poniente de la ciudad, por donde venían, para juntarlos consigo y esperar allí la demás gente que venía.

CAPÍTULO XXXV

Batalla de los Incas; victoria de Atahuallpa, y sus crueldades.

LOS DE Atahuallpa, como gente plática, viendo que en la dilación arresgavan la victoria y con la brevedad la asseguravan, fueron en busca de Huáscar Inca para darle la batalla antes que se juntasse más gente en su servicio. Halláronle en unos campos grandes que están dos o tres leguas al poniente de la ciudad, donde huvo una bravíssima pelea, sin que de una parte a otra huviesse precedido apercibimiento ni otro recaudo alguno; pelearon cruelíssimamente, los unos por haver en su poder al Inca Huáscar, que era una presa inestimable, y los otros por no perderla, que era su Rey, y muy amado; duró la batalla todo el día, con gran mortandad de ambas partes. Mas al fin, por la falta de los Collas y porque los de Huáscar eran visoños y nada pláticos en la guerra, vencieron los del Inca Atahuallpa que, como gente exercitada y esperimentada en la milicia, valía uno por diez de los contrarios. En el alcance prendieron a Huáscar Inca, por la mucha diligencia que sobre él pusieron, porque entendían no haver hecho nada si se les escapava; iva huyendo con cerca de mil hombres que se le havían recogido, los cuales murieron todos en su presencia, parte que mataron los enemigos y parte que ellos mismos se mataron, viendo su Rey preso; sin la persona real, prendieron muchos curacas, señores de vassallos, muchos capitanes y gran número de gente noble, que, como ovejas sin pastor, andavan perdidos sin saber huir ni a dónde acudir. Muchos dellos, pudiendo escaparse de los enemigos, sabiendo que su Inca estava preso, se vinieron a la prisión con él, por el amor y lealtad que le tenían.

Quedaron los de Atahuallpa muy contentos y satisfechos con tan gran victoria y tan rica presa como la persona imperial de Huáscar Inca y de todos los más principales de su exército; pusiéronle a grandíssimo recaudo; eligieron para su guarda cuatro capitanes y los soldados de mayor confiança que en su exército havía, que por horas le guardassen, sin perderle de vista de día ni de noche. Mandaron luego echar vando que publicasse la prisión del Rey Huáscar, para que se divulgasse por todo su Imperio, por que si alguna gente huviesse hecha para venir en su socorro, se deshiziesse sabiendo que ya estava preso. Embiaron por la posta el aviso de la victoria y de la prisión de Huáscar a su Rey Atahuallpa.

Ésta fué la suma y lo más essencial de la guerra que huvo entre aquellos dos hermanos, últimos Reyes del Perú. Otras batallas y recuentros que los historiadores españoles cuentan della son lances que passaron en los confines del un reino y del otro, entre los capitanes y gente de guarnición que en ellos havía, y la prisión que dizen de Atahuallpa fué novela que él mismo mandó echar para descuidar a Huáscar y a los suyos; y el fingir luego, después de la prisión, y dezir que su padre el Sol lo havía convertido en culebra para que se saliesse della por un agujero que havía en el aposento, fué para con aquella fábula autorizar y abonar su tiranía, para que la gente común entendiesse que su Dios, el Sol, favorescía su partido, pues lo librava del poder de sus enemigos, que, como aquellas gentes eran tan simples, creían muy de veras cualquiera patraña que los Incas publicavan del Sol, porque eran tenidos por hijos suyos.

Atahuallpa usó cruelíssimamente de la victoria, porque, dissimulando y fingiendo que quería restituir a Huáscar en su reino, mandó hazer llamamiento de todos los Incas que por el Imperio havía, assí governadores y otros ministros en la paz, como maesses de campo, capitanes y soldados en la guerra; que dentro en cierto tiempo se juntassen en el Cozco, porque dixo que quería capitular con todos ellos ciertos fueros y estatutos que de allí adelante se guardassen entre los dos Reyes, para que viviessen en toda paz y hermandad. Con esta nueva acudieron todos los Incas de la sangre real; que no faltaron sino los impedidos por enfermedad o por vejez, y algunos que estavan tan lexos que no pudieron o no osaron venir a tiempo ni fiar del victorioso. Cuando los tuvieron recogidos, embió Atahuallpa a mandar que los matassen todos con diversas muertes, por assegurarse dellos, por que no tramassen algún levantamiento.

CAPÍTULO XXXVI

Causas de las crueldades de Atahuallpa y sus efectos cruelíssimos.

ANTES que passemos adelante, será razón que digamos la causa que movió a Atahuallpa a hazer las crueldades que hizo en los de su linaje; para lo cual es de saber que por los estatutos y fueros de aquel reino, usados e inviolablemente guardados desde el primer Inca Manco Cápac hasta el gran Huaina Cápac, Atahuallpa, su hijo, no solamente no podía heredar el reino de Quitu, porque todo lo que se ganava era de la corona imperial, mas antes era incapaz para posseer el reino del Cozco, porque para lo heredar havía de ser hijo de la legítima mujer, la cual, como se ha visto, havía de ser hermana del Rey, por que le pertenesciesse la herencia del reino tanto por la madre como por el padre; faltando lo cual, havía de ser el Rey por lo menos legítimo en la sangre real, hijo de Palla que fuesse limpia de sangre alienígena; los cuales hijos tenían por capaces de la herencia del reino, pero de los de sangre mezclada no hazían tanto caudal, a lo menos para succeder en el Imperio, ni aun para imaginarlo. Viendo, pues, Atahuallpa que le faltavan todos los requisitos necessarios para ser Inca, porque ni era hijo de la Coya, que es la Reina, ni de Palla, que es mujer de la sangre real, porque su madre era natural de Quitu, ni aquel reino se podía desmembrar del Imperio, le paresció quitar los inconvinientes que el tiempo adelante podían suceder en su reinado tan violento, porque temió que, sosegadas las guerras presentes, havía de reclamar todo el Imperio y de común consentimiento pedir un Inca que tuviesse las partes dichas, y elegirlo y levantarlo ellos de suyo; lo cual no podía estorvar Atahuallpa, porque lo tenían fundado los indios en su idolatría y vana religión, por la predicación y enseñança que les hizo el primer Inca Manco Cápac y por la observancia y exemplo de todos sus descendientes. Por todo lo cual, no hallando mejor remedio, se acogió a la crueldad y destruición de toda la sangre real, no solamente de la que podía tener derecho a la successión del Imperio, que eran los legítimos en sangre, mas también de toda la demás, que era incapaz a la herencia como la suya, por que no hiziesse alguno dellos lo que él hizo, pues con su mal exemplo les abría la puerta a todos ellos. Remedio fué éste que por la mayor parte lo han usado todos los Reyes que con violencia entran a posseer los reinos ajenos, porque les parece que, no haviendo legítimo heredero del reino, ni los vassallos tendrán a quién llamar ni ellos a quién restituir, y que quedan seguros en consciencia y en justicia; de lo cual nos dan largo testimonio las historias antiguas y modernas, que por escusar prolixidad las dexaremos. Bástenos dezir el mal uso de la casa otomana, que el successor del Imperio entierra con el padre todos los hermanos varones, por assegurarse dellos.

Mayor y más sedienta de su propria sangre que la de los otomanos fué la crueldad de Atahuallpa, que, no hartándose con la de dozientos hermanos suyos, hijos del gran Huaina Cápac, passó adelante a bever la de sus sobrinos, tíos y parientes, dentro y fuera del cuarto grado, que, como fuesse de la sangre real, no escapó ninguno, legítimo ni bastardo. Todos los mandó matar con diversas muertes: a unos degollaron; a otros ahorcaron; a otros echaron en ríos y lagos, con grandes pesgas al cuello, por que se ahogassen, sin que el nadar les valiesse; otros fueron despeñados de altos riscos y peñascos. Todo lo cual se hizo con la mayor brevedad que los ministros pudieron, porque el tirano no se assegurava hasta verlos todos muertos o saber que lo estavan, porque con toda su victoria no osó passar de Saussa, que los españoles llaman Xauxa, noventa leguas del Cozco. Al pobre Huáscar Inca reservó por entonces de la muerte, porque lo quería para defensa de cualquiera levantamiento que contra Atahuallpa se hiziesse, porque sabía que, con embiarles Huáscar a mandar que se aquietassen, le havían de obedecer sus vassallos. Pero para mayor dolor del desdichado Inca le llevavan a ver la matança de sus parientes, por matarle en cada uno dellos, que tuviera él por menos pena ser él muerto que verlos matar tan cruelmente.

No pudo la crueldad permitir que los demás prisioneros quedassen sin castigo, por que en ellos escarmentassen todos los demás curacas y gente noble del Imperio, aficionada a Huáscar; para lo cual los sacaron maniatados a un llano, en el valle de Sacsahuana, donde estavan (donde fué después la batalla del Presidente Gasca y Gonçalo Piçarro), y hizieron dellos una calle larga; luego sacaron al pobre Huáscar Inca cubierto de luto, atadas las manos atrás y una soga al pescueço, y lo passearon por la calle, que estava hecha de los suyos; los cuales, viendo a su Príncipe en tal caída, con grandes gritos y alaridos se prostravan en el suelo a le adorar y reverenciar, ya que no podían librarle de

287

tanta desventura. A todos los que hizieron esto mataron con unas hachas y porras pequeñas, de una mano, que llaman *champi*; otras hachas y porras tienen grandes, para pelear a dos manos. Assí mataron delante de su Rey casi todos los curacas y capitanes y la gente noble que havían preso, que apenas escapó hombre dellos.

CAPÍTULO XXXVII

Passa la crueldad a las mujeres y niños de la sangre real.

AVIENDO muerto Atahuallpa los varones que tenía, assí los de la sangre real como de los vassallos y súbditos de Huáscar (como la crueldad no sepa hartarse, antes tenga tanta más hambre y más sed cuanta más sangre y carne humana coma y beva), passó adelante a tragar y sorver la que quedava por derramar de las mujeres y niños de la sangre real; la cual, deviendo merescer alguna misericordia por la ternura de la edad y flaqueza del sexo, movió a mayor ravia la crueldad del tirano, que embió a mandar que juntassen todas las mujeres y niños que de la sangre real pudiessen haver, de cualquier edad y condición que fuessen, reservando las que estavan en el convento del Cozco dedicadas para mujeres del Sol, y que las matassen poco a poco fuera de la ciudad, con diversos y crueles tormentos, de manera que tardassen mucho en morir. Assí lo hizieron los ministros de la crueldad, que dondequiera se hallan tales; juntaron todas las que pudieron haver por todo el reino, con grandes pesquisas y deligencias que hizieron, por que no se escapasse alguno; de los niños recogieron grandíssimo número, de los legítimos y no legítimos, porque el linaje de los Incas, por la licencia que tenían de tener cuantas mujeres quisiessen, era el linaje más amplo y estendido que havía en todo aquel Imperio. Pusiéronlos en el campo llamado Yahuarpampa, que es campo de sangre. El cual nombre se le puso por la sangrienta batalla que en él huvo de los Chancas y Cozcos, como largamente en su lugar diximos. Está al norte de la ciudad, casi una legua della.

Allí los tuvieron, y, por que no se les fuesse alguno, los cercaron con tres cercas. La primera fué de la gente de guerra que alojaron en derredor dellos, para que a los suyos le[s] fuesse guarda y prisidio y guarnición contra la ciudad, y a los contrarios temor y asombro. Las otras dos cercas fueron de centinelas, puestas unas más lexos que otras, que velassen de día y de noche, por que no saliesse ni entrasse alguien sin que lo viessen. Executaron su crueldad de muchas maneras; dávanles a comer no más de maíz crudo y yervas crudas en poca cantidad: era el ayuno riguroso que aquella gentilidad guardava en su religión. A las mujeres, hermanas, tías, sobrinas, primas hermanas y madrastras de Atahuallpa, colgavan de los árboles y de muchas horcas muy altas que hizieron; a unas colgaron de los cabellos, a otras por debaxo de los braços y a otras de otras maneras feas, que por la honestidad se callan; dávanles sus hijuelos, que los tuviessen en braços; teníanlos hasta que se les caían y se aporreavan; a otras colgavan de un braço, a otras de ambos braços, a otras de la cintura, por que fuesse más largo el tormento y tardassen más en morir, porque matarlas brevemente fuera hazerles merced; y assí la pedían las tristes con grandes clamores y aullidos. A los muchachos y muchachas fueron matando poco a poco, tantos cada cuarto de luna, haziendo en ellos grandes crueldades, también como en sus padres y madres, aunque la edad dellos pedía clemencia; muchos dellos perecieron de hambre. Diego Fernández, en la Historia del Perú, parte segunda, libro tercero, capítulo quinto, toca brevemente la tiranía de Atahuallpa y parte de sus crueldades, por estas palabras, que son sacadas a la letra: "Entre Guáscar Inga y su hermano Atabálipa huvo muchas diferencias sobre mandar el reino y quién havía de ser señor. Estando Guáscar Inga en el Cuzco y su hermano Atabálipa en Caxamalca, embió Atabálipa dos capitanes suyos muy principales, que se nombravan el uno Chalcuchiman y el otro Quízquiz, los cuales eran valientes y llevaron mucho número de gente, e ivan de propósito de prender a Guáscar Inga, porque assí se havía concertado y se les havía mandado, para efecto que, siendo Guáscar preso, quedasse Atabálipa por señor e hiziesse de Guáscar lo que por bien tuviesse. Fueron por el camino conquistando caciques e indios, poniéndolo todo debaxo el mando y servidumbre de Atabálipa, y como Guáscar tuvo noticia desto y de lo que venían haziendo, adereçóse luego y salió del Cuzco y vínose para Quipaipan (que es una legua del Cuzco), donde se dió la batalla; y aunque Guáscar tenía mucha gente, al fin fué vencido y preso. Murió mucha gente de ambas partes, y fué tanta que se dize por cosa cierta serían más de ciento y cincuenta mil indios; después que entraron con la victoria en el Cuzco, mataron mucha gente, hombres y mujeres y niños; porque todos aquellos que se declaravan por servidores de Guáscar los matavan, y buscaron todos los hijos que Guáscar tenía y los mataron; y assimismo las mujeres que dezían estar dél preñadas; y una mujer de Guáscar, que se llamava Mama Uárcay, puso tan buena diligencia que se escapó con una hija de Guáscar, llamada Coya Cuxi Uárcay, que ahora es mujer de Xaire Topa Inga, que es de quien havemos hecho mención principalmente en esta historia", etc. Hasta aquí es de aquel auctor; luego, successivamente, dize el mal tratamiento que hazían al pobre Huáscar Inca en la prisión; en su lugar pondremos sus mismas palabras, que son muy lastimeras; *289* la Coya Cuxi Uárcay, que dize que fué mujer de Xaire Topa, se llamava Cusi Huarque; adelante hablaremos della. El campo do fué la batalla que llaman Quipaipan está corrupto el nombre; ha de dezir Quepaipa; es genitivo; quiere dezir de mi trompeta, como que allí huviesse sido el mayor sonido de la de Atahuallpa, según el frasis de la lengua. Yo estuve en aquel campo dos o tres vezes, con otros muchachos condiscípulos míos de gramática, que nos ívamos a caça con los halconcillos de aquella tierra que nuestros indios caçadores nos criavan.

De la manera que se ha dicho extinguieron y apagaron toda la sangre real de los Incas en espacio de dos años y medio que tardaron en derramarla, y aunque pudieron acabarla en más breve tiempo, no quisieron, por tener en quién exercitar su crueldad con mayor gusto. Dezían los indios que por la sangre real que en aquel campo se derramó se le confirmó el nombre Yahuarpampa, que es campo de sangre, porque fué mucha más en cantidad, y sin comparación alguna en calidad, la de los Incas que la de los Chancas, y que causó mayor lástima y compassión, por la tierna edad de los niños y naturaleza
flaca de sus madres.

CAPÍTULO XXXVIII

Algunos de la sangre real escaparon de la crueldad de Atahuallpa.

LGUNOS se escaparon de aquella crueldad, unos que no vinieron a su poder y otros que la mesma gente de Atahuallpa, de lástima de ver perecer la sangre que ellos tenían por divina, cansados ya de ver tan fiera carnicería, dieron lugar a que se saliessen del cercado en que los tenían, y ellos mismos los echavan fuera, quitándoles los vestidos reales y poniéndoles otros de la gente común, por que no los conociessen; que, como queda dicho, en la estofa del vestido conoscían la calidad del que lo traía. Todos los que assí faltaron fueron niños y niñas, muchachos y muchachas de diez y onze años abaxo; una dellas fué mi madre y un hermano suyo llamado Don Francisco Huallpa Túpac Inca Yupanqui, que yo conoscí, que después que estoy en España me ha escrito; y de la relación que muchas vezes les oí es todo lo que desta calamidad y plaga voy diziendo; sin ellos, conoscí otros pocos que escaparon de aquella miseria. Conoscí dos *Auquis*, que quiere dezir infantes; eran hijos de Huaina Cápac; el uno llamado Paullu, que era ya hombre en aquella

calamidad, de quien las historias de los españoles hazen mención; el otro
se llamava Titu; era de los legítimos en sangre; era muchacho entonces;
del bautismo dellos y de sus nombres cristianos diximos en otra parte.
De Paullu quedó successión mezclada con sangre española, que su hijo
Don Carlos Inca, mi condiscípulo de escuela y gramática, casó con una
mujer noble nacida allá, hija de padres españoles, de la cual huvo a
Don Melchior Carlos Inca, que el año passado, de seiscientos y dos, vino
a España, assí a ver la corte della como a recebir las mercedes que allá
le propusieron se le harían acá por los servicios que su abuelo hizo en
la conquista y pacificación del Perú y después contra los tiranos, como
se verá en las historias de aquel Imperio; mas principalmente se le
deven por ser visnieto de Huaina Cápac por línea de varón, y que de
los pocos que hay de aquella sangre real es el más notorio y el más
principal. El cual está al presente en Valladolid esperando las mercedes que se le han de hazer, que por grandes que sean se les deven mayores.

De Titu no sé que haya successión. De las ñustas, que son infantas, hijas de Huaina Cápac, legítimas en sangre, conoscidas, la una se
llamava Doña Beatriz Coya; casó con Martín de Mustincia, hombre
noble, que fué contador o fator en el Perú, de la hazienda del Emperador Carlos Quinto; tuvieron tres hijos varones, que se llamaron los
Bustincias, y otro, sin ellos, que se llamó Juan Sierra de Leguizamo,
que fué mi condiscípulo en la escuela y en el estudio; la otra ñusta
se dezía Doña Leonor Coya; casó primera vez con un español que se
dezía Juan Balsa, que yo no conoscí, porque fué en mi niñez; tuvieron un hijo del mismo nombre, que fué mi condiscípulo en la escuela;
segunda vez casó con Francisco de Villacastín, que fué conquistador
del Perú, de los primeros, y también lo fué de Panamá y de otras tierras.
Un cuento historial digno de memoria se me ofresce dél, y es que
Francisco López de Gómara dize en su historia, capítulo sesenta y
seis, estas palabras, que son sacadas a la letra: "Pobló Pedrarias el Nombre de Dios y a Panamá. Abrió el camino que va de un lugar a otro
con gran fatiga y maña, por ser de montes muy espessos y peñas;
havía infinitos leones, tigres, ossos y onças, a lo que cuentan, y tanta
multitud de monas, de diversa hechura y tamaño, que, enojadas, gri-
tavan de tal manera que ensordecían los trabajadores; subían piedras
a los árboles y tiravan al que llegava". Hasta aquí es de Gómara. Un
conquistador del Perú tenía marginado de su mano un libro que yo vi
de los de este autor, y en este passo dezía estas palabras: "Una hirió
con una piedra a un vallestero que se dezía Villacastín, y le derribó
dos dientes; después fué conquistador del Perú y señor de un buen
repartimiento que se dize Ayauiri; murió preso en el Cozco, porque
se halló de la parte de Piçarro en Xaquixaguana, donde le dió una cu-
chillada en la cara, después de rendido, uno que estava mal con él;

fué hombre de bien y que hizo mucho bien a muchos, aunque murió pobre y despojado de indios y hazienda. El Villacastín mató la mona que le hirió, porque a un tiempo acertaron a soltar él su ballesta y la mona la piedra". Hasta aquí es del conquistador, e yo añadiré que le vi los dientes quebrados, y eran los delanteros altos, y era pública voz y fama en el Perú havérselos quebrado la mona; puse esto aquí con testigos, por ser cosa notable, y siempre que los hallare holgaré presentarlos en casos tales. Otros Incas y Pallas, que no passarían de dozientos, conoscí de la misma sangre real, de menos nombre que los dichos; de los cuales he dado cuenta porque fueron hijos de Huaina Cápac. Mi madre fué su sobrina, hija de un hermano suyo, legítimo de padre y madre, llamado Huallpa Túpac Inca Yupanqui.

Del Rey Atahuallpa conocí un hijo y dos hijas; la una dellas se llamava Doña Angelina, en la cual huvo el Marqués Don Francisco Piçarro un hijo que se llamó Don Francisco, gran émulo mío y yo suyo, porque de edad de ocho a nueve años, que éramos ambos, nos hazía competir en correr y saltar su tío Gonçalo Piçarro. Huvo assimismo el Marqués una hija que se llamó Doña Francisca Piçarro; salió una valerosa señora, casó con su tío Hernando Piçarro; su padre, el Marqués, la huvo en una hija de Huaina Cápac, que se llamava Doña Inés Huaillas Ñusta; la cual casó después con Martín de Ampuero, vezino que fué de la Ciudad de los Reyes. Estos dos hijos del Marqués y otro de Gonçalo Piçarro, que se llamava Don Fernando, truxeron a España, donde los varones fallecieron temprano, con gran lástima de los que les conoscían, porque se mostravan hijos de tales padres. El nombre de la otra hija de Atahuallpa no se me acuerda bien si se dezía Doña Beatriz o Doña Isabel; casó con un español estremeño que se dezía Blas Gómez; segunda vez casó con un cavallero mestizo que se dezía Sancho de Rojas. El hijo se dezía Don Francisco Atahuallpa; era lindo moço de cuerpo y rostro, como lo eran todos los Incas y Pallas; murió moço; adelante diremos un cuento que sobre su muerte me passó con el Inca viejo, tío de mi madre, a propósito de las crueldades de Atahuallpa que vamos contando. Otro hijo varón quedó, de Huaina Cápac, que yo no conoscí; llamóse Manco Inca; era legítimo heredero del Imperio, porque Huáscar murió sin hijo varón; adelante se hará larga mención dél.

CAPÍTULO XXXIX

Passa la crueldad a los criados de la casa real.

OLVIENDO a las crueldades de Atahuallpa, dezimos que, no contento con las que havía mandado hazer en la sangre real y en los señores de vassallos, capitanes y gente noble, mandó que passassen a cuchillo los criados de la casa real, los que servían en los oficios y ministerios de las puertas adentro; los cuales, como en su lugar diximos cuando hablamos de los criados della, no eran personas particulares, sino pueblos que tenían cargo de embiar los tales criados y ministros, que, remudándose por sus tiempos, servían en sus oficios; a los cuales tenía odio Atahuallpa, assí porque eran criados de la casa real como porque tenían el apellido de Inca, por el previlegio y merced que les hizo el primer Inca Manco Cápac. Entró el cuchillo de Atahuallpa en aquellos pueblos con más y menos crueldad, conforme como ellos servían más y menos cerca de la persona real; que los que tenían oficios más allegados a ella, como porteros, guarda-joyas, botilleres, cozineros y otros tales, fueron los peor librados; porque no se contentó con degollar todos los moradores de ambos sexos y de todas edades, sino con quemar y derribar los pueblos y las casas y edificios reales que en ellos havía; los que servían de más lexos, como leñadores, aguadores, jardineros y otros semejantes, padecieron menos, mas con todo esso a unos pueblos dezmaron, que mataron la décima parte de sus moradores, chicos y grandes, y a otros quintaron y a otros terciaron; de manera que ningún pueblo, de los que havía cinco y seis y siete leguas en derredor de la ciudad del Cozco, dexó de padescer particular persecución de aquella crueldad y tiranía, sin la general que todo el Imperio padescía, porque en todo él havía derramamiento de sangre, incendio de pueblos, robos, fuerças y estrupos y otros males, según la libertad militar los suele hazer cuando toma la licencia de sí mesma. Tampoco escaparon desta calamidad los pueblos y provincias alexadas de la ciudad del Cozco, porque luego que Atahuallpa supo la prisión de Huáscar mandó hazer guerra a fuego y a sangre a las provincias comarcanas a su reino, particularmente a los Cañaris, porque a los principios de su levantamiento no quisieron obedescerle; después, cuando se vió poderoso, hizo cruelíssima vengança en ellos, según lo dize también Agustín de Çárate, capítulo quinze, por estas palabras: "Y llegando a la provincia de los Cañares, mató sesenta mil hombres dellos, porque le havían sido contrarios, y metió a fuego y a sangre y assoló la población de Tumibamba, situada en un llano, ribera de tres grandes ríos; la cual era muy grande, y de allí fué conquistando la tierra, y de los que se le defendían no dexava hombre vivo", etc. Lo mismo dize Francisco López de Gómara, casi por las mismas palabras. Pedro de Cieça lo dize más largo y más encarecidamente, que haviendo dicho la falta de varones y sobra de mujeres que en su tiempo havía en la provincia de los Cañaris, y que en las guerras de los españoles davan indias en lugar de indios, para que llevassen las cargas del exército, diziendo por qué lo hazían, dize estas palabras, capítulo cuarenta y cuatro: "Algunos indios quieren dezir que más hazen esto por la gran falta que tienen de hombres y abundancia de mujeres, por causa de la gran crueldad que hizo Atabálipa en los naturales desta provincia al tiempo que entró en ella, después de haver, en el pueblo de Ambato, muerto y desbaratado al capitán general de Guáscar Inga, su hermano, llamado Antoco, que afirman que no embargante que salieron los hombres y niños con ramos verdes y hojas de palma a pedir misericordia, con rostro airado, acompañado de gran severidad, mandó a sus gentes y capitanes de guerra que los matassen a todos, y assí fueron muertos gran número de hombres y niños, según que yo trato en la tercera parte de la historia. Por lo cual los que agora son vivos dizen que hay quinze vezes más mujeres que hombres", etc. Hasta aquí es de Pedro de Cieça, con lo cual se ha dicho harto de las crueldades de Atahuallpa; dexaremos la mayor dellas para su lugar. Destas crueldades nació el cuento que ofrescí dezir de Don Francisco, hijo de Atahuallpa, y fué que murió pocos meses antes que yo me viniesse a España; el día siguiente a su muerte, bien de mañana, antes de su entierro, vinieron los pocos parientes Incas que havía a visitar a mi madre, y entre ellos vino el Inca viejo de quien otras vezes hemos hecho mención. El cual, en lugar de dar el pésame, porque el difunto era sobrino de mi madre, hijo de primo hermano, le dió el plázeme, diziéndole que el Pachacámac la guardasse muchos años, para que viesse la muerte y fin de todos sus enemigos, y con esto dixo otras muchas palabras semejantes con gran contento y regozijo. Yo, no advirtiendo por qué era la fiesta, le dixe: "Inca ¿cómo nos hemos de holgar de la muerte de Don Francisco, siendo tan pariente nuestro?" Él se bolvió a mí con gran enojo, y tomando el cabo de la manta que en lugar de capa traía, lo mordió (que entre los indios es señal de grandíssima ira) y me dixo: "¿Tú has de ser pariente de un *auca*, hijo de otro *auca* (que es tirano traidor), de quien destruyó nuestro Imperio?, ¿de quien mató nuestro Inca?, ¿de quien consumió y apagó nuestra sangre y descendencia?, ¿de quien hizo tantas crueldades, tan ajenas de los Incas, nuestros padres? Dénmelo assí muerto, como está, que yo me lo comeré crudo, sin pimiento; que aquel traidor de Atahuallpa, su padre, no era hijo de Huaina Cápac, nuestro Inca, sino de algún indio Quitu con quien su madre haría traición a nuestro Rey; que si él fuera Inca, no sólo no hiziera las crueldades y abominaciones que hizo, mas no las imaginara, que la doctrina de nuestros passados nunca fué que hiziéssemos mal a nadie, ni aun a los enemigos, cuanto más a los parientes, sino mucho bien a todos.

Por tanto no digas que es nuestro pariente el que fué tan en contra de todos nuestros passados; mira que a ellos y a nosotros y a ti mesmo te hazes mucha afrenta en llamarnos parientes de un tirano cruel, que de Reyes hizo siervos a essos pocos que escapamos de su crueldad". Todo esto y mucho más me dixo aquel Inca, con la ravia que tenía de la destruición de todos los suyos; y con la recordación de los males que las abominaciones de Atahuallpa les causaron, trocaron en grandíssimo llanto el regozijo que pensavan tener de la muerte de Don Francisco, el cual, mientras vivió, sintiendo este odio que los Incas y todos los indios en común le tenían, no tratava con ellos ni salía de su casa; lo mismo hazían sus dos hermanas, porque a cada passo oían el nombre *auca*, tan significativo de tiranías, crueldades y maldades, digno apellido y blasón de los que lo pretenden.

CAPÍTULO XL

La descendencia que ha quedado de la sangre real de los Incas.

MUCHOS días después de haver dado fin a este libro nono, recebí ciertos recaudos del Perú, de los cuales saqué el capítulo que se sigue, porque me pareció que convenía a la historia, y assí lo añadí aquí. De los pocos Incas de la sangre real que sobraron de las crueldades y tiranías de Atahuallpa y de otras que después acá ha havido, hay successión, más de la que yo pensava, porque al fin del año de seiscientos y tres escrivieron todos ellos a Don Melchior Carlos Inca y a Don Alonso de Mesa, hijo de Alonso de Mesa, vezino que fué del Cozco, y a mí también, pidiéndonos que en nombre de todos ellos suplicássemos a Su Majestad se sirviesse de mandarlos esentar de los tributos que pagan y de otras vexaciones que como los demás indios comunes padescen. Embiaron poder *in solidum* para todos tres, y provança de su descendencia, quiénes y cuántos (nombrados por sus nombres) descendían de tal Rey, y cuántos de tal, hasta el último de los Reyes; y para mayor verificación y demonstración embiaron pintado en vara y media de tafetán blanco de la China el árbol real, descendiendo desde Manco Cápac hasta Huaina Cápac y su hijo Paullu. Venían los Incas pintados en su traje antiguo. En las cabeças traían la borla colorada y en las orejas sus orejeras; y en las manos sendas partesanas en lugar de cetro real; venían pintados de los pechos arriba, y no más. Todo este recaudo vino dirigido a mí, y yo lo embié a Don Melchior Carlos Inca y a Don Alonso de Mesa, que residen en la corte en Valladolid, que yo, por estas ocupaciones, no pude solicitar esta causa, que holgara emplear la vida en ella, pues no se podía emplear mejor. La carta que me escrivieron los Incas es de letra de uno dellos y muy linda; el frasis o lenguaje en que hablan, mucho dello es conforme a su lenguaje y otro mucho a lo castellano, que ya están todos españolados; la fecha, de diez y seis de abril de mil y seiscientos y tres. No la pongo aquí por no causar lástima con las miserias que cuentan de su vida. Escriven con gran confiança (y assí lo creemos todos) que, sabiéndolas Su Majestad Católica, las mandará remediar y les hará otras muchas mercedes, porque son descendientes de Reyes. Haviendo pintado las figuras de los Reyes Incas, ponen al lado de cada uno dellos su descendencia, con este título: "Cápac Aillu", que es generación augusta o real, que es lo mismo. Este título es a todos en común, dando a entender que todos descienden del primer Inca Manco Cápac. Luego ponen otro título en particular a la descendencia de cada Rey, con nombres diferentes, para que se entienda por ellos los que son de tal o tal Rey. A la descendencia de Manco Cápac llaman Chima Panaca: son cuarenta Incas los que hay de aquella successión. A la de Sinchi Roca llaman Rauraua Panaca: son sesenta y cuatro Incas. A la de Lloque Yupanqui, tercero Inca, llaman Hahuanina Aillu: son sesenta y tres Incas. A los de Cápac Yupanqui llaman Apu Maita: son cincuenta y seis. A los de Maita Cápac, quinto Rey, llaman Usca Maita: son treinta y cinco. A los de Inca Roca dizen Uicaquirau: son cincuenta. A los de Yáhuar Huácac, séptimo Rey, llaman Ailli Panaca: son cincuenta y uno. A los de Viracocha Inca dizen Çocço Panaca: son sesenta y nueve. A la descendencia del Inca Pachacútec y a la de su hijo, Inca Yupanqui, juntándolas ambas, llaman Inca Panaca, y assí es doblado el número de los descendientes, porque son noventa y nueve. A la descendencia de Túpac Inca Yupanqui llaman Cápac Aillu, que es descendencia imperial, por confirmar lo que arriba dixe con el mismo nombre, y no son más de diez y ocho. A la descendencia de Huaina Cápac llaman Tumi Pampa, por una fiesta soleníssima que Huaina Cápac hizo al Sol en aquel campo, que está en la provincia de los Cañaris, donde havía palacios reales y depósitos para la gente de guerra, y casa de escogidas y templo del Sol, todo tan principal y aventajado y tan lleno de riquezas y bastimento como donde más aventajado lo havía, como lo refiere Pedro de Cieça, con todo el encarescimiento que puede, capítulo cuarenta y cuatro, y por parescerle que todavía se havía acortado, acaba diziendo: "En fin, no puedo dezir tanto que no quede corto en querer engrandescer las riquezas que los Ingas tenían en estos sus palacios reales", etc. La memoria de aquella fiesta tan solene quiso Huaina Cápac que se conservasse en el nombre y apellido de su descendencia, que es

Tumi Pampa, y no son más de veinte y dos; que como la de Huaina
Cápac y la de su padre Túpac Inca Yupanqui eran las descendencias
más propincuas al árbol real, hizo Atahuallpa mayor diligencia para
extirpar éstas que las demás, y assí se escaparon muy pocos de su crueldad, como lo muestra la lista de todos ellos; la cual, sumada, haze número de quinientos y sesenta y siete personas; y es de advertir que todos
son descendientes por línea masculina, que de la feminina, como atrás
queda dicho, no hizieron caso los Incas, si no eran hijos de los españoles,
conquistadores y ganadores de la tierra, porque a éstos también les
llamaron Incas, creyendo que eran descendientes de su Dios, el Sol.
La carta que me escrivieron firmaron onze Incas, conforme a las onze
descendencias, y cada uno firmó por todos los de la suya, con los nombres del bautismo, y por sobrenombres los de sus passados. Los nombres
de las demás descendencias, sacadas estas dos últimas, no sé qué signifiquen, porque son nombres de la lengua particular que los Incas tenían
para hablar ellos entre sí, unos con otros, y no de la general que hablavan
en la corte. Resta dezir de Don Melchior Carlos Inca, nieto de Paullu
y visnieto de Huaina Cápac, de quien diximos que vino a España el
año de seiscientos y dos a recebir mercedes. Es assí que al principio de
este año de seiscientos y cuatro salió la consulta en su negocio, de que se
le hazía merced de siete mil y quinientos ducados de renta perpetuos,
situados en la caxa real de Su Majestad en la Ciudad de los Reyes, y que
se le daría ayuda de costa para traer su mujer y casa a España, y un hábito de Sanctiago y esperanças de plaça de assiento en la casa real, y que
los indios que en el Cozco tenía, heredados de su padre y abuelo, se
pusiessen en la Corona Real, y que él no pudiesse passar a Indias. Todo
esto me escrivieron de Valladolid que havía salido de la consulta; no sé
que hasta ahora (que es fin de março) se haya efetuado nada para
poderlo escrevir aquí. Y con esto entraremos en el libro décimo, a tratar
de las heroicas e increíbles hazañas de los españoles
que ganaron aquel Imperio.

FIN DEL LIBRO NONO
[Y DE LOS COMENTARIOS REALES DE LOS INCAS]

✳✳✳   ✳✳✳   ✳✳✳

CRITERIO DE ESTA EDICIÓN

El texto de esta edición reproduce el de la edición príncipe (Lisboa, 1609). Modernizamos la ortografía en todo aquello que no afecta a la pronunciación de la época (*vuas* = *uvas*; *yr* = *ir*, etc.). Conservamos rigurosamente, en cambio, todas las diferencias ortográficas y particularidades que representan la pronunciación del siglo XVI (*s-ss*, *x-j*, *z-ç*, *b-v*, etc.), a fin de que esta edición pueda servir, no sólo para un interés histórico o literario, sino también para estudios lingüísticos.

Para el lector que quiera delimitar lo antiguo y lo moderno en la transcripción, damos a continuación los detalles:

ACENTUACIÓN. Es enteramente nuestra. El texto de 1609 usa muy frecuentemente una *i* acentuada, que casi nunca coincide con el acento de la palabra, y aun dos *íes* acentuadas en la misma palabra (*linage, tierra, ní, capítan, Príncipe, diziendo*, etc., fol. 145); en poquísimos casos aparece acentuada otra vocal, pero no siempre en la posición debida. Nos parece, pues, que no se trata de un acento verdadero, sino de una falla tipográfica.

PUNTUACIÓN. Nos hemos atenido a las normas actuales, que responden mejor a la estructura gramatical de la frase. Hemos mantenido siempre el punto y aparte, salvo cuando nos ha parecido evidente que rompía la frase (indicamos el cambio en la lista de correcciones que damos al final). Las comillas, en las citas y en el diálogo, son siempre nuestras (no existen en la edición de 1609). Ponemos apóstrofo en las voces indígenas en que el texto pone punto: Y.*ucay* = Y'*úcay*. Algunas frases incidentales las ponemos entre guiones cuando nos ha parecido imprescindible (el texto nunca usa guiones).

MAYÚSCULAS Y MINÚSCULAS. Procedemos en general con criterio moderno. Dejamos, sin embargo, las mayúsculas del texto de 1609 en algunos sustantivos que tienen una jerarquía especial en el sistema del autor (Rey, Inca, Sol, Príncipe, Emperador, etc.) y en los gentilicios indígenas.

SEPARACIÓN Y UNIÓN DE PALABRAS. El texto une a veces palabras que hoy van separadas o separa palabras que hoy van unidas: *hacerlo que les mandaua, los forçauan aque se rindiessen, empos* (en pos) *tambien* (tan bien), *tan poco* (tampoco), *man posterias* (mamposterías), etc. Seguimos la ortografía moderna.

ABREVIATURAS. Hemos desarrollado todas las abreviaturas del texto.

SUBRAYADOS. El texto de 1609 no usa nunca la cursiva. Nosotros la empleamos para los títulos de las obras y en casos especiales para las voces extranjeras, especialmente las indígenas (en el texto original están destacadas siempre con inicial mayúscula).

CORCHETES. Ponemos entre corchetes [], como es habitual en las ediciones críticas, la letra o letras que faltan en el texto, por lapsus o por errata.

GRAFÍAS LATINIZANTES. Modernizamos todos los casos en que el texto usa una grafía latinizante que no se refleja en la pronunciación: *Christo, Christianos, chaldeos, monarchia, charidad, machina, Bartholome, Atheniense, thesoro, thesorero, philosophos, tropheos, phrasis, prophecia, triumpho, Delphico, fictiones, diction, distinction, reduction, corruption, election, resurrection, affliction, equinoctio, offender, officios, officiales, difficultad, affligir, peccado, ecclipse, occasion, opprobio, illustrar, illustre, collación, commodidades, commentarios, summo, commún, communicar, grammática, annales, innocencia, tirannizar, sumtuoso, presumcion,* etc. Hemos conservado *Chancillería* porque es posible que la *ch* se pronunciase. Mantenemos en cambio los grupos cultos, aunque no tenían sin duda más que valor ortográfico, porque el texto los usa de manera irregular: *significa* junto a *sinifica; doctrina* junto a *dotrina; fructos* junto a *frutos; auctores* junto a *autores; equinoctio* junto a *equinotial,* etc.; *respecto, sancto, delicto,* etc., junto a *satisfación, dedución,* etc. Es posible que la grafía cultista se extienda a los nombres indígenas: *Puchina* (otras veces *Puquina*), *Maulli* (otras veces *Mauli*), etc. Pero ya en estos casos no nos hemos atrevido a unificar.

h. Aunque en el siglo XVI la *h* inicial se aspiraba en gran parte de España y América, y el Inca usa la *h* para la aspirada del quechua (*hatun, hurin,* etc.), hemos modernizado sin embargo el uso de la *h* en las palabras españolas porque el texto la emplea de manera inconsecuente: *auia, euer* y casi todas las formas del verbo *haber* aparecen sin *h* (en cambio *huuo, huuiessen,* etc. y a veces hasta *hauer*); igualmente, sin *h, abito, umillarse, elasse, abilidad, ortelano, omenage, oras,* etc.; pero *ahora, herencia, hortaliza, hoy, hospital,* etc., aparecen a veces con *h,* otras veces sin *h,* hasta en una misma frase; inversamente aparecen a veces con *h, Henero, hedades, handrajos, himan, hornato, etc.* Sólo hemos mantenido la *h,* contra la ortografía actual, en *harriero* y *haloque,* porque la *h* es etimológica y quizás la aspiraba el Inca.

u v. El texto, cosa habitual en la época, usa alternativamente *u* y *v* para la vocal y para la consonante: *pves, vn, vsar, vuas* (= *uvas*), *auia, deuer, huuo, tuuiesse,* etc. La pronunciación distinguía perfectamente esos casos. En la transcripción nos atenemos a la pronunciación: *u* para la vocal, *v* para la consonante. Queda alguna duda en las voces indígenas. El quechua carecía del sonido *b, v.* Por esa razón transcribimos con *u* todos los casos en que aparece la grafía *v: uillca, uiñapu, caui,* etc. Hemos conservado, sin embargo, la *v* en algunos casos impuestos ya por la tradición ortográfica y que se han hispanizado con *v: Viracocha,* originalmente *Uiracocha* (hoy algunos escriben *Huiracocha*). Inversamente, en algunas citas de autores españoles en que se usa *u* en lugar de la *p* del quechua (*Guaina Caua,* de *Huaina Cápac,* por ejemplo) ponemos *v* (*Cava*), porque suponemos que esa *u* representaba una pronunciación consonántica. Téngase presente que en posición inicial de palabra el texto antiguo usa siempre *V.*

v b. En el siglo XVI todavía se diferenciaba en español una *b* oclusiva (la *b* inicial de *bien,* etc.; la *b* tras nasal en *también,* etc.; la *b* intervocálica procedente de *-p-* latina en *saber,* etc.) y una *v* fricativa (escrita unas veces *v* y otras *u*). Como según todas las probabilidades ésa era la pronunciación del autor, mantenemos en este punto la distinción del texto. Téngase presente que la *v* (escrita frecuentemente *u*) no representaba en ningún caso una pronunciación labiodental como en el francés o el italiano. A fines del siglo XVI se borró la diferencia entre *b* y *v* intervocálicas (sólo subsistió una diferencia según la posición del sonido) y en el XVIII la Academia adoptó la ortografía moderna con criterio etimológico.

i y. El texto usa con frecuencia la *y* para el sonido puramente vocálico: *yr, mayz, Yndias, Ynca, oydo, veya* 'veía', etc. Nosotros usamos *i* en todos esos casos. También usa frecuentemente *y* para la semivocal en diptongo: *traydor, reyno, heroyco,* etc., y en nombres indígenas como *Huayna, Mayta, Raymi, ayllu,* etc. Nosotros unificamos con criterio moderno, dejando la *y* para final de palabra: *Yúcay,* etc.

i j. A veces el texto usa la *i* por la *j* (como la *u* por la *v*): *adiectiuo,* etc. Como mayúscula, siempre usa *I: Iesus, Iuan, Iulio,* etc. Este empleo no indicaba en el siglo XVI diferencia alguna de pronunciación, y por eso transcribimos con *j* todos esos casos. Otras veces el texto de 1609 emplea la *i* para el sonido de *y: huiessen, aiudas, maiores, Iucatán,* etc. Los reproducimos en nuestra edición con *y: huyessen, ayudas, mayores, Yucatán,* etc.

x j. Conservamos la *x* en *abaxo, dixo, México,* etc., que en el siglo XVI se pronunciaba como la *sh* inglesa o la *ch* francesa y que era distinta de la *j* (que entonces se pronunciaba como la *j* francesa). El texto presenta algunas vacilaciones, debidas sin duda a la imprenta: *desjaretaderas* junto a *desxarietan; agedrez* junto a *axedrez* (VIII, cap. XXIII). Junto a esa *x,* el texto usa también —como otros textos— la *x* de los cultismos latinos, que tiene la pronunciación de *ks: experimentar* (a veces *esperimentar*), *experiencia* (a veces *esperiencia*), *exelencias* o *excelencias, excesos,* etc. Nosotros mantenemos ese doble uso de la *x.*

j g. Delante de *e i* no había ninguna diferencia entre *j* y *g.* El texto usa *grangería, linage, magestad, muger, el trage, lenguage,* etc. Unificamos con criterio moderno.

s ss. Conservamos la diferencia entre *s* sencilla y doble, que en el siglo XVI tenían en español la misma diferencia que tienen hoy en francés. Como se verá, el texto presenta ya algunas vacilaciones: frente al uso casi general de *vassallos, maesses, gruesso, priessa,* etc., aparecen algunas veces *vasallos, maeses, grueso, priesa,* etc.; en cambio corregimos como erratas *afrentase* (VII, cap. XII), *pasavan* (VIII, cap. XXIV), *lloviosso* (VII, cap. X), *maravillossa* (VIII, cap. XI), *Garcilaso* (II, cap. XXVI).

z ç. Conservamos estrictamente la grafía original de la *z y* de la *ç* porque en el siglo XVI se diferenciaban todavía en la pronunciación (la *z* era sonora, parecida a *dz;* la *ç* era sorda, parecida a *ts*). El texto presenta algunas vacilaciones. Hemos corregido algunos casos que nos parecen erratas debidas a la tipografía portuguesa. Los indicamos en todos los casos, por si alguien les atribuyera significación: *Hernandes* (II, cap. XXVIII), *Sanches* (I, cap. VIII), *Gomes* (VII, cap. XVI), *Marquez* 'marqués' (V, cap. XIX), *desparsian* 'esparcían' (II, cap. VII), *persuacion* (II, cap. XVIII), *lansa* por *lança* (VI, cap. VII, 2 veces), *empiesa* 'empieza' (VII, cap. VIII), *serro* 'cerro' (VII, cap. XV), *paço* por *passo* (VII, cap. XVI), *çufrir* 'sufrir' (IV, cap. XV; *çufrian* junto a *sufrirla,* III, cap. IV; *çufría,* II, cap. VII; también *incufrible,* sin duda por *inçufrible,* VII, cap. XI), *descançado* (VII, cap. XIII), *sutano* (VII, cap. IX). Por inadvertencia ha quedado *dissenciones* (III, cap. X), como en el texto de 1609. Desde luego, transcribimos simplemente con *c* los casos —relativamente escasos— de *ç* delante de *e, i.*

r rr. El texto escribe *honrra,* etc. Lo transcribimos siempre con ortografía moderna. También modernizamos algunos casos en que la *r* simple se debe a la composición: *visorey, deredor,* etc.

Ñ. Parece que la tipografía carecía de *ñ* mayúscula, y así aparecen con N una serie de voces indígenas que en quechua antiguo y moderno se pronunciaban siempre con *ñ: ñusta, ñuñu,* etc. (las voces indígenas las transcribe siempre con mayúscula). Las reproducimos siempre con ñ, pero de todos modos lo indicamos en la lista de correcciones que damos más abajo.

qu. El texto escribe sistemáticamente *quatro, quando, qual*, etc. Transcribimos siempre con ortografía moderna.

CORRECCIONES. El texto de 1609 tiene muchas erratas. Algunas se deben a la tipografía portuguesa (*primeiro, batalha*), otras a la dificultad de transcribir voces y nombres indígenas. Unas pocas aparecen en una *Fe de erratas* del mismo volumen, pero subsisten otras, casi todas insignificantes, que procuramos salvar en la presente edición. Hemos consultado en muchos casos dudosos la edición madrileña de 1723, y aun ediciones más modernas, entre ellas la versión inglesa de Markham. No hemos querido poner las correcciones al pie de página para que no fueran obstáculo a la lectura. Las reunimos todas a continuación para salvar nuestra responsabilidad editorial y por si en algún caso nuestra corrección fuera discutible. En la lista siguiente indicamos con asterisco las correcciones de la *Fe de erratas* de 1609:

TOMO I

Pág.	Línea	Esta edición	Texto de 1609	Pág.	Línea	Esta edición	Texto de 1609
9	38	español escrive	espoñol escrieue	79	7	Bacab	Barac
10	30	Barlovento	Barlauento	79	14	serpientes	serpienres
*16	31	libro primero	libro decimo	80	4	Çupaipa Huacin	Cupaypa Huacin
17	5	guardando	guardondo	80	35	desparcían	desparsian
18	38	trocaron	trocaran	81	11	hallé	hellé
19	17	la	ella	86	22	Collao	Çollao
20	39	fuése	fuesse	89	25	Chincha	Chinca
22	2	aborrescido	aborescido	93	10	aplacar	aplicar
22	9	Pelu	Petu	98	20	daño	dano
22	38	le llamaron	se llamaron	99	11	r senzilla	i senzilla
24	13	Pinçón	Piçon	100	33	Umasuyu	Unasuyu
24	43	Sancto Domingo	Sacto Domingo	102	27	*huacanqui*	Huacaqui
25	22	tenía	tenian	103	8	persuasión	persuacion
25	31	setecientas	setecientos	103	36	mandado	madado
25	32	Ancasmayu	Ancasmayu	109	33	tuvieron	tuuieran
25	37	inaccessible	inaccessissible	111	31	solsticios	Solticios
26	10	Llaricossa	Llaricossa	111	39	torres; las	torres. ‖ Las
28	8	ayudado	ayudando	112	43	las fueron	los fueron
29	14	Garci Sánchez	Garcisanches	113	29	a sí	assi
32	9	miesses	miesseo	115	7	por ende	por onde
*34	22	que no conquistaron	que conquistaron	116	21	calor	color
				119	17	Garcilasso	Garcilaso
42	10	Huanacauri	Huanacauti	120	4	alcançavan	alçauan
44	9	Inca	Inco	121	1	Capítulo XXVII	Capítulo XVII
45	7	Ocllo	Oello	121	29	española	español
46	1	Tiahuanacu	Tiahuacanu	121	33	órgano	organa
46	38	Ocllo	Oello	122	13	tuvieron	tuuuieron
47	42	se ha	sea	122	40	*Ñusta*	Nusta
*49	15	en fin fin destos	en fin destos	123	12	Çúmac Ñusta	Cumac Nusta
51	18	asoló	a solo	123	19	Ñusta	Nusta
56	42	aceptaron	aceptaran	*124	33	perjudicial	judicial
58	24	Ocllo	Oello	125	8-9	etc. ‖ Hasta	etc. Hasta
59	15, 22	Ocllo	Oello	126	38	obras	otras
59	43	conjeturar	conjuturar	128	13	Licenciado	Lecenciado
60	35	Çapa	Capa	128	13	Cuéllar	Cuellas
60	36	*çapa*	Capa	128	19	granjerías	grangearias
61	32-36	Ñusta	Nusta	128	35	Hernández	Hernandes
61	37	Yunca Ñusta	Yuca Nusta	132	20	los cuales	las cuales
61	37-38	Ñusta	Nusta	134	25	de las	de los
63	9	Lloque	Iloque	137	2	despoblado	desplouado
73	42	mentalmente	metalmente	137	17	sufrían	çufrian
75	32	provincia	priuincia	138	2	Collasuyu	Collisuyu

Pág.	Línea	Esta edición	Texto de 1609
138	21	heredades	eredadas
138	28	los trasplantados	los traslos trasplantados
141	12	enemigos	enimigos
141	32	pessado	passado
141	35	prosperidad	prosperiedad
142	34	sufría	çufria
*145	29	passar por ella porque	passar porque porque
145	32	buelven	bueluan
145	35	obra	otra
147	17	Cuntisuyu	Cantisuyu
148	17	Cozco	Coz
150	10, 17	Umasuyu	Umasayu
150	32	Umasuyus	Umasayus
151	4	aborrescidos	aborescidos
151	8	escogidas	esdogidas
151	9	Umasuyu	Umasayu
157	2	Reyes	Reys
159	37	tiene	tienen
160	19	estados	astados
160	31	ganaron	gañaron
162	43	Chayanta	Chayata
165	3	ferocidad	forocidad
166	19	compañía	compañai
167	17	todas	todos
*167	33	y haviendo dexado bastante	y auiendo bastante
168	6	Tutura	Tutira
170	13	a sí	assi
170	29	indios de	indios a
172	4	descripción	discrepcion
172	15	saber que el	saber, y el
172	25	puesta	pusta
172	36	Leguiçamo	Leguiçano
174	12	Mamaquilla	Mamaqullia
174	12	ofrecían	ofrecia
174	22	respetavan	respetaua
175	12	estava	astaua
176	23	señaladas	señalados
177	33	arroyo	orroyo
178	17	barrancas	barancas
178	20	legua	lagua
180	14	barrio	bario
180	25	templos, en	templos. ‖ En
181	19	gente	genre
182	15	Valera	Valero
182	17	Copacavana	Copa cauano
*182	25	y rodeada	y redonda
182	42	passos	pasos
186	12	nadie	nade
187	39	llamadas	llamado
188	29-30	pronunciada	pronuncida
189	13-14	executara	executarr
190	35-36	derribando	deribando
191	35	casas	cosas
192	34	le havía	la auia
194	1	no havían de	no auia de
199	1	cap. XI	cap. II
200	3, 4	ñaña	Naña
200	22	les podían	les podia
202	22	tenían	tenia
203	30	correspondencia	corresponcia
206	17	descendientes	desedientes
206	24	descendientes	desdendientes
207	1	sufrir	çufrir
207	14	igualaran	igualaron
207	33	estavan	estaua
226	35	los havía	las auia
228	40	arado	erado
232	16	dávanle	dauale
235	33-34	servíanse	seruiasse
235	37	Joseph	Josephe
236	24	engáñanse	engañasse
*238	14	llevávanle	lleuanle
241	24	a sí mismos	assi mismos
256	8	acabava	acauaba
257	28	y merced	y lo merced
257	32	les davan	le dauan
261	6	desamparado	dosamparado
261	25	caminaron	cominaron
261	34	emboscados	amboscados
264	24	Hancohuallu	Hancho huallu
264	28	batalla	batalha
265	32	y a la demás	y a de la mas
267	14	causasse	causasse
267	17	se entiende	su entiende
267	39	solitaria	solitarla
268	9	perecieran	parecieran
275	31	Antahuailla	Antahuylla
277	15	Tarapaca	Taracapa
278	9	los fatigavan	lo fatigauan
278	19	Çapa	Capa
281	7	menos, desdeñado	menos. Desdeñado
286	34	Ocllo	Oclo
287	25	Marqués	Marquez
287	32	día para otro	día para otra
288	11	españoles	Españes
288	13-14	dezirlo. ‖ Esto	dezirlo. Esto

TOMO II

Pág.	Línea	Esta edición	Texto de 1609
7	8	costa	casta
8	12	derribaran	derribaron
10	4	contrahiziesse	contrahizesse
10	24	Çárate	Carate
10	25	primero	primeiro
10	28	traía	tgaya
14	26	galpones	gaspones
14	26	grandes	gärdes
14	27	passos	pasos
20	15-16	alcançassen	alcancassen
25	4	cosa	casa
25	29	las historias	los historias
25	33	respuesta	repuesta
26	36	sospechosa	sospochosa
28	36	Huamanca	Humanca
29	14	circunvezinas, tuvieron	circunuezinas. Tuuieron
32	30	sobervia	souerbia
33	22	enemigos	enimigos
33	36	consentimiento	conientimiento
35	23	señor, el	señor. El
39	11	Yauyu	Yuayu

Pág.	Línea	Esta edición	Texto de 1609		Pág.	Línea	Esta edición	Texto de 1609
41	27	beneficios	benficios		87	26	passadas	passados
43	24	alcançaron	alcançarod		87	30	hablando	hablan
43	26	rieguen	riegen		89	8	aficionados	aficianados
43	32	orgullo	argullo		*89	33	porque eran	porque no eran
43	41	Chincha Cámac	Chinca Cámac		90	30	pressea	pressa
44	31	ellos	elles		91	2	rectitud	rictitud
46	31	Ocllo	Ollo		91	20	Tucma	Tumac
46	33	gentes, por	gentes. Por		92	2	compelerles	competerles
47	11-12	madre, en	madre. En		92	28	otros	otras
47	30	pellejos	pelejos		92	34	puedan	pueden
47	32	otras	otros		92	35	todas	todos
48	15	otra	otro		92	40	oye	oy
48	27	hecha donzellas	hecho donzella		93	7	indios, ellos	Yndios. Ellos
48	32	siguiente	seguinte		93	11	cargas	cargos
48	38	cuclillas	cudillas		94	26	paresce	peresce
49	9	cuclillas	cudillas		95	12	paresce	peresce
49	13	el Inca	al Inca		96	21	*clla, cllo*	ella, ello
49	13	bever	beber		98	4	Citua	Citu, a
49	32	passos	pasos		98	23	çancu	Cancu
50	25	cosecha	cosaecha		98	29	diversos	diuersas
*51	13	que no las noté	que las note		99	19-20	corriendo	correndo
51	14	acerté	acerta		100	29	lança	lansa
51	15	aún no	a uno		100	32	lanças	lansas
51	17	otros casos	otras casos		100	33	çancu	Cancu
*51	18	sacrificavan	sacrificaron		102	1	*empieça*	empiesa
51	22	de fuerça	de fuera		103	23	freçada	frisada
51	32	otro	otra		103	27	seco que	seco y que
51	37	Temían	Tenian		103	39	llamado	llamando
52	7	otros	otras		103	40	cerro	serro
55	14	o los	a los		104	1	dixo: Hanan	dexo, Hanam
55	20	castellano	Castellana		105	9	escrivo	escriuio
57	6	los encendía	los encendian		105	14	proprio	propria
57	7	Cap. XXV	Cap. XXIX		106	26	dichas, cada	dichas. Cada
57	15	exercicio	exercio		107	2	arrabales	arrabatales
58	17	atan	aten		107	3	septentrión	septentrional
60	10	por las cuales	por los cuales		107	15	divididos	diuididas
60	34	las	los		107	19	zutano	sutano
61	4	puestos de rodillas	puesto de rodillos		107	33	Piçarro	Picçarro
					108	17	los	lo
61	9	agrandan	agradan		108	18	aquella	aquellas
61	27	atrás	otras		109	19	los cuales	las cuales
61	42	asemeja	a semejar		110	13	lloviosos	lloviossos
63	17	otras	otros		*110	20	y si estuviera	y si estuuiessen
65	43	Chuquimancu	Chunquimancu		111	1	sustentaran	sustentaron
66	1	aquel valle	aquelle valle		111	26	solsticios	solticios
66	13	setenta y tres	treinte y siete		112	41	insufrible	incufrible
*66	34	con los más	con mas		113	13	calle de casas	calle de de casas
69	8	Cap. XXXI	Cap. XIII		113	34-35	maravillosa	marauillossa
69	19	Pachacámac	Pachamac		117	4	afrentasse	afrentase
70	37	le	les		117	37	descansado	descançado
71	7	lo	la		118	9	reduzirlas	reduzirlos
74	13	enterasse	enterase		119	13	pantanos	pantanas
74	41	hermosíssimo	hermossimo		119	19	tantas	tantos
75	10	le bolvieran	se boluieran		119	34	tierra muy	tierra y muy
*75	12	ellos no quisiessen	ellos quisiessen		*120	28	los recibiesse	recibiesse
81	2	Tauantinsuyu	Tauatinsuyu		*120	29	y que ellos los adoravan	y los que adorauan
81	15	todas	todos					
81	26	aves de diversas	aues diuersas		121	2	Cozco	Cozo
83	17	estos	estas		122	32	cerro	serro
83	25-26	pleiteantes	pleynteantes		123	28	darle	dale
84	11	otro	otra		124	28	Gómez	Gomes
86	11	veinte y nueve	veintenueue		126	21	le llaman	se llaman
87	17	allanando	a llamando		127	22	solían	salian
87	26	*chuñu*	Chinu		128	10	los bastimentos	las bastimentos

130	17	passados, mandándoles	passados. Mandandoles	212	3	tiempo	tempo
				212	4	cosa	eosa
132	16	distritos	distritas	213	17	causó	causa
132	29	enemigos, al fin	enemigos. Al fin	216	2	veinte y dos	veynte dos
133	16	que los Incas	que Incas	223	15	los	las
134	9	tanto trabajo	tanta trabajo	224	6	Quitu	Quintu
134	18	sobervia	souerbia	224	42	quitárnoslas	quitarnolas
135	22	pocos	poco	226	13	ofreciesse	ofreciessen
136	33	lo rompieron	lo rompieran	228	6	Huaina	Huay
138	21	passo	paço	230	22	respuesta	repuesta
*138	21	asiendo	haziendo	231	38	un alarido	uno alarido
140	8	Cozco	Gozco	234	12	pujança	pujanca
141	18	Arequepa	Araquepa	234	43	vine	vino
141	28	veinte y cuatro	veynte quatro	235	8	pañetes	panetes
141	37	ciegos	ciegas	239	28	temían	tenian
142	38	escrivo	escriuio	240	31	guardasse	guardase
142	40	veinte	veinto	242	10	Huáscar	Huscar
146	1	muchos, considerada	muchos. Considerada	244	24	provincias	preuincias
				244	25	Yungas	Yugas
146	2	Reyes. Y porque	Reyes, y porque	248	5	Pachacámac	Pachamac
147	42-43	llanas	llenas	248	40	Atahuallpa	Atahualla
148	22	albañís	Albanis	249	3	Atahuallpa	Atahualpa
148	28-29	pegajoso	pegojoso	251	23	truxeron	truxeren
153	28	ella	ellas	252	7	y al parecer	(y al parecer)
160	20	lo ganó	la gano	252	9	sin ellas	sin ellos
161	7-8	comarcanas	comarcanos	253	12	çavanas	Cauanas
163	7	acordaron	acordaran	255	22	a uno	a vnos
163	29	fueron	fueren	255	29	fuí	fue
164	30-31	conquistar	cenquistar	256	13	cabras	eabras
164	33	alto	alro	256	34	tiene	tienen
165	36	si eran	se eran	258	6	Huánucu	Huanacu
166	32	esmeraldas	esmeraldes	259	34-35	argumento que	argumento. Que
169	38	hiziessen	hizieron	261	5	remedassen	remediassen
171	16	Raimi	Rami	264	6	coraçón	coraçen
173	2	diéronles	dieronle	264	27	passaran	passaron
175	38	a sí	assi	264	32	dixeron	dixcron
176	14	çara	Cara	267	26	Huarina	Harina
177	20	paladar	palador	268	15	se contentan	se contenta
178	34	chuñu	Chunu	271	17	treinta	treynto
179	14	çapallu	Capallu	271	35	Esto	Este
180	12	podré	podro	272	5	melocotón	melacoton
182	25	chispea	cispea	272	34	guindas	ghindas
183	26	todas	todos	273	18	lo	la
*184	41	dexé	dezir	274	9	forçádolos	forçadolas
188	23	dellas	dellos	275	22	cosas	cosos
188	35	no supe	no supo	275	36	da	de
188	43	que me lleve	que me lleua	276	10	esta	estas
189	36	arroyos	arrojos	276	16	paredón	paderoo
191	26	vicuña	Vicaña	278	6	hize	hizo
192	6	con esto	con este	278	25	passado	pasado
192	20	harrieros	herrieros	280	22	Çapa	Capa
194	10	ñuñu	Nuñu	281	2	Çapa	Capa
196	8	ucumari	Veumari	281	15	homenaje	omenege
196	13	machác-huay	Machachuay	282	20-21	doblassen	doblasse
196	19	del animal	de animal	286	25	necessarios	nacessarios
198	16	ñuñuma	Nuñuma	*290	22	crueldad	ciudad
198	16	ñuñu	Nuñu	291	16	ñustas	Nustas
199	16	miel	mel	291	16	sucession. De	sucession de
200	12	se levantan	se leuanta	291	17	conoscidas	conoscidos
200	37	otras cosas	cosas, otras	291	22	ñusta	Nusta
203	24	çúpay	Cupay	292	21	ñusta	Nusta
203	33	Ariosto	Atiosto	293	9	particulares	particluares
206	25	voy	vay	293	30	calamidad	calamitad
210	36	que la	que lo	*295	13	pretenden	pretendian
211	11	netas	nestas	296	31	dixe	dixo

Al salvar toda esa serie de erratas del texto de 1609, no hemos procedido con prejuicios analogistas: hemos mantenido todas las alternancias ortográficas y morfológicas del original, tanto en voces españolas como indígenas (*resplandece - resplandeze - resplandesce; legítimos - ligítimos; Ticci - Tici;* etc.); sólo hemos corregido cuando nos parecía evidente que se trataba de erratas de imprenta. Muchas de esas alternancias pueden deberse, sin embargo, a la tipografía portuguesa. Debe tenerse presente que la lengua del Inca Garcilaso representa la lengua culta de mediados del siglo XVI, y que su obra se edita en Lisboa a comienzos del XVII, en momentos de gran transformación fonética y de inseguridad ortográfica.

FE DE ERRATAS. Después de impresos los pliegos de la presente edición, hemos procedido a una nueva revisión de nuestro texto y hemos advertido las siguientes erratas:

Tomo I. Pág. 27, línea 3: volverlas. Debe decir: bolverlas. Pág. 34, l. 27-28: tratarse sino. Debe decir: tratarse, sino. Pág. 41, l. 22: hudiesse. Debe decir: hundiesse. Pág. 44, l. 22: destos. Debe decir: déstos. Pág. 74, l. 3: veces. Debe decir: vezes. Pág. 74, l. 10: cumbras. Debe decir: cumbres. Pág. 102, l. 26: dicen. Debe decir: dizen. Pág. 115, l. 16: miraban. Debe decir: miravan. Pág. 115, l. 24: se echa. Debe decir: se echa[n]. Pág. 116, l. 11: beber. Debe decir: bever. Pág. 121, l. 30: compediosa. Debe decir: compendiosa. Pág. 133, l. 21: cacerías. Debe decir: caserías. Pág. 143, l. 12: braço de un cáñamo, que. Debe decir: braço, de un cáñamo que. Pág. 149, l. 32: dissenciones (así también en el texto de 1609). Debe decir: dissensiones (véase tomo II, pág. 301, ls. 38-39). Pág. 185, l. 17: llamábase. Debe decir: llamávase. Pág. 196, l. 11: de estos. Debe decir: destos. Pág. 200, l. 6: decir. Debe decir: dezir. Pág. 211, l. 36: llevaba. Debe decir: llevava. Pág. 220, l. 30: había. Debe decir: havía. Pág. 226, l. 21: subiendo hasta. Debe decir: subiendo, hasta. Pág. 237, l. 5: del tributo. Debe decir: de tributo. Pág. 246, l. 13: regocijo. Debe decir: regozijo. Pág. 282, l. 37: eran de la antigüedad de. Debe decir: eran, de la antigüedad, de.

Tomo II. Pág. 26, línea 6: hubiesse. Debe decir: huviesse. Pág. 27, l. 15: porque. Debe decir: por que. Pág. 29, l. 8: Bombon. Debe decir: Bombón. Pág. 36, l. 3: Todo lo cual, proveído. Debe decir: Todo lo cual proveído. Pág. 43, l. 32: orgullo. Debe decir: argullo (la forma *argullo* del texto de 1609 se encuentra en otros textos antiguos y no parece errata). Pág. 61, l. 32: regalo: se les. Debe decir: regalo se les. Pág. 63, l. 8-9: proprio en la lengua general; no tiene significación. Debe decir: proprio; en la lengua general no tiene significación. Pág. 66, l. 31: Todo lo cual, visto. Debe decir: Todo lo cual visto. Pág. 69, l. 9: Cuismancu su respuesta. Debe decir: Cuismancu; su respuesta. Pág. 71, l. 18: Las cuales cosas, assentadas. Debe decir: Las cuales cosas assentadas. Pág. 86, l. 26-27: más o menos la que convenía. Debe decir: más o menos, la que convenía. Pág. 87, l. 15: Todo lo cual, bien considerado. Debe decir: Todo lo cual bien considerado. Pág. 98, l. 10: septiempre. Debe decir: septiembre. Pág. 107, l. 10: Agustín. Debe decir: Augustín. Pág. 112, l. 32: Auacapuncu (así también en la edición de 1609). Debe decir: Huacapuncu. Pág. 117, l. 21: Lo cual, sabido. Debe decir: Lo cual sabido. Pág. 123, l. 5: mucho. Debe decir: mucha. Pág. 134, l. 14-15: gobernador. Debe decir: governador. Pág. 144, l. 25: suerte a un. Debe decir: suerte, a un. Pág. 146, l. 27: arratrando. Debe decir: arrastrando. Pág. 164, l. 29: tuvieron. Dezimos. Debe decir: tuvieron, dezimos. Pág. 164, l. 33: cavellos. Debe decir: cabellos. Pág. 169, l. 9: promesas. Debe decir: promessas. Pág. 175, l. 33: porque. Debe decir: por que. Pág. 199, l. 34: mantienéns. Debe decir: mantiénense. Pág. 215, l. 4: decir. Debe decir: dezir. Pág. 247, l. 37: debes. Debe decir: deves.

GLOSARIO DE VOCES INDÍGENAS

El Inca recoge noticias valiosas sobre el quechua, "la lengua general", y sobre la lengua particular de los Incas: véanse "Advertencias acerca de la lengua general de los indios del Perú" (págs. 9-10), "De la lengua cortesana" y "De la utilidad de la lengua cortesana" (VII, caps. III y IV: citas del P. Blas Valera). Para otras noticias véanse VI, cap. XXXV y VII, caps. I y II. En el glosario que damos a continuación recogemos todas las voces indígenas que aparecen en el texto, incluyendo nombres de persona y de lugar, con la explicación del mismo Inca. Cuando nos ha parecido necesario, hemos añadido explicaciones complementarias.

ACA. "Hazían también [las vírgenes escogidas] la bevida que el Inca y sus parientes aquellos días festivos bevían, que en su lengua llaman *aca*, pronunciada la última sílaba en las fauces, porque pronunciada como suenan las letras españolas significa estiércol" (IV, cap. III). ..."el brevaje que hazen para bever, que llaman *aca*, pronunciada la última sílaba en lo más interior de la garganta" (VI, cap. IV). Véase *Tangatanga*. [Es el nombre quechua de la chicha].

ACAHUANA PUNCU. "A la segunda [puerta de las cercas de la fortaleza del Cuzco] llamaron ——, porque el maestro que la hizo se llamava Acahuana, pronunciada la *ca* en lo interior de la garganta" (VII, cap. XXVIII). [De *puncu* 'puerta'].

ACATANCA. Véase *Tangatanga*.

ACLLAHUACI. "un barrio [del Cuzco] ...se llamava Acllahuaci: quiere dezir casa de escogidas" (IV, cap. I). "Al oriente de Amarucancha... está el barrio llamado Ac-llahuaci, que es casa de escogidas" (VII, cap. X). Véase *huaci*.

AILLI. Véase *Panaca*.

AILLU. "En aquel espacio, largo y ancho [de la ciudad del Cuzco] vivían los Incas de la sangre real, divididos por sus *aillus*, que es linajes" (VII, cap. IX). Llaman "en común a todos aquellos linajes divididos Cápac Aillu, que es linaje augusto, de sangre real" (Ibíd.). "A semejança desto [de la división del Cuzco en alto y bajo] huvo después esta misma división en todos los pueblos, grandes o chicos, de nuestro Imperio, que los dividieron por barrios o por linajes, diziendo Hanan aillu y Hurin aillu, que es linaje alto y baxo"... (I, cap. XVI). Véase *Hahuanina Aillu*.

ALCO. "De los perros que los indios tenían, dezimos que no tuvieron las diferencias de perros castizos que hay en Europa; solamente tuvieron de los que acá llaman *gozques*; havíalos grandes y chicos: en común les llaman *alco*, que quiere dezir perro" (VIII, cap. XVI).

ALLPA 'tierra'. Véanse *allpacamasca* y *lláncac allpa*.

ALLPACAMASCA. "Tuvieron los Incas amautas que el hombre era compuesto de cuerpo y ánima, y que el ánima era espíritu inmortal y que el cuerpo era hecho de tierra, porque le veían convertirse en ella, y assí le llamavan *allpacamasca*, que quiere dezir tierra animada" (II, cap. VII). Véanse *allpa* y *cama*.

AMÁNCAY. "Llegó [el Inca Roca] al valle Amáncay, que quiere dezir açucena, por la infinidad que dellas se cría en aquel valle. Aquella flor es diferente en forma y olor de la de España, porque la flor amáncay es de forma de una campana y el tallo verde, liso, sin hojas y sin olor ninguno. Solamente porque se parece a la açucena en las colores blanca y verde, la llamaron assí los españoles" (IV, cap. XV). [El nombre pasó al español del Perú, Chile y norte de la Argentina, con pronunciación aguda (*amancái*), y designa —según las regiones— un lirio, narciso o azucena silvestre. El valle Amáncay, y también el río, la provincia, el distrito y la ciudad es hoy en el Perú *Abancay*, con acentuación aguda].

AMARU: "en los Antis... también se crían las culebras grandes que llaman *amaru*, que son de a veinticinco y de a treinta pies de largo y más gruessas que el muslo; donde también hay gran multitud de culebras menores que llaman *machác-huay*" (VIII, cap. XXVIII; también IV, cap. XVII y V, cap. VII). *Amaru*, nombre de

Auqui Amaru Túpac Inca: "es nombre de las muy grandes culebras que hay en los Antis. Los Incas tomavan semejantes nombres de animales o flores o yervas, dando a entender que, como aquellas cosas se estremavan entre las de su especie, assí lo havían de hazer ellos entre los hombres" (VIII, cap. VIII). Véanse *Amarucancha* y *Amarumayu*.

AMARUCANCHA. "Llamavan Amarucancha (que quiere dezir barrio de *amarus*, que son las culebras muy grandes) al barrio donde ahora es la casa de los Padres de la Compañía de Jesús" (V, cap. X). Era el nombre de una casa real del Cuzco: "es barrio de las culebras grandes" (VII, cap. X). Véase *amaru*.

AMARUMAYU. Nombre de un río: "*Mayu* quiere dezir río y *amaru* llaman a las culebras grandíssimas que hay en las montañas de aquella tierra...., y por la grandeza del río le dieron este nombre" (VII, cap. XIII). Véase *amaru*.

AMAUTA. "Sus *amautas*, que eran los filósofos y doctores de su república" (II, cap. IV); "entre ellos huvo hombres de buenos ingenios que llamaron *amautas*, que filosofaron cosas sutiles" (II, cap. XXI). "La poesía de los Incas amautas, que son filósofos"... (II, cap. XXVII). "Los Incas amautas, que eran los filósofos y sabios de su república"... (III, cap. XXV). "A los maestros llamavan *amautas*, que es tanto como filósofos y sabios, los cuales eran tenidos en suma veneración" (IV, cap. XIX; también VI, cap. IX). "Los Incas amautas, que eran los sabios, filósofos y doctores en toda cosa de su gentilidad" (VII, cap. XXIX). "Amauta, que es filósofo" (VII, cap. X; también II, cap. XXII; III, cap. III; también II, cap. XXVIII). "Amautas, que eran los sabios de aquella república" (IX, cap. XV).

ANCA: "vieron venir por el aire un águila real, que ellos llaman *anca*" (IX, cap. XIV).

ANTA. "Del cobre, que ellos llaman *anta*, se servían en lugar de hierro" (V, cap. XIV: cita de Blas Valera).

ANTI: 'los Andes' (II, cap. IV). Véase *Antisuyu*.

ANTISUYU. "Llamaron a la parte del oriente [del Imperio] Antisuyu, por una provincia llamada Anti que está al oriente, por la cual también llamaron Anti a toda aquella gran cordillera de sierra nevada que pasa al oriente del Perú, por dar a entender que está al oriente" (II, cap. XI). Véase *suyu*.

AÑAS. "Otros animalejos hay pequeños, menores que gatos caseros; los indios les llaman *añas* y los españoles *zorrina*; son tan hediondos, que, si como hieden, olieran, fueran más estimados que el ámbar y el almisque" (VIII, cap. XVII). [En el Perú *zorrillo* o *zorrino*, en

la Argentina *zorrino*. El nombre indígena ha penetrado en el español del Perú y Ecuador].

AÑU. "Sembravan otras semillas y legumbres que son de mucha importancia, como es la que llaman *papa* y *oca* y *añus*" (V, cap. I). Véase *papa*. [Es el *tropaeolum tuberosum*, según Friederici, *Hilfswörterbuch*, s. v.].

APACHECTA. Véase *Apachitas*.

APACHITAS. Llaman *huaca*... "a las cuestas grandes que se hallan por los caminos, que las hay de tres, cuatro, cinco y seis leguas de largo, casi tan derechas como una pared, a las cuales los españoles, corrompiendo el nombre, dizen *Apachitas*, y que los indios las adoravan y les ofrescían ofrendas" (II, cap. IV). De *apachecta*: véase II, cap. IV. [Hoy *apacheta*, en el español del Perú, Bolivia, Chile y norte de la Argentina, 'montón de piedras formado por los indios en los pasos de las sierras, como signo de devoción'].

API. "También hazían gachas, que llaman *api*, y las comían con grandíssimo regozijo, diziéndoles mil donaires; porque era muy raras vezes" (VIII, cap. IX). [En el español del Perú, Bolivia y norte y noroeste de la Argentina *api* 'mazamorra'].

APICHU. "Las que los españoles llaman *batatas*, y los indios del Perú *apichu*, las hay de cuatro o cinco colores" (VIII, cap. X). [El nombre *batata*, del arahuaco de las Antillas, se usa en el español de Santo Domingo, Puerto Rico, Colombia, Venezuela, Argentina, Uruguay y Paraguay. En otras partes *camote*, *papa dulce*, *boniato*, etc. En el Perú subsiste *apichu*. Véase Henríquez Ureña, *Para la historia de los indigenismos*, Buenos Aires, 1938)].

APU. "El primero y principal a quien atribuyen la traça de la obra [la fortaleza del Cuzco] fué Huallpa Rimachi Inca, y para dezir que era el principal le añidieron el nombre Apu, que es capitán o superior en cualquier ministerio, y assí le llaman Apu Huallpa Rimachi"... (VII, cap. XXIX). "Apu, que es general" (III, cap. XII). Apu Maita, "que quiere dezir el capitán general Maita" (IV, cap. XX). Véanse *Hatun Apu*, *Apurímac* y *Chuquiapu*.

APURÍMAC. Nombre de un río: "quiere dezir el principal o el capitán que habla, que el nombre *apu* tiene ambas significaciones, que comprehende los principales de la paz y los de la guerra. También le dan otro nombre por ensalçarle más, que es Cápac Mayu: *mayu* quiere dezir río; *Cápac* es renombre que davan a sus Reyes; diéronselo a este río por dezir que era el príncipe de todos los ríos del mundo" (VIII, cap. XXII).

AQUILLA. "Luego el Rey se ponía en pie, quedando los demás en cuclillas, y tomava dos grandes vasos de oro, que llaman *aquilla*, llenos del brevaje que ellos beven" (VI, cap. XXI).

AREQUEPA: "según el Padre Blas Valera quiere dezir trompeta sonora" (III, cap. IX).

ASTAYA HUAILLAS: "escandalizó mucho el haverlo [la sodomía] entre los Huaillas, del cual escándalo nasció un refrán entre los indios de aquel tiempo, y vive hasta hoy en oprobrio de aquella nasción, que dice: *Astaya Huaillas*, que quiere dezir "¡Apártate allá, Huaillas!", como que hiedan por su antiguo pecado" (VI, cap. XI). [En Cieza de León *Asta Guailas* 'tras ti vayan los de Guailas' (*La Crónica del Perú*, cap. LXXXIII). González Holguín (1608) registra *astaya* 'vete noramala, vete de ahí, quítateme de ahí'].

ATAHUALLPA. Nombre que los indios dan a las gallinas, de donde un historiador ha deducido que las había antes de la conquista (también dice que les llaman *gualpa*): IX, cap. XX. "El nombre *gualpa*, que dizen que los indios dan a las gallinas, está corrupto en las letras y sincopado o cercenado en las sílabas, que han de dezir *atahuallpa*, y no es nombre de gallina, sino del postrer Inca que huvo en el Perú" (IX, cap. XXIII: dice que Atahualpa, hijo bastardo, prendió y mató a su hermano, legítimo heredero, y usurpó el trono, tiranizando el reino y destruyendo cruelmente toda la sangre real. Por eso, cuando los españoles llevaron gallos y gallinas, al oír los indios cantar los gallos dijeron "que aquellas aves, para perpetua infamia del tirano y abominación de su nombre, lo pronunciavan en su canto diziendo "¡Atahuallpa!", y lo pronunciavan ellos, contrahaziendo el canto del gallo"; dice que los muchachos, y él entre ellos, cuando oían cantar un gallo, respondían cantando al mismo tono, y decían "Atahuallpa"; y se cantaba en dos compases, con cuatro figuras: dos semínimas, una mínima y un semibreve. Según el P. Blas Valera, los indios "por que el nombre de tan gran varón no viniesse en olvido, tomaron por remedio y consuelo dezir, cuando cantavan los gallos que los españoles llevaron consigo, que aquellas aves lloravan la muerte de Atahuallpa, y que por su memoria nombravan su nombre en su canto; por lo cual llamaron al gallo y a su canto *atahuallpa*; y de tal manera ha sido recebido este nombre en todas naciones y lenguas de los indios, que no solamente ellos, mas también los españoles y los predicadores, usan siempre dél". Dice que el P. Blas Valera recogió esa relación en el reino de Quito, de los vasallos de Atahualpa, y que él recogió la suya en el Cuzco). [Los escritores españoles del siglo XVI, que escriben *Atabalipa* acentuaban sin duda *Atabálipa*, forma hispanizada del nombre indígena Atahuallpa. El Inca Garcilaso escribe a veces Atauhuallpa (I, cap. XV). Ya en 1560 Fr. Domingo de Santo Tomás registra *Atapáliba* 'gallina'].

ÁTOC. "Hay zorras mucho menores de las de España: llámanles *átoc*" (VIII, cap. XVII).

AUASCA. "Hazían tres suertes de ropa de lana. La más baxa, que llaman *auasca*, era para la gente común. Otra hazían más fina, que llaman *compi*; désta vestía la gente noble, como eran capitanes y curacas y otros ministros... Otra ropa hazían finíssima, del mismo nombre *compi*"... (V, cap. VI). *Auasca*, "ropa de la común" (VI, cap. XVI; también VIII, cap. I). [*Ahuasca* 'el tejido' es el participio sustantivado del verbo *áhuay* 'tejer'].

AUCA 'tirano, traidor, fementido' (II, cap. XV; también V, cap. XV). "También significa tirano, alevoso, fementido y todo lo demás que puede pertenecer a la tiranía y alevosía: todo lo contiene este adjetivo *auca*. También significa guerrear y dar batalla, por que se vea cuánto comprehende el lenguaje común del Perú con una palabra sola" (V, cap. XXIV). "Él se bolvió a mí con gran enojo, y, tomando el cabo de la manta que en lugar de capa traía, lo mordió... y me dixo: —¿Tú has de ser pariente de un *auca*, hijo de otro *auca* (que es tirano traidor)?": IX, cap. XXXIX. "a cada passo oían el nombre *auca*, tan significativo de tiranías, crueldades y maldades" (Ibíd.). Véase *aucacunápac*.

AUCACUNÁPAC. Al armarlo caballero, "davan al príncipe una hacha... Al ponérsela en la mano le dezían: "¡*Aucacunápac*!" Es dativo del número plural; quiere dezir: para los tiranos, para los traidores, crueles, alevosos, fementidos, etc., que todo esto y mucho más significa el nombre *auca*" (VI, cap. XXVII). Véase *auca*.

AUQUI. "A los hijos del Rey y a todos los de su parentela por línea de varón llamavan *Auqui*, que es infante, como en España a los hijos segundos de los Reyes. Retenían este apellido hasta que se casavan, y en casándose les llamavan Inca" (I, cap. XXVI). "*Auqui* es nombre apelativo: quiere dezir infante; davan este apellido a los hijos segundos del Rey, y por participación a todos los de la sangre real, y no a la gente común, por grandes señores que fuessen" (VIII, cap. VIII). "Conoscí dos Auquis, que quiere dezir infantes; eran hijos de Huaina Cápac" (IX, cap. XXXVIII). Auqui Amaru Túpac Inca, hermano segundo de Túpac Yupanqui (VIII, cap. VIII). Se corresponde con *ñusta* (I, cap. XXVI).

AXÍ. Véase *uchu*.

ÁYAR. Áyar Cachi, Áyar Uchu, Áyar Sauca, hermanos de Manco Cápac: "La dicción Áyar no tiene significación en la lengua general del Perú; en la particular de los Incas la devía de tener. Las otras dicciones son de la lengua general: *cachi* quiere dezir sal, la que comemos, y *uchu* es el condimento que echan en sus guisados, que los españoles llaman pimiento... La otra dicción, *sauca*, quiere dezir regozijo, contento y alegría;... por la sal, que es uno de los nombres, entienden la enseñança que el Inca les hizo de la vida natural, y por el pimiento el gusto que della recibieron, y por el nombre regozijo entienden el contento y alegría con que después vivieron" (I, cap. XVIII).

AYUSCA. "Mientras criavan [las madres] se abstenían del coito, porque dezían que era malo para la leche y encanijava la criatura. A los tales encanijados llamavan *ayusca;* es participio de pretérito; quiere dezir, en toda su significación, el negado, y más propriamente el trocado por otro de sus padres. Y por semejança se lo dezía un moço a otro, motejándole que su dama hazía más favor a otro que no a él. No se sufría dezírselo al casado, porque es palabra de las cinco; tenía gran pena el que la dezía" (IV, cap. XII). "La madre, viendo su hija *ayusca* (al cabo de ocho meses que se le havía enxugado la leche), la bolvió a llamar a los pechos... y bolvió a criar su hija y la convalesció y libró de muerte" (Ibíd.).

B. Falta en quechua (Advertencias y VII, cap. IV). [Contrastando con su gran riqueza en oclusivas sordas, el quechua del Cuzco carecía de las oclusivas sonoras *b, d, g.* Estos sonidos existen en cambio en otras regiones del quechua, y de ahí la frecuente alternancia en las transcripciones de los autores españoles: *pampa-bamba, cúntur-cóndor, Inca-Inga,* etc.].

BAMBA. Véase *pampa.*

BATATA. Véase *apichu.*

BERÚ. Nombre de un indio de la costa, al sur de la línea equinoccial (I, cap. IV). Nombre propio de indio de los llanos de la costa, y no de la sierra ni del lenguaje general (I, cap. V). Es posible que los españoles hayan tomado ese nombre como nombre del país (Ibídem).

BUHCA. Véase *milluy.* [Sin duda errata por *puchca,* nombre de un huso indígena; *púchcai* 'hilar con huso'. En 1560, Fr. Domingo de Santo Tomás registra *puxcani* 'hilar'; en 1608, González Holguín da *puchca* 'hilado', *puchcani* 'hilar'].

C. El autor distingue muchas veces dos pronunciaciones de *c* (*k*) con valor significativo: una *c* pronunciada en lo alto del paladar, como el sonido español (*aca* 'estiércol', *huaca* 'ídolo', *caca* 'tío materno', etc.), la otra pronunciada en las fauces, en lo más interior de la garganta (*aca* 'chicha', *huaca* 'llorar', *caca* 'sierra', etc.). Ambas pronunciaciones las reproduce indiferentemente con *c* (*ca, co, cu*). En algunos casos el texto trae por errata una *C* por *ç.* Las voces con *ç* las colocamos en este vocabulario en el lugar correspondiente a la *z.*

CACA. Véase *Titicaca.*

CACI. "Llaman al ayuno *caci,* y al más riguroso *hatuncaci,* que quiere decir el ayuno grande" (VII, cap. VI).

CACIQUE. Véase *curaca.*

CACHA 'mensajero, embajador'. Véase *chasqui.*

CÁCHAM 'pepino': "no sé si [la memoria] me engaña" (VIII, cap. XI). [Middendorf, *Wörterbuch des Runa Simi,* s. v., registra *cáchum* como nombre de una fruta parecida al pepino. En 1560, Fr. Domingo de Santo Tomás registra *cachon;* en 1608, González Holguín da *cachun*].

CACHI: "quiere dezir sal, la que comemos" (I, cap. XVIII). Véanse *Áyar Cachi y Tococachi.*

CAI HINÁPAC: "para aqueste oficio" (II, cap. XXVII). Véase *hinamantara.* [En quechua *cai* 'este, esta, esto' (*cai pacha* 'este mundo'); *hinápac* 'para estos casos', *hinamanta* 'de esta manera'; de *hina* 'así' (Middendorf, *Wörterbuch,* s. v.)].

CAIMANES. "Los de la costa le presentavan [al Inca] lobos marinos y los lagartos que llaman *caimanes,* que también los hay de a veinticinco y de a treinta pies de largo" (V, cap. VII). [*Caimán* se ha generalizado en español. Procede al parecer del caribe continental].

CAMA. Véanse *camasunqui* y *Pachacámac.*

CAMASUNQUI: "te dieron alma" (II, cap. XXVII). "*Cama* es dar alma, vida, ser y sustancia" (Ibíd.).

CAMAYU. Véanse *chunca camayu, llactacamayu, quipucamayu.*

CAMCHA. Véase *çara.*

CAMPA 'cobarde'. Véase *huarmi.*

CAMRI ÑUSTA: "Tú, real donzella" (II, cap. XXVII). Véase *ñusta.*

CANCHA. Véanse *Hatuncancha, Coricancha, Amarucancha.* [*Cancha* se ha incorporado al español de América del Sur y América Central, por lo común en la acepción de 'campo o recinto para deportes' (*cancha de pelota, cancha de foot-ball,* etc.)].

CÁNTUT. "Llaman *cántut* a unas flores muy lindas, que semejan en parte a las clavellinas de España. Oméjase el cántut, en rama y hoja y espinas, a las cambroneras del Andaluzía; son matas muy grandes" (VII, cap. VIII). "ponían en las cabeças, a los noveles, ramilletes de dos maneras de flores: unas que llaman *cántut,* que son hermosíssimas de forma y color... La otra manera de flor llaman *chihuaihua*"... (VI, cap. XXVII). Véase *Cantutpata.* [En el norte de la Argentina *cantuta,* y también *flor de los Incas*].

CANTUTPATA. Nombre de un barrio del Cuzco: "quiere dezir andén de clavellinas... y porque en aquel barrio las havía grandíssimas (que aún yo las alcancé), le llamaron assí" (VII, cap. VIII). Véase *cántut.*

CAPA INCA. [Errata del texto de 1609 por *Çapa Inca*].

CÁPAC: "entre otros nombres [que los indios] le inventaron [a Manco Cápac] fueron dos: el uno fué Cápac, que quiere dezir rico, no de hazienda..., sino riquezas de ánimo, de mansedumbre, piedad, clemencia, liberalidad, justicia y magnanimidad y deseo y obras para hazer bien a los pobres...; también quiere dezir rico y poderoso en armas" (I, cap. XXIV). "por las [hazañas magnánimas] que hizo el primer Inca, Manco Cápac, con sus primeros vassallos, le dieron este nombre Cápac, que quiere dezir rico, no de bienes de fortuna, sino de excelencias y grandezas de ánimo; y de allí quedó aplicarse este nombre solamente a las cosas reales, que dizen Cápac Aillu, que es la generación y parentela real; Cápac Raimi llamavan a la fiesta principal del Sol, y, baxando más abaxo, dezían Cápac Runa, que es vassallos del rico, que se entendía por el Inca y no por otro señor de vassallos, por muchos que tuviesse ni por muy rico que fuesse; y assí otras muchas cosas semejantes que querían engrandescer con este apellido Cápac" (VIII, cap. VII). También I, cap. XXVI; II, cap. XVII; V, cap. XII. Véase *Inca*.

CÁPAC AILLU. "Haviendo pintado las figuras de los Reyes Incas, ponen al lado de cada uno dellos su descendencia, con este título: "Cápac Aillu", que es generación augusta o real" (IX, cap. XL). "A la descendencia de Túpac Inca Yupanqui llaman Cápac Aillu, que es descendencia imperial" (Ibíd.). "Cápac Aillu, que es la generación y parentela real" (VIII, cap. VII). Véanse *aillu* y *Cápac*.

CÁPAC MAYU. Véase *Apurímac*.

CÁPAC RAIMI. Véanse *Cápac* y *Raimi*.

CÁPAC RUNA. Véanse *Cápac* y *runa*.

CÁPAC TITU. Los Incas "se podrían llamar diligentes padres de familias o cuidadosos mayordomos, que no Reyes, de donde nació el renombre Cápac Titu con que los indios les solían llamar: Cápac lo mismo es que Príncipe poderoso en riquezas y grandezas, y Titu significa Príncipe liberal, magnánimo, medio Dios, augusto" (V, cap. XII: cita de Blas Valera).

CAPIA. Véase *çara*.

CARACHE. "En tiempo del vissorrey Blasco Núñez de Vela..., entre otras plagas que entonces huvo en el Perú, remanesció en este ganado la que los indios llaman *carache*, que es sarna" (VIII, cap. XVI). [También *carache* 'sarna, roña' en el P. Acosta y en otros textos del siglo XVI. Middendorf registra *caracha* en quechua (de *cara* 'piel, cuero') y *carachi* en aimara. Hoy se usa *caracha* en el español del Perú, Bolivia, Chile y Argentina para designar la sarna u otra enfermedad cutánea con comezón, de animales y personas; también el derivado *carachento*].

CARMENCA. Nombre de un barrio del Cuzco: "nombre proprio y no de la lengua general" (VII, cap. VIII).

CASSA. Véase *Chírmac Cassa*.

CASSANA. Nombre de una casa real del Cuzco: "quiere dezir cosa para helar. Pusiéronle este nombre por admiración, dando a entender que tenía tan grandes y tan hermosos edificios que

havían de helar y pasmar al que los mirasse con atención" (VII, cap. X).

CATU. La plaza Cusipata, del Cuzco, "era como feria o mercado, que los indios llaman *catu*" (VII, cap. XI). "Este mismo Rey [Pachacútec] quiso que los mercados fuessen cotidianos, los cuales ellos llaman *catu*" (VI, cap. XXXV).

CAUI. Véase *papa*.

CAYLLA LLAPI 'al cántico' (II, cap. XXVII).

CENCA 'nariz'. Véase *Munaicenca*.

CITUA. "La cuarta y última fiesta solene que los Reyes Incas celebravan en su corte llamavan Citua; era de mucho regozijo para todos, porque la hazían cuando desterravan de la ciudad y su comarca las enfermedades y cualesquiera otras penas y trabajos" (VII, cap. VI: descripción de la fiesta; continúa en el cap. VII). El Inca Viracocha "no dexava de hazer las fiestas del Sol que llaman Raimi y la que llaman Citua, donde le hallava el tiempo de las fiestas" (V, cap. XXV).

CITUA RAIMI: "En el equinocio de setiembre hazían una de las cuatro fiestas principales del Sol, que llamavan Citua Raimi, *r* senzilla: quiere dezir fiesta principal" (II, cap. XXII).

COCA. Véase *cuca*.

COCOHUAY. "Hay tórtolas, ni más ni menos que las de España, si ya en el tamaño no son algo mayores; llámanles *cocohuay*, tomadas las dos primeras sílabas del canto dellas y pronunciadas en el interior de la garganta, por que se assemeje más el nombre con el canto" (VIII, cap. XX). [En el quechua moderno *kokotúay*. En el *Vocabulario* de González Holguín (1608) *kokottuhuay* o *cocothuay* 'paloma torcaza o tórtola grande'. Quizá *cocohuay* sea errata de la edición de 1609].

COCHA: "en la lengua del Inca llaman *cocha* a la mar y a cualquiera laguna o charco de agua" (III, cap. IX). Véanse *Parihuana Cocha*, *Mamacocha* y *Yahuarcocha*.

CÓILLUR 'estrella' (II, cap. XXI).

COLLASUYU. "Al distrito del mediodía llamaron Collasuyu, por otra grandíssima provincia llamada Colla, que está al sur" (I, cap. XI). De Colla, nombre de uno de los Reyes Incas, a quien correspondió la parte meridional del mundo (I, cap. XVIII).

CÓLLCAM. Véase *Collcampata*.

COLLCAMPATA. "El primer barrio [del Cuzco], que era el más principal, se llamava Collcampata: *cóllcam* deve de ser dicción de la lengua particular de los Incas; no sé qué signifique; *pata* quiere decir andén; también significa grada de escalera, y porque los andenes se hazen en forma de escalera, les dieron este nombre;

también quiere dezir poyo, cualquiera que sea" (VII, cap. VIII).

COLLQUE 'la plata'. Véase *collquemachác-huay*.

COLLQUEMACHÁC-HUAY. Nombre que dieron a dos caños para conducir agua: "quiere dezir culebras de plata, porque el agua se asemeja en lo blanco a la plata, y los caños a las culebras en las bueltas que van dando por la tierra" (VII, cap. VIII).

COMPI. "El general... mandó dar mucha ropa de la fina, que llaman *compi*" (VI, cap. XVI; también VIII, cap. I). Véase *auasca*.

CORACORA. Nombre de un barrio del Cuzco: "quiere dezir hervaçales, porque aquel sitio era un gran hervaçal y la plaça que está delante era un tremedal o cenegal" (VII, cap. X). [De *cora* 'hierba'; *coracora* 'herbazal'].

COREQUENQUE. "Sin la borla colorada, traía el Inca en la cabeça otra divisa más particular suya, y eran dos plumas de los cuchillos de las alas de una ave que llaman *corequenque*. Es nombre proprio; en la lengua general no tiene significación de cosa alguna; en la particular de los Incas, que se ha perdido, la devía de tener" (VI, cap. XXVIII: dedica todo el capítulo a esta ave).

CORI 'oro'. Véase *Coricancha*.

CORICANCHA. "no havía en aquella casa [del Sol] cosa alguna... que todo no fuesse de oro y plata... De donde con mucha razón y propriedad llamaron al templo del Sol y a toda la casa Coricancha, que quiere dezir barrio de oro" (III, cap. XXIV). "El barrio donde estava el templo del Sol se llamava Coricancha, que es barrio de oro, plata y piedras preciosas" (VII, cap. IX). Véanse *cori* y *cancha*.

CORPA 'huésped'. Véase *corpahuaci*.

CORPAHUACI. "Los Incas, en su república, tampoco se olvidaron de los caminantes, que en todos los caminos reales y comunes mandaron hazer casas de hospedería, que llamaron *corpahuaci*..." (V, cap. IX). "También tenían ley que mandava que de los mismos pósitos públicos proveyessen los huéspedes que recibiessen, los estranjeros y peregrinos y los caminantes, para todos los cuales tenían casas públicas, que llaman *corpahuaci*, que es casa de hospedería, donde les davan de gracia y de balde todo lo necessario" (V, cap. XI: cita de Blas Valera). Véase *huaci*.

COTOHE 'casa' en Yucatán. Unos indios pescadores de Yucatán, al llegar los españoles se retiraron y respondían *cotohe, cotohe*, pensando que les preguntaban por el lugar. De ahí, según López de Gómara, Cotoche, nombre de una punta (I, cap. V).

COY: "hay conejos caseros y campestres, diferentes los unos de los otros en color y sabor. Llámanles *coy*; también se diferencian de los de España" (VIII, cap. XVII; también VI, cap.

VI; VII, cap. VII). [En otros textos *cuy* (plural *cuyes, cuis*), forma usada hoy en el español del Ecuador, Perú, Chile y Argentina; en Tucumán (Argentina) *coy*, según Lizondo Borda. Es el *conejillo de Indias* o *cochinillo de Indias*; en francés *cobaye* (del tupí, a través del portugués *çabujã*, mal leído *cobaya*), que ha pasado a partes de España y América en la forma *cobayo*. Middendorf registra en quechua *kohue*].

COYA. "A la Reina, mujer legítima del Rey, llaman Coya: quiere dezir Reina o Emperatriz... A sus hijas llamavan Coya por participación de la madre, y no por apellido natural, porque este nombre Coya pertenescía solamente a la Reina" (I, cap. XXVI); "tuvieron por ley y costumbre... que el heredero del reino casasse con su hermana mayor, legítima de padre y madre, y ésta era su legítima mujer; llamávanle Coya, que es tanto como Reina o Emperatriz" (IV, cap. IX)... "la Coya, que es la Reina" (IV, cap. II; IX, cap. XXXVI). "Coyas, mujeres del Sol" (IV, cap. III). Se corresponde con Inca (I, cap XXVI).

COZCO 'ombligo' en la lengua particular de los Incas (I, cap. XVIII). "Pusieron [los Reyes Incas] por punto o centro [del Imperio] la ciudad del Cozco, que en la lengua particular de los Incas quiere dezir ombligo de la tierra" (II, cap. XI). Véanse *Hanan Cozco* y *Hurin Cozco*.

CUCA. "No será razón dexar en olvido la yerva que los indios llaman *cuca* y los españoles *coca*, que ha sido y es la principal riqueza del Perú"... (VIII, cap. XV: descripción y usos); "pedía un poco de *cuca*, que es la yerva preciada que los indios traen en la boca" (V, cap. IX); "sacrificavan [al Sol] ...todas las miesses y legumbres, hasta la yerva cuca" (II, cap. VIII). También I, cap. XI; IV, cap. XVII. [Se ha generalizado en español la forma *coca*].

CUCHI. "A los puercos llaman los indios *cuchi*, y han introduzido esta palabra en su lenguaje para dezir puerco, porque oyeron dezir a los españoles "¡coche, coche!" cuando les hablavan" (IX, cap. XIX). [Hoy *cuchi* es el nombre vulgar del cerdo en el español del Ecuador, Perú y norte de la Argentina y Chile; *cuche* en Honduras, según Membreño. En algunas partes *cochi*. Compárese más adelante *micitu*].

CUCHUCHU. "Demás destas frutas, nasce otra de suyo debaxo de tierra, que los indios llaman *cuchuchu*; hasta ahora no sé que los españoles le hayan dado nombre...; es sabrosa y dulce; ... son unas raízes, mucho más largas que el anís" (VIII, cap. X). [En Catamarca (Argentina) es nombre de un árbol, según Lafone Quevedo].

CUICHU: "el arco iris" (III, cap. XXI). [En quechua moderno *cúichi*, que es también la forma que registran Fr. Domingo de Santo Tomás en 1560 y González Holguín en 1608. Es posible que *cuichu* sea errata del texto de 1609].

CUNA. Véase *Mamacuna*.

CUNTISUYU. "Llamaron [los Reyes Incas] Cuntisuyu a la parte del poniente [del Imperio], por otra provincia muy pequeña llamada Cunti" (II, cap. XI; también I, cap. XVIII).

CÚNTUR. "Hay otras aves que también se pueden poner con las de rapiña; son grandíssimas; llámanles *cúntur* y los españoles *cóndor*" (VIII, cap. XIX: descripción; también V, cap. XXIII y VI, cap. XX); "no se tiene por honrado el indio que no desciende de fuente, río o lago, aunque sea de la mar, o de animales fieros como oso, león o tigre, o de águila o del ave que llaman *cúntur* o de otras aves de rapiña"... (I, cap. XVIII; también I, cap. IX); "presentavan al Inca animales fieros, tigres, leones y osos, y otros no fieros, micos y monos y gatos cervales, papagayos y guacamayas y otras aves mayores que son abestruzes, y el ave que llaman *cúntur*, grandíssima sobre todas las aves que hay allá ni acá" (V, cap. VII).

CUNUÑUNUN: "significa hazer estruendo" (II, cap. XXVII). *Cunuñunun* 'truena y relampaguea' (Ibíd.). [Quizá errata por *cunununun*, voz onomatopéyica con que se expresa el crepitar del fuego o el eco del trueno; es la forma que registra González Holguín en 1608].

CURACA. "Para cada pueblo o nasción de las que [Manco Cápac] reduxo, eligió un *curaca*, que es lo mismo que *cacique* en la lengua de Cuba y Sancto Domingo, que quiere dezir señor de vassallos" (I, cap. XXI). "Curacas, que eran señores de vassallos" (II, cap. XX; también I, cap. XXV; II, cap. III y passim). "A los señores de vassallos, como duques, condes y marqueses, llamavan *curaca*, los cuales como verdaderos y naturales señores presidían en paz y en guerra a los suyos" (V, cap. XIII: cita de Blas Valera). [*Curaca* se usa en la zona indígena del Perú, Bolivia y norte argentino. En español se ha generalizado *cacique*, del arahuaco antillano].

CURCU 'viga'. Véase *Pumacurcu*.

CUSI 'alegría'. Véanse *Cussipata* y *Inti Cusi Huallpa*.

CUSMA. Véase *uncu*.

CUSQUIERAIMI. "La tercera fiesta solene se llamava ———; hazíase cuando ya la sementera estava hecha y nascido el maíz" (VII, cap. V). Véase *Raimi* [Middendorf, *Wörterbuch*, 707, registra *Cusqui Raimi* 'la fiesta de la agricultura, a fines de noviembre'].

CUSSIPATA. Nombre de una plaza del Cuzco: "es andén de alegría y regozijo" (VII, cap. XI). Véanse *cusi* y *pata*.

CHACRA. Se pronuncia *chac-ra* (VII, cap. IV). "Y aunque este Inca Yupanqui señaló *chac-ras* y tierras y ganado al Sol y al trueno y a otros guacas, no señaló cosa ninguna al Viracocha" (V, cap. XVIII: cita del P. Acosta). [La voz ha penetrado en el español de toda América del Sur, llegando hasta Guatemala, con la significación

de 'heredad, hacienda, campo cultivado, granja'. En los textos antiguos se encuentra también *chácara*, que sobrevive hoy en algunas regiones (de aquí *chacarero, chacarita*, etc.)].

CHACU 'la caza' (VI, cap. III). "Los Reyes Incas del Perú, entre otras muchas grandezas reales que tuvieron, fué una dellas hazer a sus tiempos una cacería solene, que en su lenguaje llaman *chacu*, que quiere dezir atajar, porque atajavan la caça" (VI, cap. VI); "su cacería real llamada *chacu*" (VI, cap. VI). [Se usa hoy en Catamarca (Argentina): *chacu* 'partida de caza, el cerco de lazos que se haze para encerrar las vicuñas en las corridas' (Lafone Quevedo)].

CHACHAPUYA. Nombre de una provincia: "según el P. Blas Valera quiere dezir lugar de varones fuertes" (VIII, cap. I). [Del aimara, según Middendorf, *Wörterbuch*, 339, y significa 'nube de gente'].

CHÁHUAR. "En otras naciones... traían mantas mal hechas, mal hiladas y peor texidas, de lana o del cáñamo silvestre que llaman *cháhuar*; traíanlas prendidas al cuello y ceñidas al cuerpo, con las cuales andavan cubiertos bastantemente" (I, cap. XIII). "Aquel su cáñamo, que llaman *cháhuar*" (III, cap. XVI) ..."un cáñamo que los indios llaman *cháhuar*" (III, cap. VII). [En el español de Chile y de la Argentina, con desplazamiento del acento, *chahuar* (en Chile también *chagual* y *chaguar*; en la Argentina también *cháguar* y *cháguara*). Hay varias especies: *Puya coarctata, Pitcairnia spec., Bromelia serra*, etc. En el norte de la Argentina *cháguara* es, además de la planta, 'la cuerda o cordel sacados del cháhuar, especialmente el que usan los niños para hacer bailar el trompo' (Segovia, *Diccionario de argentinismos*)].

CHAINA. "En el Perú hay sirgueros, que los españoles llaman assí porque son de dos colores, amarillo y negro; andan en vandas. Los indios les llaman *chaina*, tomando el nombre de su mismo canto" (VIII, cap. XX). [Ha pasado al español del Perú y de Bolivia; en Bolivia también *chaiña* (Malaret, en *Boletín de la Academia Argentina de Letras*, X, 279-280: es el *Cassicus leucorhamphus*). En quechua moderno *chaiña*, que es también la forma que registran Fr. Domingo de Santo Tomás (1560) y González Holguín (1608)].

CHALLUA 'pescado' (VIII, cap. XXII) ..."En la gran laguna Titicaca se cría mucho pescado, que, aunque paresce que es de la mesma forma del pescado de los ríos, le llaman los indios *suchi*, por diferenciarle del otro" (VIII, cap. XXII). [*Challua* es la voz genérica del quechua para designar pescado. Middendorf registra *suchi* para 'el pescado de agua dulce con pintas negras y coloradas, la trucha'. En Chile *chalhua-achahual* es el nombre vulgar del peje-gallo (*Collorynchus antarcticus*), según Lenz, *Diccionario* (para *achahual* 'gallo' véase nuestra voz *Atahuallpa*)].

CHAMPI. "Por última divisa real davan al príncipe [al armarlo caballero] una hacha de armas que llaman *champi*, con una asta de más de una braça en largo" (VI, cap. XXVII). "A todos... mataron con unas hachas y porras pequeñas, de una mano, que llaman *champi*" (IX, cap. XXXVI). [También en otros textos (véase Friederici, *Hilfswörterbuch*). Hoy en el Perú nombre de un arma de combate (Malaret, en *Boletín de la Academia Argentina de Letras*, X, 284)].

CHAQUI. "Pronunciada llanamente, como letras castellanas, quiere dezir pie; comprehende el pie y la pierna y el muslo...; el mismo nombre *chaqui*, pronunciada la primera sílaba en lo alto del paladar, se haze verbo y significa haver sed o estar seco o enjugarse cualquiera cosa mojada" (II, cap. V).

CHAQUILLCHACA. Nombre de un barrio del Cuzco: "es nombre impertinente para compuesto, si ya no es proprio" (VII, cap. VIII).

CHAQUIRA. "*Chaquira* llaman los españoles a unas cuentas de oro muy menudas, más que el aljófar muy menudo, que las hazen los indios con tanto primor y sutileza que los mejores plateros que en Sevilla conocí me preguntavan cómo las hazían, porque, con ser tan menudas, son soldadas las junturas" (VIII, cap. V). [Es frecuente en los cronistas del siglo XVI (véanse los diccionarios de Friederici y Lenz) y quizá sea voz antillana. Se ha incorporado al español de gran parte de América].

CHARQUI: "hazían tasajos que llaman *charqui*, que les durava todo el año" (VI, cap. VI; también VII, cap. I). [Se ha incorporado al español del Ecuador, Perú, Bolivia, Chile y Argentina].

CHASCA. "A la estrella Venus llamavan Chasca, que quiere dezir de cabellos largos y crespos" (III, cap. XXI). "al luzero Venus [llamaron] Chasca, que es crinita o crespa, por sus muchos rayos" (II, cap. XXI).

CHASQUI. "*Chasqui* llamavan a los correos que havía puestos por los caminos para llevar con brevedad los mandatos del Rey y traer las nuevas y avisos que ...huviesse de importancia" (VI, cap. VII). "Llamáronlos *chasqui*, que quiere dezir trocar, o dar y tomar, que es lo mismo, porque trocavan, davan y tomavan de uno en otro y de otro en otro, los recaudos que llevavan. No les llamaron *cacha*, que quiere dezir mensajero, porque este nombre lo davan al embaxador o mensajero proprio que personalmente iva del un príncipe al otro o del señor al súbdito" (VI, cap. VII; dedica el cap. VII del libro VI a los chasquis; también V, caps. XVI a XIX). [Se ha incorporado al español del Ecuador, Perú, Bolivia, Chile, Argentina y Uruguay, con la significación de 'mensajero, por lo común a pie, que lleva una comunicación urgente'].

CHAUPITUTA 'media noche' (II, cap. XXVII). [De *chaupi* 'medio' y *tuta* 'noche'].

CHICHI 'granizar' (II, cap. XXVII); *chichi munqui* 'granizar nos has' (Ibíd.). [En quechua moderno *chijchi* 'granizo'].

CHIHUAIHUA. Véase *cántut*. [En Middendorf, *Wörterbuch*, 349, *chihuanhuai* 'flor silvestre de color rojo y amarillo'].

CHILI. "Otra fruta, que llaman *chili*, llegó al Cozco año de mil y quinientos y cincuenta y siete" (VIII, cap. XI). [Es el pimiento de Méjico (*Capsicum*), del náhuatl *chilli*. Véase *uchu*].

CHILLCA. "La yerva o mata que llaman *chillca*, calentada en una caçuela de barro, haze maravillosos efectos en las coyunturas donde ha entrado frío"... (II, cap. XXV). [Ha pasado al español del Perú, Chile, Argentina, etc., en la forma *chilca* (en el Uruguay y parte de la Argentina *chirca*). Designa unos arbustos del género *Baccharis* (*salicifolia, racemosa, glutinosa*, etc.), y se ha extendido a arbustos de otros géneros].

CHIMA. Véase *Panaca*.

CHINA. Véase *ñusta*. [La voz ha penetrado en el español de toda la región incaica —y también de Colombia, etc.— con la significación de 'muchacha indígena o mestiza, por lo común la del servicio doméstico' y luego en significaciones derivadas. En Centroamérica 'niñera'. Es posible que la *china* de Méjico, tipo social que se remonta a la *china* del siglo XVIII (cruce de negro e indio o de saltaatrás e indio) tenga otro origen].

CHINCHA CÁMAC. Los de Chincha dijeron "que quien los buscasse los hallaría siempre bien apercebidos para defender su tierra, su libertad y sus dioses, particularmente a su dios llamado Chincha Cámac, que era sustentador y hazedor de Chincha" (VI, cap. XVII; también cap. XVIII).

CHINCHASUYU. "A la parte del norte [del Imperio] llamaron Chinchasuyu por una gran provincia llamada Chincha, que está al norte de la ciudad" (II, cap. XI); "embiaron los Incas sus mensajeros al grande y poderoso valle llamado Chincha (por quien se llamó Chinchasuyu todo aquel distrito, que es una de las cuatro partes en que dividieron los Incas su Imperio)": VI, cap. XVII.

CHINCHI UCHU. Véase *uchu*.

CHINU. [Errata del texto de 1609 por *chuñu*].

CHIPANA. "El fuego para aquel sacrificio havía de ser nuevo, dado de mano del Sol, como ellos dezían. Para el cual tomavan un braçalete grande, que llaman *chipana* (a semejança de otros que comúnmente traían los Incas en la muñeca izquierda), el cual tenía el sumo sacerdote; era grande, más que los comunes"... (VI, cap. XXII).

CHÍRMAC CASSA. "Del pueblo Pías passó adelante con su exército, y en una abra o puerto de sierra nevada que ha por nombre ——, que quiere dezir puerto dañoso, por ser de mucho daño a la gente que por él passa, se helaron trezientos soldados" (VIII, cap. II). [Middendorf, *Wörterbuch*, s. v., registra *chirma* 'aguacero' y *kasa* 'el hielo, la helada'].

CHOCLLO 'choclo'. Se pronuncia *choc-llo* (VII, cap. IV). [Se ha incorporado al español de toda América del Sur en la forma *choclo* 'mazorca tierna del maíz'].

CHOLO. "A los hijos déstos [de mulato y mulata] llaman *cholo;* es vocablo de las islas de Barlovento; quiere dezir perro, no de los castizos, sino de los muy vellacos goçcones; y los españoles usan dél por infamia y vituperio" (IX, cap. XXXI). [*Cholo* es un perro ordinario en Corrientes (Argentina), según Segovia, *Dicc. de argent.;* en Chile se da ese nombre a los perros de color negro. En el Ecuador, Perú, Bolivia, Chile y Argentina, *cholo* 'mestizo de blanco e indio'; en el Ecuador *cholito* ha llegado a ser tratamiento cariñoso; en Chile es designación despectiva del peruano. No parece de origen antillano].

CHÚCAM. "Preparávanse todos, generalmente, para el Raimi del Sol, con ayuno riguroso, que en tres días no comían sino un poco de maíz blanco crudo y unas pocas de yervas que llaman *chúcam* y agua simple" (VI, cap. XX).

CHUCCHU. "Al frío de la terciana o cuartana llaman *chucchu,* que es temblar" (II, cap. XXIV) ..."salió [del baño] con frío, que los indios llaman *chucchu,* que es temblar" (IX, cap. XV). [Incorporado, bajo la forma *chucho* y con la significación de 'escalofrío', 'malaria', al español de gran parte de la antigua región incaica; en el interior de la Argentina sobrevive la forma *chujcho* en la pronunciación popular].

CHUCHAU. "A la nasción Rimactampu y a sus circunvezinas [Manco Cápac] mandó que las truxessen [las orejeras] de un palo que en las islas de Barlovento llaman *maguey* y en la lengua general del Perú se llama *chuchau,* que, quitada la corteza, el meollo es fofo, blando y muy liviano" (I, cap. XXIII). "Entre estas frutas podremos poner el árbol que los españoles llaman *maguey* y los indios *chuchau*" (VIII, cap. XIII: descripción y usos) ... "tenían apercebidas muchas balsas de una madera muy ligera que en la lengua general del Perú llaman *chuchau*" (IX, cap. VII). Véase *maguey.*

CHUNCA 'diez'. Véase *Chunca camayu.*

CHUNCÁSUM. Véase *chunca camayu.*

CHUNCA CAMAYU. "Llamavan a estos decuriones por el número de sus decurias: a los primeros llamavan Chunca Camayu, que quiere dezir el que tiene cargo de diez, nombre compuesto de *chunca,* que es diez, y de *camayu,* el que tiene cargo" (II, cap. XIV). El nombre *camayu* "sirve también en otras muchas significaciones, recibiendo composición con otro nombre o verbo que

signifique de qué es el cargo... El mismo nombre *chunca camayu,* en otra significación, quiere dezir perpetuo tahur, el que trae los naipes en la capilla de la capa, como dize el refrán, porque llaman *chunca* a cualquier juego, porque todos se cuentan por números; y porque todos los números van a parar al dezeno, tomaron el número diez por el juego, y para dezir juguemos dizen *chuncásum,* que en rigor de propria significación podría dezir contemos por diezes o por números, que es jugar" (II, cap. XIV).

CHUÑU. "Para preservarla [a la papa] de corrupción, la echan en el suelo sobre paxa..., déxanla muchas noches al yelo..., y después que el yelo la tiene passada, como si la cozieran, la cubren con paxa y la pisan con tiento y blandura, para que despiche la acuosidad que de suyo tiene la papa y la que el yelo le ha causado; y después de haverla bien exprimido, la ponen al sol y la guardan del sereno hasta que está del todo enxuta. Desta manera preparada se conserva la papa mucho tiempo y trueca su nombre y se llama *chuñu*" (V, cap. V; también VIII, cap. X: el texto *chunu*); "los Collas llevavan en su ganado... grandíssima cantidad de quinua y *chuñu* [el texto de 1609 trae *chinu*], que son papas passadas" (VII, cap. I). Véase *papa.* [Ese uso persiste en parte del Perú (Arequipa); en casi toda la antigua región incaica *chuño* designa hoy 'la fécula de la papa'].

CHUPAN. Véase *Pumapchupan.*

CHUQUI: "una pica que llaman *chuqui*" (VI, cap. XXV). Véase *chuquiapu.* [Sobrevive en la provincia de Catamarca (Argentina) con la significación de 'lanza', según Lafone Quevedo].

CHUQUIAPU. El Inca "llegó al valle que hoy llaman Chuquiapu, que en la lengua general quiere dezir lança capitana o lança principal, que es lo mismo" (III, cap. VII). Véanse *apu* y *chuqui.*

CHURA 'poner' (II, cap. XXVII); *churasunqui* "ya te colocaron" (Ibíd.).

CHURI. Véanse *huahua, Intip churin.*

CHUSPA. "Hazían... estas monjas para el Inca unas bolsas que son cuadradas, de una cuarta en cuadro; tráenlas debaxo del braço, asida[s] a una trença muy labrada, de dos dedos en ancho, puesta como taheli, del hombro izquierdo al costado derecho. A estas bolsas llaman *chuspa:* servían solamente de traer la yerva llamada cuca" (IV, cap. II). [Se ha incorporado al español del Perú, Bolivia, Argentina —y también al de Costa Rica— para designar una bolsa especial, que sirve para llevar —según las regiones— coca, tabaco, monedas, etc.].

CHUY. "Sin los frisoles de comer, tienen otros frisoles que no son de comer; son redondos, como hechos con turquesa; son de muchas colores y del tamaño de los garvanços; en común les llaman *chuy*, y, diferenciándolos por las colores, les dan muchos nombres, dellos ridiculosos, dellos bien apropriados...; usavan dellos en muchas maneras de juegos que havía, assí de muchachos como de hombres mayores" (VIII, cap. IX; también II, cap. XXVIII). [En Bolivia y Perú *chuy* 'semilla redonda y lustrosa de la achira' (Malaret, *Dicc. de americ.*). Según Ciro Bayo los niños del norte argentino y de Bolivia usan todavía el *chuy* para sus juegos].

D. Falta en quechua (Advertencias y VII, cap. IV). Véase *b*.

F. Falta en quechua (Advertencias y VII, cap. IV).

G. Falta en quechua (Advertencias; VI, cap. XXIX; VII, cap. IV). Véase *b*. [Algunos autores reproducen con *gu-* (*guaca, guasca, guagua,* etc.) el sonido *w* del quechua, sin duda porque en algunas regiones hay un reforzamiento de la fricación gutural. En los textos españoles del siglo XVI se reproduce con *u* o con *v* (pronunciada *u*) o bien, para evitar la pronunciación consonántica, con *hu-, hv-* (véase *huahua*). Del mismo modo el español *hueso* se escribía *uesso, vesso, huesso, hvesso,* sin que variara la pronunciación, y también *güesso*].

GALPÓN 'sala grande': "No es de la lengua general del Perú; debe de ser de las Islas de Barlovento; los españoles lo han introduzido en su lenguaje, con otros muchos" (Advertencias, pág. 10). [Se discute el origen y algunos lo atribuyen al azteca. Ha pasado al español de casi toda América del Sur y al portugués del Brasil con la significación de 'cobertizo grande, barraca, construcción grande de zinc, etc.'].

GUACA. Véase *huaca*. V, caps. V y XVIII: citas del P. Acosta; VI, cap. II: cita de Pedro de Cieza ("guacas, que son sus templos").

GUACAMAYA. "Los españoles llaman a los papagayos con diferentes nombres, por diferenciar los tamaños. A los muy chiquillos llaman *periquillos*; a otros algo mayores llaman *catalnillas*; a otros más mayores y que hablan más y mejor que los demás llaman *loro*. A los muy grandes llaman *guacamayas*; son torpíssimas para hablar" (VIII, cap. XXI). [*Guacamaya* alterna con *guacamayo* desde los primeros textos del siglo XVI. Hoy unos países de América prefieren la forma masculina, otros la femenina. Es voz arahuaca, de las Antillas].

GUAINA CAVA. Véase *Huaina Cápac*.

GUALPA. Véase *Atahuallpa*.

GUANO. "El nombre *guano* se ha de escrevir *huano* porque... no tiene *g* aquella lengua general del Perú: quiere dezir estiércol" (VI, cap. XXIX). [La voz se ha incorporado al español del Perú, Bolivia, Chile, Argentina, etc., para designar el estiércol de las aves marinas del Perú y norte de Chile, que se emplea como abono.

Designa también cualquier clase de estiércol, sobre todo seco, que tiene ese mismo empleo. Se pronuncia *guano* o *huano* según la región y hasta en una misma región].

GUASCA: "en su lengua quiere dezir soga" (VI, cap. II: cita de Agustín de Zárate). Véase *Huáscar*. [Se ha incorporado al español de casi toda América con la pronunciación alternante *guasca, huasca,* en algunas partes con la significación original de 'soga' (Colombia, Perú), en la mayoría con la de 'látigo, por lo común de cuero' (Argentina, Chile, etc.), sobre todo en la expresión *dar huasca*].

GUAVA. Véase *pácay*. [El *Diccionario* de la Academia registra *guabá* (seguramente errata de imprenta por *guaba*) como forma del Ecuador y América Central, y *guama* en Colombia y Venezuela. Es el *Psidium Guava Raddi*, parecido al *pácay* (del género *Inga*). *Guava* parece voz del arahuaco antillano, usada por las Casas y Oviedo (Friederici, *Hilfswörterbuch*)].

GUAYAVAS. Véase *sauintu*.

H. El autor transcribe con *h* inicial la aspirada del quechua (*hatun, hanan*; etc.), que coincidía con la *h* aspirada del antiguo español (*hazer, harina,* etc.). Al mismo tiempo emplea la *h* en la sílaba *hua-* para deshacer la pronunciación consonántica de la *u* (véase *huahua*). En las voces indígenas debe aspirarse, pues, toda *h*, excepto la de *hua* inicial o medial.

HAHUANINA AILLU. Nombre de la descendencia de Lloque Yupanqui (IX, cap. XL; dice que no sabe la significación y que es nombre de la lengua particular de los Incas). Véase *Aillu*.

HAILLI. "Los cantares que dezían en loor del Sol y de sus Reyes [al barbechar la tierra], todos eran compuestos sobre la significación desta palabra *hailli*, que en la lengua general del Perú quiere dezir triunfo, como que triunfavan de la tierra barbechándola y desentrañándola para que diesse fructo...; el retruécano de todas sus coplas era la palabra *hailli*, repetida muchas vezes... Ayudan [las mujeres] también a cantar a sus maridos, particularmente con el retruécano *hailli*" (VI, cap. II).

HANAN. *Hanan Aillu* 'linaje alto' (véase *aillu*). *Hanan Cozco* 'Cozco el alto' (I, cap. XVI): "La ciudad estava dividida en las dos partes que al principio se dixo: Hanan Cozco, que es Cozco el alto, y Hurin Cozco, que es Cozco el baxo" (VII, cap. VIII). *Hanan Pacha*: "Llaman al cielo Hanan Pacha, que quiere dezir mundo alto, donde dezían que ivan los buenos a ser premiados por sus virtudes" (II, cap. VII). *Hanan Suyu* 'distrito alto': "A semejança [del Cuzco]... huvo después esta misma división en todos los pueblos, grandes o chicos, de nuestro Imperio, que los dividieron por barrios o por linajes, diziendo Hanan aillu y Hurin aillu, que es el linaje alto y el baxo; Hanan suyu y Hurin suyu, que es el distrito alto y el baxo" (I, cap. XVI).

HARÁUEC. "Otras muchas maneras de versos alcançaron los Incas poetas, a los cuales llamavan *haráuec*, que en propria significación quiere dezir inventador" (II, cap. XXVII). "Haráuec, que es poeta" (VII, cap X). "*Harauicus*, que son poetas" (II, cap. XXVII; también VI, cap IX).

HATUN 'grande'. *Hatun Apu*: "entre los indios no hay este nombre Rey, sino otro semejante, que es Hatun Apu, que quiere dezir el gran señor" (VI, cap. XXX). "Los generales eran de diez mil [soldados] arriba: llamávanles Hatun Apu, que es gran capitán" (V, cap XIII: cita de Blas Valera). *Hatuncaci*: véase *caci*, *Hatuncancha*: "En tiempo de los Incas se llamava aquel sitio Hatuncancha: quiere dezir barrio grande" (VII, cap. IX). *Hatun Colla*: "Los Collas tomaron su acuerdo, juntándose los más principales en Hatun Colla, que quiere dezir Colla la grande" (II, cap. XIX). *Hatun Potocsi*: véase *Potocsi*. *Hatun Rucana*: "De Apucara passó a la provincia Rucana, dividida en dos provincias, la una llamada Rucana y la otra Hatun Rucana, que quiere dezir Rucana la grande" (III, cap. XVIII; también VI, cap. III).

HAUCAIPATA. Nombre de la plaça principal del Cuzco: "es andén o plaça de fiestas y regozijos" (VII, cap. X; también VI, cap. XXI). Véase *pata*.

HIHUANA. "No tuvieron más instrumentos para labrar las piedras que unos guijarros negros que llamavan *hihuana*, con que las labran machucando, más que no cortando" (II, cap. XXVIII). [Quizá errata por *hihuaya* 'una piedra negra muy pesada' (Middendorf, s. v.), que figura en el *Vocabulario* de González Holguín (1608) como 'piedra pesada'].

HINA MANTARA 'y de aquesta causa' (II, cap. XXVII). Véase *cai hinápac.*

HUACA. "Pronunciada la última sílaba en lo alto del paladar, quiere dezir ídolo, como Júpiter, Marte, Venus, y es nombre que no permite que de él se deduzga verbo para dezir idolatrar" (II, cap. IV); "un apartado de los que llaman *huaca*, que es lugar sagrado" (II, cap. III). A una piedra con puntas de oro "los indios la llamavan *huaca*, que..., entre otras muchas significaciones que este nombre tiene, una es dezir admirable cosa, digna de admiración por ser linda, como también significa cosa abominable por ser fea" (VIII, cap. XXIV). Dedica los caps. IV y V del libro II a las significaciones de *huaca*: 1. 'ídolo' (como Júpiter, Marte, Venus); 2. 'cosa sagrada' (ídolos, peñas, piedras grandes o árboles desde donde les hablaba el demonio); 3. 'ofrendas al sol' (figuras de hombres, aves, animales, etc., de oro, plata o madera, que ofrecían al Sol); 4. 'templo grande o chico o sepulcro o rincón de la casa, de donde el demonio hablaba a los sacerdotes'; 5. 'toda cosa que aventaja a las otras de su especie en hermosura o excelencia' (una rosa, manzana o

camuesa mayor o más hermosa que las otras del árbol o un árbol mayor que los otros); 6. 'cosa muy fea y monstruosa, que causa horror y espanto' (culebras grandes de los Andes); 7. 'toda cosa que sale de su curso natural' (la mujer que pare mellizos o los mellizos mismos; las ovejas de la tierra que paren dos de un vientre, y ofrecían más bien los mellizos que los otros en sus sacrificios; el huevo de dos yemas, el niño que nace con pies doblados o los dedos o con menos de cinco o con cualquier defecto en el cuerpo o en el rostro; fuentes muy caudalosas; piedrecitas o guijarros de ríos o arroyos de extraña labor o de diversos colores; la cordillera de los Andes; los cerros muy altos; las torres altas de las casas, las cuestas altas). Véanse *Huacapuncu* y *huaca* (2º artículo). [*Huaca* ha pasado al español de la antigua región incaica en la significación de 'sepulcro de los antiguos indios, en que había riquezas y objetos sagrados', 'riquezas encontradas en los sepulcros'. Alterna la pronunciación *huaca* con *guaca*].

HUACA. "Esta misma dicción *huaca*, pronunciada la última sílaba en lo más interior de la garganta, se haze verbo: quiere dezir llorar. Por lo cual dos historiadores españoles que no supieron esta diferencia, dixeron: los indios entran llorando y guayando en sus templos a sus sacrificios, que *huaca* esso quiere dezir. Haviendo tanta diferencia deste significado llorar a los otros, y siendo el uno verbo y el otro nombre, verdad es que la diferente significación consiste solamente en la diferente pronunciación, sin mudar letra ni acento, que la última sílaba de la una dicción se pronuncia en lo alto del paladar y la de la otra en lo interior de la garganta" (II, cap. V). Véanse *huacanqui*, *Yáhuar Huácac.*

HUACANQUI: "quiere dezir llorarás sus crueldades hechas en público y secreto, con veneno y con cuchillo, su insaciable avaricia, su general tiranía, sin distinguir sagrado de profano, y todo lo demás que se puede llorar de un mal Príncipe. Y porque dizen que no tuvieron que llorar de sus Incas, usaron del verbo *huacanqui* hablando de los enamorados..., dando a entender que llorarán las passiones y tormentos que el amor suele a causar en los amantes" (II, cap. XVII). Véase *huaca* (2º artículo) y *Lloque Yupanqui.*

HUACAPUNCU. Nombre de un barrio del Cuzco: "quiere dezir la puerta del santuario, porque *huaca...*, entre otras muchas significaciones que tiene, quiere dezir templo o santuario; *puncu* es puerta. Llamáronle assí porque por aquel barrio entra en el arroyo que passa por medio de la plaça principal del Cozco...; a la salida del mismo arroyo y calle dixeron cola de león"... (VII, cap. VIII). "Huacapuncu, que es puerta del santuario" (VII, cap. X).

HUACCHACÚYAC. Título y nombre que dieron a Manco Cápac: "quiere dezir amador y bienhechor de pobres" (I, cap. XXIV). A los Reyes Incas llamaban Huacchacúyac, "que es amador y bienhechor de pobres, y este renombre tampoco

317

lo davan a otro alguno, sino al Rey, por el particular cuidado que todos ellos, desde el primero hasta el último, tuvieron de hazer bien a sus vassallos" (I, cap. XXVI; también VI, cap. XXVI; IX, cap. III). Se corresponde con *Mamánchic*. [De *huaccha* 'pobre'].

HUACI 'casa'. Véanse *Yacha Huaci, Ac-llahuaci, Çúpay Huaci*.

HUACRA 'cuerno'. Se pronuncia *huac-ra* (VII, cap. IV). Véase *Huacrachucu*.

HUACRACHUCU. Nombre de una provincia y de sus habitantes: "Traen por divisa en la cabeça... un cordón negro de lana con moscas blancas a trechos, y por plumaje una punta de cuerna de venado o de corço o de gamo, por do le llamaron Huacrachucu, que es tocado o sombrero de cuerno: llaman *chucu* al tocado de la cabeça y *huacra* al cuerno" (VIII, cap. I).

HUAHUA. "Para los curiosos de lenguas dezimos que la general del Perú tiene dos nombres para dezir hijos: el padre dize *churi* y la madre *huahua* (havíase de escrevir este nombre sin las *h.h.*; solamente las cuatro vocales, pronunciadas cada una de por sí en dos diptongos: *uaua*; yo le añado las *h.h.* por que no se hagan dos sílabas). Son nombres, y ambos quieren dezir hijos, incluyendo en sí cada uno dellos ambos sexos y ambos números, con tal rigor que no puedan los padres trocarlos, so pena de hazerse el varón hembra y la hembra varón. Para distinguir los sexos añaden los nombres que significan macho o hembra; mas para dezir hijos en plural o en singular dize el padre *churi* y la madre *uaua*" (IV, cap. XI). [Sólo *huahua*, pronunciado también *guagua*, se ha incorporado al español de la antigua región incaica, desde el Ecuador hasta Argentina y Chile, con la significación de 'niño, criatura'].

HUAINA 'joven'. Véase *uiñay huaina*.

HUAINA CÁPAC: "según la común interpretación de los historiadores españoles y según el sonido de la letra, quieren que diga Moço Rico, y paresce que es assí, según el lenguaje común... Y porque este príncipe mostró desde muy moço las realezas y magnanimidad de su ánimo, le llamaron Huaina Cápac, que en los nombres reales quiere dezir: desde moço, rico de hazañas magnánimas; que por las que hizo el primer Inca Manco Cápac con sus primeros vassallos le dieron este nombre Cápac"... (VIII, cap. VII). "Por la sucessión destos Ingas vino el señorío a uno dellos, que se llamó Guaina Cava (quiere dezir mancebo rico)": IX, cap. XIII (cita de Agustín de Zárate; en la grafía del siglo XVI: *Caua*). Véase *Cápac*.

HUAINA POTOCSI. Véase *Potocsi*.

HUALLA. Véase *Surihualla*.

HUALLCANCA. "De armas defensivas no usaron de ningunas, si no fueron rodelas o paveses, que ellos llaman *huallcanca*" (VI, cap. XXV).

HUALLPA. Véase *atahuallpa*.

HUAMAN. "Hay halcones de muchas raleas; algunos se asemejan a los de acá y otros no; en común les llaman los indios *huaman*"... (VIII, cap. XIX)... "halconcillos de los que, por ser tan lindos, han traído muchos a España, y en ella les llaman *aletos* y en el Perú *huaman*" (IX, cap. XIV).

HUÁNAC. Véase *runahuánac*.

HUANACU. "A una especie de las bravas llaman *huanacu*, por cuya semejança llamaron al ganado mayor manso con el mismo nombre; porque es de su tamaño y de la misma forma y lana" (VIII, cap. XVII). "el ganado mayor que llaman *huanacu*" (VI, cap. VI). *Huanacullama*: véase *llama*. Véanse también *paco* y *llama*. [Se ha incorporado al español, en la forma *guanaco*, como nombre de la *Auchenia guanaco*].

HUANO 'estiércol'. Véase *guano*.

HUARA. Véase *huaracu*.

HUARACU. "Este nombre *huaracu* es de la lengua general del Perú: suena tanto como en castellano armar cavallero, porque era dar insignias de varón a los moços de la sangre real y habilitarlos, assí para ir a la guerra como para tomar estado" (VI, cap. XXIV: describe la ceremonia; continúa en los capítulos XXV, XXVI, XXVII y XXVIII). "Este nombre *huaracu*, que en sí significa y contiene todo lo que desta solene fiesta hemos dicho, se deduze deste nombre *huara*, que es pañete, porque al varón que merescía ponérselo le pertenescían todas las demás insignias, honras y dignidades" (VI, cap. XXVII). [*Huara* es el nombre del calzón indígena; el autor lo traduce por *pañete*, en la significación de 'paño que se ajusta al cuerpo desnudo, una especie de calzoncillos'].

HUARMI. "El refrán de llamar a un hombre *gallina*, por motejarle de covarde, es que los indios lo han tomado de los españoles, por la ordinaria familiaridad y conversación que con ellos tienen; y también por remedarles en el lenguaje; ...porque los Incas, para dezir covarde, tienen un refrán más apropiado que el de los españoles; dizen *huarmi*, que quiere dezir mujer, y lo dizen por vía de refrán; que para dezir covarde, en propria significación de su lenguaje, dizen *campa*, y para dezir pusilánimo y flaco de coraçón dizen *llanclla*" (IX, cap. XXIII).

HUASCA. Véanse *Huáscar* y *guasca*.

HUÁSCAR. "Al tiempo que le nasció un hijo..., mandó hazer Guainacava una maroma de oro, tan gruessa... que, asidos a ella más de dozientos indios orejones, no la levantavan muy fácilmente. Y en memoria desta tan señalada joya llamaron al hijo Guasca, con el sobrenombre de Inga" (VI, cap. I: cita de Agustín de Zárate)... "demás del nombre proprio que le pusieron, que fué Inti Cusi Huallpa, le añadieron por renombre el nombre Huáscar, por dar más ser y calidad a la joya. *Huasca* quiere dezir soga, y porque los indios del Perú no supieron dezir cadena, la llamavan soga, añadiendo el nombre del metal de que era la soga, como acá dezimos cadena de oro o de plata o de hierro; y por que en el príncipe no sonasse mal el nombre Huasca, por su significación, para quitársela le disfreçaron con la *r*, añadida en la última sílaba, porque con ella no significa nada, y quisieron que retuviesse la denominación de Huasca, pero no la significación de soga" (IX, cap. I). [Esa explicación ha sido muy discutida; parece que Huáscar es un antiguo nombre quechua y que nada tiene que ver con *huasca* 'soga'].

HUATA 'año': "con toda su rusticidad, alcançaron los Incas que el movimiento del Sol se acabava en un año, al cual llamaron *huata*... la misma dicción, sin mudar pronunciación ni acento, en otra significación es verbo y significa atar" (II, cap. XXII).

HUAUQUE. "Para llamarse hermanos tienen cuatro nombres diferentes. El varón al varón dize *huauque*: quiere dezir hermano. De mujer a mujer dizen *ñaña*: quiere dezir hermana... El hermano a la hermana dize *pana*..., y la hermana al hermano dize *tora*" (IV, cap. XI). [De estos cuatro nombres el único que al parecer se incorporó al español regional es *ñaña*: 'hermana mayor' en Chile (también 'nodriza, niñera', etc., pero en estos usos parece prolongación del antiguo español *nana, ñaña*), 'hermana, hermano' en el norte de la Argentina. Lenz registra *ñaña* como voz araucana en la significación de 'hermanita'. En voces de uso infantil con reduplicación silábica es siempre difícil establecer el origen: muchas de ellas se encuentran independientemente en las lenguas menos afines].

HURIN 'bajo'. *Hurin aillu* 'linaje bajo' (véase *Hanan aillu*). *Hurin Cozco* 'Cozco el bajo' (véase *Hanan Cozco*). *Hurin Pacha*: "Llamavan Hurin Pacha a este mundo de la generación y corrupción, que quiere dezir mundo baxo" (II, cap. VII); véase *Hanan Pacha*. *Hurin suyu* 'distrito bajo' (véase *Hanan Suyu*).

ICHMA: "lo que usaron los Incas, y permitieron que usassen los vassalos, fué del color carmesí, finíssimo sobre todo encarecimiento, que en los minerales del azogue se cría en polvo, que los indios llaman *ichma*, que con el nombre *llimpi*, que el Padre Acosta dize, es de otro color purpúreo, menos fino, que sacan de otros mineros" (VIII, cap. XXV). "No usaron de otro afeite las Pallas sino del *ichma* en polvo..., y aun no era cada día, sino de cuando en cuando, por vía de fiesta" (Ibíd.).

ICHU. "En todo el Perú se cría una paxa larga, suave y correosa, que los indios llaman *ichu*, con que cubren sus casas. La que se cría en el Collao es más aventajada y muy buen pasto para el ganado, de la cual hazen los Collas canastas y cestillas y lo que llaman *patacas*... y sogas y maromas" (III, cap. XV). [Se ha incorporado al español del Perú y del norte argentino. Es la *Stipa ichu*].

ILLAPA: "el general lenguaje del Perú, por ser tan corto de vocablos, comprehende en junto, con solo un vocablo, tres y cuatro cosas diferentes, como el nombre *illapa*, que comprehende el relámpago, trueno y rayo" (II, cap. V; también II, cap. XXIII; III, cap. XXI). "Estas tres cosas nombravan y comprehendían debaxo deste nombre Illapa, y con el verbo que le juntavan distinguían las significaciones del nombre, que diziendo "¿viste la *illapa?*" entendían por el relámpago; si dezían "¿oíste la *illapa?*" entendían por el trueno; y cuando dezían "la *illapa* cayó en tal parte o hizo tal daño", entendían por el rayo" (III, cap XXI). "A todos tres juntos llaman Illapa, y por la semejança tan propria dieron este nombre al arcabuz" (II, cap. I). Véase *illapántac*.

ILLAPÁNTAC: "es verbo; incluye en su significación la de tres verbos, que son tronar, relampaguear y caer rayos" (II, cap. XXVII); *illapántac* 'caen rayos' (Ibíd.). Véase *illapa*.

INCA. "El nombre Inca, en el Príncipe, quiere dezir señor o Rey o Emperador, y en los demás quiere dezir señor, y para interpretarle en toda su significación quiere dezir hombre de la sangre real, que a los curacas, por grandes señores que fuessen, no les llaman Incas" (I, cap. XXIV) ..."Para distinguir al Rey de los demás Incas, le llaman Çapa Inca, que quiere dezir Solo Señor, de la manera que los suyos llaman al Turco gran señor" (Ibíd.). "Inca... en la persona real significa Rey o Emperador, y en los de su linaje quiere dezir hombre de la sangre real, que el nombre Inca pertenescía a todos ellos con la diferencia dicha, pero havían de ser descendientes por la línea masculina y no por la feminina" (I, cap. XXVI). "Inca, que es varón de la sangre real" (VII, cap. IX). Los españoles "por Inca dizen Inga" (VII, cap. IV). "Este Manco Cápac fundó la ciudad del Cuzco y estableció leyes a su usança, y él y sus descendientes se llamavan Ingas, cuyo nombre quiere dezir o significar Reyes o grandes señores" (II, cap. X: cita de Cieza de León). Se corresponde con Palla. Véase *Incap Rúnam*.

INCAP RÚNAM 'vasallos del Inca', nombre del Imperio de los Incas según el P. Blas Valera (I, cap. VI).

ÍNCHIC. "Hay otra fruta que nasce debaxo de la tierra, que los indios llaman *ínchic* y los españoles *maní* (todos los nombres que los españoles ponen a las frutas y legumbres del Perú son del lenguaje de las islas de Barlovento, que los han introduzido ya en su lengua española); el *ínchic* semeja mucho, en la medula y en el gusto, a las almendras"... (VIII, cap. X). [En España se ha impuesto *cacahuete*, de origen azteca; en Méjico *cacahuate*; en América del Sur y las Antillas *maní*, del arahuaco antillano].

319

INGA. Véase *Inca.*

INTI 'el Sol' (II, cap. XXI). *Inti Cusi Huallpa.* Nombre de Huáscar: "quiere dezir Huallpa Sol de alegría... Inti, que en su lengua quiere dezir Sol; *Cusi* quiere dezir alegría, plazer, contento y regozijo" (IX, cap. I). *Intip Churin* 'hijo del Sol': Nombre que dieron al primer Inca y a sus descendientes (I, cap. XXIV). "También le llamavan [a los Reyes Incas] Intip Churin, que es hijo del Sol, y este apellido se lo davan a todos los varones de la sangre real, porque, según su fábula, descendían del Sol, y no se lo davan a las hembras" (I, cap. XXVI). *Intip Raimi*: véase *Raimi. Intipampa:* "quiere dezir plaça del Sol, porque estava delante de la casa y templo del Sol" (VII, cap. IX).

J (JOTA). Falta en quechua (Advertencias y VII, cap. IV). [El autor se refiere a la *j* del siglo XVI, que se pronunciaba aproximadamente como la *j* francesa].

L: "*l* senzilla no la hay, sino *ll* duplicada" (Advertencias).

LOCRO. Véase *rocro.*

LORO. Véase *uritu.*

LUCMA. Véase *rucma.*

LLACLLA. Se pronuncia *llac-lla* (VII, cap. IV). [*llaclla* 'cobarde']. Véase *llanclla.*

LLACTACAMAYU. "Havía en cada pueblo, o en cada barrio, si el pueblo era grande, hombres diputados solamente para hazer beneficiar las tierras de los que llamamos pobres. A estos diputados llamavan *llactacamayu*, que es regidor del pueblo" (V, cap. II); "havía ciertos juezes que tenían cargo de visitar los templos, los lugares y edificios públicos y las casas particulares: llamávanse *llactacamayu*"... (V, cap. XI: cita del P. Blas Valera). [De *llacta* 'pueblo, ciudad'; véanse *Pumallacta, chunca camayu* y *quipucamayu*].

LLAICA. "Un adivino o mágico, que los indios llaman *llaica*,... entró donde Huaina Cápac estava"... (IX, cap. XIV). [Hoy en quechua *laica* 'mago, brujo, adivino'].

LLAMA. "A los brutos en común dizen *llama*, que quiere dezir bestia" (II, cap. VII). "En común les nombran [a los animales domésticos] los indios con este nombre *llama*, que es ganado; al pastor llaman *llama míchec*: quiere dezir el que apacienta el ganado. Para diferenciarlo llaman al ganado mayor *huanacullama*, por la semejança que en todo tiene con el animal bravo que llaman *huanacu*, que no difieren en nada sino en las colores; que el manso es de todas colores, como los cavallos de España... y el huanacu bravo no tiene más de un color, que es castaño deslavado, bragado de castaño más claro" (VIII, cap. XVI). Véase *pacollama. Llamamíchec,* "que es pastor" (IV, cap. XIV).

[*Llama* se ha incorporado al español y a otras lenguas como nombre de la *Auchenia llama*].

LLAMAMÍCHEC. Véase *llama.*

LLÁNCAC ALLPA: "los edificios de sus casas, templos, jardines y baños fueron en estremo pulidos, de cantería maravillosamente labrada, tan ajustadas las piedras unas con otras que no admitían mezcla, y aunque es verdad que se la echavan, era de un barro colorado (que en su lengua le llaman *lláncac allpa*, que es barro pegajoso)": VI, cap. I. Véase *allpa.*

LLANCLLA: "pusilánimo y flaco de coraçón" (IX, cap. XXIII). Véase *huarmi.* [Sin duda errata del texto de 1609 por *llaclla*, forma que registra González Holguín (1608) y que es la del quechua moderno. El Inca también trae *llaclla*].

LLAUTU. "Traían los Incas en la cabeça, por tocado, una trença que llaman *llautu.* Hazíanla de muchas colores y del ancho de un dedo, y poco menos gruessa. Esta trença rodeavan a la cabeça y davan cuatro o cinco bueltas y quedava como una guirnalda..." (I, cap. XXII; también IV, cap. II). Era insignia de Manco Cápac, que la concedió como privilegio a sus vasallos, pero ellos sólo podían usarla de color negro (Ibíd.), "Estavan [las momias] con sus vestiduras, como andavan en vida, los *llautos* en las cabeças, sin más ornamento ni insignia de las reales" (V, cap. XXIX). También V, cap. XXIII.

LLIMPI. Véase *ichma.*

LLOQUE YUPANQUI. Tercer Rey del Perú: "su nombre proprio fué Lloque: quiere dezir izquierdo; la falta que sus ayos tuvieron en criarle, por do salió çurdo, le dieron por nombre proprio... Yupanqui fué nombre impuesto por sus virtudes y hazañas... Yupanqui es verbo, y habla de la segunda persona del futuro imperfecto del indicativo modo, número singular, y quiere dezir contarás, y en solo el verbo, dicho assí absolutamente, encierran y cifran todo lo que de un Príncipe se puede contar en buena parte, como dezir contarás sus grandes hazañas, sus eccelentes virtudes, su clemencia, piedad y mansedumbre, etc.... A quien dixere que también significara contar maldades, pues el verbo contar se puede aplicar a ambas significaciones de bueno y de malo, digo que en aquel lenguaje, hablando en estas sus elegancias, no toman un mismo verbo para significar por él lo bueno y lo malo, sino sola una parte, y para la contraria toman otro verbo, de contraria significación, apropiado a las maldades del príncipe, como... dezir Huacanqui" (II, cap. XVII).

MACANA: "una arma a manera de montante, o digamos porra, porque le es más semejante, que se juega a dos manos, que los indios llaman *macana*" (VI, cap. XXV). [Parece voz antillana, generalizada por los españoles en toda Hispano-américa].

MACHÁC-HUAY 'culebras menores'. *Véanse Collquemachác-huay y amaru.* [El texto de 1609 dice *machachuay*, sin duda errata. En Fr. Domingo de Santo Tomás (1560) *machacuay* 'culebra', en González Holguín (1608) *machakuay* 'culebra muy grande'].

MAGUEY. "El calçado hazían las provincias que tenían más abundancia de cáñamo, que se haze de las pencas del árbol llamado *maguey*" (V, cap. VI). Véase *chuchau.* [*Maguey,* del arahuaco antillano, se ha generalizado en casi toda América, aunque no siempre designa las mismas especies (*Agave americana, A. mexicana Lam, Puya coartata Gay,* etc.). En España *pita*].

MAI ÑIMPIRI: "también a las vezes" (II, cap. XXVII).

MAITA: "nombre proprio: en la lengua general no significa cosa alguna" (III, cap. I). *Apu Maita:* Nombre de la descendencia de Cápac Yupanqui. *Usca Maita:* Nombre de la descendencia de Maita Cápac (IX, cap. XL: "no sé qué signifiquen, porque son nombres de la lengua particular que los Incas tenían para hablar ellos entre sí").

MAÍZ. Véase *çara.*

MALOCAS: "es lo mismo que correrías" (VII, cap. XXV: cita de una carta de Chile). [Voz de origen araucano, incorporada al español de Chile —y luego al de otras regiones— como 'incursión de los indios contra las poblaciones o puestos de españoles' (en este uso se usó también en Chile y la Argentina *malón,* del mismo origen) y también 'expedición de los españoles contra los indios para capturar botín y prisioneros'].

MAMACOCHA. "Los de la costa de la mar... adoravan en común a la mar y le llamavan Mamacocha, que quiere dezir Madre Mar, dando a entender que con ellos hazía oficio de madre en sustentarles con su pescado" (I, cap. X; también VI, caps. XVII y XXXI). Véase *cocha.*

MAMACUNA. Nombre de las concubinas del Rey, que eran de las extrangeras y no de su sangre: "bastaría dezir matrona, mas en toda su significación quiere dezir mujer que tiene obligación de hazer oficio de madre" (I, cap. XXVI; también IX, cap. VII). "Dentro, en la casa [del Sol], havía mujeres mayores de edad..., envejecidas en ella..., y, por ser ya viejas y por el oficio que hazían, las llamavan Mamacuna, que, interpretándolo superficialmente, bastaría dezir matrona, empero, para darle toda su significación, quiere dezir mujer que tiene cuidado de hazer oficio de madre; porque es compuesto de *mama,* que es madre, y desta partícula *cuna,* que por sí no significa nada y en composición significa lo que hemos dicho, sin otras muchas significaciones, según las diversas

composiciones que recibe" (IV, cap. I; véanse también caps. II, IV, V).

MAMÁNCHIC. Nombre que daban a la reina, mujer legítima del Rey Inca: "quiere dezir Nuestra Madre, porque, a imitación de su marido, hazía oficio de madre con todos sus parientes y vassallos" (I, cap. XXVI); "levantándola del suelo, le dixo: "Bien paresce que eres Mamánchic — que es madre común (quiso dezir madre mía y de los tuyos)": IX, cap. VII. Se corresponde con Huacchacúyac (I, cap. XXVI).

MAMAQUILLA: "la tenían [a la luna] por hermana y mujer del Sol y madre de los Incas y de toda su generación, y assí la llamavan Mamaquilla, que es Madre Luna" (III, cap. XXI). Véase *quilla.*

MAMA RUNTU: "quiere dezir madre huevo; llamáronla assí porque esta Coya fué más blanca de color que lo son en común todas las indias, y por vía de comparación la llamaron madre huevo, que es gala y manera de hablar de aquel lenguaje; quisieron dezir madre blanca como el huevo" (V, cap. XXVIII).

MANCO: "es nombre proprio: no sabemos qué signifique en la lengua general del Perú, aunque en la particular que los Incas tenían para hablar unos con otros (la cual me escriven del Perú se ha perdido ya totalmente) devía de tener alguna significación, porque por la mayor parte todos los nombres de los Reyes la tenían" (I, cap. XXIV).

MANÍ. Véase *ínchic.*

MAQUI. "Este nombre *maqui,* que es mano, comprehende la mano y la tabla del braço y el molledo" (II, cap. V).

MARCA: "en la lengua de aquellas provincias quiere dezir fortaleza" (V, cap. XXVII): Challcumarca, Suramarca. Véanse *Móyoc Marca, Papamarca, Puca Marca.*

MATECLLU. "Otra yerva alcançaron admirabilíssima para los ojos; llámanla *matecllu.* Nace en arroyos pequeños; es de un pie, y sobre cada pie tiene una hoja redonda y no más. Es como la que en España *oreja de abad*"... (II, cap. XXV). [En el español de Arequipa (Perú) *matecllo;* las hojas y flores se emplean en medicina popular; Middendorf registra *matijllu*].

MATI. "Calabaças de que hazen vasos, las hay muchas y muy buenas; llámanlas *mati*" (VIII, cap. X). Véase *Matiuma.* [En el español del Perú, Chile, Argentina, etc., *mate* 'calabaza pequeña que vaciada y preparada sirve como recipiente'; de ahí el uso argentino de *mate* 'infusión de yerba mate (*ilex paraguayensis*)', que se toma por lo común en ese recipiente].

MATIUMA. Mote que los demás indios daban

a los cañaris para afrenta, por llevar en la cabeza una calabaza (VIII, cap. IV). Véanse *mati* y *uma*.

MAYU 'río'. Véanse *Amarumayu* y *Apurímac*.

MICITU. "Tampoco havía gatos de los caseros antes de los españoles; ahora los hay y los indios los llaman *micitu*, porque oyeron dezir a los españoles "¡miz, miz!" cuando los llamavan. Y tienen ya los indios introduzido en su lenguaje este nombre *micitu* para dezir gato" (IX, cap. XX). Compárese *cuchi*. [Middendorf registra *misi* en quechua moderno. Lo mismo ha pasado en otras muchas lenguas indígenas de América (caribes, arahuacas, etc.), en las que el nombre del gato es *michi, mitzi, misi*, etc. El mismo origen tiene el español *michino*].

MÍCHEC. Véase *llamamíchec*.

MÍLLUY. "Llaman a esta manera de torcer lana *mílluy*. Es verbo que solo, sin más dicciones, significa torcer lana con palillo para cordel de calçado o para sogas de cargar..., y porque este oficio era de hombres, no usavan deste verbo las mujeres en su lenguaje, porque era hazerse hombres. Al hilar de las mujeres dizen *buhca*: es verbo; quiere dezir hilar con huso para texer; también significa el huso. Y porque este oficio era proprio de las mujeres, no usavan del verbo *buhca* los hombres, porque era hazerse mujeres" (VI, cap. XXV). [*Buhca* parece errata por *puchca*].

MITA. Véase *mitachanácuy*.

MITACHANÁCUY. "La ley que llamavan *mitachanácuy*, que es mudarse a vezes por su rueda o por linajes, la cual mandava que en todas las obras y fábricas de trabajo que se hazían y acabavan con el trabajo común, huviesse la misma cuenta, medida y repartimiento que había en las tierras"... (V, cap. XI: cita de Blas Valera). [La *mita*, institución indígena, fué adoptada por el régimen colonial español desde el siglo XVI: consistía en un servicio de trabajo *por turno*, obligatorio para la población indígena].

MITIMAES. Véase *mítmac*.

MÍTMAC: "tenían los Incas dada orden que cuando... se trasplantassen indios de una provincia a otra, que ellos llaman *mítmac*, siempre se cotexassen las regiones, que fuessen de un mismo temple de tierra" (III, cap. XIX)... "los indios trasplantados, que llaman *mítmac*" (III, cap. XXV). "a... estos indios, trocados desta manera, llamavan *mítmac*, assí a los que llevavan como a los que traían: quiere dezir trasplantados o advenedizos, que todo es uno" (VII, cap. I; también III, caps. XIX y XXV). Los herederos de curacas criados en la corte se llamaban también *mítmac*, "porque eran advenedizos" (VII, cap. II). Los Reyes Incas "mandaron que, pues la gran serranía de los Andes comarcava con la mayor parte de los pueblos, que de cada uno saliesse cierta

cantidad de indios con sus mujeres, y estos tales, puestos en las partes que sus caciques les mandavan y señalavan, labravan los campos, en donde sembravan lo que faltava en sus naturalezas..., y eran llamados *mitimaes*" (VII, cap. I: cita de Cieza de León). [*Mitimaes* es la forma adoptada por la moderna literatura historiográfica].

MIZQUI 'dulce'. Véase *mizquitullu*.

MIZQUITULLU: "a los cuales [holgazanes y flojos] llamavan *mizquitullu*, que quiere dezir huessos dulces, compuesto de *mizqui*, que es dulce, y de *tullu*, que es huesso" (V, cap. IV).

MOLLE. Véase *mulli*.

MOTE. Véase *çara*.

MÓYOC MARCA. Nombre del principal torreón de la fortaleza del Cuzco: "quiere dezir fortaleza redonda, porque estava hecha en redondo" (VII, cap. XXIX). El segundo torreón se llamava Páucar Marca, el tercero Sácllac Marca (Ibíd.).

MULLI. "Alcançaron la virtud de la leche y resina de un árbol que llaman *mulli* y los españoles *molle*" (II, cap. XXV). "Entre estas frutas podemos poner la del árbol llamado mulli..." (VIII, cap. XII: descripción y usos). [Es el *Schinus molle* L. El nombre quechua se incorporó al español del Perú, Ecuador, Chile y norte de la Argentina bajo la forma *molle*. A veces el mismo vocablo designa especies diferentes].

MUNA 'amar, querer'. Véase *Munaicenca*.

MUNAICENCA. Nombre de un barrio del Cuzco: "quiere dezir ama la nariz, porque *muna* quiere dezir amar o querer y *cenca* es nariz; a qué fin pusiessen tal nombre, no lo sé; devió ser con alguna ocasión o superstición, que nunca los ponían acaso" (VII, cap. VIII).

MURUCHU. Véase *çara*.

MURUMURU. "A los [animales] muy pintados llaman *murumuru*, y los españoles dizen *moromoro*" (V, cap. X). [Middendorf registra en el quechua moderno *muru* 'manchado, atigrado', *murumuru* 'lleno de manchas'. Esta voz quechua puede ser un hispanismo temprano. *Moro* se llamaba en la Edad Media al animal (vaca, caballo, yegua) de color negro (*morcillo*, de *mauricellus*, es el caballo o yegua de color negro con viso rojizo). En España un *caballo moro* es hoy el de pelo negro con una estrella o mancha blanca en la frente y calzado de una o de dos extremidades'. Esta significación es la que llevó sin duda el conquistador, pues *caballo moro* (o simplemente *moro*) es —desde la Argentina hasta América Central— un caballo manchado (de negro y blanco, negro y azulado y blanco, castaño o zaino y blanco, blanco azulado y bruno, alazán y blanco y viso oscuro, etc., según la región). La forma *moromoro* presenta, al parecer, la reduplicación del quechua].

MUSU: "una de las mejores [provincias] era la que llaman Musu y los españoles llaman los Moxos" (VII, cap. XIII). [Hoy los Mojos].

MUTI (=*mote*). Véase *çara*.

NANASCA: "quiere dezir lastimada o escarmentada, y no se sabe a qué propósito le pusieron este nombre, que no devía de ser acaso, sino por algún castigo o otra plaga semejante (los españoles le llaman Lanasca)": III, cap. XVIII. [Del quechua *nánay* 'dolor'. Hoy Nasca.

Ñ: Todas las voces indígenas con *ñ* inicial aparecen en el texto de 1609 con N (*Nusta*, etc.), sin duda porque la tipografía carecía de *ñ* mayúscula.

ÑAÑA 'hermana'. Véase *huauque*.

ÑUÑU. "A la leche llaman *ñuñu*, y a la teta llaman *ñuñu* y al mamar dizen *ñuñu*, assí al mamar de la criatura como al dar a mamar de la madre" (VIII, cap. XVI). Véase *ñuñuma*. [Se ha incorporado al español del Perú y Ecuador en la forma *ñuño* con la significación derivada de 'nodriza'. En Chile, nombre de una planta llamada también *chupón*].

ÑUÑUMA. "Los indios del Perú no tuvieron aves caseras, sino sola una casta de patos, que, por semejar mucho a los de acá, les llaman assí los españoles... Los indios les llaman *ñuñuma*, deduziendo el nombre de *ñuñu*, que es mamar, porque como mamullando, como si mamassen" (VIII, cap. XIX). [En Catamarca (Argentina) nombre de un pato silvestre, según Lafone Quevedo].

ÑUSTA. "A las infantas hijas del Rey y a todas las demás hijas de la parentela y sangre real llamavan *ñusta*: quiere dezir donzella de sangre real, pero era con esta diferencia, que a las ligítimas en la sangre real dezían llanamente ñusta...; a las no ligítimas en sangre llamavan con el nombre de la provincia de donde era natural su madre, como dezir Colla Ñusta, Huanca Ñusta, Yunca Ñusta, Quitu Ñusta, y assí de las demás provincias, y este nombre *ñusta* lo retenían hasta que se casavan, y, casadas, se llamavan Palla" (I, cap. XXVI). "Ñusta quiere dezir donzella de sangre real, y no se interpreta con menos, que, para dezir donzella de las comunes dizen *tazque*; *china* llaman a la donzella muchacha de servicio" (II, cap. XXVII). "Ñustas, que son infantas" (IX, cap. XXXVIII). Se corresponde con Auqui (I, cap. XXVI).

OCA: "sembravan otras semillas y legumbres que son de mucha importancia, como es la que llaman *papa* y *oca* y *añus*" (V, cap. I). Véase *papa*. [*Oca* designa hoy, en el español del Perú, Bolivia, parte de Chile y norte de la Argentina, el tubérculo de la *Oxalis tuberosa* L., *Oxalis crenata Jacq.*, etc.].

OCLLO. "El nombre Ocllo era apellido sagrado entre ellos, y no proprio" (VII, cap. XXVI). "havía mujeres de la sangre real que en sus casas vivían en recogimiento y honestidad, con voto de virginidad, aunque no de clausura...; y por excelencia y deidad las llamavan *Ocllo*, que era como nombre consagrado en su idolatría" (IV, cap. VII). Mama Ocllo Huaco, hermana y mujer de Manco Cápac (I, cap. XVIII).

OTORONCO. Véase *uturuncu*.

OXOTA. Véase *usuta*.

OZCOLLO. "Hay gatos cervales que llaman *ozcollo*; son de dos o tres diferencias" (VIII, cap. XVII; también VI, cap. VI). Véase *micitu*. [Ha pasado al español del Ecuador como nombre del *Felis celidogaster*, según Malaret].

P. El autor distingue dos pronunciaciones de *p*, con valor significativo: una *p* pronunciada "llanamente, como suenan las letras españolas" (*pacha* 'mundo universo'); otra "apretando los labios y rompiéndolos con el aire de la voz, de manera que suene al romperlos" (*pacha* 'ajuar o ropa de vestir'): II, cap. V. Las dos las reproduce indistintamente con *p*.

PACÁREC TAMPU. Venta o dormitorio pequeño que está siete u ocho leguas al mediodía del Cuzco: "quiere dezir venta o dormida que amanezce. Púsole este nombre el Inca [Manco Cápac] porque salió de aquella dormida al tiempo que amanescía" (I, cap. XV). Véase *tampu*.

PACARI 'el amanecer' (II, cap. XXIII). Véase *Pacárec Tampu*.

PÁCAY. "Otra fruta llaman los indios *pácay* y los españoles *guavas*; críase en unas vainas verdes de una cuarta, más y menos, de largo y dos dedos de ancho" (VIII, cap. XI). Véase *guava*. [Ha pasado al español del Perú, Bolivia y Argentina con acentuación aguda. Es una leguminosa del género *Inga*, parecida a la *guava*].

PACO. La plaga "despachó... las dos tercias partes del ganado mayor y menor, *paco* y *huanacu*. Dellas se les pegó al ganado bravo, llamado *huanacu* y *vicuña*" (VIII, cap. XVI). "No tuvieron los indios del Perú... más diferencias de doméstico ganado que las dos que hemos dicho, *paco* y *huanacu*" (VIII, cap. XVII): "A semejança del ganado menor, que llaman *paco*, hay otro ganado bravo que llaman *vicuña*" (VIII, cap. XVII). Véase *parcollama*. [Se ha incorporado al español en la forma *alpaca*, del quechua *allpaca* (*Auchenia paco* Tschudi). En los textos antiguos alternan *alpaca*, *alpaco* y *paco* (Friederici, *Wörterbuch*)].

PACOLLAMA. "Del ganado menor, que llaman *pacollama*, no hay tanto que dezir, porque no son para carga ni para otro servicio alguno, sino para carne... y para lana" (VIII, cap. XVI).

323

PACHA. "Pronunciado llanamente, como suenan las letras españolas, quiere dezir mundo universo, y también significa el cielo y la tierra y el infierno y cualquiera suelo...; para que signifique axuar o ropa de vestir han de pronunciar la primera sílaba apretando los labios y rompiéndolos con el aire de la voz, de manera que suene el romperlos" (II, cap. V). Véanse *Hanan Pacha, Hurin Pacha, Ucu Pacha, Pachacámac, Pachacútec* y *Pachayachácher.*

PACHACÁMAC: "es nombre compuesto de Pacha, que es mundo universo, y de Cámac, participio de presente del verbo *cama,* que es animar, el cual verbo se deduze del nombre *cama,* que es ánima. Pachacámac quiere dezir el que da ánima al mundo universo, y en toda su propria y entera significación quiere dezir el que haze con el universo lo que el ánima con el cuerpo" (II, cap. II; además II, caps. I, II, XXIII, XXVII; V, cap. XXI; VI, caps. XXX y XXXI). Rechaza la opinión de Pedro de Cieza: *Cama* 'hazedor' y *Pacha* 'mundo' (Ibíd.). "Si a mí... me preguntassen ahora "¿Cómo se llama Dios en tu lengua?", diría "Pachacámac", porque en aquel general lenguaje del Perú no hay otro nombre para nombrar a Dios" (II, cap. II). Véanse *Pacha* y *Pacha Rúrac.*

PACHACÚTEC: "es participio de presente; quiere dezir el que buelve o el que trastorna o trueca el mundo; dizen por vía de refrán *pácham cutin;* quiere dezir el mundo se trueca, y por la mayor parte lo dizen cuando las cosas grandes se truecan de bien en mal, y raras vezes lo dizen cuando se truecan de mal en bien"... (V, cap. XXVIII). "Pachacútec, que es reformador del mundo" (VI, cap. XXXV). Es el nombre del noveno Rey de los Incas (Ibíd.).

PACHA RÚRAC 'el Hazedor del mundo' (II, cap. XXVII). Véase *Pachacámac.*

PACHAYACHÁCHER. Nombre compuesto por los españoles: "quieren que diga hazedor del cielo, significando enseñador del mundo, que para dezir hazedor havía de dezir Pacharúrac, porque *rura* quiere dezir hazer... el verbo *yacha* significa aprender, y añadiéndole esta sílaba *chi* significa enseñar; y el verbo *rura* significa hazer, y con la *chi* quiere dezir hazer que hagan o mandar que hagan" (II, cap. II). Véase *Viracocha Pachayacháchic.*

PÁHUAC MAITA INCA: "quiere dezir el que buela Maita Inca, que fué ligeríssimo sobre todos los de su tiempo" (V, cap. XXIII). [*Páhuac* 'el que vuela', de *páhuay* 'volar, correr'].

PAICHA. "También hazían [las vírgenes escogidas] unas borlas pequeñas de dos colores, amarillo y colorado, llamadas *paicha,* asidas a una trença delgada de una braça en largo; las cuales no eran para el Inca, sino para los de su sangre real; traíanlas sobre su cabeça; caían las borlas sobre la sien derecha" (IV, cap. II).

324 **PALTA.** "La fruta que los españoles llaman *peras,* por parescerse a las de España en el color verde y en el talle, llaman los indios *palta;* porque de una provincia deste nombre se comunicó a las demás" (VIII, cap. XI). Nombre de una provincia, "de donde llevaron al Cozco o a sus valles calientes la fruta sabrosa y regalada que llaman *palta*" (VIII, cap. V). *Palta uma:* Los indios Paltas "sacavan las cabeças feíssimas; y assí, por oprobrio, a cualquiera indio que tenía la frente más ancha que lo ordinario o el cogote llano le dezían: *Palta uma,* que es cabeça de Palta" (VIII, cap. V). [*Palta* es el nombre de la *Persea gratissima* en el Perú, Bolivia, Chile y Argentina. En la sierra del Ecuador se ha impuesto el nombre mejicano *ahuacate* (pronunciado también *aguacate*), del náhuatl, que ha llegado hasta la Argentina. Middendorf registra en quechua moderno *palltay.* En Catamarca (Argentina) sobrevive *palta-uma* 'cabeza ancha', según Lafone Quevedo].

PALLA: "Quiere dezir mujer de la sangre real" (I, cap. XXIV; también IV, cap. XIII; VII, cap. IX; IX, cap. XXXVI). "A las concubinas del Rey que eran de su parentela, y a todas las demás mujeres de la sangre real, llamavan Palla: quiere dezir mujer de la sangre real"... (I, cap. XXVI). "Aunque Don Alonso de Erzilla y Çúñiga..., declarando el nombre Palla, dize que significa, de muchos vassallos y haziendas, dízelo porque, cuando este cavallero passó allá, ya estos nombres Inca y Palla en muchas personas andavan impuestos impropriamente" (Ibíd.). Palla era de la descendencia real por línea de varón y no por línea femenina (I, cap. XXVI). Se corresponde con Inca (Ibíd.). Véase *ñusta.*

PALLAR. "El Padre Maestro Acosta... dize lo que se sigue: "Yo no he hallado que los indios tuviessen huertos diversos de hortaliza, sino que cultivavan la tierra a pedaços, para legumbres que ellos usan, como los que llaman *frísoles* y *pallares,* que les sirven como acá garvanços y havas y lantejas" (IX, cap. XXIX). [*Frísoles* es de origen español. *Pallar* es de origen quechua (con cambio de acento por acomodación a la terminación -*ar* del español) y designa hoy en el Perú, Chile y parte de la Argentina (Catamarca) unas habas de gran tamaño (*Phaseolus pallar*)].

PAMPA: "plaça o campo llano" (IV, cap. XIV). "Donde los indios dizen *pampa,* que es plaça, dizen los españoles *bamba*" (VII, cap. IV). Véanse *Rimacpampa* y *pampairuna.* [En nombres de lugar subsiste *bamba* (Riobamba, Cochabamba, etc.). En la significación de 'llanura' se ha impuesto *pampa* en el español de casi toda América del Sur].

PAMPAIRUNA 'ramera' (IV, cap. XIV). "Llámanles [a las mujeres públicas] *pampairuna,* nombre que significa la morada y el oficio, porque es compuesto de *pampa,* que es plaça o campo llano (que ambas significaciones contiene), y de *runa,* que en singular quiere dezir persona, hombre o mujer, y en plural quiere dezir gente. Juntas ambas dicciones, si las toman en la significación del campo, *pampairuna* quiere dezir gente que vive en el campo, esto es por su mal oficio; y si las toman en la significación de plaça, quiere dezir persona o mujer de plaça" (IV, cap. XIV). [Middendorf registra *pampa runa* 'hombre plebeyo' y *pampa huarmi* 'mujer ordinaria, ramera'. Exactamente en la misma forma y significación que el Inca Garcilaso registran la voz Fr. Domingo de Santo Tomás (1560) y González Holguín (1608)].

PANA 'hermana'. Véase *huauque*.

PANACA. *Ailli Panaca*: Nombre de la descendencia de Yáhuar Huácac. *Chima Panaca*: Nombre de la descendencia de Manco Cápac. *Inca Panaca*: Nombre de la descendencia del Inca Pachacútec y de su hijo Inca Yupanqui. *Rauraua Panaca*: Nombre de la descendencia de Sinchi Roca. *Çocço Panaca*: Nombre de la descendencia de Viracocha Inca (IX, cap. XL: "no sé qué signifiquen, porque son nombres de la lengua particular que los Incas tenían para hablar ellos entre sí").

PANCUNCU: "La noche siguiente salían con grandes hachos de paja, texida como los capachos del azeite, en forma redonda como bolas: llámanles *pancuncu*; duran mucho en quemarse. Atávanles sendos cordeles de una braça en largo; con los hachos corrían todas las calles, hondeándolas hasta salir fuera de la ciudad, como que desterravan con los hachos los males noturnos..., y en los arroyos echavan los hachos quemados" (VII, cap. VII).

PAPA. "Tiene el primer lugar [entre las legumbres que se crían debajo de tierra] la que llaman *papa*, que les sirve de pan; cómenla cozida y assada, y también la echan en los guisados; passada al yelo y al sol para que se conserve... se llama *chuñu*. Hay otra que llaman *oca*; es de mucho regalo; es larga y gruessa, como el dedo mayor de la mano; cómenla cruda, porque es dulce, y cozida y en sus guisados, y la passan al sol para conservarla, y sin echarle miel ni açúcar paresce conserva, porque tiene mucho de dulce; entonces se llama *caui*. Otra hay semejante a ésta en el talle, mas no en el gusto..., porque toca en amargo y no se puede comer sino cozida, llamada *añus*; dizen los indios que comida es contraria a la potencia generativa" (VIII, cap. X; también V, caps. I, V; VII, cap. I). Véase *chuñu*. [El nombre quechua *papa* (*Solanum tuberosum* L.), por cruce con el antillano *batata* (*Batatas edulis Choisy*), difundido anteriormente en español, dió el español *patata*, ya en el siglo XVI. En América persiste el nombre *papa*, y sólo por cultismo artificial se usa *patata* (véase Pedro Henríquez Ureña, *Para la historia de los indigenismos*, Buenos Aires, 1938). 'Cahui significa en quechua 'desecado' y se dice de la papa (*cahui papa*) y de frutas diversas].

PAPAMARCA: "quiere dezir pueblo de papas, porque son muy grandes las que allí se dan" (VIII, cap. III).

PAPRI. Se pronuncia *pap-ri* (VII, cap. IV). [Nombre de una tribu].

PÁQUIR CAYAN 'lo está quebrantando' (II, cap. XXVII). [Del quechua *páquiy* 'romper']

PARA 'llover' (II, cap. XXVII); *para munqui* "nos darás lloviendo" (II, cap. XXVII). Véase *Parahuay*.

PARAHUAY. "El Río de la Plata se llama en lengua de los indios Parahuay; si esta dicción es del general lenguaje del Perú quiere dezir llovedme, y podríase interpretar, en frasis de la misma lengua, que el río, como que jatándose de sus admirables crescientes, diga: "llovedme y veréis maravillas"... Si la dicción Parahuay es de otro lenguaje, y no del Perú, no sé qué signifique" (VII, cap. XIII). [El nombre es de origen tupí-guaraní, y es un compuesto de *pará*, como *Paraná*].

PARIA PICHIU. "Hay unos paxarillos pardos, que los españoles llaman *gorriones* por la semejança del color y del tamaño, aunque diferentes en el canto, que aquéllos cantan muy suavemente; los indios les llaman *paria pichiu*"... (VIII, cap. XX). [Middendorf registra *paria* 'un pajarillo parecido al gorrión' y *pichui* 'el pajarito'. En el *Vocabulario* de Fr. Domingo de Santo Tomás (1560) *pichiu* 'pardal o gorrión'; en el de González Holguín (1608) *para* 'gorrión', *ppichiu* 'pájaro'].

PARIHUANA COCHA: "quiere dezir laguna de páxaros flamencos, porque en un pedaço de despoblado que hay en aquella provincia hay una laguna grande: en la lengua del Inca llaman *cocha* a la mar y a cualquiera laguna o charco de agua, y *parihuana* llaman a los páxaros que en España llaman flamencos, y destos dos nombres componen uno diziendo Parihuana Cocha, con el cual nombran aquella provincia..., y los españoles, haziendo síncopa, le llaman Parina Cocha" (III, cap. IX). Véase *cocha*.

PATA 'andén, grada de escalera, poyo'. Véanse *Cantutpata, Collcampata, Cussipata, Haucaipata*.

PATACA. Véase *petaca*.

PELÚ 'río' entre los indios desde Panamá a Guayaquil, según el P. Valera (I, cap. VI). De ahí probablemente el nombre del Perú (véase I, caps. IV y V).

PETACA. "La [paja] que se cría en el Collao es más aventajada y muy buen pasto para el ganado, de la cual hazen los Collas canastas y cestillas y lo que llaman *patacas* (que son como arcas pequeñas) y sogas y maromas" (III, cap. XV). "Petaca, que es canasta cerrada" · (VII, cap. XVII). [*Petaca*, de origen náhuatl, ha pasado al español general de América y España. La forma *pataca* no parece errata; está documentada en otros textos].

PICHIU. Véase *paria pichiu*.

PILLU: "traía esta nación [Túmbez] por divisa, en la cabeça, un tocado como guirnalda, que llaman *pillu*" (IX, cap. II).

PIRÚ. Nombre de un río, por el cual los españoles llamaron Perú toda la tierra, según el P. Acosta (I, cap. V).

PIRUA. "A los orones llaman *pirua*: son hechos de barro pisado, con mucha paxa" (V, cap. V; también VII, cap. VII). "Havía también en estas casas reales muchos graneros y orones, que los indios llaman *pirua*, hechos de oro y plata..." (VI, cap. I)... "graneros y troxes que llaman *pirua*" (III, cap. XXIV). No cree que esta voz haya dado origen al nombre del Perú (I, cap. VI). [Se ha incorporado al español del Perú, Bolivia y la Argentina con la significación de 'troj para guardar maíz, algarroba, etc., en algunas partes construída sobre estacas' (se pronuncia por lo común *pirgua*). En Chile *pilhua* o *pirua* 'canasta rala o bolsón de red para llevar legumbres o frutas'].

POCCHA. Véase *tupu*.

POCRA. Se pronuncia *poc-ra* (VII, cap. IV). [Nombre de una provincia (V, cap. XXIV)].

POTOCCHI o POTOCSI. Nombre del cerro de Potosí: "no sé qué signifique en el lenguaje particular de aquella provincia, que en la general del Perú no significa nada" (VIII, cap. XXIV)... "cerca del cerro Potocchi hay otro cerro pequeño, de la misma forma que el grande, a quien los indios llaman Huaina Potocchi, que quiere dezir Potocchi el Moço, a diferencia del otro grande, al cual, después que hallaron el pequeño, llamaron Hatun Potocsi o Potocchi, que todo es uno, y dixeron que eran padre y hijo" (VIII, cap. XXV).

PUCA MARCA. Nombre de un barrio del Cuzco: "Llámase aquel barrio Puca Marca: quiere dezir barrio colorado" (VII, cap. IX). Véase *marca*. [En todas las otras ocasiones traduce *marca* como 'fortaleza'].

PUCARA: "quiere dezir fortaleza; dizen que aquella mandó labrar este Príncipe para que quedasse por frontera de lo que havía ganado" (II, cap. XVI). "Pucara, que es fortaleza, la cual mandó hazer para defensa y frontera de lo que havía ganado, y también porque se defendió este pueblo y fué menester ganarlo a fuerça de armas" (II, cap. XVIII). [En la historiografía y arqueología de Chile y Argentina se acentúa *Pucará*, nombre que subsiste —con esta acentuación— en la toponimia].

PUÍÑUY QUITA: "tu cantarillo" (II, cap. XXVII). [De *puiñu* 'cántaro'].

PUMA. "Leones se hallan, aunque pocos; no son tan grandes ni tan fieros como los de África; llámanles *puma*" (VIII, cap. XVIII). *Pumacurcu*. Nombre de un barrio del Cuzco: "quiere dezir viga de leones. *Puma* es león; *curcu*, viga; porque en unas grandes vigas que havía en el

barrio atavan los leones que presentavan al Inca, hasta domesticarlos y ponerlos donde havían de estar" (VII, cap. VIII). *Pumacurcu* y *Pumapchupan*: "los barrios donde tenían los leones, tigres y ossos, dándoles el nombre del león, que llaman *puma*" (V, cap. X). *Pumallacta*. Nombre de una provincia: "quiere dezir tierra de leones, porque se crían en ella más que en sus comarcanas y los adoravan por dioses" (VIII, cap. VI). *Pumapchupan*. Nombre de un barrio del Cuzco: "quiere dezir cola de león, porque aquel barrio fenesce en punta, por dos arroyos que al fin dél se juntan, haziendo punta de escuadra. También le dieron este nombre por dezir que era aquel barrio lo último de la ciudad: quisieron honrarle con llamarle cola y cabo de león. Sin esto, tenían leones en él, y otros animales fieros" (VII, cap. VIII). *Pumatampu*: "quiere dezir depósito de leones, compuesto de *puma*, que es león, y de *tampu*, que es depósito: devió ser por alguna leonera que en aquella provincia huviesse havido en algún tiempo o porque hay más leones en ella que en otra alguna" (III, cap. IX). [*Puma* se ha incorporado al español general].

PUNA. "Dos maneras de perdizes se hallan en aquella mi tierra. Las unas son como pollas poneras: críanse en los desiertos que los indios llaman *puna*" (VIII, cap. XX). [*Puna* se ha incorporado al español de la antigua región incaica para designar 'lugar o región alta, deshabitada' y también 'la enfermedad que se contrae en las regiones altas por enrarecimiento del aire'].

PUNCU 'puerta': véanse *Acahuana Puncu*, *Huacapuncu*, *Tiupuncu*, *Viracocha Puncu*.

PUNCHAU 'el día' (II, cap. XXIII).

PUÑUNQUI 'dormirás' (II, cap. XXVII). [De *puñuy* 'dormir'].

PURURAUCAS: El Inca Yupanqui "juntó de los montes gran suma de piedras, que él escogió y puso por guacas, y las adoravan y hazían sacrificios, y ésas llamavan los *pururaucas*, las cuales llevavan a la guerra con grande devoción" (V, cap. XVIII: cita del P. Acosta).

PURUTU: "tienen los indios del Perú tres o cuatro maneras de frisoles, del talle de las havas, aunque menores...; en sus guisados usan dellos: llámanles *purutu*" (VIII, cap. IX). [Se ha incorporado, con la pronunciación *poroto*, al español de toda la antigua región incaica como nombre del *Phaseolus vulgaris* L.; en algunas partes alterna con *fréjol*, de origen español].

QUENTI: "dize Su Paternidad [el P. Acosta] de otras avezillas que hay en el Perú, que los españoles llaman *tominejos* y los indios *quenti*, que son de color azul dorado" (VIII, cap. XIX). [En el Ecuador *quinde*, en el norte de la Argentina *quenti*. En la lengua culta y popular ha prevalecido el nombre *colibrí*, de origen antillano, o nombres españoles como *tominejo*, *picaflor*, *tente en el aire*, *pájaro mosca*, etc.].

QUEPAIPA. "El campo do fué la batalla que llaman Quipaipan está corrupto el nombre; ha de dezir Quepaipa; es genitivo; quiere dezir de mi trompeta, como que allí huviesse sido el mayor sonido de la de Atahuallpa, según el frasis de la lengua" (IX, cap. XXXVII). [De *quepa* 'trompeta'].

QUILLA 'la luna' (II, cap. XXI). "Contaron los meses por lunas, de una luna nueva a otra, y assí llaman al mes *quilla*, también como a la luna" (II, cap. XXIII). "Mandavan [en los eclipses] a los muchachos y niños que llorassen y diessen grandes vozes y gritos llamándola Mama Quilla, que es madre luna" (II, cap. XXIII).

QUILLACENCA. Nombre de una provincia: "quiere dezir nariz de hierro, porque se horadavan la ternilla que hay entre las ventanas de las narizes y traían colgado sobre los labrios un joyelito de cobre o de oro o de plata, como un çarcillo" (VIII, cap. VII). Véanse *quillay* y *cenca*.

QUILLACU. "Entre aquellas naciones hay una que llaman Quillacu; es gente vilíssima, tan mísera y apocada que temen les ha de faltar la tierra y el agua y aun el aire; de donde nació un refrán entre los indios, y los españoles lo admitieron en su lenguaje: dezir *es un quillacu*, para motejar a uno de avaro o de cualquiera otra baxeza" (VIII, cap. V).

QUÍLLAY. "Al hierro llaman *quillay*" (III, cap. XVI; también II, cap. XXVIII). Véase *Quillacenca*.

QUINUA. "El segundo lugar de las miesses que se crían sobre la haz de la tierra dan a la que llaman *quinua* y en español *mijo* o *arroz pequeño*; porque en el grano y en el color se le asemeja algo" (VIII, cap. IX; también III, cap. XXIV; V, caps. I y V; VII, cap. I). [Nombre del *Chenopodium quinoa*, cultivado en toda la antigua región incaica. El nombre se ha incorporado al español].

QUIPAIPAN. Véase *Quepaipa*.

QUIPU. "A estos hilos añudados llamavan ...*quipu* (que quiere dezir añudar y ñudo, que sirve de nombre y verbo), por los cuales se entendían en sus cuentas" (VI, cap. VII). "*Quipu* quiere dezir añudar y ñudo, y también se toma por la cuenta, porque los ñudos la davan de toda cosa" (VI, cap. VIII). "Tenían cuenta del número de todo este ganado bravo como si fuera manso, y en los *quipus*, que eran los libros anales, lo asentavan por sus especies" (VI, cap. VI). [Incorporado a la literatura etnográfica e histórica]. Véase *quipucamayu*.

QUIPUCAMAYU: "Estos ñudos o quipus los tenían indios de por sí a cargo, los cuales llamavan *quipucamayu*: quiere dezir el que tiene cargo de las cuentas" (VI, cap. VIII)... *quipucamayu*, "que es el que tiene cargo de los ñudos"

(VI, cap. IX). Véase VII, cap. VIII. Para descripción de los quipus véase libro VI, caps. VII, VIII y IX. Véase *quipu*.

QUÍSHUAR. "Podrían también los agricultores... enxerir olivos en los árboles que los indios llaman *quíshuar*, cuya madera y hoja es muy semejante al olivo, que yo me acuerdo que en mis niñezes me dezían los españoles (viendo un quíshuar): "El azeite y azeitunas que traen de España se cogen de unos árboles como éstos" (IX, cap. XXVIII). [En el Perú *queshuar*, en Bolivia *queshuara*, según Malaret, *Dicc. de americanismos*. Es la *Buddleia incana*. En *quíshuar* la *sh* no indica la pronunciación *sh* del inglés; la *h* corresponde a la sílaba *-huar* e indica la pronunciación *-war*].

R. "En aquel lenguaje, ni en principio de parte ni en medio della, hay *rr* duplicada" (IX, cap. XXIII). [El autor insiste continuamente en que hay que pronunciar con *r* sencilla la *r* inicial de las voces quechuas].

RAIMI. "Este nombre *Raimi* suena tanto como Pascua o fiesta solenne. Entre cuatro fiestas que solenizavan los Reyes Incas en la ciudad del Cozco,... la soleníssima era la que hazían al Sol por el mes de junio, que llamavan Intip Raimi, que quiere dezir la Pascua solenne del Sol, y absolutamente le llamavan Raimi, que significa lo mismo, y si a otras fiestas llamavan con este nombre era por participación desta fiesta a la cual pertenescía derechamente el nombre Raimi; celebrávanla passado el solsticio de junio" (VI, cap. XX; también V, caps. VII y XXV; VII, cap. V; IX, cap. X). Véase la descripción de la fiesta en VI, caps. XX, XXI, XXII y XXIII. Véanse *Cápac Raimi*, *Cusquieraimi* y *Raimipampa*.

RAIMIPAMPA. Nombre de un pueblo: "quiere dezir campo de la fiesta y pascua principal del Sol llamada Raimi" (VIII, cap. III: se llamaba así porque Túpac Yupanqui, después de tomar el pueblo, celebró allí la fiesta del Sol). Véase *Raimi*.

RAURAUA PANACA. Véase *Panaca*.

RÍMAC: "diremos aquí lo que en particular hay que dezir del valle de Pachacámac y de otro valle llamado Rímac, al cual los españoles, corrompiendo el nombre, llaman Lima... El nombre Rímac es participio de presente: quiere dezir el que habla. Llamaron assí al valle por un ídolo que en él huvo en figura de hombre, que hablava y respondía a lo que le preguntavan...; y porque hablava, le llamavan el que habla, y también al valle donde estava" (VI, cap. XXX). Véanse *Apurímac* y *Rimacpampa*.

RIMACPAMPA. Nombre de un barrio del Cuzco: "quiere dezir la plaça que habla, porque en ella se apregonavan algunas ordenanças, de las que para el govierno de la república tenían hechas" (VII, cap. VIII). Véase *Rímac*.

RÍCOC. Véase *túcuy rícoc.*

RITI 'nevar' (II, cap. XXVII). *Riti munqui* "nevarás assimesmo" (II, cap. XXVII). Véase *Ritisuyu.*

RITISUYU 'banda de nieves', nombre indio de la cordillera de los Andes (I, cap. VIII). Véase *riti.*

ROCA. Apellido de Sinchi Roca, hijo de Manco Cápac: "En la lengua general del Perú no tiene significación de cosa alguna; en la particular de los Incas la tendrá, aunque yo no la sé. El Padre Blas Valera dize que Roca significa Príncipe prudente y maduro, mas no dize en qué lengua" (II, cap. XVI; también IV, cap. XV).

RÓCOT UCHU 'pimiento grueso'. Véase *uchu.*

ROCRO. Se pronuncia *roc-ro* (VII, cap. IV); "por *roc-ro* [los españoles] dizen *locro*" (Ibíd.). [*Locro* se ha incorporado al español de toda la antigua región incaica, como nombre de un guisado de carne, papas, maíz, porotos, etc., una especie de olla podrida (los ingredientes y condimentos varían con cada región)].

RONTO: "se ha de escrevir *runtu*, pronunciando *r* senzilla...; es nombre común; significa huevo; no en particular de gallina, sino en general de cualquier ave brava o doméstica, y los indios en su lenguaje, cuando quieren dezir de qué ave es el huevo, nombran juntamente el ave y el huevo, también como el español, que dize huevo de gallina, de perdiz o paloma, etc." (IX, cap. XXIII). Véase *Mama Runtu.*

RUCMA. "Hay otra fruta grosera, que los indios llaman *rucma* y los españoles *lucma*, por que no quede sin la corrupción que a todos los nombres les dan. Es fruta basta, no nada delicada ni regalada, aunque toca antes en dulce que en agro ni amargo" (VIII, cap. XI). [Se ha incorporado al español de la antigua región incaica en la forma *lúcuma* (la fruta) y *lúcumo* (el árbol). Designa especies distintas, según la región (*Lucuma bifera, L. mammosa,* etc.)].

RUMIÑAUI. Uno de los capitanes de Atahualpa: "quiere dezir ojo de piedra, porque tuvo un berrueco de nuve en un ojo" (IX, cap. XXIII). [De *rumi* 'piedra' y *ñahui* 'ojo'].

RUNA. "Para diferenciarle de los brutos le llaman [al hombre] *runa*, que es hombre de entendimiento y razón" (II, cap. VII). Véase *Cápac Runa, Runahuánac, pampairuna, sacharuna.*

RUNAHUÁNAC: "salió el general [Cápac Yupanqui] de Chincha y fué al hermoso valle de Runahuánac, que quiere dezir escarmienta gentes; llamáronle assí por un río que passa por el valle, el cual, por ser muy raudo y caudaloso y haverse ahogado en él mucha gente, cobró este bravo nombre... El nombre del río es compuesto deste nombre *runa*, que quiere dezir gente, y deste verbo *huana*, que significa escarmentar, y con la *c* final haze participio de presente, y quiere dezir el que haze escarmentar, y ambas dicciones juntas dizen el que haze escarmentar las gentes. Los historiadores españoles llaman a este valle y a su río Lunaguana...; uno dellos dize que se deduxo este nombre de *guano*, que es estiércol" (VI, cap. XXIX).

RUNTU. Véanse *ronto* y *Mama Runtu.*

RUPA. "A la calentura llaman *rupa*, *r* senzilla, que es quemarse" (II, cap. XXIV; también IX, cap. XV).

RURA. Véanse *Pacha rúrac* y *Pachayachácher.*

S. Muchas de las voces que en el quechua actual se pronuncian con *s* las transcribe el autor con *ç* o *c* (*çara, huaci,* etc.), que en el siglo XVI se pronunciaba como *ts* (las que comienzan con *ç* las colocamos en este vocabulario en el lugar correspondiente a la *z*). La *s* del quechua les sonaba a veces a los españoles, en el siglo XVI, como *sh* inglesa o *ch* francesa, y la reproducían en muchos casos con *x*: *Xauxa,* hoy *Jauja* (véase *Sausa*); *Moxos,* hoy *los Mojos* (véase *Musu*); *oxota,* hoy *ojota* (véase *usuta*), etc. El quechua carecía de *s* sonora, y tampoco la tiene hoy. En cambio hoy tiene el sonido de la *sh* inglesa, al menos en algunas regiones. Véase *x*].

SACHARUNA: "en la lengua general del Perú, para dezir montañés dizen *sacharuna*, que en propria significación quiere dezir salvaje" (IX, cap. XXXI). [De *sacha* 'monte' y *runa* 'hombre'].

SAICUSCA. "Muchas dellas [las piedras de la fortaleza del Cuzco] llevaron de diez, doze, quinze leguas, particularmente la piedra, o por mejor dezir la peña, que los indios llaman Saicusca, que quiere dezir cansada (porque no llegó al edificio). Se sabe que la truxeron de quinze leguas de la ciudad" (VII, cap. XXVII; véase la descripción en el capítulo XXIX).

SAIRI. "De la yerva o planta que los españoles llaman *tabaco* y los indios *sairi,* usaron mucho para muchas cosas" (II, cap. XXV; también VIII, cap. XV). "de las virtudes desta planta han experimentado muchas en España, y assí le llaman por renombre la *yerva sancta*" (II, cap. XXV). [Se ha impuesto *tabaco,* del arahuaco de las Antillas].

SAMÚSAC 'vendré' (II, cap. XXVII). [Quizá errata por *hamúsac,* de *hámuy* 'venir'. González Holguín (1608) registra *hamuni* 'venir', pero Fr. Domingo de Santo Tomás (1560) *xamuni,* que viene a autorizar la forma usada por el Inca Garcilaso].

SAUCA 'regocijo, contento y alegría' (I, cap. XVIII). Véase *Áyar Sauca.*

SAUINTU: "haziendo principio [de la fruta] que los españoles llaman *guayavas* y los indios *sauintu,* dezimos que son redondas, del tamaño de mançanas medianas, y como ellas con hollejo y sin corteza" (VIII, cap. XI). [En español se ha generalizado *guayaba,* al parecer de origen antillano. Es el fruto del *Psidium guayava Raddi*].

SAUSA: "entró por la provincia llamada Sausa, que los españoles, corrompiendo dos letras, llaman Xauxa" (VI, cap. X; también IX, cap. XXXVI). [Hoy Jauja].

SINCHI. Nombre de Sinchi Roca, hijo de Manco Cápac: *"Sinchi* es adjetivo; quiere dezir valiente" (II, cap. XVI). [En otros textos *cinchi* 'fuerte, valiente'. Sarmiento de Gamboa usa *cinche* en la acepción de 'curaca, cacique'].

SORA. Véase *uiñapu*

SUCHI. Véase *challua.*

SUNCHU: "las yervas amargas, como son las hojas de las matas que llaman *sunchu* y de otras semejantes, las cuezen en dos, tres aguas y las secan al sol y guardan para el invierno" (VIII, cap. XV). [En Bolivia y norte de la Argentina y de Chile *suncho,* nombre de varias especies de *Baccharis;* coincide en algunas partes con *chilca.* Según el P. Cobo se llamaba también *yerba de la víbora* (citado por Lizondo Borda)].

SURI. "En el reino de Chili... hay abestruzes, que los indios llaman *suri*"... (VIII, cap. XX). [Es el nombre quechua del avestruz americano (*Rhea americana* L.), usado aún en el norte de la Argentina (en el litoral *ñandú,* de origen guaraní) y en Bolivia].

SURIHUALLA: "es prado de abestruzes" (V, cap. X). Véase *suri.* [Sin duda errata por *surihuailla,* de *huailla* 'pradera'. Fr. Domingo de Santo Tomás (1560) registra *huailla* 'baldío o dehesa común' (además *guailla* 'herbazal de mucha hierba' y *guailla* o *guaila* 'pasto o prado para hierba'; en el *Vocabulario* de González Holguín (1608) *huailla* 'el prado verde no agostado o el buen pasto')].

SUYU 'distrito'. Véanse *Hanan Suyu, Hurin Suyu, Tauantinsuyu, Collasuyu, Antisuyu, Chinchasuyu.* [En Catamarca (Argentina) subsiste *suyu* como término de agricultura en la significación de 'surco, raya': *un suyu de viña* (Lafone Quevedo, *Diccionario de catamarqueñismos*)].

SUYUNTU: "hay otras aves grandes, negras, que los indios llaman *suyuntu,* y los españoles *gallinaza...* El Padre Acosta dize que tiene por sí que son de género de cuervos" (VIII, cap. XIX). [El nombre indígena varía en las distintas regiones: *zopilote, nopo, aura, zamuzo, galembo, chicora, suyuntu, jote, iribú,* etc. Ha recibido además nombres españoles: *chulo* en Colombia, *viuda* en Nicaragua y el Salvador, *gallinaza* (hoy *gallinazo*) en el Perú, *cuervo* en la Argentina, etc.].

TABACO. Véase *sairi.*

TAMBO. Huaina Cápac mandó que en el camino de la sierra, "de jornada a jornada, se hiziessen unos palacios de muy grandes anchuras y aposentos, donde pudiesse caber su persona y casa con todo su exército. Y en el de los llanos otros semejantes... Estos aposentos se llaman *tambos,* donde los indios... tenían hecha provisión y depósito de todas las cosas que él se havía menester para proveimiento de su exército" (V, cap. VIII: cita de Agustín de Zárate). Véase *tampu.* [Pasó al español de gran parte de América del Sur con varias significaciones: en Colombia, Ecuador, Perú, Bolivia y Chile 'parador, venta, mesón'; en el argot de Perú, Chile y Argentina 'prostíbulo'; en la Argentina 'casa de vacas'].

TAMPU. Véanse *tambo* y *Pumatampu.*

TANCA. Véase *Tangatanga.*

TANGATANGA. "Yo no tuve noticia de tal ídolo, ni en el general lenguaje del Perú hay tal dicción. Quiçá es del particular lenguaje de aquella provincia [Chuquisaca]... Sospecho que el nombre está corrupto... y que ha de dezir Acatanca, quiere dezir escarabajo, nombre con mucha propriedad compuesto deste nombre *aca,* que es estiércol, y deste verbo *tanca* (pronunciada la última sílaba en lo interior de la garganta) que es empuxar. *Acatanca* quiere dezir el que empuxa el estiércol" (II, cap. V). [En el norte y noroeste de la Argentina *acatanca,* nombre de un escarabajo que anida en el estiércol (Ciro Bayo lo registra en la forma *acatanga*)].

TANTA. Véase *çara.*

TARUCA. "Venados o ciervos huvo en el Perú, aunque mucho menores que los de España; los indios les llaman *taruca*" (VIII, cap. XVII). [Es el *Cervus antiniensis Tsch.* En Catamarca (Argentina) subsiste el nombre *taruca,* según Lafone Quevedo. En el Perú y Ecuador *taruga,* nombre adoptado por la Academia].

TARUI: "tienen chochos como los de España, algo mayores y más blancos: llámanlos *tarui*" (VIII, cap. IX). [En el quechua moderno *tarhui* 'el altramuz'].

TAUANTINSUYU. "Los Reyes Incas dividieron su Imperio en cuatro partes, que llamaron Tauantinsuyu, que quiere dezir las cuatro partes del mundo, conforme a las cuatro partes principales del cielo: oriente, poniente, setentrión y mediodía" (II, cap. XI; también V, cap. VIII); Tauantinsuyu, nombre indígena del Imperio de los Incas (I, caps. V, VI y XVIII). "las cuatro partes del reino, que llamaron Tauantinsuyu" (VI, cap. XXXV). "las cuatro partes del mundo, que llamaron Tauantinsuyu" (VII, cap. VI). "Los Incas dividieron aquellos barrios [del Cuzco] conforme a las cuatro partes de su Imperio, que llamaron Tahuantinsuyu" (VII, cap. IX). [De *tahua* 'cuatro' y *suyu* 'provincia, región'; *-ntin* es sufijo numeral que indica pluralidad o colectividad (*chuncantin* 'los diez juntos", de *chunca* 'diez'; *chuncantinruna* 'los diez hombres juntos', etc.). Véase *suyu*].

TAZQUE. Véase *ñusta.*

329

TÉUTL. "A sus ídolos y dioses [los indios de Méjico] llaman en común Téutl" (II, cap. VI: cita de Blas Valera).

TIANA. "El Inca se sentava, de ordinario, en un asiento de oro maciço que llaman *tiana*: era de una tercia en alto, sin braceras ni espaldar, con algún cóncavo para el asiento; poníanla sobre un gran tablón cuadrado de oro" (VI, cap. I). [Del quechua *tíyay* 'sentarse'].

TICI VIRACOCHA. Nombre que algunos historiadores españoles dan a Dios en quechua, por desconocer la composición y significación de las palabras: "yo no sé qué signifique ni ellos tampoco" (II, cap. II). "Ticci Viracocha, por otro nombre llamado Pachacámac" (V, cap. XIII: cita de Blas Valera). "Algunos historiadores... dizen que dió el pronóstico un dios que los indios tenían, llamado Ticci Viracocha" (V, cap. XXVIII). [Del quechua *ticci* (hoy *tijsi*) 'el fundamento, la causa, el origen'].

TITI 'plomo'. Véase *Titicaca*.

TITICACA: "quiere dezir sierra de plomo: es compuesto de *titi*, que es plomo, y de *caca*, que es sierra; hanse de pronunciar ambas sílabas *caca* en lo interior de la garganta, porque pronunciadas como suenan las letras españolas quiere dezir tío hermano de madre" (III, cap. XXV).

TITU. Véase *Cápac Titu*.

TIU 'arena, arenal'. Véase *Tiupuncu*.

TIUPUNCU. Nombre de la primera puerta de una cerca de la fortaleza del Cuzco: "A la primera llamaron Tiupuncu, que quiere dezir puerta del arenal, porque aquel llano es algo arenoso: llaman *tiu* al arenal y a la arena, y *puncu* quiere dezir puerta" (VII, cap. XXVIII). Las otras puertas se llamaban: Acahuana Puncu, Viracocha Puncu.

TOCO 'ventana'. Véase *Tococachi*. [En quechua *toco* 'hoyo, agujero'].

TOCOCACHI. Nombre de un barrio del Cuzco: "no sé qué signifique la compostura deste nombre, porque *toco* quiere dezir ventana; *cachi* es la sal que se come. En buena compostura de aquel lenguaje, dirá sal de ventana, que no sé qué quisiessen dezir por él, si no es que sea nombre proprio y tenga otra significación que yo no sepa" (VII, cap. VIII).

TORA. Véase *huauque*. *Toralláiquim* 'aquese tu hermano' (II, cap. XXVII).

TUCMA: "vinieron embaxadores del reino llamado Tucma, que los españoles llaman Tucumán" (V, cap. XXV; también IX, cap. VII).

TÚCUY RÍCOC. "Para que los governadores y juezes no se descuidassen en sus oficios, ni cualesquiera otros ministros menores, ni los de la hazienda del Sol o del Inca en los suyos, havía veedores y pesquisidores que de secreto andavan en sus distritos viendo o pesquisando lo que mal hazían los tales oficiales, y davan cuenta dello a los superiores a quien tocava el castigo de sus inferiores, para que lo castigassen. Llamávanse *túcuy rícoc*, que quiere dezir el que lo mira todo" (II, cap. XIV). [Del quechua *túcuy* 'todo' y *rícoc* 'el que ve', del verbo *rícuy* 'ver, vigilar'].

TULLU 'hueso'. Véase *Mizquitullu*.

TUMIPAMPA, "que los españoles llaman Tome Bamba, sin necessidad de trocar las letras" (VIII, cap. V). Nombre de la descendencia de Huaina Cápac, "por una fiesta soleníssima que Huaina Cápac hizo al sol en aquel campo" (IX, cap. XL).

TÚPAC: "quiere dezir el que resplandeze" (VI, cap. XXXIV). Nombre de Túpac Inca Yupanqui, "cuyo apellido Túpac quiere dezir el que relumbra o resplandece" (VIII, cap. I). *Túpac Yaya*: "quiere dezir el padre que resplandece" (VIII, cap. VIII).

TUPU: "es una hanega de tierra... También llaman *tupu* a una legua de camino, y lo hazen verbo y significa medir, y llaman *tupu* a cualquiera medida de agua o de vino o de cualquiera otro licor, y a los alfileres grandes con que las mujeres prenden sus ropas cuando se visten. La medida de las semillas tiene otro nombre, que es *poccha*: quiere dezir hanega" (V, cap. III); "medían las tierras con sus cordeles por hanegas, que llaman *tupu*" (V, cap. X). [Del quechua *túpuy* 'medir'. Se ha incorporado, en la forma *topo*, al español de algunas regiones: en Arequipa (Perú) *un topo de tierra*, tan usado como *una fanegada* en la costa, equivale más o menos a la extensión de una manzana (Juan de Arona, *Diccionario de peruanismos*); en Tarapacá (Chile), 'porción de terreno de cien metros por cincuenta' (Román, *Diccionario de chilenismos*). Según la Academia es 'medida itineraria de legua y media de extensión, usada entre los indios de América del Sur. El que exista en cumanagoto, aimara y otras lenguas indígenas, puede ser signo de la expansión quechua. También *topo* 'alfiler grande' se usa hoy en casi toda la antigua región incaica].

TUTA: "Al día llamaron *punchau* y a la noche *tuta*" (II, cap. XXIII). *Chaupituta* 'media noche' (II, cap. XXVII).

TUTURA. "A las nasciones Muina, Huáruc, Chillqui, mandó [Manco Cápac] que truxessen orejeras hechas del junco común que los indios llaman *tutura*" (I, cap. XXIII). "Las orejeras [de las naciones Urcos, Y'úcay y Tampu] mandó que fuessen del junco *tutura*, porque asemejavan más a las del Inca" (Ibíd.). [Se ha incorporado al español de casi toda América del Sur en la forma *totora* para designar una especie de anea o espadaña de la que se hacen esteras, asientos, techos, etc. Se usa también *totoral* 'paraje poblado de totoras'].

UCUCHA. "Ratones de los chicos huvo muchos;

llámanles *ucucha*" (IX, cap. XXII). [Se ha incorporado al español del norte y noroeste de la Argentina para designar cualquier ratón pequeño].

UCUMARI 'oso' (VIII, cap. XVIII). [Se conserva en el quechua moderno para designar una especie grande de oso (Middendorf); la voz corriente para 'oso' es hoy *ucucu*. *Ucumari* también en Fr. Domingo de Santo Tomás (1560) y González Holguín (1608)].

UCU PACHA. "Llamavan Ucu Pacha al centro de la tierra, que quiere dezir mundo inferior de allí abaxo, donde dezían que ivan a parar los malos, y para declararlo más le davan otro nombre, que es Çupaipa Huacin, que quiere dezir casa del demonio" (II, cap. VII). Véase *Pacha*.

UCHU. "Con estas frutas, y aun por la principal dellas, conforme al gusto de los indios, pudiéramos poner el condimento que echan en todo lo que comen —sea guisado, sea cozido o asado, no lo han de comer sin él—, que llaman *uchu* y los españoles *pimiento de las Indias*, aunque allá le llaman *axí*, que es nombre del lenguaje de las islas de Barlovento; los de mi tierra son tan amigos del *uchu* que no comerán sin él, aunque no sea sino unas yervas crudas... Es el pimiento de tres o cuatro maneras. El común es gruesso, algo prolongado y sin punta: llámanle *rócot uchu*; quiere dezir pimiento gruesso...; cómenlo sazonado o verde, antes que acabe de tomar su color perfecto, que es colorado...; otro pimiento hay menudo y redondo, ni más ni menos que una guinda, con su peçón o palillo; llámanle *chinchi uchu*; quema mucho más que los otros, sin comparación" (VIII, cap. XII). También I, cap. XVIII; V, cap V; VI, cap. XXIV; VII, caps. I y VI. Véase *Áyar Uchu*. [En el español de parte del Perú y de la Argentina (Catamarca) *uchu* (la Academia acentúa erróneamente *uchú*); en casi toda América se ha generalizado *ají*, del arahuaco de las Antillas. El pimiento verde y grueso se llama en quechua moderno *rocoto*; González Holguín (1608) registraba también *rocoto* 'ají grande y hueco que no quema mucho'; la voz ha pasado al español del Ecuador; en Colombia *rocote*].

UICAQUIRAU: Nombre de la descendencia de Inca Roca (IX, cap. XL; no sabe la significación; es nombre de la lengua particular de los Incas).

UÍLLAC. Véase *Vilaoma*.

UILLCA: "se halló el azogue por ingenio y sutileza de un lusitano..., que lo descubrió en la provincia Huanca, que no sé por qué le añadieron el sobrenombre Uillca, que significa grandeza y eminencia, si no es por dezir el abundancia del azogue que allí se saca" (VIII, cap. XXV). *Uillcanuta*: "quiere dezir cosa sagrada o maravillosa, más que las comunes, porque este nombre Uillca nunca lo dieron sino a cosas dignas de admiración; y cierto, aquella pirámide lo es, sobre todo encarecimiento" (VII, cap. XI). [Según

Middendorf, *huillca* es una antigua voz del aimara que significaba 'sol', y al pasar al quechua significó 'ídolo', equivalente del quechua *huaca*].

UIÑAPU. "Algunos indios... echan la çara en remojo, y la tienen assí hasta que echa sus raízes; entonces la muelen toda como está y la cuezen en la misma agua con otras cosas, y, colada, la guardan hasta que se sazona; házese un brevaje fortíssimo, que embriaga repentinamente: llámanle *uiñapu*, y en otro lenguaje *sora*" (VIII, cap. IX). [En parte del Perú (Arequipa, etc.) y norte de Chile *huiñapo* 'el maíz remojado, secado al sol y triturado, que sirve para hacer chicha' (Lenz, *Diccionario*). La misma significación tiene en quechua moderno, según Middendorf. En el español del Perú, Ecuador, Bolivia, etc., se usa hoy *jora* (*chicha de jora*): del aimara *sora*].

UIÑAY HUAINA. "También le ponían en la cabeça [al novel] una hoja de yerva que llaman ——, que quiere dezir siempre moço" (VI, cap. XXVII). [De *huaina* 'joven' y *huiñay* 'siempre'].

UIRA. Véase *Viracocha*

UMA 'cabeza'. Véanse *Matiuma* y *palta uma*.

UMU. Véase *Vilaoma*.

UNCU. "El vestido [del Inca] era una camiseta que descendía hasta las rodillas, que llaman *uncu*. Los españoles le llaman *cusma*: no es del general lenguaje, sino vocablo intruso de alguna provincia particular" (IV, cap. II). [*Cusma* se usa hoy en el español del Perú como nombre de una camisa sin mangas que llevan los indios; en el Ecuador *cushma*, forma usada por Montalvo ("la *cushma* de lana de paco"). En cambio *uncu* es hoy, en el Perú, 'una especie de poncho' (Ibíd.); en Catamarca (Argentina), una especie de pollera o enagua usada antes por los indios (Lafone Quevedo)].

UNU 'agua' (II, cap. XXVII); *unuiquita* 'tus muy lindas aguas' (II, cap. XXVII).

URITU: "los indios en común les llaman [a los papagayos] *uritu*; quiere dezir papagayo, y por el grandíssimo ruido enfadoso que hazen con sus gritos cuando van bolando, porque andan en grandes vandas, tomaron por refrán llamar *uritu* a un parlador fastidioso que... sepa poco y hable mucho; a los cuales, con mucha propriedad, les dizen los indios: "¡Calla, papagayo!" (VIII, cap. XXI). Véase *guacamaya*. [La forma *loro* —hoy generalizada en español— procede del quechua *uritu* a través del siguiente proceso: *el uritu* > *l'uritu* > *lorito* > *loro*. Es decir, primero amalgama con el artículo y luego obtención de un falso positivo por el sentimiento de que *lorito* era un diminutivo].

URPI. "Hay palomas torcazas como las de acá, en tamaño, pluma y carne; llámanles *urpi*: quiere dezir paloma; a las palomas caseras que han llevado de España dizen los indios *Castilla urpi*,

que es paloma de Castilla" (VIII, cap. XX).
[En el norte de la Argentina *urpila* 'paloma pequeña', del quechua *urpi* +-*la* (del quechua -*lla*, sufijo afectivo), que aparece frecuentemente en el cancionero regional].

URUYA. "En los ríos grandes,... echan por lo alto, de una sierra a otra, una maroma muy gruessa de aquel su cáñamo que llaman *cháhuar*: átanla a gruessos árboles o a fuertes peñascos. En la maroma anda una canasta de mimbre con una asa de madera...; es capaz de tres o cuatro personas. Trae dos sogas atadas, una a un cabo y otra a otro, por las cuales tiran de la canasta para passarla de la una ribera a la otra... Para esto hay indios que las provincias comarcanas embían..., que asistan en aquellos passos para los caminantes..., y los passajeros dende la canasta ayudavan a tirar de las sogas, y muchos passavan a solas sin ayuda alguna... También passavan su ganado en aquellas canastas, siendo en poca cantidad, empero con mucho trabajo... Esta manera de passaje no la hay en los caminos reales, sino en los particulares que los indios tienen de unos pueblos a otros; llámanle *uruya*" (III, cap. XVI). [En otros textos *oroya*, forma incorporada al español del Perú y Bolivia como nombre del andarivel, el funicular o la tarabita: 'especie de maroma o cable tendido a través de un río o entre dos sierras por el cual se desliza una cesta que transporta personas o cosas'. A veces se aplica ese nombre a la cesta en que se hace el pasaje].

USCA MAITA. Véase *Maita*.

USSUN. "Tuvieron una suerte de ciruelas, que los indios llaman *ussun*; son coloradas y dulces; comidas hoy, hazen echar otro día la urina tan colorada que paresce que tiene mezcla de sangre" (VIII, cap. XI); "sola una manera de ciruelas havía, diferentes de las de acá, aunque los españoles la llaman *ciruelas* y los indios *ussun*" (IX, cap. XXVIII).

USUTA. "Enseñóles [Manco Cápac] a hazer el calçado que hoy traen, llamado *usuta*" (I, cap. XXI). "Havían de saber hazer el calçado que ellos traen, que llaman *usuta*, que es de una suela de cuero o de esparto o de cáñamo, como las suelas de los alpargates" (VI, cap. XXV; también VI, caps. XXVI y XXVII). "Diéronles [a sus súbditos] orden para que vistiessen y traxessen *oxotas* en lugar de çapatos, que son como albarcas" (II, cap. X: cita de Cieza de León). [En el español del norte de la Argentina se conserva la pronunciación *usuta, ushuta, osota*; en el Ecuador *oshota*. La pronunciación más general en toda la antigua región incaica es *ojota* y designa un calzado rústico, especie de sandalia de cuero o de fibra vegetal].

UTURUNCU. "Creo que el tigre se llama *uturuncu*, aunque el Padre Maestro Acosta da este nombre al osso, diziendo *otoroncos*, conforme a la corrutela española; no sé cuál de los dos se engaña; creo que Su Paternidad" (VIII, cap. XVIII). [*Uturuncu*, que también se encuentra en González Holguín (1608), es el nombre del tigre americano en quechua moderno y en el español del norte de la Argentina. En Fr. Domingo de Santo Tomás (1560) *otorongo*. En otras regiones *jaguar*, nombre más generalizado].

U'YACA. "Si la víspera de la fiesta [del Sol] ...no havía sol para sacar el fuego nuevo, lo sacavan con dos palillos rollizos,... barrenando uno con otro...; llaman *u'yaca* así a los palillos como al sacar del fuego, que una misma dicción sirve de nombre y verbo. Los indios se sirven dellos en lugar de eslavón y pedernal" (VI, cap. XXII). [Según Lafone Quevedo, en Catamarca (Argentina) se conserva *uyaca* 'palos de sacar fuego'].

V. El quechua carecía de *v* (ni fricativa bilabial ni labiodental), de modo que en los textos españoles de los siglos XVI y XVII la *v* representa la vocal *u* o la *w*. Al hispanizarse, algunas de esas voces se han pronunciado con *v*, como es el caso de *Viracocha* (en quechua *Huiracocha*), en algunos casos por influencia ortográfica.

VICUÑA. "A semejança del ganado menor, que llaman *paco*, hay otro ganado bravo que llaman *vicuña*; es animal delicado, de pocas carnes; tienen mucha lana y muy fina" (VIII, cap. XVII: descripción y usos). "La lana de los huanacus, porque es lana basta, se repartía a la gente común; y la de la *vicuña*, por ser tan estimada por su fineza, era toda para el Inca" (VI, cap. VI). [Del quechua *huicuña*; se ha incorporado al español general].

VILAOMA. "Al sumo sacerdote llaman los españoles Vilaoma, haviendo de dezir Uíllac Umu, nombre compuesto deste verbo *uilla*, que significa dezir, y deste nombre *umu*, que es adivino o hechizero. *Uíllac*, con la *c*, es participio de presente; añadido el nombre *umu* quiere dezir el adivino o el hechizero que dize"... (III, cap. XXII).

VIRACOCHA. "Los historiadores españoles... dizen que el nombre Viracocha significa grosura de la mar, haziendo composición de *uira*, que dizen que es grosura, y *cocha*, que es mar. En la composición se engañan, también como en la significación... El Padre Blas Valera, interpretando la significación deste nombre, lo declara por esta dicción numen" (V, cap. XXI). Sobre el origen y significación del nombre, y por qué se lo dieron a los españoles, véanse caps. XXI y XXVIII.

VIRACOCHA PACHAYACHÁCHIC: "significa criador universal" (V, cap. XVIII: cita del P. Acosta). Véase *Pachayacháchec*.

VIRACOCHA PUNCU: "La tercera [puerta de las cercas de la fortaleza del Cuzco] se llamó ——, consagrada a su Dios Viracocha" (VII, cap. XXVIII).

VIZCACHA. "Otra diferencia de conejos hay, que llaman *vizcacha*" (VIII, cap. XVII). [El nombre ha pasado al español; del quechua *huis-cacha*].

X. Falta en la lengua general (Advertencias y VII, cap. IV). [El autor se refiere a la antigua pronunciación castellana de la *x*, parecida a la *ch* francesa o la *sh* inglesa, que subsistió hasta el siglo XVI. Ese sonido existía sin embargo en algunas regiones del quechua, y se conserva hasta hoy; el *Vocabulario* de Fr. Domingo de Santo Tomás (año 1560) registra muchas voces con *x*. El quechua tenía y tiene la moderna pronunciación de la *x* (=*ks*): *Saxahuana*, etc. Véase *s*].

YACOLLA. "Traía [el Inca] una manta cuadrada de dos piernas en lugar de capa, que llaman *yacolla*" (IV, cap. II).

YACHA HUACI. "En indio dizen ——, que es casa de enseñança" (VII, cap. X). Véanse *huaci* y *Pachayachácher*. [Del quechua *yáchay* 'saber'].

YÁHUAR 'sangre'. Véanse *Yahuarcocha*, *Yáhuar Huácac*, *Yahuarpampa*.

YAHUARCOCHA: "mandó que los degollassen todos dentro de una gran laguna que está entre los términos de los unos y de los otros; para que el nombre que entonces le pusieron guardasse la memoria del delicto y del castigo, llamáronla Yahuarcocha: quiere dezir lago o mar de sangre" (IX, cap. XI). Véase *Yáhuar*.

YÁHUAR HUÁCAC: 'el que llora sangre' (IV, cap. XVI). Nombre de un Rey Inca: "el Inca Llora Sangre, séptimo Rey" (IV, cap. XX). Véase *huaca* (2º artículo).

YAHUARPAMPA. Atahualpa mandó que juntassen a todas las mujeres y niños de la sangre real: "Pusiéronlos en el campo llamado Yahuarpampa, que es campo de sangre. El cual nombre se le puso por la sangrienta batalla que en él huvo de los Chancas y Cozcos... Está al norte de la ciudad, casi una legua della... Dezían los indios que por la sangre real que en aquel campo se derramó, se le confirmó el nombre Yahuarpampa, que es campo de sangre" (IX, cap. XXXVII; también V, cap. XIX).

YANACUNA: "las minas del cerro de Potocsi las descubrieron ciertos indios criados de españoles, que en su lenguaje llaman *yanacuna*, que en toda su significación quiere dezir hombre que tiene obligación de hazer oficio de criado" (VIII, cap. XXIV). [Del quechua *yana* 'criado, siervo' +*-cuna*, desinencia de plural. La historiografía española ha adoptado la forma *yanacona*. Bajo el régimen incaico los *yanaconas* constituían la última casta de la población, especie de esclavos por nacimiento, procedencia o como castigo por algún delito (se distinguían de los libres en la manera de vestir). Bajo el régimen colonial se llamó así a los indios de servicio. Hoy en el Perú y Bolivia *yanacona* designa al indio arrendatario o aparcero. Modernamente se formó un masculino analógico *yanacón*].

YAYA. Véase *Túpac Yaya*.

YUCATÁN: "hallaron ciertos hombres que, preguntados cómo se llamava un gran pueblo allí cerca, dixeron *tectetán*, *tectetán*, que vale por no te entiendo. Pensaron los españoles que se llamava assí, y corrompiendo el vocablo llamaron siempre Yucatán" (I, cap. V).

YUNCA. "A toda la tierra que es costa de mar y a cualquiera otra que sea tierra caliente llaman los indios Yunca, que quiere dezir tierra caliente: debaxo deste nombre Yunca se contienen muchos valles que hay por toda aquella costa" (III, cap. XIII). También se llaman *yuncas* los habitantes de esos valles (VI, cap. XVIII, etc.).

YUPANQUI. Véase *Lloque Yupanqui*: "diximos lo que significava la dicción Yupanqui, la cual dicción también se hizo apellido después de aquel Rey, y juntando ambos apellidos, que son Inca Yupanqui, se lo dizen a todos los Reyes Incas, como no tengan por nombre proprio el Yupanqui, y estánles bien estos renombres, porque es como dezir César Augusto a todos los Emperadores" (VI, cap. XXXIV).

YUTU. "Dos maneras de perdizes se hallan en aquella mi tierra...; llámanles *yutu*: pusiéronles el nombre del sonido del canto que tienen, que dizen *yútyut*" (VIII, cap. XX). [Los españoles la llamaron *perdiz de las Indias*. El nombre quechua se conserva en el norte y noroeste de la Argentina: en Catamarca *yutu*, en Tucumán *yuta; yuto, -a* se aplica como adjetivo en esa región a toda ave sin cola, y de ahí *hacer la yuta* = *hacer la rabona*].

Ç. En el siglo XVI tenía la pronunciación *ts*. En gran parte del quechua se pronuncia hoy como *s*. Algunas voces con Ç aparecen en el texto de 1609 con C, por errata. El Inca no usa nunca *z* inicial de palabra.

ÇANCU. "Preparados todos en general... con un día del ayuno riguroso, amassavan la noche siguiente el pan llamado *çancu*; cozíanlo hecho pelotas en ollas, en seco, porque no supieron qué cosa era hazer hornos; dexávanlo a medio cozer, hecho massa. Hazían dos maneras de pan"... (VII, cap. VI). Las vírgenes escogidas "tenían cuidado de hazer a sus tiempos el pan llamado *çancu* para los sacrificios que ofrescían al Sol"... (IV, cap. III). "Las mujeres del Sol entendían aquella noche en hazer grandíssima cantidad de una massa de maíz que llaman *çancu*; hazían panezillos redondos, del tamaño de una mançana común, y es de advertir que estos indios no comían nunca su trigo amassado y hecho pan sino en esta fiesta y en otra que llamavan Citua..., que su comida ordinaria, en lugar de pan, es la *çara* tostada o cozida, en grano" (VI, cap. XX). Véase VII, cap. VI: preparación del *çancu*. [Hoy *sanco* en el español del Perú, Bolivia, norte de la Argentina y Chile, una especie de mazamorra seca o comida espesa de harina de maíz, de trigo, etc., con grasa, sal e ingredientes diversos. En el Ecuador *zango*].

ÇAPA INCA [el texto de 1609, *Çapa*, por erra-

333

ta]. "Llamavan a sus Reyes Çapa Inca, que es Solo Rey o Solo Emperador o Solo Señor, porque Çapa quiere dezir solo, y este nombre no lo davan a otro alguno de la parentela, ni aun al príncipe heredero hasta que havía heredado, porque siendo el Rey solo, no podían dar su apellido a otro que fuera ya hazer muchos Reyes" (I, cap. XXVI; también IX, capítulo XXXII). Se corresponde con Coya (I, cap. XXVI). [En otros textos Zapa Inca. En el quechua moderno sapa 'solo, único'].

ÇAPALLU. "También hay las calabaças o melones que acá llaman calabaças romanas y en el Perú çapallu; ...cómenlas cozidas o guisadas" (VIII, cap. X). [Desde el Ecuador hasta la Argentina y Chile zapallo, nombre de diversas especies de calabazas comestibles].

ÇARA. "De los frutos que se crían encima de la tierra tiene el primer lugar el grano que los mexicanos y los barloventanos llaman maíz y los del Perú çara, porque es el pan que ellos tenían. Es de dos maneras: el uno es duro, que llaman muruchu, y el otro tierno y de mucho regalo, que llaman capia; cómenlo en lugar de pan, tostado o cocido en agua simple... Para sus sacrificios solenes... hazían pan de maíz, que llaman çancu, y para su comer... de cuando en cuando, por vía de regalo, hazían el mismo pan, que llaman huminta...; el uno era para sacrificios y el otro para su comer simple" (VIII, cap. IX). El pan de maíz tiene tres nombres: "çancu era el de los sacrificios; huminta el de sus fiestas y regalo; tanta, pronunciada la primera sílaba en el paladar, es el pan común; la çara tostada llaman camcha: quiere dezir maíz tostado; incluye en sí el nombre adjectivo y el sustantivo; hase de pronunciar con m, porque con la n significa barrio de vezindad o un gran cercado. A la çara cozida llaman muti (y los españoles mote): quiere dezir maíz cozido" (VIII, cap. IX). También I, cap. X; II, cap. XXV; VI, caps. XX y XXIV. [Maíz, del arahuaco de las Antillas, se ha generalizado en todas las regiones del español; el nombre quechua sara se conserva en algunas partes del Perú, y en la provincia argentina de Catamarca, según Lafone Quevedo; en la provincia argentina de San Luis sólo en el compuesto saramiscu, una variedad dulce de maíz (de sara 'maíz' + miscu 'dulce'). En el Ecuador, Perú, y norte de la Argentina y Chile maíz morocho o simplemente morocho 'maíz de grano duro' (Middendorf registra en quechua moderno muruchu 'duro, fuerte'). Maíz capia o simplemente capia se llama hoy en Chile, región norte y andina de la Argentina y en parte de Colombia (Popayán) el maíz blando (a veces también la harina de ese maíz o una pasta preparada con ella); en San Luis (Argen-tina) también capio; del quechua capia 'blando' (según Middendorf se dice de las cosas que son duras por naturaleza). Humita es hoy, desde Ecuador hasta Chile y la Argentina, una pasta hecha con choclo rallado, grasa, ají (o azúcar), etc., envuelta en hoja de maíz para cocerla al vapor y con la cual se vende o se sirve; la forma huminta, más rural, subsiste en parte de Chile, en el noroeste y norte de la Argentina (Catamarca, Tucumán), y se ha transformado en humita, sin duda por asimilación a la terminación diminutiva -ita; en algunas partes alterna con tamal, de origen mejicano. Tanta es hoy en el español del Perú el pan de maíz; en quechua moderno es el nombre general del pan. Cancha 'maíz tostado' en el español del Perú, y se pronuncia igual que cancha 'campo de deportes, etc.'. Mote en el español del Ecuador, Perú, Bolivia, Chile y Argentina es el maíz desgranado y cocido que se emplea como alimento (también, a veces, guisados preparados con mote, y aun con trigo, etc.)].

ÇAVANAS (el texto de 1609, cauanas). En las islas de Barlovento los españoles criavan caballos: "Para prender los potros hazían corrales de madera en los montes en algunos callejones, por donde entravan y salían a pacer en los navazos limpios del monte, que los hay en aquellas islas de dos, tres leguas, más y menos, de largo y ancho, que llaman çavanas, donde el ganado sale a sus horas del monte a recrearse" (IX, cap. XVI). [Incorporado al español en la forma sabana 'llanura dilatada, en general sin vegetación'; procede del arahuaco de las Antillas. Equivale a pampa, usado hoy en la antigua región incaica].

ÇOCÇO PANACA. Véase Panaca.

ÇÚMAC ÑUSTA [el texto de 1609, por errata, Cúmac Nusta] 'hermosa donzella' (II, cap. XXVII). Véase ñusta.

ÇÚPAY: "quiere dezir diablo, y para nombrarle escupían primero en señal de maldición y abominación" (II, cap. II) ..."cuando llegó cerca, escupió hazia el papagayo y le llamó çúpay, que es diablo" (VIII, cap. XXI). Çupaipa Huacin 'Casa del Demonio' [el texto de 1609, Cupaipa]: véase Ucu Pacha. [Súpay 'demonio' se usa a veces en el español del norte y noroeste de la Argentina, sobre todo en canciones y leyendas. La gente culta pronuncia supái].

ÇURÚCHEC: "metal baxo, que casi todo o del todo era de plomo, el cual, mezclado con el metal de plata, le hazía correr, por lo cual le llamaron çurúchec, que quiere dezir el que haze deslizar" (VIII, cap. XXV). [Del quechua súruy 'deslizarse, arrastrarse'].

ÁNGEL ROSENBLAT

ÍNDICE DEL TOMO SEGUNDO

✳✳✳

LOS CAPÍTULOS DEL LIBRO SÉPTIMO:

✳✳✳

LOS CAPÍTULOS DEL LIBRO OCTAVO:

✳✳✳

LOS CAPÍTULOS DEL LIBRO NONO SON LOS QUE SE SIGUEN:

✳✳✳

CUBIERTA E INDICACIONES
GRÁFICAS DE J. HERMELIN

COMENTARIOS REALES DE LOS INCAS,
POR EL INCA GARCILASO DE LA VEGA.
SE ACABÓ DE IMPRIMIR EN DOS VOLÚ-
MENES, PARA EMECÉ EDITORES, S. A.,
EL DÍA 15 DE MAYO DE 1943, EN LA IM-
PRENTA LÓPEZ, PERÚ 666, BUENOS AIRES.
LAS REPRODUCCIONES EN INTAGLIO FUE-
RON HECHAS POR LUIS L. GOTELLI,
AZOPARDO 1071, BUENOS AIRES. EL
TEXTO DE ESTA EDICIÓN REPRODUCE EL
DE LA EDICIÓN PRÍNCIPE, LISBOA 1609,
Y SE UTILIZARON LOS
ELEMENTOS XILOGRÁFICOS
DE LA EDICIÓN DE MADRID, 1723.
SE HICIERON 17 EJEMPLARES EN PAPEL
WHATMAN NUMERADOS I A XVII Y
48 EJEMPLARES EN PAPEL LIVERPOOL
NUMERADOS 1 A 48.